QU'EST-CE QUI FAIT COURIR JANE ?

Titre original :

SEE RUN JANE

William Morrow & Co. Inc., New York

JOY FIELDING

Qu'est-ce qui fait courir Jane ?

TRADUIT DE L'AMÉRICAIN PAR
ELISABETH GALLOY

J.-C. LATTÈS

1

Un après-midi de la fin du printemps, Jane Whittaker sortit pour acheter des œufs et du lait et oublia qui elle était.

Il lui apparut tout à coup, sans avertissement préalable, alors qu'elle se trouvait au coin de Cambridge et Bowdoin Street, dans un quartier qu'elle reconnut immédiatement comme étant le centre de Boston, que, tout en sachant exactement *où* elle était, elle n'avait pas la moindre idée de *qui* elle était. Elle était en route pour l'épicerie où elle devait acheter des œufs et du lait, ça elle en était certaine. Elle en avait besoin pour le gâteau au chocolat qu'elle avait prévu de faire, sans pour autant pouvoir dire *pourquoi* et *pour qui* elle devait le faire. Elle savait exactement quelle quantité de préparation instantanée au chocolat il lui fallait pour sa recette, mais elle ne parvenait pas à se rappeler son propre nom. De plus, elle ne pouvait se souvenir si elle était célibataire ou mariée, veuve ou divorcée, sans enfants ou mère de jumeaux. Elle ne connaissait ni sa taille, ni son poids, ni la couleur de ses yeux. Elle ne savait ni sa date de naissance ni son âge. Elle pouvait identifier les couleurs des feuilles sur les arbres mais ne pouvait se rappeler si elle était blonde ou brune. Elle savait dans quelle direction elle se dirigeait, mais n'avait aucune idée de l'endroit d'où elle venait. Que lui arrivait-il donc, pour l'amour du ciel ?

Sur Bowdoin Street, le flot de voitures ralentit puis

s'arrêta, et elle sentit des gens se détacher d'elle, attirés comme par un aimant de l'autre côté de la rue. Elle resta seule, clouée sur place, incapable de bouger, pouvant à peine respirer. Avec précaution, très lentement, la tête penchée sur le col de son trench-coat, elle jeta un coup d'œil rapide par-dessus son épaule. Les piétons la dépassaient, à peine conscients de sa présence, hommes et femmes dont le visage ne trahissait aucun signe extérieur de doute de soi, dont la démarche n'exprimait aucune hésitation notable. Elle était la seule à se tenir parfaitement immobile, ne voulant — ne pouvant — pas bouger. Elle percevait les bruits — le ronflement des moteurs, les coups de klaxon, les rires, les pieds traînant ou claquant sur le sol près d'elle, puis s'arrêtant brusquement quand les voitures redémarraient.

Le chuchotement agacé d'une femme attira son attention — « la petite salope », sifflait-elle — et un instant elle crut que la femme parlait d'elle. Mais celle-ci était manifestement en pleine conversation avec sa compagne, aucune des deux n'ayant l'air d'avoir remarqué sa présence. Etait-elle invisible ?

Perdant la tête une seconde, elle se dit qu'elle était peut-être morte ; comme dans l'un des épisodes de *Twilight Zone* où une femme abandonnée sur une route déserte téléphone dans tous ses états à ses parents, pour s'entendre dire que leur fille a été tuée dans un accident de voiture, et qui est-elle d'ailleurs pour les appeler au milieu de la nuit ? C'est alors que la femme dont la bouche, quelques secondes plus tôt, se tordait autour du mot « salope » remarqua sa présence avec un sourire béat, puis se retourna vers sa confidente et s'éloigna.

Apparemment, elle n'était pas morte. Elle n'était pas non plus invisible. Et pourquoi était-elle capable de se souvenir de quelque chose d'aussi stupide qu'un vieil épisode de *Twilight Zone* mais pas de son propre nom ?

Plusieurs autres personnes apparurent près d'elle, piétinant et pivotant sur leurs talons, attendant impatiemment de pouvoir traverser. Manifestement, quelle que soit son identité, personne ne l'accompagnait. Il n'y avait personne de prêt à lui prendre le bras, personne qui l'observât avec impatience depuis l'autre côté de la rue, se demandant pourquoi elle était restée en arrière. Elle était toute seule et ne savait pas qui elle était supposée être.

« Restons calme », murmura-t-elle, cherchant des indices dans le son de sa voix, mais même celle-ci lui était inconnue. Elle ne lui indiquait rien sur son âge ni sur sa situation de famille, son accent se révélant indéfinissable et remarquable uniquement par l'angoisse qu'on y percevait. Elle porta une main à ses lèvres et y chuchota pour ne pas attirer l'attention inutilement. « Ne nous affolons pas. Tout va s'éclairer dans quelques minutes. » Avait-elle normalement l'habitude de parler toute seule ? « Commençons par le commencement », poursuivit-elle, puis elle se demanda ce que cela signifiait. Comment pourrait-elle savoir de quelle façon commencer alors qu'elle ne savait pas par quoi ? « Non, c'est pas vrai », rectifia-t-elle aussitôt. « Tu sais des choses. Tu sais beaucoup de choses. Fais le point », s'exhorta-t-elle d'une voix plus forte, jetant un coup d'œil rapide autour d'elle pour voir si on ne l'avait pas entendue.

Un groupe d'une dizaine de personnes avançait dans sa direction. *Ils sont venus pour me ramener là d'où je me suis échappée* fut sa première et unique pensée. C'est alors que le leader du groupe, une jeune femme d'environ vingt et un ans, se mit à parler avec les fortes intonations bostoniennes dont sa propre voix manquait étrangement, et elle s'aperçut qu'elle comptait aussi peu pour ces gens que pour les deux femmes qu'elle avait entendues juste avant. Y avait-il quelqu'un pour qui elle comptait ?

« Comme vous pouvez le voir », disait la jeune femme, « Beacon Hill est l'un des quartiers d'où il est facile pour les habitants de Boston de se rendre à pied à leur travail. Longtemps considéré comme le quartier principal de Boston, Beacon Hill se caractérise par ses rues pavées et escarpées, bordées de maisons individuelles en brique et de petits immeubles dont la construction a débuté dans les années 1820 et s'est poursuivie tout au long du dix-neuvième siècle ».

Chacun prêta attention aux maisons particulières en brique et aux petits immeubles tandis que la jeune femme poursuivait son discours bien rodé. « Un certain nombre de demeures parmi les plus grandes et les plus élégantes ont récemment été transformées en copropriétés en raison de la crise du logement et de l'explosion des prix de l'immobilier à Boston. Beacon Hill a longtemps été un bastion yankee, mais aujourd'hui, bien que beaucoup de vieilles familles de Boston y demeurent encore, des gens de tous horizons sont à présent les bienvenus... à condition qu'ils aient les moyens de payer l'emprunt-logement ou le loyer. »

Il y eut quelques commentaires et hochements de tête avant que le groupe ne se prépare à repartir. « Excusez-moi, m'dame », dit la guide, faisant des yeux ronds et un sourire forcé comme ceux d'un *happy face button* animé[1]. « Vous ne faites pas partie du groupe, me semble-t-il ? » La phrase avait l'allure d'une question, les derniers mots s'affaissant en même temps que la bouche qui les prononçait. « Si vous voulez suivre une visite guidée de la ville, vous devez aller au bureau de tourisme situé dans le Boston Common[2], et ils vous inscriront pour la prochaine visite. M'dame ? »

Il sembla que le *happy face button* risquait de perdre ses aimables pensées.

— Le Common ? demanda-t-elle à la jeune femme, dont l'emploi spontané du mot « m'dame » lui laissait entendre qu'elle devait avoir au moins trente ans.

— Continuez Bowdoin Street vers le sud jusqu'à Beacon Street. Vous arriverez au State House, vous voyez, le bâtiment avec le dôme doré ? C'est là. Vous ne pouvez pas le manquer.

N'en sois pas si sûre, se dit-elle, regardant le groupe qui traversait et disparaissait dans la rue suivante. Si je

---

1. Badge rond et jaune, représentant une face souriante stylisée.
2. Parc public.

suis capable de m'égarer moi-même, je peux aussi perdre n'importe quoi.

Posant un pied devant l'autre comme si elle avançait dans des eaux inconnues et peut-être dangereuses, elle suivit Bowdoin Street, ne prêtant guère attention à l'architecture du dix-neuvième siècle et se concentrant sur le chemin à suivre. Elle traversa Derne Street, puis Ashburton Place sans incident, sans pour autant que ces rues, pas plus que le State House qui apparut tout à coup devant elle, n'évoquent la moindre idée de qui elle pouvait bien être. Elle tourna dans Beacon Street.

Le Boston Common se dressait devant elle, exactement comme l'avait suggéré la *happy face*. Ignorant le cimetière de Granary, dont elle se rappela aisément qu'il abritait les tombes de personnalités aussi variées que Paul Revere[1] et Mother Goose, elle dépassa hâtivement le Centre d'accueil du public pour se diriger vers le vaste jardin public, sachant instinctivement qu'elle avait souvent fait cela dans le passé. La ville de Boston ne lui était pas étrangère, même si, elle, était étrangère à elle-même.

Sentant ses genoux faiblir, elle marcha péniblement jusqu'à un banc et laissa son corps s'y écrouler. « Pas d'affolement », répéta-t-elle plusieurs fois à haute voix, utilisant les mots comme un mantra, sachant qu'il n'y avait personne d'assez près pour l'entendre. Elle entama aussitôt une silencieuse énumération de faits connus — bien que totalement sans importance. On était le lundi 18 juin 1990. La température, anormalement fraîche, était de soixante-huit degrés Fahrenheit. Trente-deux degrés Fahrenheit était la température où l'eau gelait. Cent degrés Celsius, celle qui permettait de cuire un œuf. Deux fois deux quatre ; quatre fois quatre seize ; douze fois douze cent quarante-quatre. Le carré de l'hypoténuse est égal à la somme du carré des deux autres côtés. $E = MC^2$. La racine carrée de 365 est... elle ne savait pas, mais quelque chose lui disait que c'était normal — qu'elle ne l'avait jamais su. « Pas d'affole-

---

1. Héros bostonien de la révolution, dans les années 1770.

ment », s'entendit-elle encore dire tandis qu'elle se mettait à lisser les plis de son manteau beige, sentant des cuisses minces sous ses doigts. Le fait même qu'elle soit une véritable mine d'informations inutiles était rassurant : comment en effet quelqu'un pouvait-il retenir de telles connaissances et ne pas se souvenir de son propre nom ? Elle allait s'en souvenir. Ce n'était qu'une question de temps.

Une petite fille se précipita vers elle à toute allure, traversant le jardin, les bras en avant, sa grosse nounou noire courant derrière pour la rattraper. Elle se demanda un instant si ça pouvait être sa petite fille à elle et lui tendit instinctivement les bras, mais la nounou écarta vivement l'enfant, l'emmenant vers les balançoires qui se trouvaient juste à côté et jetant un regard soupçonneux vers le banc. Est-ce que j'ai des enfants ? songea-t-elle, se demandant comment une mère pouvait oublier son enfant.

Elle aperçut ses mains. Une alliance pourrait au moins lui indiquer si elle était mariée ou non. Mais elle n'y vit aucun bijou, bien qu'il y eût une légère marque sur son annulaire gauche, là où une alliance aurait pu se trouver auparavant. Elle l'examina attentivement sans pouvoir en tirer de conclusion, remarquant que son vernis à ongles corail s'écaillait et que ses ongles étaient rongés jusqu'au sang. Son regard se porta sur ses pieds. Elle portait des chaussures plates en cuir verni de couleur sable, celle de droite comprimant un peu trop le bout de son pied. Elle l'ôta, reconnut la marque Charles Jourdan à l'intérieur, et remarqua qu'elle faisait du 40, ce qui signifiait qu'elle devait mesurer au moins un mètre soixante-huit. Même avec son manteau boutonné serré, elle pouvait se rendre compte, d'après la façon dont ses mains effleuraient son corps, qu'elle était mince. Quelles autres informations avait-elle ? Que savait-elle d'autre à son sujet, sinon qu'elle était une femme blanche et, si *happy face* et le dos de ses propres mains pouvaient servir d'indicateurs, qu'elle avait bien plus de vingt et un ans ?

Deux femmes passèrent devant elle, bras dessus bras

dessous, leur sac se balançant sur le côté. Mon sac ! se dit-elle avec un grand soulagement, cherchant une lanière sur son épaule. Son sac lui dirait tout — qui elle était, où elle habitait, quelle couleur de rouge à lèvres elle utilisait. Elle y trouverait son portefeuille avec ses papiers d'identité, son permis de conduire, ses cartes de crédit. Elle saurait à nouveau son nom et son adresse, sa date de naissance, le genre de voiture qu'elle conduisait — si à vrai dire elle conduisait. Son sac renfermait tous les mystères de la vie. Il lui suffisait de l'ouvrir.

Il lui suffisait de le trouver !

Remettant grossièrement sa chaussure, elle s'appuya contre les lattes de bois du banc vert foncé et reconnut ce qu'elle savait depuis le début mais qu'elle avait eu trop peur d'admettre — elle *n'avait pas* de sac. Quels que soient les papiers d'identité qu'elle ait pu avoir avec elle lorsqu'elle avait entamé cette étrange odyssée, elle ne les avait plus à présent. Juste pour en être sûre, pour s'assurer qu'elle n'avait pas laissé tomber son sac par inadvertance en s'asseyant, elle regarda attentivement autour d'elle, vérifiant et revérifiant l'herbe à ses pieds. Elle fit même plusieurs fois le tour du banc, s'attirant à nouveau l'œil soupçonneux de la nounou qui poussait sa petite protégée sur la balançoire toute proche. Elle sourit à la femme de couleur, puis, se demandant ce qui l'obligeait à sourire, elle se détourna. Quand au bout de quelques secondes elle regarda à nouveau en direction de la nounou, celle-ci entraînait vivement l'enfant récalcitrante hors de l'aire de jeux. « Et voilà, tu lui as fait peur », dit-elle tout haut, se tâtant automatiquement le visage pour savoir si elle était défigurée. Ça ne semblait pas être le cas, et elle laissa donc ses doigts poursuivre leur lecture en braille de son visage.

Celui-ci était étroit et ovale, avec de hautes pommettes, peut-être un peu trop saillantes, et des sourcils bien fournis et sans trace d'épilation. Son nez était petit et ses cils épaissis par du mascara qui semblait avoir été appliqué de façon inégale et excessive. Elle s'était peut-être frotté les yeux, si bien que le mascara avait dû se coller sur certains cils et en délaisser d'autres. Elle avait peut-être pleuré.

Elle rejeta les épaules en arrière, se leva et sortit brusquement du jardin d'un pas énergique, ignorant un feu rouge et se précipitant au milieu de la circulation vers une banque située au coin de Beacon Street. Elle frappa lourdement à la porte de verre, attirant l'attention du directeur, un jeune homme prématurément chauve dont la tête paraissait être beaucoup trop petite par rapport au reste de son corps. Comme il portait un costume-cravate et était le seul homme dans une pièce pleine de femmes, elle en déduisit qu'il était le directeur.

— Je suis désolé, lui dit-il doucement, entrouvrant la porte juste assez pour y passer le nez, mais il est plus de quatre heures. Nous fermons à trois heures.

— Savez-vous qui je suis ? demanda-t-elle désespérément, surprise de la question qu'elle n'avait pas prévu de poser.

Le froncement de sourcils de l'homme indiqua qu'il interprétait sa remarque comme une demande de traitement spécial.

— Je suis vraiment désolé, dit-il, un agacement manifeste s'insinuant dans sa voix. Bien sûr, si vous revenez demain, nous pourrons nous occuper de vous.

Puis il ébaucha un sourire avec un pincement de lèvres déterminé qui ne tolérait aucune autre discussion, et retourna à son bureau.

Elle resta de l'autre côté de la porte en verre, fixant les employées jusqu'à ce qu'elles se mettent à chuchoter entre elles. Savaient-elles qui elle était ? Si oui, elles se lassèrent vite de sa présence et, poussées par leur directeur qui gesticulait frénétiquement, reportèrent leur attention sur leurs ordinateurs et leurs bilans, l'ignorant comme si elle n'existait plus. Etait-ce le cas ?

Après quelques profondes inspirations, elle avança dans Beacon Street en direction de River Street, revenant vers les rues pavées bordées de petits immeubles et de maisons individuelles en brique d'où elle avait surgi, adulte et complètement perdue. Est-ce qu'elle vivait dans l'une de ces demeures du dix-neuvième siècle ? Est-ce qu'elle avait suffisamment d'argent pour payer l'emprunt ou le loyer ? Est-ce qu'elle avait des problèmes d'argent ? Etait-elle une femme riche ? Travaillait-elle pour gagner sa vie ou employait-elle des gens travaillant pour elle ? Peut-être que, au lieu de vivre dans une de ces belles demeures anciennes, c'était elle qui y faisait le ménage.

Non, elle était trop bien habillée pour être une femme de ménage, et ses mains, bien qu'incontestablement dans un état épouvantable, étaient trop douces et lisses pour une personne habituée aux travaux physiques. Peut-être qu'au lieu d'entretenir ces maisons elle les vendait. Peut-être était-ce la raison pour laquelle elle se trouvait dans ce quartier. Peut-être qu'elle y était venue pour rencontrer un client, pour faire visiter une maison récemment rénovée et qu'elle avait... quoi ? Reçu une brique sur la tête ? Malgré elle, elle se tâta rapidement la tête pour voir si elle avait des bosses, n'en trouva pas et remarqua seulement que ses cheveux s'étaient échappés de leur barrette et tombaient en mèches folles sur son cou.

Elle tourna à droite dans Mt. Veron Street, puis à gauche dans Cedar Street, dans l'espoir que quelque chose transmettrait à son cerveau les signaux nécessaires. « Par pitié, qu'il y ait quelque chose de connu », suppliait-elle les rues bordées d'arbres en tournant à nouveau dans Revere Street et en se dirigeant vers Embankment Road. Le soleil avait disparu derrière un gros nuage gris et elle avait froid, bien que la température n'ait pas changé. Elle se rappela que l'hiver avait été relativement doux et que les experts prédisaient encore un été chaud. On appelait ça l'effet de serre. Serre. Greenpeace. Pluies acides. Préservons les forêts tropicales humides. Sauvons les baleines. Préservons l'eau — Prenez votre douche avec un ami.

Elle se sentit tout à coup submergée de fatigue. Elle avait mal aux pieds, le gros orteil de son pied droit était maintenant complètement engourdi. Son estomac commençait à gargouiller. Depuis combien de temps n'avait-elle pas mangé ? Et d'ailleurs, quel genre de nourriture aimait-elle ? Savait-elle faire la cuisine ? Peut-être était-elle en train de suivre un de ces régimes cinglés qui lui avait porté au cerveau. Ou peut-être était-elle sous l'effet de la drogue. Ou de l'alcool. Est-ce qu'elle était ivre ? Est-ce qu'elle avait déjà été ivre ? Comment savoir si elle était ivre ou non ?

Elle mit sa main devant ses yeux, s'attendant à ressentir dans son crâne le martèlement significatif d'une gueule de bois. Ray Milland chantant *Lost Weekend*, pensa-t-elle, et elle se demanda quel âge elle pouvait avoir pour se souvenir de Ray Milland. « Aidez-moi », murmura-t-elle entre ses paumes jointes. « N'importe qui, par pitié, aidez-moi. »

Elle jeta un coup d'œil à son poignet pour savoir l'heure, réflexe automatique, et vit qu'il était presque cinq heures. Cela faisait presque une heure qu'elle marchait, sans avoir rien vu qui puisse lui fournir un indice sur son identité. Rien ne lui semblait familier. Personne ne l'avait reconnue.

Elle se retrouva dans Charles Street, mélange facile et attirant de boutiques allant de l'épicerie de quartier à de nombreux magasins d'antiquités et de bijoux, de la quincaillerie aux beaux-arts. Est-ce que c'était là qu'elle se rendait pour acheter son lait et ses œufs ?

Un homme la frôla en passant et lui sourit, mais c'était le sourire d'une personne lasse à une autre à la fin d'une journée fatigante, cela n'indiquait pas qu'il la connaissait. Et pourtant elle fut tentée de saisir cet homme par les épaules, de le supplier de lui montrer qu'il savait qui elle était, et si possible de lui arracher une identité. Mais elle le laissa passer sans l'importuner, et ce fut tout. D'ailleurs, elle ne devait pas accoster des étrangers dans la rue. Ils pourraient appeler la police, la faire enfermer. Encore une folle qui se cherche !

Est-ce qu'elle était folle ? Est-ce qu'elle venait de s'échapper d'un asile ? D'une prison ? Est-ce qu'elle était en cavale ? Elle rit du cinéma qu'elle se faisait. Si elle n'avait pas déjà été folle avant que tout ça ne commence, elle le serait à coup sûr avant que ça ne finisse. Est-ce que ça finirait un jour ?

Elle poussa la porte d'une petite épicerie et entra. Si elle habitait dans le quartier, il y avait de grandes chances pour qu'elle fréquente cette petite boutique. Du moins, elle espérait y être venue assez souvent pour être connue de l'homme qui se trouvait derrière son comptoir. Elle avança lentement vers lui entre les rangées de boîtes de conserve.

Le propriétaire, un jeune homme avec une queue de cheval, des traits irréguliers et une bouche mince et droite, était occupé avec plusieurs clients qui s'étaient précipités sur lui en même temps, chacun prétendant être le premier. Elle prit sa place derrière eux, espérant attirer le regard du jeune homme, formant des vœux pour entendre un vif : « Bonjour, Mrs. Smith. Je suis à vous tout de suite. » Mais tout ce qu'elle entendit, ce fut quelqu'un qui demandait un paquet de cigarettes, et tout ce qu'elle vit, ce fut le dos maigre du commerçant qui se retournait pour l'attraper.

Elle jeta un coup d'œil par-dessus son épaule gauche vers une rangée de jeunes femmes incroyablement belles qui étaient en train de la fixer sur les couvertures de plusieurs douzaines de magazines. Elle laissa son corps se propulser vers le présentoir à magazines, les yeux rivés sur le visage sensuel d'un mannequin en particulier. CINDY CRAWFORD était le nom affiché en lettres rose vif à côté du visage. SUPER-MANNE-QUIN. On ne pouvait douter de qui elle était, elle.

Elle prit le magazine et examina le visage du mannequin : yeux bruns, cheveux bruns, un grain de beauté sur le côté gauche de ses lèvres entrouvertes la distinguant des centaines d'autres visages tout aussi jolis que l'on voyait partout. Si belle, se dit-elle. Si jeune. Si sûre d'elle.

Il lui revint à l'esprit qu'elle n'avait aucune idée de ce à quoi elle ressemblait, aucune notion de l'âge qu'elle avait. Ses doigts serraient le magazine, pliant les bords, les roulant à l'intérieur. « Hé, madame ! » l'interpella une voix mâle. Elle se retourna pour voir le propriétaire agiter un doigt menaçant : « Ne tripotez pas les magazines si vous n'avez pas l'intention de les acheter. »

Se sentant aussi coupable qu'un enfant surpris en train de dérober un bonbon, elle fit signe qu'elle comprenait le règlement et serra le magazine contre sa poitrine comme s'il lui était vital. Mais elle ne bougea pas.

— Et alors, vous l'achetez, ou pas ? demanda le jeune homme.

Les autres clients étaient partis, les laissant tous les deux seuls. C'était là sa meilleure et peut-être sa seule chance d'avoir une confrontation avec lui.

Elle se jeta contre le comptoir, ce qui le fit reculer brusquement.

— Est-ce que vous me connaissez ? demanda-t-elle, s'efforçant de chasser la panique de sa voix.

Il la regarda fixement sans bouger, plissant les yeux de concentration. Puis il pencha la tête, sa queue de cheval frôlant son épaule droite, un sourire effleurant ses lèvres minces qui prirent la forme d'un U aplati.

— Vous êtes quelqu'un de célèbre ? demanda-t-il.

Est-ce qu'elle l'était vraiment ? se demanda-t-elle en elle-même, attendant, retenant sa respiration.

Il prit son silence pour une réponse affirmative.

— Ben, je sais qu'il y a quelques films en train d'être tournés dans la ville en ce moment, dit-il, faisant quelques pas sur le côté pour examiner son profil, mais je vais pas souvent au cinéma, et je ne me souviens pas de vous avoir vue à la télé. Vous jouez dans un de ces *soap operas* ? Je sais que ces actrices-là vont toujours dans les centres commerciaux et les endroits comme ça. Ma sœur a voulu que je l'emmène une fois. Il fallait qu'elle voie Ashleigh Abbott qui joue dans *Les Feux de l'amour*[1]. J'appelle ça *Les Feux de l'amer*. Vous en faites partie ?

---

1. *The Young and the Restless*, série télévisée diffusée en France sous le titre *Les Feux de l'amour*.

Elle secoua la tête. A quoi bon continuer cette charade ? Il était évident qu'il ne la connaissait pas plus qu'elle ne se connaissait elle-même.

Elle vit son corps se redresser puis se raidir.

— Bon, faut payer le magazine, qui que vous soyez. Célébrité ou pas, ça fait toujours deux dollars et quatre-vingt-quinze *cents*.

— Je... J'ai oublié mon porte-monnaie, murmura-t-elle, commençant à avoir mal au cœur.

A présent l'homme avait l'air furieux.

— Quoi, vous croyez que, parce que vous jouez dans une de ces stupides émissions de télé, vous n'avez pas besoin d'avoir de l'argent sur vous, comme nous tous ? Vous croyez que, parce que vous êtes plutôt mignonne, je vais vous faire cadeau de ce que vous voulez.

— Non, bien sûr que non...

— Soit vous payez le magazine, soit vous sortez de ma boutique et vous arrêtez de me faire perdre mon temps. J'ai pas besoin de gens qui se moquent de moi.

— Je n'essayais pas de me moquer de vous. Honnêtement.

— Deux dollars et quatre-vingt-quinze *cents,* répéta-t-il en tendant la main.

Elle savait qu'elle devait lui donner le magazine, mais quelque chose l'empêchait de s'en séparer. CINDY CRAWFORD avait l'air si belle, si heureuse, si rudement sûre d'elle. Espérait-elle voir une aussi grande confiance en soi déteindre sur elle ? Elle plongea la main dans les poches de son manteau dans l'espoir d'y trouver quelques pièces de monnaie. Sa main alla très vite d'une poche à l'autre, refusant de croire ce qu'elle y avait trouvé. Lorsqu'elle ressortit enfin sa main, elle vit qu'elle était pleine de billets de cent dollars, tout neufs et craquants.

— Ouah ! siffla l'homme derrière son comptoir. Vous avez braqué une banque ou autre chose ? Vous venez juste de les imprimer, ou quoi ?

Elle ne dit rien, fixant avec étonnement l'argent dans sa main.

— De toute façon, je ne prends pas de billets de cent

17

dollars. Si je vous fais la monnaie sur cent, il ne m'en restera plus pour les autres clients. Vous en avez combien comme ça ?

Elle sentit sa respiration devenir courte et saccadée. Bon Dieu, qu'est-ce qu'elle faisait avec les deux poches pleines de billets de cent dollars ? D'où venait tout cet argent ?

— Ça va, ma petite dame ?

L'homme derrière le comptoir regardait anxieusement vers la porte.

— Vous n'allez pas être malade, non ?

— Est-ce que je peux utiliser vos toilettes ?

— C'est pas ouvert au public, dit-il d'un ton buté.

— Je vous en prie !

Son ton désespéré dut le convaincre, car il leva vivement un bras et le pointa vers la réserve sur sa droite.

— Ecoutez, je viens juste de les nettoyer. Tâchez de pas vomir sur mon sol tout propre, OK ?

Elle ne fut pas longue à trouver les étroites toilettes situées à l'intérieur de la zone de stockage. C'était un local minuscule et encombré, avec une vieille cuvette et un miroir cassé accroché au-dessus d'un lavabo taché. Les murs étaient tapissés de cartons de marchandises. Un seau à moitié rempli d'eau, avec une serpillière en équilibre sur le bord, était posé près de la porte.

Elle se précipita vers le lavabo, ouvrit le robinet d'eau froide et, coinçant le magazine sous son bras, prit de l'eau glacée dans le creux de ses mains, s'en aspergea le visage jusqu'à ce qu'elle sente qu'elle pouvait se redresser sans s'évanouir. Que se passait-il ? Si c'était un cauchemar — et c'en était un —, il était grand temps de se réveiller !

Elle approcha lentement son visage du miroir, et fut alors obligée de se cramponner aux rebords du lavabo pour ne pas s'écrouler. La femme qui la regardait dans la glace lui était totalement inconnue. Il n'y avait rien dans son visage qui lui soit même vaguement familier. Elle examina minutieusement la peau claire et les yeux bruns, le nez petit et légèrement retroussé, ainsi que la bouche pleine et maquillée dans le même ton que ses ongles. Les cheveux bruns étaient peut-être un peu plus clairs que les yeux, et tirés en arrière en une queue de cheval retenue par une barrette fantaisie qui s'était ouverte et menaçait de tomber. Elle l'enleva, secoua la tête et regarda ses cheveux retomber en mèches souples sur ses épaules.

C'est un visage attrayant, se dit-elle, essayant de le considérer de façon objective comme si, de même que CINDY CRAWFORD, il se trouvait sur la couverture d'un magazine. Plutôt mignonne, avait dit le jeune homme. Peut-être même un peu mieux que ça. Tout était à sa place. Il n'y avait aucune imperfection disgracieuse. Rien qui soit trop gros ou trop petit. Rien de discordant. Tout était là où il fallait. Elle se donna dans les trente-cinq ans, puis se demanda si elle paraissait plus vieille ou plus jeune qu'elle ne l'était réellement. « C'est tellement déroutant », murmura-t-elle à son image qui avait l'air de retenir sa respiration. « Qui es-tu ? »

« Tu n'es personne que je connaisse », lui répondit l'image, et les deux femmes baissèrent la tête et regardèrent fixement le lavabo d'émail blanc.

« Oh, mon Dieu », murmura-t-elle, sentant une bouffée de chaleur monter en elle. « Par pitié, ne t'évanouis pas », implora-t-elle. « Qui que tu sois, par pitié, ne t'évanouis pas. »

Mais la vague de chaleur continuait à envahir son corps, s'emparant de ses jambes puis de son ventre, de ses bras, de son cou avant d'atteindre sa gorge. Elle avait l'impression d'être en train de fondre de l'intérieur comme si elle allait prendre feu. Elle s'aspergea encore de l'eau sur le visage, mais cela n'eut aucun effet rafraîchissant ni calmant. Elle se mit à déboutonner fébrilement son manteau dans un effort pour dégager son corps et lui permettre de respirer plus à l'aise. Le magazine sous son bras glissa sur le sol et elle se baissa brusquement pour le ramasser, ouvrit brutalement son manteau tout en se relevant et rejeta violemment la tête en arrière.

Elle respira à fond, et s'arrêta net.

Lentement, comme si elle était une marionnette dont une force inconnue tirait les ficelles, elle sentit sa tête reprendre sa position normale puis se pencher vers sa poitrine en un mouvement imperceptible. Ce qu'elle vit — ce qu'elle avait vu en se baissant pour ramasser le magazine mais avait refusé de voir — était une robe bleue très simple, dont le devant était entièrement couvert de sang.

Elle suffoqua, poussa le faible cri apeuré d'un petit animal pris dans un piège. Le son s'amplifia rapidement pour devenir un gémissement, puis un hurlement. Elle entendit des pas, des bruits de voix, se sentit cernée, submergée.

— Qu'est-ce qui se passe là-dedans ? commença à dire le propriétaire, puis il s'arrêta, refoulant les mots prêts à sortir de sa bouche.

— Nom de Dieu, siffla un jeune garçon à côté de lui.

— Dégueulasse ! s'écria son compagnon.

— Qu'est-ce que vous avez fait ? demanda le propriétaire du magasin, ses yeux fouillant le réduit, sans doute pour y trouver des morceaux de verre brisé.

Elle ne dit rien, reportant son regard sur sa robe ensanglantée.

— Dites donc, ma p'tite dame, reprit l'homme, écartant ses deux clients loin de la porte, je ne sais pas ce qui se passe et je ne veux pas le savoir. Emportez votre sang et vos billets de cent dollars, et sortez de ma boutique avant que j'appelle la police.

Elle ne bougea pas.

— Vous avez entendu ce que j'ai dit ? Je vais appeler la police si vous ne sortez pas d'ici immédiatement.

Elle regarda le propriétaire effrayé qui s'était tout à coup emparé du balai-brosse et le brandissait comme s'il était un matador et elle un taureau.

— Du sang, murmura-t-elle, ses yeux incrédules attirés à nouveau vers le devant de sa robe.

Le sang était assez frais, encore un peu humide. Etait-ce son sang, ou celui de quelqu'un d'autre ?

— Du sang, dit-elle à nouveau, comme si la répétition du mot allait tout remettre en place.

— Vous avez dix secondes avant que j'appelle les flics. Je ne veux pas avoir d'ennuis. Je veux juste que vous sortiez de ma boutique.

Elle se tourna vers lui et dit d'une voix si faible qu'elle remarqua qu'il était obligé de se pencher pour arriver à l'entendre :

— Je ne sais pas où aller, gémit-elle, sentant son corps se froisser comme un bout de papier dans un poing serré.

— Oh non, dit vivement l'homme, l'attrapant avant qu'elle ne s'écroule, vous n'allez pas tomber dans les pommes dans ma boutique.

Le jeune homme, pourtant de taille moyenne et peu musclé, était étonnamment fort. Il la saisit étroitement par la taille et la conduisit rapidement à la porte. Puis il s'arrêta brusquement, inspectant avec gêne les abords du magasin.

— Est-ce que ça serait pas un de leurs trucs de caméra invisible ? demanda-t-il avec circonspection, une nuance d'embarras transparaissant dans la voix, comme si ça avait pu être le cas.

— Il faut que vous m'aidiez, dit-elle.

— Il faut que vous sortiez de ma boutique, lui rétorqua-t-il, retrouvant son sang-froid et la poussant dehors.

Elle entendit la porte se fermer derrière elle et vit qu'il la chassait d'un air furieux.

— Oh, mon Dieu, qu'est-ce que je sais ? demanda-t-elle à la rue animée.

Le marionnettiste la prit en main à nouveau, boutonnant son manteau, mettant le magazine sous son bras et portant son regard sur la circulation. Voyant un taxi approcher, la ficelle qui manipulait sa main droite fit jaillir son bras et l'agita. Le taxi s'arrêta aussitôt au bord du trottoir devant elle. Sans réfléchir, elle ouvrit la porte arrière de la voiture et y monta.

2

Elle ne savait pas trop ce qui lui avait fait choisir l'hôtel Lennox. Peut-être parce que, étant l'un des plus vieux hôtels du centre de Boston, il était par conséquent plus petit et d'une certaine façon plus humain que ses équivalents plus modernes, ou peut-être parce que d'agréables souvenirs de séjours antérieurs subsistaient dans son subconscient, elle l'ignorait. Il était même possible qu'elle soit déjà inscrite dans cet hôtel, se dit-elle avec espoir en s'approchant de la réception, priant, comme elle l'avait fait précédemment dans la boutique, pour voir apparaître un aimable sourire de connaissance.

Il lui fallait attendre derrière un couple avec deux jeunes garçons, petits démons aux cheveux filasse vêtus de costumes marins, chacun se cramponnant aux larges hanches de sa mère et faisant profiter tout le hall de ses pleurnicheries.

— J'ai faim, se plaignait le plus jeune des deux, un gamin d'environ quatre ans, soulevant la jupe de sa mère et découvrant le genou de celle-ci comme s'il avait l'intention d'en manger un morceau.

— Je veux aller au McDonald's ! renchérit son frère à peine plus âgé d'un an.

— McDonald's ! McDonald's ! devint leur cri de ralliement tandis qu'ils dansaient autour des adultes impuissants qu'étaient leurs parents et qui s'appliquaient à faire comme si de rien n'était.

— Laissez Papa et Maman s'occuper de trouver une chambre, et après nous irons dans un bon restaurant, d'accord ? implorait la jeune mère, fixant son mari avec un regard le suppliant de faire activer les choses avant qu'elle ne se mette à hurler.

— McDonald's ! McDonald's ! fut la réponse immédiate et inévitable.

Ils partirent enfin par miracle, guidés vers l'ascenseur par un chasseur plein de sollicitude, et le hall reprit son air d'hôtel raffiné de style européen.

— Que puis-je pour vous, Madame ?... Madame ?

— Excusez-moi, dit-elle lorsqu'elle s'aperçut que le jeune homme de la réception était en train de s'adresser à elle. Apparemment elle ferait bien de s'habituer à être appelée « Madame ». Je voudrais une chambre.

Les mains se mirent à tapoter sur le clavier de l'ordinateur.

— Pour combien de temps ?

— Je ne sais pas exactement. Elle s'éclaircit la voix puis reprit. Au moins une nuit. Peut-être deux.

— Une chambre pour une personne ?

Il regarda derrière elle pour voir si elle était seule. Machinalement, elle fit de même.

— Il n'y a que moi, murmura-t-elle, puis reprit plus fort. Oui, une chambre simple. S'il vous plaît.

Faut pas que j'oublie mes bonnes manières, se dit-elle, ce qui lui donna envie de rire.

— J'ai une chambre, énonça le jeune homme, lisant l'information sur l'écran de son ordinateur, à quatre-vingt-cinq dollars la nuit. C'est au huitième étage, non-fumeur, avec un grand lit.

— C'est parfait.

— Vous réglez comment ?

— En liquide.

— En liquide ?

Pour la première fois, les yeux du jeune homme se fixèrent sur les siens. Elle remarqua qu'il avait les yeux les plus bleus qu'elle eût jamais vus. Du moins elle croyait qu'il avait les yeux les plus bleus qu'elle eût jamais vus. Elle ne pouvait en être certaine. Dieu seul savait ce qu'elle avait vu.

— Est-ce que le liquide pose un problème ? Vous n'acceptez pas le liquide ?

— Oh, si, bien sûr que nous acceptons le liquide. C'est simplement que nous n'en voyons pas souvent. La plupart des gens préfèrent les cartes de crédit.

Elle hocha la tête sans rien dire, se disant que dans son autre vie elle faisait probablement partie de ces gens-là, tout en se demandant comment on pouvait naître avec des yeux aussi incroyablement bleus.

— Quelque chose ne va pas ? demanda le jeune homme, le reste de ses traits assez quelconques prenant l'aspect d'un point d'interrogation.

— Excusez-moi, balbutia-t-elle, c'est juste vos yeux. Ils sont si bleus !

Elle leva les yeux au ciel. Qui qu'elle soit, elle n'était qu'une imbécile ! Le garçon allait sans doute croire qu'elle essayait de le draguer !

— Oh, ce ne sont pas les miens, dit-il, en retournant à l'écran de son ordinateur.

— Je vous demande pardon ?

L'idée qu'elle arrivait d'une autre planète commençait à se faire jour dans son esprit.

— Ce sont des lentilles de contact, expliqua-t-il gaiement. Vous avez dit deux nuits ?

Elle avait beaucoup de mal à garder le fil de la conversation. La panique familière, qui s'était momentanément dissipée pendant la course en taxi depuis Beacon Hill, ressurgissait. « Oui, pas plus de deux nuits. » Et après ça ? Où irait-elle ensuite si elle ne savait toujours pas qui elle était ? A la police ? Pourquoi n'y était-elle pas allée directement ?

— Vous voulez bien remplir ceci ? Le jeune homme glissa un papier vers elle sur le comptoir. Votre nom, votre adresse, etc., dit-il lorsqu'il sentit son trouble. Vous vous sentez bien ?

Elle respira profondément.

— Je suis très fatiguée. Est-ce vraiment nécessaire ?

Elle repoussa le papier de l'autre côté du comptoir. Ce fut au tour du jeune homme d'être embarrassé.

— Je crains que oui. Nous avons vraiment besoin d'un nom et d'une adresse.

En un éclair, ses yeux allèrent du visage du jeune homme à la porte à tambour, pour finalement se poser sur le magazine qu'elle serrait toujours farouchement entre ses mains.

— Cindy, dit-elle d'une voix un peu trop forte, puis elle répéta, cette fois plus doucement, en se contrôlant mieux : Cindy.

Elle hocha la tête, la regarda prendre un crayon à contrecœur et écrire le nom sur la fiche d'inscription.

— Votre nom de famille ?

Pourquoi lui faisait-il ça ? Ne lui avait-elle pas dit qu'elle était fatiguée ? Ne comprenait-il pas qu'elle payait cash ? Pourquoi fallait-il qu'il sache des choses qui ne le regardaient pas ? Elle pensa au jeune couple et à leurs deux petits garçons réclamant un McDonald's à cor et à cri. Rien d'étonnant à ce que les enfants pleurnichent et n'aient pas de patience. Les avait-il importunés eux aussi ?

— McDonald ! proclama une voix avant qu'elle ne réalise que c'était la sienne. Cindy McDonald ! Elle prit encore une profonde inspiration avant de poursuivre : 123, allée du Souvenir... New York.

Ses doigts hésitèrent sur le mot « Souvenir » et elle dut se mordre la lèvre pour contenir l'hystérie qui commençait à la gagner, mais le formulaire fut rempli en quelques secondes, et il n'avait plus qu'à le lui faire signer et à lui rendre la monnaie. Elle observa sa propre main griffonner sa nouvelle identité en bas du formulaire, et fut agréablement charmée par la sûreté des arabesques des lettres qu'elle traça. Elle extirpa ensuite de ses poches deux billets de cent dollars, tout neufs et craquants, s'efforçant de dissimuler son amusement devant la gêne croissante du jeune homme.

— Vous avez des bagages ?

Son ton circonspect montrait qu'il connaissait déjà la réponse, si bien que lorsqu'elle secoua la tête il haussa simplement les épaules et lui tendit la clé de sa chambre avec la monnaie.

— Je vous souhaite un agréable séjour parmi nous. S'il y a quelque chose que nous puissions faire pour vous le rendre plus confortable, n'hésitez pas à sonner.

Elle sourit.

— Vous en serez le premier averti.

Dès qu'elle se trouva dans la chambre, elle jeta le magazine sur le grand lit, arracha son manteau et le jeta à terre. Le sang qui couvrait le devant de sa robe lui sauta aux yeux, comme une tomate pourrie qu'on lui aurait lancée au visage. Elle sentit comme un énorme coup de poing haineux lui frapper la poitrine et un cri sourd lui échappa : « Non, oh, non. Va-t'en. Par pitié, va-t'en. »

Elle griffait sa robe comme un chat coincé en haut d'un poteau. En un éclair la robe fut à terre et elle se mit à examiner sa peau pour y trouver des marques de blessures.

Il n'y en avait pas.

« Oh, mon Dieu, qu'est-ce que ça veut dire ? Qu'est-ce que ça veut dire ? »

Elle pivota sur elle-même, comme si la réponse se trouvait quelque part sur ces murs aux motifs bleus et blancs. Mais les murs ne révélaient que des motifs floraux et non du sang et des blessures. « C'est le sang de qui, si ce n'est pas le mien ? »

Elle se précipita vers l'armoire de l'autre côté du lit et l'ouvrit brutalement, apercevant son image effrayée dans le miroir fixé à l'intérieur du battant. « Qui es-tu, merde ? Et c'est le sang de qui, là, sur toi ? »

La femme dans le miroir ne disait rien, l'imitant tandis qu'elle examinait frénétiquement son corps, y cherchant des traces de coupures ou de plaies. Mais bien qu'il y eût quelques rares ecchymoses sur ses bras, il n'y avait rien qui pût suggérer une blessure sérieuse.

Elle passa vivement les mains derrière son dos et dégrafa son soutien-gorge de dentelle couleur chair, le jeta de côté et observa les petits seins qui se dressaient fièrement devant elle. Elle se demanda un instant si ces seins avaient jamais allaité un bébé. Ils étaient plutôt mignons, se dit-elle, dans un effort volontaire pour se calmer en se concentrant sur les détails courants de la vie quotidienne. Une telle concentration pourrait-elle réussir à la ramener à sa propre vie quotidienne ?

Ça ne marchait pas. Ses seins ne lui révélaient rien. Ni s'ils avaient nourri un enfant, ni à quel moment ils avaient pour la première fois reçu la caresse d'un homme, ni même s'ils avaient jamais été admirés. Elle se moqua, sentit un rire naître et mourir dans sa gorge et pensa qu'elle était en train de perdre l'esprit. Elle se trouvait là, dans une chambre d'hôtel au centre de Boston, une ville qu'elle connaissait, mais sans savoir ce qu'elle y faisait, les poches pleines d'argent, la robe pleine de sang, et elle se tenait devant un miroir, regardant ses seins nus et se demandant s'ils avaient jamais été admirés.

Eh bien, pourquoi pas ? se dit-elle, saisissant l'élastique de son collant et ôtant celui-ci en même temps que son mini-slip beige, et elle regarda fixement son corps nu à présent. Quelle information espérait-elle glaner de sa chair dénudée ?

Elle décida que son corps était de bonne qualité, s'étudiant sous tous les angles. Il était étroit et musclé, presque un corps de garçon. Peut-être même athlétique. Ses mollets étaient bien développés, ses jambes vigoureuses et bien galbées, son ventre plat, sa taille peu marquée. Plus enfantin que féminin, malgré son âge. C'était un corps qui ne ferait sûrement pas la couverture de *Cosmopolitan,* se dit-elle, jetant un coup d'œil vers le magazine abandonné sur le lit. CINDY CRAWFORD lui renvoya son regard avec un mélange de pitié et d'indulgence. *Ronge-toi d'inquiétude,* semblait-elle dire, et la femme devant le miroir reconnut sa défaite d'un signe de tête.

Elle saisit la robe bleue chiffonnée à ses pieds, ses mains évitant soigneusement le corsage couvert de sang. Sa robe pouvait-elle lui apprendre quelque chose ? L'étiquette indiquait qu'il s'agissait d'une taille trente-huit, en pur coton, de chez Anna Klein. Elle avait une large encolure ronde, de gros boutons blancs jusqu'à la taille, une jupe trapèze, et était probablement aussi excessivement chère qu'elle était excessivement simple. Quelle que soit son identité, elle avait apparemment assez d'argent pour acheter ce qu'il y avait de mieux.

« L'argent ! » Elle bondit là où elle avait jeté son manteau sur le sol, extirpa les billets de ses grandes poches, effleurée un instant par la sensation du spectacle ridicule qu'elle devait offrir. Le flot de billets de cent dollars semblait inépuisable. Combien avait-elle ? D'où venait cet argent ? « Qu'est-ce que je fais avec tout ça ? » se demanda-t-elle, s'efforçant de le disposer en bon ordre sur le lit.

Elle fut surprise de découvrir que la majorité de l'argent se trouvait réparti en liasses bien propres, comme s'il sortait tout droit de la banque. Mais pourquoi et comment ? Etait-il possible qu'elle soit réellement une voleuse ? Qu'elle ait pris part à un vol, empoché l'argent, avant d'être éclaboussée par le sang de quelqu'un lorsque quelque chose avait mal tourné ? Elle avait peut-être tué quelqu'un ?

Une terreur si forte l'envahit que tout son corps se mit à trembler. *Parce que ça avait l'air possible.* L'idée fâcheuse qu'elle ait pu tuer quelqu'un *avait l'air possible.* « Oh, mon Dieu, oh, mon Dieu », gémit-elle, se recroquevillant en position fœtale sur la moquette bleue. Avait-elle tué un pauvre innocent au cours d'un hold-up raté ? Et avait-elle agi seule ou avec un complice ? Etait-elle quelque Bonnie d'aujourd'hui à laquelle manquait son Clyde ?

Elle s'entendit rire et le rire la ramena à la position assise. Alors qu'il lui semblait tout à fait possible qu'elle ait tué quelqu'un, l'idée qu'elle ait pu prendre part au hold-up d'une banque lui parut totalement idiote. A moins, bien sûr, qu'elle n'ait été désespérée. Mais qu'est-ce qui pouvait rendre une femme bien habillée de trente-cinq ans désespérée au point de tuer ?

Même dépourvue de mémoire, elle connaissait la réponse. Un *homme* pouvait vous rendre désespérée à ce point. *Quel homme?* s'interrogea-t-elle, n'espérant plus aucune réponse.

Elle passa une main tremblante dans ses cheveux collants de transpiration nerveuse. Elle se pencha au-dessus du lit, la pointe de ses seins effleurant les neuf piles de billets de cent dollars qu'elle avait disposées comme un dessus-de-lit de poupée.

Elle saisit la première liasse de billets, arracha le bracelet de papier qui maintenait les billets ensemble et entreprit de les compter un par un. Après plusieurs faux départs, elle trouva dix billets de cent dollars dans chaque liasse. Neuf liasses de dix billets de cent dollars, cela faisait neuf mille dollars. Ça plus l'argent qu'elle avait déjà dépensé pour l'hôtel et le taxi, plus quelques billets épars de cent dollars et un peu de monnaie, on arrivait à un total d'un peu plus de neuf mille six cents dollars. Qu'était-elle en train de faire avec presque dix mille dollars fourrés dans les poches de son manteau?

Elle frissonna et s'aperçut que ses bras avaient la chair de poule. Se forçant à se mettre debout, elle contourna le lit, nue, et ramassa son manteau à terre, remarquant la présence de sang séché sur la doublure au moment où elle s'en enveloppa et mit ses mains dans les poches. Elle en retira vivement de l'argent qui lui avait échappé et jeta les billets sur le lit à côté du reste.

Quelque chose était accroché à l'un des billets. C'était un bout de papier, qu'elle défroissa et lissa, heureuse de constater qu'elle n'avait pas besoin de lunettes pour lire. Elle reconnut les traits larges et arrondis semblant provenir de la même main qui peu de temps auparavant avait signé le nom de *Cindy McDonald* sur la fiche d'inscription de l'hôtel, si bien qu'elle sut que c'était elle qui avait écrit la suite de mots apparemment sans importance qu'elle lisait à présent. Mais à quel moment? Les bouts de papier avaient le chic pour traîner pendant des semaines, et même des mois, oubliés dans des poches de manteau. Rien n'indiquait quand elle avait écrit celui-ci. *Pat Rutherford, C. 31, 12.30*, pouvait-elle lire, ainsi que *lait, œufs*. Qu'est-ce que ça signifiait?

Bon, il était sûr qu'elle avait eu besoin de lait et d'œufs — elle était en route pour en acheter quand elle avait perdu la mémoire, mais depuis combien de temps était-elle partie ? — et qu'elle devait avoir rendez-vous avec quelqu'un du nom de Pat Rutherford. Qui pouvait bien être Pat Rutherford ?

Elle répéta le nom plusieurs fois avec une frustration de plus en plus forte. Pat Rutherford, était-ce un homme ou une femme ? Peut-être que c'était elle, Pat Rutherford. Mais pourquoi noterait-elle son propre nom et son numéro de chambre sur un bout de papier pour ensuite le mettre dans sa poche ? A moins qu'elle n'ait l'habitude de perdre régulièrement la mémoire, et que l'expérience ne lui ait appris à garder en permanence sur elle une trace de son identité. Pour sûr, et se donner des rendez-vous quand elle souhaitait se rencontrer elle-même. Stupidité !

Etait-elle allée à son rendez-vous ? Etait-elle allée voir Pat Rutherford à l'heure fixée, avait-elle alors ramassé près de dix mille dollars, puis tué l'infortunée personne ? Etait-ce le sang de Pat Rutherford qui imprégnait le devant de sa robe ? Avait-elle fait chanter Pat Rutherford ? Pat Rutherford l'avait-il ou elle fait chanter, elle ? Avait-elle complètement perdu la boule ? D'où lui venaient toutes ces idées ?

« Pat Rutherford, qui êtes-vous ? »

Elle trouva un annuaire téléphonique de Boston dans le tiroir de la table de chevet et fouilla dans les R : Raxlen, Rebick, Rossiter, Rule, Rumble, des pages entières de Russels, Russo, Rutchinski, et enfin Rutherford, une demi-page de Rutherford dans la seule circonscription de Boston, sans parler des banlieues. Il y avait un Paul et deux Peter mais pas de Pat, bien que trois P. ne soient pas détaillés. Elle se demanda si elle allait téléphoner à chacun d'entre eux, puis écarta aussitôt cette idée. Que dirait-elle donc à Mr./Mrs./Miss P. Rutherford ? Bonjour, vous ne me connaissez probablement pas, et Dieu sait si, *moi,* je ne me connais pas, mais est-ce que nous avions rendez-vous dernièrement quelque part dans la chambre 31 à douze heures trente ? Et est-ce que par hasard je vous aurais sérieusement blessé ?

Tant pis pour cette idée.

Elle repoussa l'annuaire, balayant du regard la chambre incontestablement surannée et craignant de s'attarder plus de quelques secondes sur chaque recoin. « Et alors, qu'est-ce que je dois faire, à présent ? » se demanda-t-elle, les yeux fixés sur le plafond, se sentant épuisée et affamée. « Je vais trouver la police, ou j'essaie de résoudre tout ça par moi-même ? Je vais directement chez les fous, ou dans la baignoire ? Est-ce qu'il faut que je fasse quelque chose tout de suite, ou que j'attende jusqu'à demain matin ? Qu'est-ce qu'il faut que je fasse ? » Elle s'interrompit, tripotant machinalement le grand carton du menu proposé par le room service. « En cas de doute, mange », s'entendit-elle répondre.

Elle ne savait pas très bien d'où provenait cette philosophie, mais ça semblait en tout cas être une solution comme une autre, et elle prit donc le téléphone, appela le room service et commanda un steak et une salade César. Elle n'hésita qu'un instant avant de répondre à point, de la crème fraîche sur la pomme de terre au four et de l'eau minérale plutôt que du vin rouge. Elle écarta l'éventualité qu'elle soit végétarienne, et pria pour qu'elle n'ait pas d'allergies alimentaires bizarres. Elle avait trop faim pour s'attarder à de telles complications supplémentaires.

Vingt minutes, lui dit-on au room service. Vingt minutes pour se laver de fond en comble avant le dîner. Elle se dirigea vers la vaste salle de bains carrelée de blanc et jeta son manteau sur une chaise en bois à dossier haut qui se trouvait près de la porte.

Comme ce serait bien de simplement disparaître, pensa-t-elle tandis que l'eau de la douche coulait sur ses joues telles des larmes. Mon esprit est parti ; prenez le reste. Quoi que j'aie fait, qui que je sois, peut-être vaut-il mieux que je ne le sache pas. Peut-être que c'est mieux pour moi. Peut-être que ce que je suis en train de fuir, quoi que ce soit, vaut la peine qu'on en reste éloigné.

Elle allait sûrement manquer à quelqu'un. Quelqu'un,

quelque part, était sûrement en train de la chercher, ne sachant pas plus qu'elle où chercher. Ses parents ou son mari, si elle en avait un ; son patron ou un collègue ; son professeur ou son élève ; ses amis ou ses ennemis ; peut-être même la police ! Quelqu'un, quelque part, était sûrement en train de la chercher ! Pourquoi n'allait-elle pas tout simplement trouver la police pour savoir ?

Parce que tout sera rentré dans l'ordre d'ici demain matin, se dit-elle en sortant de la douche et en entendant frapper à la porte. Elle savait qui c'était, mais se renseigna néanmoins d'une voix rauque et à peine audible.

— Room service fut la réponse qu'elle attendait.

— Une minute.

Elle avait repris le contrôle de sa voix. Elle aperçut la courtepointe d'argent disposée au pied de son lit juste au moment où elle allait ouvrir la porte. Elle s'immobilisa. L'espace d'une seconde, elle caressa l'idée de tout laisser comme c'était, de laisser l'employé qui ne se doutait de rien entrer dans la chambre et déposer son dîner sur la table près du lit, afin de tester sa réaction à la vue de tout cet argent étalé négligemment sous ses yeux. Ferait-il comme si l'argent n'existait pas, ou comme si c'était la chose la plus normale du monde que de prendre une chambre d'hôtel et d'étaler près de dix mille dollars sur son lit ? Est-ce que tout le monde ne faisait pas ainsi ?

On frappa une seconde fois. Combien de temps était-elle restée là ? Elle regarda son poignet, se rappelant vaguement qu'elle avait ôté sa montre en même temps que sa robe et se souvenant alors que la robe gisait encore en un tas sanglant sur le sol. « Une seconde », cria-t-elle, ramassant la robe et la jetant dans l'armoire. Elle remit la montre à son poignet tout en arrachant la serviette de sous son manteau pour la lancer sur les liasses de billets de cent dollars, attrapant à la dernière minute l'un des billets en vrac et le serrant dans sa main.

Elle se dirigea vers la porte, hors d'haleine, comme si elle venait de courir un marathon. Il lui fallut un effort presque surhumain pour ouvrir, s'effacer et laisser entrer l'homme assez âgé. Ses yeux allèrent du serveur au lit, mais si ce dernier remarqua sa nervosité ou s'étonna du fait qu'elle avait son manteau sur elle alors qu'elle était manifestement toute mouillée, il ne dit rien, les yeux résolument fixés sur le chariot qu'il poussait devant lui.

— Où dois-je vous le laisser ? demanda-t-il d'une voix agréablement neutre.

— Ici, ce sera bien. Elle montra le bureau près de la fenêtre, surprise de la facilité avec laquelle lui venaient les mots.

Il posa le plateau sur le bureau, et elle lui glissa brusquement le billet de cent dollars dans la main en lui disant de garder la monnaie. Il parut hésiter, puis jeta un coup d'œil désapprobateur vers le lit.

Son cœur chavira et elle dut s'agripper au bord du bureau pour ne pas tomber. Avait-il vu l'argent ? Lui avait-il fait signe de sous sa prison humide comme le cœur révélateur de l'histoire d'Edgar Allan Poe [1] ?

— Je vais vous envoyer quelqu'un pour refaire le lit, dit-il.

Sa propre voix prit un ton brusque et perçant.

— Non ! cria-t-elle, ce qui les fit sursauter tous les deux.

Elle se racla la gorge, s'entendit rire, marmonner vaguement qu'elle avait du travail à faire et ne voulait pas être dérangée. Il hocha la tête, serra l'argent dans sa main, puis se retira vivement.

Elle attendit d'être sûre qu'il soit bien parti avant de rouvrir la porte et d'accrocher le panneau NE PAS DERANGER sur la poignée. Elle se dirigea alors vers le bureau, souleva la cloche en argenterie qui protégeait son dîner et s'assit pour manger. Mais après seulement quelques bouchées, elle sentit réapparaître le même épuisement qu'avant et elle tituba vers le lit, ivre de fatigue. Sans prendre la peine d'écarter l'argent ni

---

1. « Le Cœur révélateur » (« The Tell-tale Heart »), nouvelle faisant partie des *Nouvelles Histoires extraordinaires* d'Edgar Allan Poe.

d'ôter son manteau, elle tira sur le couvre-lit et se glissa sous l'épaisse couverture bleue. Sa dernière pensée avant de sombrer dans le sommeil fut que lorsqu'elle se réveillerait tout aurait à nouveau un sens, tout irait bien.

Mais lorsqu'elle ouvrit les yeux à six heures le lendemain matin, rien n'avait changé. Elle n'avait toujours pas la moindre notion de son identité.

3

La première heure fut la plus difficile. Le fait d'ouvrir les yeux en sachant que le soi-disant pouvoir de restructuration du sommeil n'avait rien fait pour lui redonner sa mémoire la fit vaciller jusqu'à la salle de bains où elle vomit tout ce qu'elle avait pu ingurgiter du dîner de la veille. Lorsque arriva le petit déjeuner qu'elle avait commandé une fois la faim revenue — oranges pressées, café et croissants —, elle remarqua qu'un quotidien du jour l'accompagnait. Ses yeux allaient nerveusement du journal au poste de télévision, redoutant de s'arrêter sur l'un ou l'autre.

De quoi avait-elle peur ? Est-ce qu'elle s'attendait sérieusement à trouver sa photo en première page ? Pensait-elle qu'elle pourrait elle-même être le thème du jour dans l'émission d'Oprah Winfrey[1] ?

Elle se força à manipuler les commandes de la télévision, et l'alluma, espérant à moitié se voir lui rendre son regard. Mais au lieu de cela elle vit une jolie blonde d'une vingtaine d'années donnant les informations d'une voix si gaie qu'elle eut à nouveau envie de vomir, et n'entendit pas un mot concernant une jolie brune âgée d'environ trente ans qui aurait disparu, bien qu'un homme de Caroline du Nord ait déclaré avoir vu Elvis pendant qu'il vidait les poubelles.

Il n'y avait rien non plus dans le journal du matin :

---

1. Animatrice de talk-shows à la télévision.

aucune mention d'une prisonnière évadée dans la région, aucune évocation d'une malade psychiatrique qui se serait échappée, aucune femme recherchée pour un interrogatoire à propos de mésaventures de quelque sorte que ce soit, aucune allusion à quelqu'un qui se serait éloigné en état de choc de la scène d'un terrible accident. Rien.

L'idée lui vint que, si elle n'était pas originaire de Boston, si elle arrivait d'une autre partie du pays et venait juste d'échouer dans cette ville, ça ne valait pas la peine qu'elle parcoure la presse locale. Et pourtant le sang sur sa robe n'était pas encore sec lorsqu'elle l'avait découvert, ce qui tendrait à suggérer que, quelle que soit la chose qui s'était produite, elle avait eu lieu ni trop loin ni trop longtemps auparavant.

Elle se rappela le bout de papier qu'elle avait trouvé dans sa poche — *Pat Rutherford, C. 31, 12.30*. Le journal mentionnait-il ce Pat Rutherford ? Elle relut le quotidien et n'y trouva rien. Si c'était le sang de Pat Rutherford qui recouvrait sa robe, soit Pat Rutherford s'était rétabli tranquillement et discrètement, soit il gisait encore quelque part sans avoir été découvert.

Comprenant qu'elle n'apprendrait rien de ce journal, elle se concentra plutôt sur la télé, changeant continuellement de chaîne, allant de *Good Morning America* à *The Today Show*, de Phil à Oprah, Sally Jessy ou Geraldo [1]. Elle découvrit qu'il y avait des spécialistes des lesbiennes battues et des travestis cleptomanes, qu'il existait une foule de jeunes filles qui avaient mis au monde non pas un, mais plusieurs enfants avant d'avoir atteint l'âge de treize ans, et qu'il y avait une horrible quantité de maris qui ne voulaient pas faire l'amour à leur femme. Elle l'apprenait en voyant tous ces gens raconter leurs histoires à Sally Jessy et Geraldo et Oprah et Phil sur les chaînes nationales. Il n'y avait plus de secrets, plus rien qui ressemblât à une vie privée.

Elle envisagea d'appeler les chaînes. J'ai une idée formidable pour une émission, leur dirait-elle. Les

_____

1. Animateurs de talk-shows à la télévision.

femmes qui *ne savent pas* si elles sont des lesbiennes battues ou des travestis cleptomanes, qui *ne savent pas* combien d'enfants elles ont peut-être eus avant l'âge de treize ans, qui *ne savent pas* si leur mari leur fait l'amour plus de deux fois par an. *Les femmes qui ne savent pas qui elles sont...* Oh, laissez tomber, elles sont trop nombreuses.

C'est possible, acquiesça-t-elle. Mais combien d'entre elles ont près de dix mille dollars dans leurs poches et du sang plein leurs vêtements ?

Ah bon, pourquoi vous ne l'avez pas dit ? entendit-elle Phil et Oprah et Sally Jessy et Geraldo roucouler d'excitation tous ensemble. *Les femmes riches et éclaboussées de sang qui ne savent pas qui elles sont !* Ça, c'est une idée qui est vraiment d'actualité !

Aux talk-shows succédèrent les jeux, puis les feuilletons *soap operas*. Des images d'individus très beaux parsemèrent l'écran, puis une voix mâle et profonde annonça *Les Feux de l'amour*. *Les Feux de l'« amer »*, avait dit le jeune homme dans la boutique. Elle s'installa pour regarder. Qui donc étaient tous ces individus très beaux et submergés de problèmes, et que faisaient-ils dans des tenues aussi élégantes en plein milieu de l'après-midi ?

Avec réticence, elle alla chercher sa propre robe dans l'armoire, examinant la partie couverte de sang comme si c'était une œuvre d'art moderne, peut-être quelque chose de Jackson Pollock. Mais comme c'est le cas avec l'art abstrait, elle ne lui révéla rien. Elle la roula étroitement en boule et la jeta contre un mur, la regardant se déployer doucement en retombant à terre. Elle se moqua d'elle même en silence, et reprit sa position au pied du lit, les yeux dans le vague, jusqu'à ce que l'angle du soleil à travers l'épaisseur des rideaux la persuade que c'était le soir.

Les informations de dix-huit heures trente déversèrent leurs nouvelles séries de problèmes, mais il n'y avait toujours rien à propos d'une femme seule avec du sang sur sa robe et de l'argent dans ses poches. Dan Rather était tout aussi ignorant de son existence que Tom Brokaw et Peter Jennings [1].

« Qui suis-je ? » cria-t-elle, éteignant brutalement la télévision dans sa colère, puis elle commanda à dîner au room service, tout en s'étonnant de la constance de son appétit. « Qu'est-ce qui m'est arrivé ? Où ai-je égaré ma vie ? »

Le matin suivant, elle sut qu'il lui fallait trouver une réponse.

Copley Place est un imposant ensemble de bureaux et de boutiques situé sur Copley Square, le cœur de Back Bay. On y trouve un grand hôtel, plusieurs bons restaurants et plus d'une centaine de magasins répartis sur deux niveaux, chaque niveau faisant la longueur d'un pâté de maisons. C'est très imposant.

Elle n'était pas impressionnée. Elle avait peur.

Ne portant que ses sous-vêtements sous son manteau, les pieds serrés dans ses chaussures, elle se dirigea vers le grand magasin ultramoderne Neiman-Marcus à l'autre bout de la place. Elle serrait dans sa main un sac à linge en plastique qu'elle avait trouvé dans sa chambre d'hôtel et rempli des petites liasses de billets de cent dollars. L'argent recouvrait un autre sac à linge qui contenait sa robe tachée de sang.

— Je peux vous aider ?

Elle regarda autour d'elle, s'aperçut qu'elle était arrivée au rayon dames et répondit d'un hochement de tête à la femme qui, avec un air de petit oiseau, se tenait près d'elle. S'il y avait une chose dont elle avait besoin à cet instant, c'était bien d'aide.

— J'ai besoin de quelques nouvelles choses, dit-elle d'une voix faussement calme. Je n'ai absolument plus rien à me mettre.

La vendeuse s'inclina et laissa tomber ses mains le long de son corps.

— Voulez-vous dire une garde-robe complète ? demanda-t-elle, s'efforçant de contenir son excitation.

1. Présentateurs de journaux télévisés sur CBS, NBC, ABC.

— Non, juste quelque chose pour aujourd'hui.

L'espoir d'une confortable commission se retira du visage creux de la femme.

— Voulez-vous voir nos robes, ou préférez-vous des vêtements sport ?

Son ton était hésitant, comme si elle ne pouvait déterminer si on était en train de la faire marcher ou non.

— Sport fut la réponse inattendue. Peut-être un pantalon et un pull léger.

— Par ici.

La femme la conduisit vers un secteur proposant une sélection de splendides vêtements d'été.

— Quelle taille ?

Elle retint sa respiration, tâchant de se rappeler la taille sur l'étiquette de sa robe bleue.

— Trente-huit.

— Vraiment ?

La femme mesura du regard son manteau d'un air soupçonneux, comme si elle pouvait voir à travers.

— J'aurais dit trente-six.

— Vous avez peut-être raison. J'ai sans doute maigri ces derniers jours.

— Eh bien, tant mieux pour vous ! Je sais comme ça peut être difficile. Je n'ai jamais pesé plus de quarante-trois kilos dans ma vie mais ma fille, la pauvre, a hérité du côté de son père, et elle est perpétuellement au régime. Alors, tant mieux pour vous !

Elle se sentit bêtement fière d'elle.

— Alors vous vous offrez un petit cadeau, poursuivit la vendeuse. Eh bien, vous le méritez, ma chère, bien qu'à mon avis je ne maigrirais pas plus si j'étais vous. Passé un certain âge, je pense que les femmes sont mieux avec quelques kilos en plus.

Elle tendit le bras et prit sur une étagère un pantalon de coton brun clair et un tricot à manches courtes en coton beige avec des fleurs marron en travers.

— Cela vous plaît ? Passez-les donc pour voir la taille. Nous aurons alors une meilleure idée de ce qu'il vous faut.

Elle approuva, prit les articles des mains de la vendeuse et la suivit jusqu'aux salons d'essayage.

— Je suis à côté, si vous avez besoin de moi.

Elle pénétra dans l'étroite cabine et ferma soigneusement le rideau avant d'enlever son manteau. Elle enfila ensuite le pantalon brun taille trente-six et passa le pull beige taille unique avec des fleurs marron en travers. Elle put fermer le pantalon sans problème ; le pull tombait parfaitement. Elle se recula et s'admira dans le miroir. Elle n'était pas mal du tout. La vendeuse avait un bon œil.

— Comment ça va ? fut la question qui lui parvint de l'autre côté du rideau.

— Ça va très bien, dit-elle, émergeant de derrière le rideau dans ses nouveaux vêtements. Je les prends. Croyez-vous que vous pourriez ôter les étiquettes ?

— Vous voulez dire que vous les gardez sur vous ?

— Si c'est possible...

La femme haussa les épaules.

— C'est inhabituel, mais je suppose que c'est déjà arrivé. Comment réglez-vous vos achats ?

— En liquide.

— C'est ce que je pensais que vous alliez me répondre. La femme la conduisit à la caisse appropriée et prit les formulaires adéquats. Ça fait longtemps qu'on n'a pas réglé en liquide, j'espère que je me souviens comment on procède. Elle regarda autour d'elle d'un air inquiet. Oh mon Dieu, je crois que vous avez oublié votre sac dans la cabine d'essayage...

— Je n'ai pas de sac.

La femme parut cesser de respirer.

— J'ai de l'argent. Elle tapota le sac à linge d'un air rassurant. Simplement, je n'ai pas de sac. Il m'en faut un nouveau.

La vendeuse s'efforça de ne pas regarder le sac à linge en plastique.

— Apparemment, vous avez besoin de beaucoup de choses. Eh bien, vous êtes dans le bon magasin. Notre rayon sacs à main se trouve au rez-de-chaussée à côté de la parfumerie. Ça vous fera deux cent trente-sept dollars et vingt-huit *cents*.

Elle plongea lentement la main dans le sac à linge et en retira trois billets de cent dollars. La vendeuse ouvrit des yeux ronds avant d'éviter son regard, prépara rapidement la monnaie à rendre et regarda celle-ci tomber dans le sac en plastique. Elle retira ensuite les étiquettes des vêtements nouvellement achetés, sans autre commentaire. Quoi qu'il se passe, il était clair qu'elle avait décidé qu'il valait mieux ne pas être au courant.

— N'oubliez pas, les sacs à main sont au rez-de-chaussée, juste derrière le rayon parfumerie, cria la femme dans son dos.

Elle passa l'heure qui suivit à faire des achats. Successivement et sans s'attarder, elle abandonna ses escarpins Charles Jourdan au profit d'une paire de sandales plates en toile, acheta un nouveau soutien-gorge et un slip en soie rose pâle, un élégant sac à main en cuir ivoire, un portefeuille bleu marine, et des lunettes de soleil en écaille. Elle était considérablement ralentie par le fait qu'elle payait en liquide, pratique apparemment délaissée depuis longtemps par la plupart des acheteurs et quasiment oubliée par le personnel. Elle se rendit ensuite au rayon des produits de beauté où la jeune vendeuse zélée lui conseilla de choisir un blush de couleur pêche et le rouge à lèvres assorti, ainsi qu'un mascara noir profond qui lui semblait indispensable.

Elle transporta tous ces articles dans les toilettes où elle s'enferma, et enleva son pantalon et son pull neufs. Elle remplaça alors ses sous-vêtements par les délicates choses en dentelle rose qu'elle venait d'acheter. Après avoir renfilé son nouveau pantalon brun et son pull beige, elle transféra plusieurs centaines de dollars du sac à linge en plastique dans son portefeuille en cuir neuf, qu'elle rangea, avec ses nouvelles lunettes de soleil, dans son nouveau sac. Elle enveloppa ses vieux sous-vêtements dans son manteau, puis sortit de la cabine, souriant timidement à la vieille femme aux cheveux bleus qui était en train d'ajuster son dentier devant le miroir. Elle jeta alors tout le ballot dans la poubelle.

Rejoignant la vieille femme devant le miroir, elle appliqua son nouveau blush couleur pêche en larges mouvements réguliers sur ses joues, et observa le mascara transformant instantanément ses cils ordinaires en quelque chose d'opulent et d'exotique. Le rouge à lèvres pêche fit la même chose de ses lèvres, leur donnant une moue charnue.

— C'est une très jolie teinte, déclara la femme aux cheveux bleus derrière elle en tapotant son dentier pour le remettre en place une fois pour toutes. Comment ça s'appelle ?

Elle regarda le dessous du tube.

— Pêche intégrale, lut-elle à haute voix.

— Vraiment ? dit la femme en s'en allant.

— Vraiment, répéta-t-elle, songeant non à ses lèvres mais à sa situation fâcheuse. Vraiment.

Elle fut étonnée de voir à quel point elle connaissait bien la ville. Elle savait exactement quelle distance la séparait de chaque chose, si elle pouvait marcher ou prendre les transports en commun, si cela valait la peine de prendre un taxi. Elle se sentait à l'aise dans cette ville et, pourtant, pas une seule fois elle n'avait remarqué un visage connu, pas une seule fois on ne l'avait arrêtée dans la rue, pas une seule fois ce qu'elle voyait n'avait excité son système nerveux ni provoqué de réaction particulière. Elle éprouvait un sentiment d'anonymat et de solitude, comme un enfant perdu qui attend depuis des jours que ses parents négligents viennent le réclamer.

Elle passa devant un kiosque à journaux, sachant, pour l'avoir déjà vérifié, qu'il n'y avait aucune mention la concernant dans le journal du jour. Non seulement personne ne l'avait réclamée, mais personne ne semblait même savoir qu'elle avait disparu. « Pêche intégrale », marmonna-t-elle à haute voix, tandis qu'elle se trouvait devant la gare routière Greyhound pleine de monde.

Elle y pénétra, se frayant un passage à travers la foule jusqu'au fond de la gare, à la recherche de l'endroit où elle pourrait déposer à la consigne automatique le sac à linge contenant sa robe tachée de sang ainsi que la majeure partie de son argent. Mais, comme elle s'apprêtait à glisser la monnaie requise dans la fente appropriée, elle remarqua un écriteau avertissant que les casiers étaient vidés au bout de vingt-quatre heures et comprit qu'il lui fallait trouver une autre alternative.

— Excusez-moi, dit-elle en abordant un vieil homme portant de minces favoris blancs et un uniforme bleu impeccable. Y a-t-il un endroit où je puisse laisser quelque chose pendant plus de vingt-quatre heures?

— Tournez à droite, indiqua-t-il. Au bout du grand hall.

Elle suivit ses indications, tenant le sac à linge légèrement écarté d'elle, presque comme s'il renfermait des fragments de corps humain ensanglantés et pas seulement sa robe pleine de sang.

— Je voudrais enregistrer ceci, dit-elle à la femme qui avait l'air de s'ennuyer derrière le comptoir.

La femme leva à peine les yeux du magazine qu'elle était en train de lire.

— Vingt dollars de caution.

Elle fit glisser un billet de vingt dollars à travers le comptoir tandis que la femme fermait son magazine à contrecœur et remplissait un reçu avant de faire le tour du comptoir et de lui mettre une clé dans la main.

— Il faut deux clés, expliqua-t-elle, ayant branché sa voix sur le pilote automatique en la conduisant vers un mur de casiers. Vous en avez une. Nous gardons l'autre. On a besoin des deux pour ouvrir le casier, alors ne la perdez pas. On vous rembourse la différence ou vous payez le complément quand vous revenez chercher vos affaires.

D'un signe de tête elle montra qu'elle avait compris le règlement et jeta vivement le sac en plastique dans le casier ouvert, regardant ses mains qui tremblaient. La femme les avait-elle remarquées elle aussi? Allait-elle prévenir la police aussitôt qu'elle aurait disparu? Femme suspecte aux mains tremblantes enregistrant paquet suspect dans casier 362. Agissez avec précaution. Semble coupable de *quelque chose*.

Ça n'avait pas d'importance. Elle avait déjà décidé de se livrer elle-même. Elle avait pris cette décision le matin même quand il lui était finalement apparu que cet état pourrait être bien plus durable qu'elle ne l'avait tout d'abord imaginé. Elle ne pouvait passer une autre journée dans ce vide qu'elle s'imposait. Si elle ne pouvait trouver par ses propres moyens qui elle était, il lui fallait alors laisser les autres le faire à sa place, peu importe ce qui avait pu se produire pour la mettre dans cet état, peu importe ce qui avait fait que sa robe se retrouve couverte de sang, peu importe qui avait rempli ses poches de billets de cent dollars. Quoi qu'il se soit produit, quelle que soit sa culpabilité, rien ne pouvait être pire que ça — le fait de ne pas savoir.

Mais elle avait également décidé qu'avant de se présenter aux autorités compétentes, avant de découvrir quel acte horrible elle avait peut-être commis, ça serait une bonne idée de ne pas fournir toutes les preuves. La police s'affolerait à la vue de tout cet argent et de tout ce sang. Et qui pourrait l'en blâmer ? Ne s'était-elle pas affolée elle aussi ?

Non, avant de compliquer le problème en allant trouver la police avec la preuve de sa culpabilité, elle voulait d'abord savoir de quel crime elle était éventuellement coupable. Si elle pénétrait dans le commissariat de police en transportant un sac plein d'argent et en exhibant une robe pleine de sang, ils paniqueraient, comme elle avait elle-même paniqué. Il valait mieux garder une telle information pour elle, du moins pour l'instant. Commencer par le commencement. Et la première chose qu'elle devait élucider était qui elle pouvait bien être.

Elle attendit que la femme reprît sa place derrière le comptoir et se soit replongée dans son magazine avant d'ôter une de ses chaussures neuves, d'en décoller la semelle intérieure et d'y placer la clé. Elle remit ensuite le morceau de cuir en place et se rechaussa. C'était une sensation bizarre et déplacée, comme le sont souvent les secrets. Ça irait mieux quand elle y serait habituée, dès que son corps se serait adapté au mensonge.

Elle jeta le reçu dans la première poubelle venue et se hâta de sortir de la gare, envisageant de s'arrêter quelque part pour avaler quelque chose en vitesse, étonnée de la constance de son appétit. C'est alors qu'elle vit le jeune policier qui se tenait au coin de Stuart et Berkeley Street, et son appétit s'évanouit tout à coup.

— Excusez-moi, commença-t-elle non sans hésitation, l'abordant prudemment, je me demandais si vous pourriez m'aider.

4

— Allons, détendez-vous, ça ne vous fera pas mal.

— Qu'est-ce que vous allez faire ?

— Vous allez juste faire une petite promenade. Non, restez tranquille, je vous promets que vous ne sentirez rien. Essayez de vous détendre. Ça sera terminé dans dix minutes environ.

Elle se trouvait dans l'Hôpital de la ville de Boston, un hôpital de 450 lits destiné principalement aux pauvres et aux cas sociaux. La police l'y avait conduite après avoir vérifié qu'aucune femme correspondant à son signalement n'était recherchée pour quoi que ce soit, et qu'elle ne figurait pas non plus sur leur liste de personnes disparues. Ils avaient pris ses empreintes digitales pour les envoyer à Washington, ainsi que sa photo qu'ils envisageaient de transmettre aux journaux, mais ils voulaient tout d'abord que l'hôpital lui fasse passer quelques examens. Ils choisirent l'Hôpital de la ville de Boston plutôt que l'Hôpital général du Massachusetts, après s'être dit qu'une personne sans identité était peu susceptible d'avoir une assurance-maladie.

Les policiers la laissèrent aux soins d'un externe nerveux qui ne savait pas quoi faire d'elle, pas plus qu'elle ne le savait elle-même. Il lui posa les mêmes questions que la police : Quand vous êtes-vous aperçue que vous aviez perdu la mémoire ? Où vous trouviez-vous exactement ? Où êtes-vous allée ? Etiez-vous ivre ? Pourriez-vous nous dire quelque chose vous concernant ? Elle répondit à toutes leurs questions sauf à la dernière, celle qui avait le plus d'importance.

L'externe commença son auscultation par l'examen de ses pupilles pour voir si elles réagissaient ou non à la lumière. Elles réagissaient, et il lui prit alors la tension artérielle et vérifia son rythme cardiaque, qui étaient tous deux satisfaisants. Il contrôla son urine et palpa sa tête pour détecter des signes de traumatisme externe. Tout était correct, si bien qu'il appela l'interne, un jeune homme barbu et totalement dépourvu d'humour, avec l'air de quelqu'un qui n'a jamais ébauché un sourire, et ce fut en effet le cas, du moins durant la demi-heure qu'il passa à l'examiner.

— Le Dr. Klinger, après s'être présenté sur un ton solennel, qui donnait un poids égal à chaque syllabe, lui examina à son tour les pupilles, le rythme cardiaque et la tension artérielle, puis il prescrivit une série d'analyses de sang. Lorsqu'elle lui demanda à quoi elles étaient destinées, il expliqua avec une visible impatience qu'on essayait d'éliminer diverses causes physiques de son amnésie. Lorsqu'elle le pressa d'être plus précis, il eut l'air contrarié, comme si la réponse allait de soi, et lui dit qu'on cherchait à éliminer l'alcool, la drogue, le sida et la syphilis tertiaire comme causes éventuelles de son état. Elle écarquilla les yeux d'inquiétude. La syphilis tertiaire était quelque chose à quoi elle n'aurait jamais pensé.

— Vous croyez vraiment que je pourrais avoir la syphilis ? ne put-elle s'empêcher de demander, trouvant l'idée presque amusante.

— Pas vraiment, répondit-il, comme si parler lui demandait un grand effort. J'y songerais davantage si vous étiez noire.

Même en ignorant qui elle était, elle savait que la cruauté désinvolte de cette remarque la choquait. Je représente une curiosité pour eux uniquement parce que je suis blanche, se dit-elle. Si j'étais noire, on me renverrait comme ivre ou droguée ou encore au dernier stade de la démence provoquée par la promiscuité sexuelle. Elle sentit son poing se serrer sous son sac à main, et se retint de l'envoyer à la face du bon docteur.

— Qu'est-ce que vous vérifiez d'autre ?

Sa voix était sèche, chargée d'indifférence.

— Nous faisons une série de tests métaboliques pour contrôler d'éventuels problèmes de thyroïde, de reins ou de foie. Ainsi que des dérèglements ou carences en vitamines.

— Ça prendra combien de temps ?

— Nous devrions avoir les résultats dans à peu près une heure. En attendant, nous allons faire un EEG.

— C'est quand on vous fixe plein de fils sur la tête ?

Il ne prit pas la peine de répondre jusqu'à ce que les fils soient installés sur son crâne selon des intervalles appropriés.

— Un électro-encéphalogramme enregistre les ondes du cerveau, ce qui nous permet de détecter toutes les anomalies. Je ne crois pas que nous trouvions quelque chose dans votre cas.

— Pourquoi dites-vous cela ?

Il haussa les épaules sans rien dire.

— Vous pensez que je suis une alcoolique, n'est-ce pas ?

— Je pense que cette possibilité existe.

Elle était dans un tel état de colère, à présent, qu'il lui fallut concentrer toute sa volonté pour ne pas bondir de la table et lui sauter à la gorge. Est-ce qu'il traitait tous ses patients avec un tel mépris insouciant ?

— Si j'étais une alcoolique, commença-t-elle lentement, ravalant sa rage, mon corps ne serait-il pas dans un certain état de manque en ce moment même ? Je veux dire, je n'ai rien bu d'autre que de l'eau minérale ces deux derniers jours, et ça ne m'a causé aucun problème.

— Ça ne sert vraiment pas à grand-chose de faire des suppositions. Pourquoi ne pas simplement attendre d'avoir les résultats des analyses de sang ?

Pourquoi est-ce que tu ne te fous pas une de ces

éprouvettes de sang dans ton petit cul coincé, espèce de crétin condescendant et prétentieux ! pensa-t-elle, mais elle se tut.

L'électro-encéphalogramme montra que les ondes de son cerveau étaient parfaitement normales. Le Dr. Klinger pinça les lèvres d'un air suffisant, en une moue ressemblant à une moustache à la Fu Manchu.

— Et maintenant ? demanda-t-elle tandis qu'il griffonnait quelques mots certainement illisibles sur son bloc-notes.

— Eh bien, attendons d'avoir les résultats des analyses de sang, dit-il, comme il l'avait déjà dit auparavant. Pendant ce temps, je vais m'entretenir avec le Dr. Meloff au sujet d'un scanner CAT.

Il lui avait tourné le dos et était déjà presque sorti de la pièce tout en parlant, si bien qu'elle ne comprit pas bien ce qu'ils allaient faire, jusqu'à ce que le Dr. Meloff lui tienne le même discours quelques instants plus tard.

Le Dr. Meloff, un neurologue, avait été consulté lorsque les analyses de sang n'avaient révélé aucune trace de problèmes de thyroïde, de foie ou de reins, aucun dérèglement chimique ni carence en vitamines, aucun soupçon d'alcoolisme, d'abus de drogue, de sida, de syphilis ou d'autres infections nuisibles au cerveau. C'était un bel homme avec des cheveux bruns légèrement grisonnants sur les tempes, et un sourire facile qui cadrait bien avec son attitude détendue.

— Je suis le Dr. Meloff, dit-il, parcourant le diagramme et secouant la tête en réprimant un léger rire. Alors, vous n'êtes pas totalement vous-même, aujourd'hui, n'est-ce pas ?

Elle ne put que rire en retour.

— Voilà qui est mieux, dit-il, examinant ses pupilles comme l'interne et l'externe l'avaient fait avant lui, puis lui faisant tourner la tête d'un côté et de l'autre. Quel est mon nom ? demanda-t-il d'une façon désinvolte.

— Dr. Meloff, déclara-t-elle aussitôt, automatiquement.

— Bien. Suivez mon doigt — il la contraignit à suivre des yeux le tracé de son doigt dans l'air. Maintenant, par ici.

Son doigt sortit de son champ de vision.

— Non, ne bougez pas la tête. Voilà. Bien. Très bien.

— Qu'est-ce qui est très bien ?

— A première vue, il n'y a rien qui cloche physiquement. Vous ne vous rappelez pas avoir reçu des coups sur la tête ? Une chute, peut-être ?

Ses doigts palpaient son crâne, massant sa nuque.

— Non, rien. Tout au moins rien dont je puisse me rappeler.

— De quoi vous souvenez-vous exactement ?

Elle gémit.

— Est-ce que je dois subir ça à nouveau ? J'ai déjà fait le tour de la question avec la police et les autres médecins. Je suis sûre que tout est consigné sur le rapport quelque part...

— Faites-moi plaisir.

Il le dit si gentiment qu'elle ne put lui résister. Le Dr. Klinger ferait bien de prendre exemple sur cet homme, pensa-t-elle, s'apercevant que le Dr. Klinger avait quitté la pièce.

— Je ne me souviens de rien du tout me concernant, dit-elle au Dr. Meloff d'une voix plaintive. Tout ce que je sais, c'est que je me suis retrouvée au coin de Cambridge et Bowdoin Street et que je ne savais pas ce que je faisais là, comment j'y étais arrivée, ni qui j'étais. Je n'avais pas de papiers d'identité ; j'étais toute seule ; je ne savais pas quoi faire. Alors, j'ai erré pendant quelques heures puis j'ai pris une chambre à l'hôtel Lennox.

— A quel nom ?

— J'en ai inventé un.

Elle haussa les épaules.

— Cindy McDonald. La police a déjà vérifié. Je n'existe pas.

Il sourit.

— Oh, que si, vous existez. Un peu trop maigre,

peut-être, mais c'est sûr que vous existez. Comment je m'appelle ?

— Dr. Meloff.

— Parfait. Vous avez donc passé deux nuits à l'hôtel Lennox avant de vous présenter à la police.

— Oui.

— Pourquoi n'êtes-vous pas allée trouver la police tout de suite ?

Elle respira profondément, préparant son corps pour le mensonge qui allait suivre. La police lui avait posé la même question. Elle donna au médecin exactement la même réponse qu'à la police.

— J'étais désemparée, commença-t-elle. Je n'arrêtais pas de croire que ma mémoire allait revenir incessamment. Je ne sais vraiment pas pourquoi je ne suis pas allée trouver la police tout de suite, conclut-elle, revoyant les petites liasses de billets de cent dollars et sa robe éclaboussée de sang, et sachant très bien pourquoi.

S'il douta de ce qu'elle dit, il n'en montra rien.

— Mais vous n'avez aucun mal à vous rappeler les événements des derniers jours ?

— Aucun mal.

— Et pour les questions d'actualité ? Vous savez qui est le président ?

— Je sais qui est le président, lui dit-elle, mais je ne sais pas si j'ai voté pour lui.

— Mettez-vous debout, lui dit-il, l'aidant à descendre de la table d'examen. Fermez les yeux et tenez-vous en équilibre sur la jambe droite. Bien. Sur l'autre jambe, maintenant. Comment je m'appelle ?

— Dr. Meloff. Pourquoi me posez-vous toujours cette question ? Je n'ai aucun mal à me rappeler qui sont les autres, mais seulement qui je suis, moi.

— Vous pouvez rouvrir les yeux, à présent.

Elle ouvrit les yeux sur la désagréable vision du Dr. Klinger.

— Le scanner CAT de la patiente est prêt, dit-il comme si elle n'était pas là, ignorant même sa présence dans la pièce, réduisant encore ce qui restait de la notion qu'elle avait d'elle-même.

Le Dr. Meloff lui prit le bras.

— C'est parfait, Dr. Klinger, dit-il, la guidant hors de la salle d'examen. J'accompagne Miss McDonald à la radio.

Elle sourit d'une manière presque audible lorsqu'ils pénétrèrent dans le hall.

Le service de radiographie se trouvait dans les soussols de l'hôpital. Des patients erraient le long des corridors défraîchis, l'air effrayé et perturbé, généralement ignorés par le personnel sauf si l'attitude inverse s'imposait. Chacun semblait égaré, submergé de fatigue et de travail.

Ils avaient tous l'air de vouloir être autre part — *n'importe où* mais ailleurs.

La pièce où on devait lui faire l'examen était occupée en son centre par une grosse machine en forme de tunnel. On lui dit de s'étendre sur une table longue et étroite qui pouvait pénétrer dans la machine, de garder les bras le long du corps et de ne pas bouger. Le technicien vérifia qu'elle n'avait pas de pinces à cheveux et tendit son sac à une infirmière.

— Qu'est-ce qui va se passer ? dit-elle d'une voix légèrement gémissante.

— Allons, détendez-vous, ça ne vous fera pas mal.

— Qu'est-ce que vous allez faire ?

— Vous allez juste faire une petite promenade.

Elle s'assit, prête à protester.

— Non, restez tranquille, je vous promets que vous ne sentirez rien. Essayez de vous détendre. Ça sera terminé dans dix minutes environ.

— Et après ? demanda-t-elle tandis qu'elle sentait la table l'expédier dans la gueule de la machine.

— Surtout ne bougez pas, lui ordonna le technicien. Fermez les yeux. Reposez-vous tranquillement.

— Je vous vois dans dix minutes, cria le Dr. Meloff alors que l'obscurité la recouvrait comme une couverture moelleuse.

Son corps vibrait doucement sous le faible ronflement de la machine pendant qu'elle avançait progressivement dans le tunnel. Elle voulait ouvrir les yeux et regarder autour d'elle mais avait peur de le faire. Elle n'arrivait pas à se rappeler si on lui avait dit de garder les yeux fermés ou non. Elle ne pouvait que les entendre lui répéter qu'il était important de ne pas bouger.

Ne bouge pas, murmura-t-elle silencieusement. Ne tourne pas la tête. Ne t'affole pas. Ne t'affole pas. Ne t'affole pas.

Il n'y en a que pour dix minutes, se répéta-t-elle, voulant hurler. Juste dix minutes et elle serait sortie de ce foutu machin. Elle pouvait sûrement attendre dix minutes. C'était un court laps de temps pour la plupart des choses. Dix minutes, ce n'était pas trop demander.

C'était une éternité. C'était une interminable succession de secondes qu'il fallait franchir et surmonter. Elle n'aurait jamais dû accepter de passer ces examens. Pour commencer, elle n'aurait jamais dû venir ici. Elle n'aurait jamais dû aller trouver la police. Elle aurait dû rester à l'hôtel Lennox jusqu'à ce qu'elle n'ait plus d'argent et qu'il ne lui reste pas d'autre choix.

Elle aurait dû s'enfuir dès que possible. Combien de gens, après tout, avaient la chance de pouvoir entamer une vie totalement nouvelle ? Combien avaient l'occasion de tout effacer, ou que l'on efface tout pour eux ? Elle avait eu entre les mains une chance pour laquelle beaucoup pourraient tuer. Avait-elle tué pour cette chance ?

Non, s'exhorta-t-elle, ne commence pas à penser à ça ! Pas maintenant. Il fallait qu'elle cesse de se tourmenter pour savoir qui elle pouvait bien être et ce qu'elle pouvait bien avoir fait. N'était-ce pas la raison pour laquelle elle se trouvait ici ? Pour qu'on puisse trouver la réponse à sa place ?

D'ailleurs, qu'y avait-il de si important à savoir qui on était ? Regardez le nombre de gens dans le monde qui savent exactement qui ils sont et regardez comme ils sont malheureux ! Non, on lui avait donné la chance de tout recommencer à zéro et, avec légèreté et insouciance, elle l'avait jetée à la poubelle en même temps que son manteau et ses sous-vêtements. Et maintenant elle était coincée. Coincée dans le ventre d'une machine monstrueuse qui était en train de photographier l'intérieur de son corps et probablement de jeter un coup d'œil également sur son âme. Coincée en plein milieu d'un mystère qu'il vaudrait sans doute mieux laisser inexpliqué. Coincée au milieu d'une vie qu'elle avait tenté d'abandonner.

Ne t'affole pas, lui répétait silencieusement une petite voix. Dans quelques minutes tout sera fini.

Qu'est-ce qui sera fini ? demanda-t-elle à la voix. Quoi exactement ?

Calme-toi. Calme-toi. Tâche de ne pas t'agiter. Tâche de ne pas t'énerver. Tu sais qu'il ne t'arrive que des ennuis quand tu t'énerves.

Qu'est-ce que tu veux dire ? Quels ennuis ? Quel est le genre d'ennuis qui m'arrivent quand je m'énerve ?

Détends-toi. Essaie de garder ton calme. Tu sais que ça ne te vaut rien de te mettre en colère.

Comment est-ce que je sais ça ? Comment sais-tu ça, toi ? Qui es-tu ?

La voix fut absorbée par le ronflement de la machine. Puis elle n'entendit rien d'autre que le silence et eut l'impression d'être replongée dans des entrailles, comme si elle flottait dans un état intermédiaire, attendant de naître. Derrière ses paupières closes, elle voyait des couleurs, de larges taches de violet et de vert-jaune qui formaient un kaléidoscope, dansant devant elle, jaillissant puis disparaissant dans le noir, pour réapparaître quelques secondes plus tard. Suis-nous, lui signifiaient-elles. Nous te guiderons à travers l'obscurité.

Elle les suivit jusqu'à ce qu'elles s'évanouissent dans l'éclat d'un soleil aveuglant, et elle se retrouva alors échouée dans une forêt tropicale humide. De larges feuilles dégoulinantes pendaient d'arbres exotiques tandis qu'elle avançait en trébuchant à travers une jungle épaisse. La terre semblait lui monter le long des jambes comme de grosses bottines d'hiver. Etait-elle en train de s'enfoncer ? Etait-elle tombée dans des sables mouvants ?

Une brise tournoyait autour d'elle, menaçant de

s'enrouler autour de son cou comme un boa constrictor pour se dissiper d'un seul coup, perdant de sa puissance et s'évanouissant. La brise réapparut quelques secondes plus tard comme un ronflement régulier qui n'avait plus de caractère menaçant. Elle sentit son corps soudain libéré des contraintes qui l'entravaient.

— Et voilà, ça n'était pas si terrible, la rassura une voix familière tandis qu'elle ouvrait les yeux.

— Dr. Meloff ?

Il sourit.

— Et je ne vous l'ai même pas demandé.

Elle s'assit, déconcertée. Où se trouvait-elle ? Plus précisément, où était-elle allée ?

— J'ai dû m'endormir.

— Tant mieux pour vous. Vous aviez probablement besoin de repos.

— J'ai fait un rêve très bizarre.

— A en juger d'après ce qui s'est passé avec le reste de votre vie, ce n'est pas vraiment surprenant.

Il lui tapota la main.

— Je vais demander à l'infirmière de vous reconduire en haut pendant que j'essaie de débrouiller les résultats du scanner. Je n'en ai pas pour longtemps.

Il ne fut pas long. Il était de retour dans l'heure qui suivit, lui annonçant que son scanner était parfaitement normal.

— Alors, et maintenant ?

— Je ne sais pas très bien, dit-il, et elle éclata de rire, appréciant son honnêteté.

— Vous n'avez pas répondu à ma question, lui dit-elle alors qu'il dressait un sourcil, qui était : Pourquoi me demandez-vous tout le temps comment vous vous appelez ?

— C'est pour vérifier ce qu'on appelle le syndrome de Korsakoff, répondit-il d'un air penaud.

— On dirait un livre de Robert Ludlum [1].

Il rit.

1. Auteur de romans d'espionnage très compliqués et pleins de mystère.

— Oui, c'est vrai. Vous en avez lu ?

— Je ne sais pas.

— Simple contrôle.

— Et ce syndrome de Korsakoff, qu'est-ce que c'est exactement ?

— Ça implique une perte de mémoire. Le patient ne parvient pas à se rappeler de quoi que ce soit d'une minute à l'autre, si bien qu'il affabule perpétuellement.

— Affabuler ? Vous voulez dire mentir ?

Il acquiesça.

— Affabuler, répéta-t-elle. Quel joli mot !

— N'est-ce pas ? approuva-t-il. Quoi qu'il en soit, vous leur dites votre nom et deux minutes après, ils n'arrivent pas à s'en souvenir, alors ils inventent quelque chose.

— Mais pourquoi font-ils ça ?

— Les gens qui souffrent d'amnésie croient souvent que c'est là un moyen utile pour que les autres ne se rendent pas exactement compte de leur état. Ils ont ainsi la possibilité de rassembler davantage d'informations les concernant sans que personne n'en sache rien.

— Ça doit demander beaucoup de travail.

— Personne n'a jamais dit que le fait d'oublier qui on est était chose facile à vivre.

Elle sourit.

— Alors vous concluez que je n'ai pas ce syndrome de Korsakoff ?

— Je dirais que nous pouvons oublier Mr. Korsakoff. D'ailleurs c'est un syndrome généralement lié à l'abus de l'alcool, et c'est une chose que nous avons définitivement écartée.

— Qu'est-ce que nous n'avons pas écarté ?

— Je pencherais plutôt, et ce n'est qu'une supposition, souligna-t-il, pour le fait que votre amnésie pourrait être due à une sorte de traumatisme psychique.

— Vous croyez que je suis folle ?

— Ce n'est pas ce que je disais.

— Vous croyez que tout se passe dans ma tête,

déclara-t-elle presque avec colère, puis elle se mit à rire. Vous essayez de me dire que le fait que je n'aie rien dans la tête se passe entièrement dans ma tête.

Il sourit.

— J'essaie de vous dire que vous souffrez peut-être d'un syndrome non psychotique aigu.

Elle sentait son corps s'agiter et s'impatienter.

— Pourrions-nous parler clairement, je vous prie, Dr. Meloff?

Il choisit ses mots lentement, posément.

— Le seuil de tolérance à l'angoisse est propre à chacun. Lorsque ce seuil est atteint, certains choisissent de s'évader grâce à une brusque perte de mémoire. On appelle cela un état de fugue, qui se caractérise le plus souvent par la fuite. Lorsque la vie devient trop pénible, l'individu choisit de régler le problème en ne réglant rien du tout, en s'évadant.

— Allons, Dr. Meloff, les gens sont soumis à une énorme tension dans leur vie quotidienne. Ils ne s'en vont pas tous se promener en oubliant qui ils sont.

— Certains réagissent ainsi. D'autres font des dépressions nerveuses, battent leurs enfants, ont des liaisons, volent une banque ou commettent même un meurtre. L'hystérie prend des aspects et des manifestations très variés.

Elle pencha la tête en arrière, refoulant quelques larmes importunes, l'image de sa robe ensanglantée dansant devant ses yeux.

— Alors vous pensez que je suis une sorte d'hystérique?

— Il y a une énorme différence entre être hystérique et souffrir d'amnésie hystérique. L'amnésie hystérique est un mécanisme qui permet de faire face, une forme d'instinct de conservation, si vous voulez. Cela implique une perte de la mémoire concernant une période particulière de la vie d'une personne, période généralement associée à une frayeur ou une rage intenses, une honte ou une humiliation profondes.

— On dirait que vous avez beaucoup lu sur ce sujet.

Il eut un large sourire.

— En revenant ici, je me suis arrêté pour échanger quelques mots avec l'un des psychiatres.

— Peut-être est-ce *moi* qui devrais parler au psychiatre ?

Il approuva d'un signe de tête.

— J'aimerais d'abord vous faire passer encore quelques tests. Juste pour m'assurer qu'il n'y a pas quelque chose que nous ayons négligé.

— Comme quoi ?

— Je pensais à un scanner par résonance magnétique. Cela diffère du scanner CAT en ce sens qu'il utilise un aimant au lieu d'un rayon X pour prendre une image du cerveau. Il y a aussi ce que l'on appelle un test TAEC, c'est-à-dire un tracé de l'activité électrique du cerveau, qui est une analyse par ordinateur de l'activité cérébrale, plutôt comme un EEG. Nous pourrions également envisager un scanner TEP, c'est-à-dire une tomographie de l'émission de positrons, qui teste le métabolisme du cerveau au moyen de matériel radioactif.

— Vous allez lancer une attaque nucléaire contre moi ?

Il rit.

— Peut-être que nous laisserons tomber celui-ci.

— Et si tous ces tests sont normaux ?

— Nous pourrions pratiquer une ponction lombaire pour rechercher une infection du système nerveux, ou encore une artériographie des vaisseaux conduisant au cerveau.

— Ou bien nous pourrions tout simplement m'envoyer chez le psychiatre, proposa-t-elle, trouvant cette alternative soudain très séduisante.

— Ou bien nous pourrions tout simplement vous envoyer chez le psychiatre, approuva-t-il.

— Et que pourrait faire le psychiatre ? Je veux dire, je n'ai rien à révéler.

Et l'argent ? Et le sang ? entendit-elle lui demander une petite voix à l'intérieur d'elle-même. Elle chassa la voix d'un mouvement de tête.

— Il effectuera sans doute une série de tests psychologiques et de tests de mémoire, répondit le Dr. Meloff.

58

— Encore des tests, l'interrompit-elle.

— Hé ! c'est ce qué nous faisons de mieux.

— Combien de temps ça prendra ?

— Tout dépend du délai dans lequel je peux organiser ces choses. Je dirais quelques jours.

Elle gémit.

— Qu'est-ce qu'il y a ? Vous avez un rendez-vous important ?

— J'espérais que ce cauchemar serait fini avant.

Il vint près d'elle et lui prit la main.

— Peut-être bien.

Elle lui lança un regard chargé d'espoir.

— Les états de fugue hystérique, si c'est ce à quoi nous avons affaire, peuvent s'inverser à n'importe quel moment. Et je n'ai jamais entendu parler d'un cas ayant duré plus de deux mois.

— Deux mois ?!

— Habituellement ils disparaissent aussi vite qu'ils sont apparus, généralement en l'espace de quelques jours à quelques semaines. Mais écoutez, dit-il, lui replaçant la main sur les genoux et posant la sienne par-dessus, arrêtons de faire des suppositions et oublions certains de ces tests.

Il attrapa une chaise et prit un magazine que quelqu'un avait laissé.

— Détendez-vous, remettez-vous au courant de ce qui s'est passé dans le monde et que vous pourriez avoir oublié.

Il vérifia la date de la couverture du magazine.

— Bien, renseignez-vous sur ce qui s'est passé il y a deux ans. Interrogation écrite à mon retour.

Sur ces mots, il s'en alla. Elle s'assit sur la table d'examen dans ses vêtements nouvellement achetés, serrant son sac contre elle, sentant la clé qu'elle avait cachée sous la semelle intérieure de sa chaussure neuve appuyer sur la plante de son pied nu, et se demanda si elle devait dire toute la vérité au Dr. Meloff. A propos de l'argent. A propos du sang. Cela faciliterait sûrement sa théorie d'un état de fugue hystérique. Et après ? Se précipiterait-il tout droit à la police, ou serait-il lié par le secret médical ? Que lui apporterait de plus le fait de tout confier au bon docteur, sinon de la soulager et vraisemblablement de lui éviter le désagrément d'une ponction lombaire et d'une artériographie des vaisseaux menant au cerveau ?

N'était-ce pas une raison suffisante ?

Faisant une profonde respiration, elle décida de raconter toute l'histoire au Dr. Meloff dès qu'il reviendrait. En attendant, elle ferait comme il l'avait suggéré et reprendrait contact avec quelques-uns des événements du passé assez proche, pour tester les capacités de sa mémoire. Elle feuilleta les pages écornées du magazine, gloussant devant une photo de Dan Quayle lors d'un de ses premiers voyages en Amérique latine, se perdant un instant dans l'intensité du regard de Tom Cruise, souriant à l'extravagance des modèles de Christian Lacroix qui avaient été très à la mode. C'est alors qu'elle aperçut la jeune femme qui la fixait depuis la porte restée ouverte, et le magazine tomba à terre.

— Excusez-moi, dit la jeune femme vêtue d'une blouse blanche de laboratoire en se précipitant pour ramasser le magazine. J'ai cru vous reconnaître en passant par ici un peu plus tôt, mais je n'en étais pas sûre. Vous ne vous souvenez sans doute pas de moi...

— Qui êtes-vous ?

Sa voix ne fut qu'un cri.

— Dr. Irene Borovoy fut la réponse instantanée. Nous nous sommes rencontrées à l'hôpital pour enfants il y a un peu plus d'un an. J'étais interne dans le service de votre mari.

Elle s'interrompit brusquement, portant les mains devant sa bouche.

— Vous êtes bien la femme du Dr. Whittaker, n'est-ce pas ? Jane Whittaker ? C'est exact ? En général je suis plutôt douée pour mettre un nom sur les visages.

— Jane Whittaker, répéta-t-elle, ajustant sa langue au nom inconnu.

— Votre mari est un homme tellement merveilleux.

— Jane Whittaker, dit-elle à nouveau, goûtant cette sonorité dans sa bouche.

— Est-ce que quelqu'un s'occupe de vous, Mrs. Whittaker ? demanda le Dr. Borovoy d'un air soucieux qui troublait la régularité de ses traits. Vous vous sentez bien ?

Elle regarda le jeune médecin droit dans ses yeux bleu clair.

— Jane Whittaker, dit-elle.

5

Elle attendait que l'homme qui se déclarait son mari ait fini de s'entretenir avec les médecins et la police pour lui être confronté.

« Jane Whittaker », dit-elle à nouveau, croyant qu'en répétant ce nom constamment celui-ci finirait par se glisser dans sa mémoire et ferait ainsi ressortir son identité. Mais les mots étaient creux et manquaient de résonance. C'est à peine s'ils vibraient à l'intérieur de sa tête pendant le temps qu'il fallait pour les prononcer, puis s'évanouissaient sans laisser de trace. Ils n'apportaient avec eux aucune révélation, aucune apparition soudaine. Ils n'étaient chargés d'aucun bagage émotionnel, mais simplement d'un sentiment d'indifférence étonnant et presque accablant. « Jane Whittaker », murmura-t-elle, pesant chaque syllabe, sans rien ressentir. « Jane Whittaker. »

Il lui apparut tout à coup d'une belle ironie que son nom soit Jane. N'était-ce pas toujours ce nom-là que l'on attribuait aux corps de femmes non identifiées que l'on trouvait flottant dans le port de Boston ? Aux femmes non identifiées trouvées assassinées dans les rues ? Jane Doe [1], marmonna-t-elle dans un souffle.

Ou pourquoi pas Jane Eyre, attendant l'apparition du mystérieux Mr. Rochester ? L'homme qui se prétendait à présent son mari allait-il faire une entrée dramatique

1. Nom aussi courant que Dupont ou Durand.

comme ce gentilhomme surgissant hardiment sur son cheval, pour faire une chute et se fouler la cheville sous les yeux de son héroïne troublée ? Serait-il lui aussi sombre, fort et sévère ? Et ne saurait-elle pas le reconnaître, de même que Jane Eyre n'avait su reconnaître le futur grand amour de sa vie ?

Il y avait aussi une autre Jane, Lady Jane Gray, jeune prétendante au trône d'Angleterre, décapitée lorsqu'elle avait tenté de passer pour quelqu'un qu'elle n'était pas ? Ou encore Jane, errant à travers la jungle à la recherche de son Tarzan. « Moi Tarzan, toi Jane. » Cela expliquait-il les rêves étranges qu'elle avait faits dans le scanner ? Son subconscient utilisait-il des images de jungle pour réveiller sa notion d'elle-même ? « Toi Jane. » Etait-ce vraiment aussi simple que ça ?

Toi Jane. Jane tout court. Voilà Jane. Qu'est-ce qui fait courir Jane ?

Elle lutta contre l'envie soudaine de bondir de sa chaise et de fuir l'hôpital, de retrouver l'obscurité rassurante de l'hôtel Lennox, de commander un repas dans sa chambre et de se cacher sous les couvertures pour ne plus voir le reste du monde. De passer ses journées avec *Les Feux de l'amour,* ses nuits avec Johnny Carson et David Letterman [1]. Elle ne voulait pas rencontrer l'homme qui prétendait être son Mr. Rochester. Michael Whittaker, lui avait-on dit. Un médecin, annonçait-on avec orgueil, la considérant avec un nouveau respect. Un chirurgien pour enfants, pas moins. Comme elle avait de la chance !

Elle s'obligea à rester sur sa chaise. Où pourrait-elle courir, à vrai dire ? La police, les médecins, son mari n'étaient-ils pas réunis dans la pièce voisine, disséquant son passé et prenant pour son avenir des décisions judicieuses ? Pourquoi voudrait-elle être associée à de telles décisions alors qu'elle avait aussi définitivement abdiqué ses responsabilités quant à sa propre vie ? N'avait-elle pas renoncé à la réalité et opté pour une fugue hystérique ?

1. Animateurs de talk-shows à la télévision.

« Oh, fugue mon cul ! » s'exclama-t-elle à haute voix, regardant autour d'elle d'un air coupable pour s'assurer qu'on ne l'avait pas entendue. Mais elle était seule dans la pièce depuis qu'un policier avait annoncé que le Dr. Whittaker attendait dans le salon d'accueil et que les médecins s'étaient éclipsés, la rendant à sa non-existence. Si un arbre tombe dans la forêt et que personne n'est là pour le voir tomber, est-ce que ça s'est vraiment produit ? s'interrogea-t-elle. Si un homme ne réussit pas à m'identifier, suis-je donc moins réelle ?

A quoi ressemblait-il, ce Dr. Whittaker, célèbre chirurgien pour enfants que tout le monde semblait connaître et admirer ? Le personnel médical prononçait son nom sur un ton respectueux, non, carrément révérenciel… Même le visage impitoyablement impassible du Dr. Klinger montrait des signes d'approbation, esquissant l'espace d'une seconde quelque chose qui pouvait ressembler à un sourire. Et le Dr. Meloff avait aussitôt décidé de suspendre tous les tests en attendant de pouvoir rencontrer son estimé collègue et de s'être entretenu avec lui.

« Votre mari est un homme tellement merveilleux », lui avait dit le Dr. Borovoy avant de courir chercher le Dr. Meloff. Cette opinion semblait partagée par tout le monde. Elle était mariée avec un homme merveilleux. Quelle veine !

Pourquoi n'avait-elle pas son alliance ?

Il allait de soi, décida-t-elle, que si elle était réellement la femme du célèbre chirurgien pour enfants Michael Whittaker, elle devait en porter une preuve au quatrième doigt de sa main gauche. Il n'y avait aucune preuve de ce genre. En fait, à part sa montre, elle ne portait aucun bijou. Selon toute vraisemblance, le Dr. Michael Whittaker n'était donc pas son mari. N'avait-il pas insisté, lorsqu'on l'avait contacté plusieurs heures auparavant, sur le fait que sa femme était partie voir son frère à San Diego ?

Un frère qui vivait à San Diego, songea-t-elle avec émerveillement. Etait-ce possible ? Etait-elle en route pour aller le voir et avait-elle été agressée et sauvagement attaquée par des voleurs ? Peut-être — mais ça n'expliquait pas pourquoi elle s'était retrouvée avec l'argent, sans parler du sang de quelqu'un d'autre recouvrant le devant de sa robe.

Un frère ! Un frère et un mari ! Deux pour le prix d'un. A quel prix ? se demanda-t-elle.

La porte s'ouvrit et le Dr. Meloff entra, suivi de plusieurs policiers. Ils souriaient mais avaient l'air sérieux. Souriant sérieusement, pensa-t-elle, se sentant sourire à son tour. Il y avait tant de questions qui bondissaient de son cerveau à sa langue qu'elles trébuchaient les unes sur les autres et s'empêchaient mutuellement de faire surface. Il en résulta que, lorsqu'elle ouvrit la bouche pour parler, il ne s'en échappa qu'un silence.

— Vous vous appelez Jane Whittaker, lui dit doucement le Dr. Meloff tandis qu'elle sentait les larmes lui monter aux yeux. Votre mari attend dans la pièce à côté et il est très impatient de vous voir. Vous sentez-vous prête pour cela ?

Il lui fallut toute son énergie pour expulser les mots de sa bouche. Et même à ce moment-là, elle remarqua que le Dr. Meloff devait se pencher en avant pour l'entendre.

— Vous en êtes sûr ? Qu'est-ce qui vous rend si sûr ?

— Il a apporté des photographies, votre passeport, votre certificat de mariage. C'est bien vous, Jane. Il n'y a pas d'erreur possible.

— Je croyais que la femme du Dr. Whittaker était partie voir son frère à San Diego.

— C'est ce qu'il croyait. Mais apparemment vous n'y êtes jamais parvenue.

— Mon frère n'aurait-il pas téléphoné pour savoir où j'étais ? Je veux dire, si j'étais censée arriver à San Diego il y a quelques jours...

L'un des policiers était en train de rire.

— Vous feriez un bon détective, lui dit le Dr. Meloff. L'inspecteur Emerson lui a posé la même question.

— A laquelle il a évidemment reçu une réponse satisfaisante, déclara-t-elle plus qu'elle ne le demandait.

— Apparemment vous aviez projeté une visite surprise. Votre frère ne savait pas que vous deviez être là-bas jusqu'à ce que votre mari l'appelle pour savoir si vous y étiez.

Il y eut un instant de silence.

— Alors je suis bien cette Jane Whittaker, énonça-t-elle avec une calme résignation.

— Vous êtes bien Jane Whittaker.

— Et mon mari m'attend dans la pièce à côté.

— Il a hâte de vous voir.

— Vraiment ?

— Il se sent naturellement très concerné.

Elle sourit presque.

— Il était tellement sûr que vous étiez à San Diego.

— Et maintenant il est sûr que je suis ici. Peut-être qu'il se trompe là aussi.

— Il ne se trompe pas.

— Qu'a-t-il dit à mon sujet ? demanda-t-elle, cherchant à retarder l'inévitable confrontation, à s'armer de quelques faits supplémentaires indispensables.

— Pourquoi ne pas le laisser s'expliquer lui-même ?

Le Dr. Meloff se tourna vers la porte.

— Je vous en prie, supplia-t-elle, l'insistance de sa voix l'arrêtant net. Je ne suis pas tout à fait prête.

Le Dr. Meloff revint près d'elle et s'agenouilla, la forçant à le regarder dans les yeux.

— Vous n'avez rien à craindre, Jane. C'est votre mari. Il vous aime beaucoup.

— Mais si je ne le reconnais pas ? Si je regarde dans ses yeux comme je vous regarde et que je ne vois rien d'autre que le visage d'un étranger ? Est-ce que vous savez à quel point cette idée peut être terrifiante pour moi ?

— Cela peut-il être plus terrifiant que de se regarder dans la glace ? demanda-t-il en toute logique, et elle ne répondit pas. Etes-vous prête, à présent, Jane ? Je ne crois pas que ce soit correct de le faire attendre davantage.

— Vous resterez avec moi ? Vous ne nous laisserez pas seuls !

La seconde requête sonnait comme un ordre.

— Je resterai jusqu'à ce que vous me demandiez de partir.

Il se mit debout.

— Dr. Meloff, appela-t-elle, l'arrêtant à nouveau alors que sa main atteignait la porte. Je voulais juste vous remercier.

— Je vous en prie.

Il s'interrompit, comme s'il préparait soigneusement les paroles suivantes.

— Si vous avez besoin de moi, vous me trouverez ici.

Il ouvrit ensuite la porte et s'avança dans le hall. Elle retint sa respiration, entendant des voix s'approcher. Elle se leva, puis se rassit brusquement, puis se releva aussitôt, se dirigeant vivement vers le mur opposé et se postant derrière la fenêtre. Les policiers l'observaient avec une curiosité stupéfaite depuis l'autre partie de la pièce.

— Tout ira bien, Mrs. Whittaker, lui dit l'inspecteur Emerson. Il a l'air d'un homme charmant.

— Mais si je ne le reconnais pas ? répéta-t-elle, la panique la pénétrant par tous les pores de sa peau. Si je ne le connais pas ?

C'est ce qui se passa.

L'homme qui précéda le Dr. Meloff dans la pièce aurait pu être n'importe qui. Il avait dans les quarante ans, était grand, plus d'un mètre quatre-vingts, mince, avec des cheveux clairs assez longs qui avaient sûrement été blonds dans son enfance. Bien que plein d'anxiété, son visage était incontestablement beau, avec des yeux vert pâle et des lèvres pleines et sensuelles. A vrai dire, la seule chose qui gâtait ses traits, parfaits par ailleurs, c'était un nez légèrement de travers. Cela l'humanisait, le rendait plus accessible, instantanément agréable. Il n'était pas une sorte de poupée Ken parfaite ; on ne lui demanderait pas d'être Barbie.

Il se précipita vers elle, impulsivement. De façon tout aussi impulsive, elle recula. Tous deux s'arrêtèrent brusquement.

— Je suis désolé, dit-il rapidement, d'une voix à la fois douce et forte. C'est que je suis tellement soulagé de te voir.

Il s'interrompit, son regard quittant son visage effrayé pour se baisser vers le sol en ravalant quelques larmes.

— Tu ne me connais pas, n'est-ce pas ?

Ce fut à son tour de s'excuser.

— Je le voudrais, se hasarda-t-elle avec douceur.

— Nous allons vous laisser, déclara l'inspecteur Emerson, se dirigeant vers la porte avec son collègue.

— Merci pour tout, leur lança-t-elle, en fixant le Dr. Meloff d'un air qui l'implorait de ne pas les suivre.

— Si vous le permettez, commença le Dr. Meloff, je vais rester ici pendant quelques minutes.

— Je pense que Jane y sera sensible, répondit aussitôt Michael Whittaker.

Il s'efforça de sourire et y parvint presque.

— Pour tout dire, moi aussi.

Il prit une profonde inspiration.

— Je crois que suis assez nerveux.

— Pourquoi êtes-vous nerveux, vous ? lui demanda-t-elle, l'idée qu'il pût être aussi nerveux qu'elle ne lui étant tout simplement pas venue à l'esprit.

— J'ai l'impression d'avoir rendez-vous avec une personne inconnue, répondit-il avec franchise. Et je veux vraiment faire bonne impression. (Il étouffa un rire.) Je croyais être prêt à tout, poursuivit-il, mais je dois avouer que je ne sais pas quoi faire dans cette situation.

Il releva les yeux et les reporta sur le visage soucieux de sa femme.

— Je ne sais pas bien comment me comporter.

— Ceci ne m'est jamais arrivé auparavant, déclara-t-elle en forme d'affirmation plus que de question.

— Mon Dieu, non.

— D'après vous, pourquoi est-ce que ça m'arrive maintenant ?

Il secoua la tête, les mots ne pouvant contenir son trouble. Il était habillé confortablement, d'un pantalon gris et d'une chemise bleue à col ouvert. Elle remarqua que ses épaules étaient légèrement voûtées, sans doute le résultat des longues heures passées courbé sur une table d'opération. Ses larges mains pendaient maladroitement le long de son corps, tandis que ses doigts longs et minces s'agitaient dans le vide comme s'ils essayaient de saisir une vision plus large de ce qui était en train de se produire dans leurs vies, pour pouvoir l'observer de plus près. Il avait des mains de chirurgien, reconnut-elle, remarquant les ongles soigneusement entretenus et imaginant ces mains opérant un petit enfant avec une habile précision. Des mains douces, des doigts solides, pensa-t-elle, soudain consciente de la mince alliance en or qu'il portait.

— Pourquoi est-ce que je ne porte pas d'alliance ? demanda-t-elle, prenant tout le monde par surprise, y compris elle-même. Je veux dire, vous en portez une et pas moi. Cela paraît un peu inhabituel.

Sa voix faiblit, s'évanouissant dans le trouble de la pièce.

Il lui fallut une minute pour répondre.

— Tu n'en portes plus depuis deux ans, dit-il lentement, comme si elle attendait de sa part davantage d'explications. Tu avais une sorte de réaction allergique à l'or. Ton doigt te démangeait de plus en plus à cet endroit-là et la peau était devenue rouge et se desquamait. Un jour tu as retiré ton alliance et ne l'as jamais remise. On disait tout le temps qu'on allait la remplacer, te trouver quelque chose avec des diamants à la place — personne n'est allergique aux diamants, disions-nous en riant —, mais on ne l'a jamais fait. Pour être honnête, j'avais oublié tout ça.

Il secoua la tête, comme s'il était surpris d'avoir pu oublier quelque chose d'aussi important.

— Vous ne pouvez pas imaginer les choses qu'on peut oublier, dit-elle, cherchant à le rassurer.

Il rit, et elle se mit brusquement à rire elle aussi.

— C'est peut-être le moment pour moi de m'en aller, proposa le Dr. Meloff, et elle approuva. Prévenez une des infirmières quand vous vous apprêterez à rentrer chez vous. J'aimerais vous voir avant que vous ne partiez.

— Il a l'air très gentil, remarqua Michael Whittaker après que le Dr. Meloff eut quitté la pièce.

Elle sourit.

— C'est ce que tout le monde dit à votre sujet.

Il soupira, l'air s'échappant de sa bouche en un murmure, comme une vague.

— Que puis-je dire pour te rassurer ? Dis-moi ce que je peux faire pour t'aider.

Elle s'écarta doucement de la fenêtre pour se rapprocher de lui, prenant garde de laisser un espace de plus d'un mètre entre eux.

— Depuis combien de temps sommes-nous mariés ? demanda-t-elle, se sentant profondément stupide.

— Onze ans, répondit-il simplement, sans fioritures.

Elle apprécia.

— Comment est-ce qu'on s'est mariés ? J'avais quel âge ?

— C'était le 17 avril 1979. Tu avais vingt-trois ans.

— Ça veut donc dire que j'ai trente-quatre ans ? demanda-t-elle, bien que la réponse parût évidente.

— Tu auras trente-quatre ans le 13 août. Veux-tu voir notre certificat de mariage ?

Elle acquiesça, se rapprochant de lui tandis qu'il cherchait leur certificat de mariage dans sa poche.

— Il est écrit qu'on s'est mariés dans le Connecticut, fit-elle observer, percevant la chaleur qui émanait de son corps.

— C'est de cette région que tu es originaire. Ta mère y vivait encore.

— Et mon père ?

— Il est mort quand tu avais treize ans.

Elle se sentit aussitôt triste, non parce que son père était mort alors qu'elle était encore adolescente, mais parce qu'elle n'avait pas le souvenir qu'il ait jamais vécu. Elle se sentit doublement abandonnée.

— Comment suis-je venue à Boston ?

Il eut un large sourire.

— Tu m'as épousé.

Elle se mordit la lèvre, n'étant pas encore prête à parler de leur vie commune. Elle avait d'abord besoin d'assimiler davantage de faits la concernant avant d'en arriver à leur mariage avec une certaine notion d'histoire personnelle.

— Veux-tu voir ton passeport? demanda-t-il en le lui présentant, comme s'il s'agissait d'une pièce à conviction, comme si cet hôpital était un tribunal.

Elle parcourut rapidement la petite brochure, remarquant que son nom de jeune fille était Lawrence, que la description de son physique correspondait à ce qu'elle avait découvert à propos d'elle-même, et que la photo en bas de la page, bien que loin d'être flatteuse — elle avait l'air d'une biche effrayée éblouie par les phares d'une voiture —, était sans erreur possible une photo d'elle-même.

— Avez-vous d'autres photos? demanda-t-elle, sachant qu'il en avait.

Il tira quelques instantanés de la poche de son pantalon. Elle rapprocha légèrement son corps de lui, si bien que leurs bras se touchaient lorsqu'il lui fit voir les photos.

La première était une image d'eux deux en train de folâtrer sur une plage. Il était bronzé, elle un peu moins. Ils portaient tous deux des maillots de bain noirs pas très sexy et avaient tous deux l'air d'avoir du mal à s'empêcher de tripoter l'autre.

— Où est-ce que ça a été pris?

— Au cap Cod. Au cottage de mes parents. Il y a à peu près cinq ans, poursuivit-il, sachant que ce serait sa prochaine question. C'était à l'époque où nous croyions encore que le soleil ne pouvait que nous faire du bien. Tu avais les cheveux un peu plus longs. J'avais probablement quelques kilos de moins.

— Vous n'avez pas l'air d'avoir grossi.

Elle se sentit aussitôt gênée, comme si elle avait empiété sur un domaine trop personnel. Elle reporta vivement son attention sur la deuxième photo.

Là encore, ils faisaient tous deux face à l'appareil en

souriant, se tenant étroitement par la taille. Cette fois, cependant, ils étaient dans une tenue plus stricte, lui en smoking et nœud papillon, elle dans une robe du soir d'un rose intense.

— Celle-ci est plus récente, déclara-t-elle, ayant enregistré le passage des années.

— Elle a été prise à Noël. Nous étions au bal de l'hôpital.

— Nous avons l'air très heureux, s'étonna-t-elle.

— Nous *étions* très heureux, dit-il avec emphase, puis plus doucement et d'un ton moins assuré : Je sais que nous le serons de nouveau.

Elle serra les photographies dans ses mains puis les lui rendit avec leur certificat de mariage et son passeport. Elle revint alors près de la fenêtre et regarda au-dehors avant de se retourner à nouveau vers l'inconnu avec lequel elle avait été mariée — apparemment avec beaucoup de bonheur — pendant les onze dernières années.

— Alors j'ai grandi dans le Connecticut, dit-elle après un long silence.

— Tu y as vécu jusqu'à ce que tu partes faire tes études supérieures.

— Quelles études, est-ce que vous le savez ?

Il sourit.

— Bien sûr que je le sais. Tu as fait des études d'anglais. Tu es sortie major de ta promotion.

— Et après avoir eu mon diplôme ?

— Eh bien, tu t'es aperçue qu'il n'y avait pas là-bas beaucoup d'emplois nécessitant un diplôme de littérature anglaise, et comme tu ne voulais pas enseigner, tu as fini par trouver un poste au *Harvard Press*.

— A Boston ?

— A Cambridge.

— Pourquoi ne suis-je pas retournée dans le Connecticut ou allée à New York ?

— Eh bien, j'aime à penser que j'avais quelque chose à voir avec cette décision.

Elle se tourna vers la fenêtre, pas encore prête à parler de leur vie commune.

— Et mon frère ?

Il parut surpris de la question.

— Tommy ? Que dire de Tommy ?

— Quel âge a-t-il ? Que fait-il ? Pourquoi est-il à San Diego ?

— Il a trente-six ans, commença-t-il, répondant calmement dans l'ordre à ses questions. Il possède un commerce de bateaux de plaisance, et il vit à San Diego depuis dix ans.

— Il est marié ?

— Oui. En fait il s'agit de son second mariage. Sa femme s'appelle Eleanor et je ne sais pas très bien depuis combien de temps ils sont mariés.

— Ils ont des enfants ?

— Deux petits garçons. Je dois dire à ma grande honte que je ne sais pas quel âge ils ont.

— Alors je suis une tante. Qu'est-ce que je suis d'autre ? demanda-t-elle brusquement, la question jaillissant de sa bouche sans qu'elle ait pu l'arrêter.

— Je ne comprends pas très bien.

Elle déglutit fortement, comme si elle pouvait renvoyer de force dans son ventre la question qu'elle aurait voulu éviter.

— Je suis une tante, répéta-t-elle, rassemblant ses forces. Est-ce que je suis aussi... une mère ?

— Oui, dit-il avec une certaine éloquence.

— Oh, mon Dieu !

Sa voix ne fut qu'un faible gémissement. Comment pouvait-elle oublier qu'elle avait un enfant ? Quelle sorte de mère était-ce là ?

— Oh, mon Dieu.

Elle se sentit se replier sur elle-même, comme un accordéon. Ses bras se serrèrent autour de son corps tremblant, sa tête tomba en avant, et elle vacilla.

— Tout va bien. Tout va bien, murmura-t-il, sa voix agissant comme un baume protecteur.

Elle sentit ses bras la redresser. Elle enfouit sa tête dans la chaleur de sa poitrine, entendant battre son cœur violemment, comprenant qu'il était tout aussi effrayé qu'elle.

Il la laissa pleurer pendant plusieurs minutes, lui caressant le dos comme si c'était un enfant. Ses sanglots cessèrent dans un hoquet.

— Combien d'enfants avons-nous ? demanda-t-elle si faiblement qu'elle dut s'éclaircir la gorge et répéter la question.

— Juste un. Une petite fille. Emily.

— Emily, répéta-t-elle, testant sur le bout de sa langue le goût de ce nom comme s'il s'agissait d'une dégustation de vin. Quelle âge a-t-elle ?

— Sept ans.

— Sept ans, murmura-t-elle, émerveillée. Sept ans.

— Elle est chez mes parents, dit-il. J'ai pensé qu'il serait sans doute plus sage qu'elle reste avec eux, jusqu'à ce que les choses soient rentrées dans l'ordre.

— Oh, merci ! Ses larmes de honte se transformèrent en larmes de soulagement. Je ne crois pas non plus que ça serait une bonne idée que je la voie maintenant, ni qu'elle me voie.

— Je comprends.

— Ça serait si terrible pour elle de devoir regarder sa mère en sachant que celle-ci ne la reconnaît pas. Je ne peux imaginer rien de plus terrifiant pour un enfant.

— Tout est arrangé, l'assura-t-il. Ils l'ont emmenée au cottage. En ce qui les concerne, elle peut rester avec eux tout l'été.

Elle s'éclaircit la voix à nouveau, chassant de ses joues quelques larmes persistantes.

— Quand avez-vous arrangé ça ?

Il haussa les épaules, levant les mains, paumes en l'air.

— Ça s'est en quelque sorte combiné tout seul, dit-il avec étonnement, comme s'il s'apercevait qu'il ne contrôlait alors aucun aspect de sa vie.

— Nous avions déjà prévu qu'Emily aille chez mes parents pendant que tu serais à San Diego...

Ses mots allaient en s'estompant, comme un jouet dont on a remonté le ressort et qui arrive en bout de course.

— Parlez-moi encore de moi, le pressa-t-elle.

— Qu'est-ce que tu aimerais savoir ?

— Les bonnes choses, dit-elle aussitôt.

Il n'eut aucune hésitation.

— Eh bien, voyons. Tu es intelligente, décidée, drôle...

— Je suis drôle ?

— Tu as un extraordinaire sens de l'humour.

Elle sourit avec reconnaissance.

— Tu es un vrai cordon-bleu, une compagne formidable, une amie fidèle.

— Ça me paraît trop beau pour être vrai.

— Tu serais incapable de chanter juste, même si c'était une question de vie ou de mort, continua-t-il en riant, et malheureusement tu aimes beaucoup chanter.

— C'est ça mon plus grand tort ?

— Quand tu es en colère, tu te transformes en diablesse de la planète Mars [1].

— J'ai mauvais caractère ?

Il sourit d'un air penaud.

— Tu as toujours été douée pour affaiblir la réalité. Oui, acquiesça-t-il après un temps d'arrêt, tu as mauvais caractère.

Elle prit le temps d'assimiler cette information avant de poursuivre.

— Quelle est ma couleur préférée, ma nourriture préférée ?

— Le bleu, répondit-il aisément. Toute la cuisine italienne.

— Est-ce que j'ai une vie professionnelle ? Vous avez dit que j'avais travaillé quelques années dans l'édition.

Les questions se précipitaient, à présent, chacune venant systématiquement sur les talons de la précédente.

— Tu as arrêté de travailler à plein temps à la naissance d'Emily. Ce n'est qu'après qu'Emily a commencé à aller à l'école régulièrement que j'ai réussi à te convaincre de venir travailler pour moi quelques jours par semaine.

1. *The Devil Girl from Mars*, film de David McLaughton (1954).

— Je travaille avec vous ?

— Le mardi et le jeudi. Tu réponds au téléphone, tu t'occupes de ma correspondance et parfois tu classes mes dossiers.

— Ça m'a l'air passionnant.

Elle n'avait pas eu l'intention de donner une tournure aussi sarcastique à ses paroles, et elle lui fut donc reconnaissante de ne pas s'en offusquer.

— A vrai dire, tu as décidé de prendre ce travail comme un moyen nous permettant de passer plus de temps ensemble. J'ai une grosse clientèle et mes horaires sont très variables. Nous voulions être sûrs de ne pas perdre l'intimité que nous avions toujours connue. Avec ce système, nous savions que nous passions les mardis et les jeudis ensemble. Je suis au bloc opératoire les autres jours.

— Apparemment, c'est un mariage parfait.

— Eh bien, rien n'est parfait. (Il marqua un temps d'arrêt.) Nous avons eu notre part de disputes, comme tout le monde, mais, finalement, je crois qu'il faut admettre que nous avions quelque chose de vraiment spécial.

Elle mourait d'envie de le croire.

— Où habitons-nous ? A Beacon Hill ?

Il sourit.

— Non, nous avons décidé que la ville n'était pas le meilleur endroit pour élever des enfants. Nous avons une très belle maison à Newton.

Elle admit que Newton était une banlieue chic de Boston, à vingt minutes de voiture tout au plus.

— Veux-tu y aller ? demanda-t-il.

— Tout de suite ?

Il lui effleura doucement les bras. Elle sentit un courant lui parcourir tout le corps jusqu'à la base du cerveau comme une décharge électrique.

— Fais-moi confiance, Jane, dit-il avec douceur, je t'aime.

Elle regarda son visage empreint de bonté, lut dans ses yeux son attachement pour elle, et brûla de lui dire qu'elle l'aimait elle aussi, mais comment pourrait-elle aimer quelqu'un qu'elle ne connaissait pas ? Elle décida plutôt de lui caresser doucement les lèvres, et sentit aussitôt celles-ci lui embrasser le bout des doigts.

— Je te fais confiance, prononça-t-elle.

6

— Désolé pour les embouteillages, s'excusa-t-il, comme s'il pouvait être tenu pour responsable de la file de voitures qui se traînait sur l'autoroute n° 9 à trente kilomètres à l'heure tout au plus.

— Il doit y avoir un accident un peu plus loin, dit Jane d'un ton neutre sans révéler ce qu'elle ressentait réellement, que tout ce qui pouvait retarder sa rentrée dans sa vie passée, une vie qui lui demeurait totalement inconnue, était bienvenu et particulièrement apprécié.

Elle se rendit compte qu'il la regardait d'une façon étrange.

— Quoi? demanda-t-elle, effrayée, tout en ne sachant pas pour quelle raison.

— Rien, répondit-il très vite.

— Non, il y a quelque chose. Je l'ai vu dans tes yeux.

Il marqua un temps d'arrêt, ayant l'air de se concentrer sur la circulation.

— J'étais juste en train de penser que si les choses étaient normales, commença-t-il gauchement, tu te serais déjà penchée au-dessus du volant pour appuyer sur le klaxon.

— Je me serais penchée au-dessus du volant pour klaxonner pendant que toi tu es en train de conduire?!

Sa voix était chargée d'incrédulité.

— Tu l'as fait, avant.

— J'ai aussi peu de patience que ça?

— Tu as toujours aimé arriver le plus vite possible là

où tu devais aller. Les embouteillages étaient une des choses qui te rendaient folle, poursuivit-il, parlant d'elle au passé, comme si elle venait de mourir.

— Pourquoi étais-je toujours aussi pressée ?

— C'est que tu es comme ça, dit-il avec simplicité, la ramenant au présent.

— Parle-moi de toi, dit-elle.

— Qu'est-ce que tu voudrais savoir ?

— Tout.

Il sourit d'un air tranquille et détendu. Elle examina son visage tandis qu'il se demandait par où commencer. De profil, l'angle rebelle de son nez était plus marqué et son front était pratiquement caché par un rideau de cheveux qui lui tombaient librement sur les yeux, créant une impression de négligence désinvolte pour son aspect extérieur. Et pourtant, le Dr. Michael Whittaker réussissait à garder un air d'autorité et de dignité, une aura dont elle savait bien qu'elle ne pouvait qu'encourager le respect, quelle que soit la circonstance ou la façon dont il était habillé. C'était une prouesse dont bien peu étaient capables, et qu'il accomplissait sans effort, probablement parce qu'il n'en avait pas conscience.

— Eh bien, voyons, commença-t-il en s'adossant confortablement au siège en cuir de sa BMW noire. Je suis né et j'ai grandi à Weston, à dix minutes de là où nous habitons à présent. J'ai eu une enfance heureuse. C'est le genre de chose que tu veux savoir ?

— Exactement. Tu étais fils unique ?

— J'avais un frère.

— Avais ?

— Il est mort quand j'étais au lycée. A vrai dire, poursuivit-il avant qu'elle ne puisse l'interrompre avec d'autres questions, je n'ai jamais vraiment connu mon frère. Il avait quatre ans de plus que moi et était atteint de nombreuses malformations congénitales. Il avait fallu le placer dans une institution spécialisée dès sa naissance.

— Je suis désolée, lui dit-elle, et elle l'était.

— Tout ça s'est passé il y a longtemps. (Il haussa les épaules.) Et comme je l'ai dit, il n'a jamais vraiment fait partie de ma vie. Quand je suis arrivé, mes parents avaient fini par se faire à son absence, si bien que j'ai grandi couvé et adoré, tu vois, le cliché classique de l'enfant unique qui a tout ce qu'il veut.

— Y compris l'entière responsabilité du bonheur de ses parents, dit Jane, comprenant la situation sans avoir besoin qu'on la lui expose en détail.

Il la regarda avec un mélange d'étonnement et de respect.

— C'est rassurant de voir que d'une certaine façon tu n'as pas changé du tout.

— C'est-à-dire ?

— C'est exactement ce que l'ancienne Jane aurait dit.

— L'ancienne Jane, répéta-t-elle, et elle éclata de rire, du rire nerveux de celui qui ne sait pas bien quelle autre réaction avoir. Parle-moi de tes parents, l'encouragea-t-elle.

— Mon père était un brillant scientifique. Ce fut à son tour de rire. Peuvent-ils être autrement ? Quoi qu'il en soit, il a pris sa retraite à présent, mais quand j'étais petit il était très absorbé par son travail. Je ne me souviens pas de l'avoir beaucoup vu à la maison, si bien que ma mère a toujours eu tendance à surcompenser. (Il eut l'air momentanément perdu dans des images du passé.) Mon père disait souvent que s'il avait laissé faire ma mère, elle m'aurait allaité jusqu'à l'âge de cinq ans.

— Mais elle ne l'a pas fait.

— Pas que je m'en souvienne. Nous prenions des bains ensemble, cependant, jusqu'à ce que je sois, oh, en CE1 ?

Il eut le large sourire d'autosatisfaction du Chat-du-Comté-de-Chester d'Alice [1]. Ça, je m'en souviens bien.

— Elle voulait sans doute que tu restes un bébé aussi longtemps que possible, dit Jane, pensant à haute voix. A cause de ton frère.

— Je suppose que nous souffrions tous de cette situation bien plus que nous ne le pensions. Je veux dire, c'est certainement à cause de mon frère que j'ai voulu

1. Dans *Alice au pays des merveilles*.

étudier la médecine et me spécialiser en chirurgie pédiatrique. La plus grande partie de mon activité concerne des enfants qui sont plus ou moins mal formés, palais fendus, défigurations de toutes sortes. En tout cas, continua-t-il après une longue pause, j'ai été reçu à l'école de médecine d'Harvard, ce qui était parfait parce que de cette façon je n'ai pas été obligé d'aller dans un autre Etat : Harvard coûte très cher, même avec une bourse partielle. (Un autre large sourire éclaira soudain son visage. Pendant quelques instants il ressembla, jusque dans ses paroles, à un adolescent.) C'est génial. Ça fait des années que je n'ai pas parlé de ça. C'est comme si nous étions en train de faire connaissance à nouveau.

— Parle-moi de notre premier rendez-vous. Dis-moi comment on s'est rencontrés.

— On nous a présentés.

— Qui ?

— Je crois que c'était une amie commune. Oui, c'était Marci Tanner. Cette bonne vieille Marci Tanner. Je me demande ce qu'elle est devenue. Elle en était à son troisième mariage et vivait quelque part en Amérique du Sud la dernière fois qu'on a eu de ses nouvelles.

— Et ça a été le coup de foudre ?

— Tu rigoles ? On s'est détestés ! Détestés, haïs, méprisés !

Elle s'efforça en vain de ne pas laisser voir sa surprise. Elle se rapprocha instinctivement de la fenêtre, comme pour mettre une plus grande distance entre elle et un homme qu'elle avait pu détester, haïr, mépriser dès l'abord une douzaine d'années auparavant.

— Je venais juste d'avoir le cœur brisé par une jeune et belle créature, expliqua-t-il, et tu avais eu ta ration de jeunes médecins égotistes. On était tous les deux sur nos gardes. On est allés à une soirée. Je me souviens même de ce que tu portais ! C'était une robe grise avec un petit nœud rose au col. Je t'ai trouvée drôlement mignonne. Mais comme mon cœur venait juste d'être brisé par une autre petite mignonne, je n'avais pas envie de me lancer dans une nouvelle histoire, et je te l'ai probablement exposé aussi clairement que possible, aussi vite que possible. « Salut, vous. Je suis le Dr. Michael Whittaker et je n'ai pas l'intention de m'engager pour le moment, alors admirez-moi de loin, mais n'espérez rien. »

Elle rit.

— On peut dire que ça ne te ressemble pas.

Elle se détendit et reprit sa position initiale, bercée par le son de sa voix.

— On n'était d'accord sur rien. J'aimais les films d'aventures ; tu ne voulais voir que des films étrangers. J'aimais la bière et les sandwiches au salami ; tu préférais le vin et le fromage. Tu donnais à fond dans la musique classique ; mon truc, c'était le rhythm and blues. Tu aimais passer des heures à parler littérature, et le seul livre qui m'était familier était l'Anatomie de Gray. J'étais fanatique de sports, et tu ne pouvais faire la différence entre les Boston Celtics [1] et les Boston Red Sox [2].

— Apparemment nous avons fini par faire la paix.

— Ça a pris du temps. Nous avons passé la majeure partie de cette première soirée à attendre que l'un de nous fasse une énorme gaffe, le genre d'erreur qui pourrait permettre à l'autre de prendre ses jambes à son cou. Mais il ne s'est rien passé, et nous nous sommes retrouvés en train de danser. C'était un slow, un de ces vieux tubes, *The Twelfth Of Never,* par Johnny Mathis. Et je crois que c'est ce qui a tout déclenché.

— La chimie contre le bon sens, fit-elle observer avec un sourire.

— Peut-être au début. Mais au bout d'un certain temps, je me suis aperçu que je m'habituais aux sous-titres et tu as découvert que les sandwiches au salami, ça n'était pas si mauvais, après tout. Tu as même appris à faire la différence entre un palet de hockey et un ballon de basket, alors comment aurais-je pu ne pas t'aimer ? Et j'ai découvert que la littérature pouvait avoir plus d'intérêt que la dernière revue médicale, alors comment aurais-tu pu ne pas tomber amoureuse de moi ?

1. Equipe de basket-ball.
2. Equipe de base-ball.

— Et alors on s'est mariés et on a toujours été heureux.

— Je l'espère, dit-il avec sincérité, cherchant à lui prendre la main et la relâchant lorsqu'il sentit son corps se contracter. Je suis désolé, dit-il rapidement. Je te promets de ne pas te brusquer.

— Je sais, approuva-t-elle. Je suis désolée moi aussi. Je voudrais tellement me souvenir.

Elle regarda par la fenêtre les autres voitures qui roulaient sans encombre dans l'autre sens.

— Je me demande ce qui nous retarde.

— Je suppose que nous serons bientôt fixés. Je vois des gyrophares d'ambulances un peu plus loin.

Il l'observa avec précaution, comme s'il examinait son visage pour voir comment elle allait réagir.

— Quoi ? demanda-t-elle à nouveau, comme elle l'avait fait un instant plus tôt lorsqu'elle avait surpris chez lui le même regard.

Il secoua la tête.

— Rien, dit-il.

— Alors, qu'est-ce que tu peux me raconter d'autre ?

Il rejeta la tête en arrière, comme s'il cherchait l'inspiration dans le toit de la voiture.

— Eh bien, tu es un pilier des grandes causes.

— Que veux-tu dire ? Quelles causes ?

— Dernièrement tu te sentais très concernée par la protection de l'environnement et la sauvegarde des forêts tropicales humides. Ce genre de choses. Et je ne veux pas dire que tu sois une de ces dilettantes qui donnent dans toutes les causes à la mode. Toi, non. Simplement, quand quelque chose te concerne vraiment, tu t'y engages à fond. Tu es un grand redresseur de torts, dit-il avec une admiration évidente.

Son esprit reconstitua immédiatement l'image mentale d'une robe bleue éclaboussée de sang et d'un sac à linge rempli de billets de cent dollars. Avait-elle récupéré ces objets au cours d'une opération de « redressements de torts » ? Etait-elle une sorte de malencontreux Robin des Bois d'aujourd'hui, volant les riches pour donner aux sans-abri, sa dernière cause ?

— Parle-moi des choses que nous faisions ensemble, dit-elle, s'efforçant de chasser du son de sa voix l'image sanglante.

— Nous jouons au tennis ; nous allons au cinéma, au théâtre ; sur ton influence, je me suis même passionné pour les Boston Pops[1]. Nous voyons nos amis, nous aimons voyager à chaque fois que nous en avons la possibilité...

— Où allons-nous ?

— Eh bien, ça fait deux ans que nous n'avons pas pris de vraies vacances, mais nous avons réussi à faire un voyage en Orient il y a environ quatre ans.

— Et la jungle ? demanda-t-elle, se remémorant le rêve bizarre qu'elle avait fait tandis qu'elle avançait à travers le tunnel du scanner.

— La jungle ?

Il parut étonné.

— Tu as dit que je m'intéressais aux forêts tropicales. Est-ce que nous en avons vu ?

— Je crois que tu t'intéressais à leur conservation, pas à leur exploration.

Elle sourit, s'étonnant de la manière étrange dont son passé tentait de s'infiltrer dans son subconscient. Son intérêt pour la sauvegarde des forêts tropicales s'était faufilé dans l'un de ses rêves. Si son moi inconscient parvenait à se rappeler des détails de sa vie aussi insignifiants, il ne faudrait pas beaucoup de temps pour que tout le reste ressurgisse, surtout une fois qu'elle serait de retour dans son environnement habituel.

Devrait-elle parler à Michael de l'argent et du sang ? se demanda-t-elle. Elle avait envisagé d'en parler au Dr. Meloff, mais c'est alors que ce jeune médecin, le Dr. Borovoy, avait tout bouleversé en la reconnaissant, et l'occasion s'était envolée. Peut-être que Michael savait quelque chose à ce sujet. Peut-être, aussi invraisemblable que cela paraisse, qu'il n'y avait rien de répréhensible, et qu'on pouvait tout expliquer de façon relativement simple. Peut-être pourrait-il lui venir en

1. Orchestre jouant un répertoire à la fois classique et populaire.

aide. C'était son mari, après tout. Ils avaient en commun une vie, un enfant. Il l'aimait. Il n'y avait absolument aucun doute dans son esprit à ce sujet. Alors pourquoi ne lui avait-elle pas révélé toute l'histoire ? Pourquoi était-elle en train d'hésiter, même à présent ?

Elle connaissait la réponse sans avoir besoin de prononcer les mots : instinct de conservation. La sauvegarde des forêts tropicales, c'était une chose ; la protection d'elle-même en était une autre. Les forêts tropicales devraient attendre. De même que Michael devrait attendre avant d'entendre toute l'histoire.

— Ne regarde pas, était-il en train de dire.

Aussitôt, comme un enfant à qui on vient de dire de ne pas dévisager quelqu'un, elle tourna son regard dans la direction qu'il lui avait dit d'éviter. Il y avait trois autos, plusieurs voitures de police et une ambulance sur le bord de la route. Elle aperçut rapidement du métal tordu et du verre brisé, un jeune homme pleurant sur la chaussée, la tête enfouie dans les mains. Elle vit une civière que l'on poussait dans l'ambulance, les portes se refermant avant qu'elle n'ait eu le temps de voir qui avait été blessé et à quel degré de gravité. Un policier se tenait près du jeune homme, s'efforçant en douceur de le convaincre de monter dans l'un des véhicules de la police.

La circulation s'immobilisa complètement lorsque l'ambulance s'éloigna à grand bruit, toutes sirènes hurlantes. Le jeune homme laissa la police l'aider à monter dans la voiture, qui démarra aussitôt, si bien qu'il ne restait qu'une voiture de police, attendant sans doute l'arrivée d'une dépanneuse. Tous les autres avaient quitté la scène. Jane se demanda quelle était la cause de l'accident et combien de personnes y étaient impliquées, combien étaient blessées et de quelle façon cela allait affecter le reste de leur vie.

— A quoi penses-tu ? demanda Michael en la regardant attentivement. Il semblait avoir peur qu'elle ne se précipite hors de la voiture.

Elle lui dit à quoi elle pensait, et il parut soulagé. Elle

fut sur le point de lui demander pourquoi, réfléchit, et lui demanda à la place :

— Où avons-nous passé notre lune de miel ?

S'il trouva la question étrange à ce moment précis, il n'en dit rien et répondit simplement.

— Aux Bahamas, dit-il, regardant la route, attendant que la circulation reprenne.

Son imagination fit naître des images de plages de sable blanc et d'eau bleue transparente, de poissons multicolores nageant juste sous la surface de l'océan, de jolies constructions basses dans des tons de rose et de jaune, d'amoureux se tenant par la taille, ayant du mal à contrôler leurs mains et leurs lèvres tandis qu'ils badinaient au bord de l'eau.

Elle se vit, avec son petit costume de bain noir sans prétention, bondir hors de la photo que Michael avait apportée à l'hôpital, pour atterrir sur la plage de Nassau. Elle vit Michael à ses côtés, les observa trébucher sur les pieds l'un de l'autre en essayant de marcher du même pas tout en se tenant enlacés. Elle les vit déclarer forfait et s'écrouler sur la fraîcheur d'un sable blanc, roulant sur eux-mêmes comme s'ils étaient des vagues.

Elle les vit, un peu plus tard, dans leur chambre d'hôtel, leurs maillots à présent jetés en tas sur le sol. Ils n'étaient qu'un enchevêtrement de bras et de jambes, leurs corps luisants de sueur tandis qu'ils se cambraient l'un vers l'autre ; elle saisissait à pleines mains le creux de ses reins, il effleurait de ses lèvres la pointe de ses seins ; il remuait sa tête entre ses jambes tandis qu'elle passait sa langue sur le sillon de ses fesses. Elle laissa échapper un gémissement.

— Ça va ? demanda-t-il vivement.

Je t'en prie, ne me demande pas à quoi j'étais en train de penser, le supplia-t-elle du regard, et il ne le fit pas. Tout va bien, le rassura-t-elle, s'efforçant de chasser d'un battement de paupières l'image persistante de leurs ébats imaginaires. Etaient-ils vraiment si bien ensemble ? Etait-elle aussi provocatrice dans l'amour ? Ses mains à lui étaient-elles aussi douces que celles que son esprit lui avait prêtées ?

Elle jeta un regard par la fenêtre de la voiture et fut étonnée de voir comme ils roulaient vite. Comme s'il pouvait lire dans ses pensées, il dit : « Plus que quelques minutes. »

Elle essaya de sourire mais l'angoisse lui raidissait les lèvres. Une crainte nouvelle envahissait son corps, tel un torrent d'eau glacée. Elle la parcourait, du creux de sa poitrine au creux de son ventre, et pendant quelques secondes elle se dit qu'elle devrait lui dire de se rabattre et de s'arrêter, mais l'urgence diminua, bien que la crainte demeurât la même.

— Parle-moi de nos amis, dit-elle, tout en percevant un tremblement dans sa voix.

— Tu les veux en ordre décroissant de préférence ?

Il rit, et elle rit aussi, trouvant que c'était une très bonne idée.

— Eh bien, en haut de la liste il faudrait mettre Howard et Peggy Rose, qui passent actuellement l'été dans le sud de la France, comme ils l'ont fait ces dix dernières années. Ensuite il y aurait probablement les Tanenbaum, Peter et Sarah, que nous battons toujours au tennis mais qui le prennent très bien. Puis viennent les Carney, David et Susan ; ils sont médecins tous les deux ; puis Ian et Janet Hart, et Eve et Ross McDermott. Est-ce que ces noms te disent quelque chose ?

Ils ne lui disaient rien ; elle secoua la tête.

— Et les copines ? demanda-t-elle.

— Les miennes ou les tiennes ?

— Commençons par les miennes, dit-elle, remarquant son sourire forcé. Est-ce que j'en ai ?

— Quelques-unes. Il y a Lorraine Appleby ; vous avez travaillé ensemble il y a longtemps, et Diane quelque chose, je n'arrive jamais à me souvenir de son nom.

Elle pensa au papier qu'elle avait trouvé dans la poche de son manteau, vit le nom *Pat Rutherford* s'écrire à l'encre invisible sur le pare-brise. Elle retint sa respiration.

— Personne qui s'appelle Pat ?

Il considéra le nom quelques secondes avant de répondre.

— Je ne vois aucune Pat, dit-il enfin. Pourquoi donc ? Le prénom de Pat a-t-il une signification pour toi ?

— C'est juste un prénom comme ça, mentit-elle. Un prénom que j'ai trouvé griffonné sur un bout de papier au fond de la poche de mon manteau, en même temps que près de dix mille dollars en billets de cent. Au fait, j'ai peut-être omis de mentionner que le devant de ma robe était couvert de sang ?

Il haussa les épaules, comme s'il considérait que quelqu'un qui se prénommait Pat n'avait pas davantage d'importance dans leur vie. Peut-être avait-il raison. Après tout, on ne pouvait dire depuis combien de temps ce papier se trouvait dans sa poche.

— On tourne juste un peu plus loin.

Il montra le panneau indiquant la ville de Newton, une banlieue de Boston que longeait sur trois côtés la Charles River. Newton se composait de quatorze villages différents qui parvenaient sans peine à se rejoindre les uns les autres.

— Nous habitons dans le village de Newton Highlands, dit Michael, quittant l'autoroute. Est-ce qu'il y a quelque chose qui te paraisse familier ?

Elle caressa l'idée de prétendre reconnaître telle rue, d'avoir d'agréables souvenirs de tel jardin bien entretenu, mais chassa cette idée d'un mouvement de tête qui disait non, il n'y a rien qui me paraisse vaguement familier. Hartford Street n'avait pas plus de signification pour elle que Lincoln ou Standish Street. Tous les jardins se ressemblaient. Les maisons, grandes, aux belles structures de bois, évoquaient la prospérité et le calme. Il n'y avait aucune indication du désordre qui régnait peut-être au-delà de chaque seuil, aucun soupçon d'un chaos possible à l'intérieur. Elle se demanda si elle reconnaîtrait sa propre rue, si elle serait capable d'identifier la maison dans laquelle elle vivait. Ces choses trouveraient-elles la voie de son subconscient ainsi que les forêts tropicales l'avaient fait ? Lui transmettraient-elles un signe comme une sorte de seconde vue ?

— Voici notre rue, lui dit-il, mettant fin à toutes ces spéculations.

Forest Street, indiquait le panneau, bien qu'il n'y eût aucune forêt en vue. La rue était tout aussi anonyme que les précédentes, bordée de chaque côté par les habituelles maisons de bois, l'une peinte en gris avec un large porche vitré, une autre peinte en bleu et presque cachée derrière d'énormes chênes.

— Nous y voici, indiqua-t-il. La troisième maison après le coin.

La troisième maison après le coin sur le côté gauche de la rue n'était ni plus ni moins imposante que les autres demeures alentour. C'était une construction attrayante à deux étages, peinte en blanc, avec une double rangée d'impatientes rouges et roses courant tout autour de la maison, soulignant son charme sorti tout droit d'un livre de contes. Plusieurs marches menaient à la grande porte d'entrée noire, et un garage pour deux voitures était situé sur la gauche, avec des portes noires elles aussi. Elle remarqua la présence d'un vitrail à l'une des fenêtres de l'étage.

Ça avait l'air d'une maison très confortable dans un quartier très confortable. Ç'aurait pu être bien pire pour elle que de se retrouver assise dans une BMW dernier modèle devant une magnifique demeure dans la banlieue élégante de Newton, Massachusetts, mariée avec un chirurgien pour enfants sensible et plein de charme.

Alors pourquoi avait-elle choisi de s'échapper dans une fugue hystérique ? Qu'est-ce qui l'avait poussée hors de sa maison confortable située dans le plus confortable des quartiers ?

— Qui est-ce ? demanda-t-elle en apercevant une femme vêtue d'un vieux bermuda qui arrosait la pelouse de la maison juste en face de la sienne.

A la vue de la voiture de Michael, la femme se montra si distraite qu'elle cessa de faire attention à ce qu'elle était en train de faire et qu'elle se mit à asperger consciencieusement sa porte d'entrée.

Michael agita la main à la fois pour la saluer et la rassurer. Le geste prenait en compte la présence de la femme tout en indiquant que tout était en ordre.

— Elle s'appelle Carole. Carole avec un e. Carole avec un e Bishop, articula-t-il clairement. Elle s'est installée ici avec sa famille il y a quelques années, venant de New York. Par famille, j'entends un mari, deux enfants adolescents et un vieux père veuf. Malheureusement le mari est parti à l'automne dernier. (Il tourna dans leur allée.) Je suppose que rien de tout ça ne te rappelle quoi que ce soit.

— Ça devrait ?

— Eh bien, Daniel et toi aviez l'habitude d'aller courir ensemble le matin plusieurs fois par semaine. Daniel est son mari. *Était,* rectifia-t-il. Ou sera bientôt son ex, en tout cas.

— Je cours ?

— De temps en temps. Tu n'es pas beaucoup allée courir depuis que Daniel est parti.

— Pourquoi nous regardait-elle comme ça ?

— Comme quoi ?

— Je crois que tu le sais très bien. Tu as eu l'air de lui faire signe que tout allait bien.

Il secoua la tête.

— Rien ne t'échappe, comme avant.

Sa voix suggérait l'admiration aussi bien que l'étonnement.

— Je suppose qu'elle est au courant de ma disparition.

— Elle est au courant, dit-il, actionnant le boîtier de télécommande fixé au pare-soleil de la voiture.

La porte du garage se leva automatiquement, laissant voir une Honda Prélude couleur argent. Son attention se détacha de la voisine pour se porter sur la petite auto à l'intérieur du garage.

— C'est ma voiture ?

— En effet.

Elle ne l'avait donc pas abandonnée dans une rue. Elle était saine et sauve à la maison, comme elle aurait dû l'être elle-même. Michael manœuvra lentement pour entrer dans le garage. L'espace d'une seconde, elle eut le sentiment de pénétrer dans une tombe.

— Peur ?

— Terrifiée.

Il lui saisit les mains et cette fois elle ne les retira pas.

— Ne te presse pas, dit-il d'un ton insistant. Si tu ne reconnais rien, et ça sera probablement le cas, ne t'inquiète pas. Je suis près de toi et rien ne pourra t'arriver.

— Est-ce qu'il faut y aller maintenant ?

— On peut rester ici le temps que tu voudras.

Ils restèrent dans le garage quelques minutes en silence, les mains entrelacées, le souffle court et saccadé, jusqu'à ce qu'elle dise :

— C'est ridicule. On ne peut pas rester là toute la journée.

— Qu'est-ce que tu veux faire ? demanda-t-il.

Alors elle dit :

— Je veux rentrer à la maison.

7

Il ouvrit la porte et s'effaça pour la laisser entrer. Elle hésita, s'attendant un peu à ce qu'il la prenne dans ses bras pour lui faire franchir le seuil, comme de jeunes mariés pénétrant pour la première fois dans leur nouvelle demeure.

De bien des façons, c'est exactement ce qu'elle ressentait. Son cœur battait avec la même sorte d'appréhension nerveuse, d'excitation à l'aube d'une nouvelle vie, d'inquiétude accompagnant ce premier pas dans l'inconnu. Est-ce que les jeunes époux d'aujourd'hui portent encore leur femme pour franchir le seuil ? Probablement pas, se dit-elle, espérant voir apparaître sur le visage de l'homme qui avait été son mari pendant onze années l'un de ses sourires doux et réconfortants, ce en quoi elle ne fut pas déçue. Le monde était devenu trop sophistiqué, trop blasé, trop désabusé pour des plaisirs aussi simples. De plus, d'après tout ce qu'elle avait vu et entendu à propos de Oprah et Phil et Sally Jessy et Geraldo, les femmes d'aujourd'hui ne voulaient pas ou n'avaient pas besoin qu'on leur fasse franchir des seuils symboliques, quels qu'ils soient, et les hommes d'aujourd'hui n'étaient pas en état de supporter leur poids.

— Qu'en penses-tu ? demandait Michael, et son appréhension était palpable bien qu'il s'efforçât de la cacher. Tu crois que tu as envie d'entrer ?

Jane laissa échapper un long soupir et força ses yeux à

se concentrer sur le petit hall d'entrée tapissé d'un papier à fines fleurs rouges. Il y avait un escalier central peint en blanc et recouvert d'un tapis vert pâle comme tout le rez-de-chaussée ; c'était un bon début. C'était une maison attrayante, de celles qui incitent un visiteur à entrer. Elle respira à fond une fois de plus, se força à mettre un pied devant l'autre et pénétra à l'intérieur.

Elle éprouva tout d'abord une sensation de lumière. Celle-ci jaillissait de partout, des grandes fenêtres du salon sur la gauche, des fenêtres tout aussi grandes de la salle à manger sur la droite, de l'énorme lucarne située à l'étage au-dessus de l'entrée. Au-delà des escaliers, le vestibule se rétrécissait, menant aux pièces sur l'arrière de la maison.

Jane avança lentement jusqu'au milieu du hall et s'arrêta, n'étant pas certaine que ses jambes puissent la soutenir.

— Tu veux visiter ? suggéra Michael, ne demandant pas si quelque chose lui paraissait familier.

Elle acquiesça et le suivit dans la vaste salle à manger tapissée d'un papier à rayures rouges et blanches qui parvenait d'une certaine façon à donner une impression de subtilité et d'audace à la fois. Le plateau de la table de salle à manger était une dalle de marbre vert ; les huit chaises autour étaient recouvertes des mêmes rayures rouges et blanches que les murs. Il y avait une vitrine remplie de fine porcelaine à motifs floraux rouges et blancs, ainsi qu'une table roulante surchargée de bouteilles d'alcool de toutes les couleurs. Plusieurs grandes plantes étaient installées dans des vases orientaux près de la fenêtre du milieu. « Tout est très joli », dit-elle, se demandant s'ils avaient rapporté les vases de leur voyage en Orient, tout en suivant Michael qui traversait le vestibule pour passer dans le salon.

C'était une pièce spacieuse s'étendant sur toute la longueur de la maison, tapissée d'un chintz floral dans la même gamme que celui qui recouvrait les murs de l'entrée. Un canapé de chintz et ses fauteuils assortis étaient rassemblés autour d'une large cheminée de pierre flanquée à sa droite d'une imposante bibliothèque et à sa gauche d'une installation stéréo très sophistiquée. Contre le mur opposé se dressait un piano droit en ébène laquée. Jane s'approcha timidement du piano et laissa ses doigts parcourir le clavier, ébauchant négligemment une mélodie de Chopin.

La délicatesse du son la prit par surprise. Elle regarda ses doigts qui devinrent automatiquement maladroits et dépourvus de mémoire. Comme si jouer n'était pour elle qu'une action réflexe ne pouvant supporter d'être soumise à un examen minutieux.

— Ne t'en fais pas, dit Michael. Ça va revenir. Essaie simplement de ne pas penser aussi intensément à ce que tu es en train de faire.

— Je n'ai pas réalisé que je savais jouer.

Sa voix était rêveuse.

— Tu as pris des leçons quand tu étais petite. De temps en temps tu t'asseyais pour jouer toujours ce même vieux morceau de Chopin. (Il se mit à rire.) A vrai dire, c'est l'une des choses dont j'espérais qu'elles resteraient dans l'oubli. (Son sourire s'évanouit presque aussitôt.) Je suis désolé. Je ne voulais pas dire ça.

— Tu n'as pas à t'excuser.

Un ensemble de photographies placées au-dessus du piano attira son regard. Il y avait notamment trois photos de classe avec de jeunes enfants rangés par taille d'une façon bien ordonnée, l'air fier et heureux. « Ecole privée d'Arlington », indiquait la petite ardoise tenue par l'un des garçons du premier rang. Il ne faisait aucun doute que sa fille se trouvait parmi ces enfants.

— Sais-tu laquelle c'est ? demanda Michael, devinant ses pensées et s'approchant d'elle.

Elle sentit la chaleur de son souffle sur sa nuque.

Jane prit l'une des photographies dans ses mains, ses yeux glissant rapidement sur les petits garçons aux visages espiègles pour se concentrer sur les petites filles à l'air plus sage. Allait-elle reconnaître son seul enfant ?

— C'est la deuxième à partir du haut, dit Michael, mettant fin à son agonie en désignant une délicate petite fille avec de longs cheveux bruns et des yeux immenses.

Elle était vêtue de jaune de la tête aux pieds et paraissait avoir trois ou quatre ans.

— C'était sa première année de maternelle, continua-t-il, répondant à la question qu'elle avait posée en silence. Elle avait quatre ans.

Il prit la photographie suivante, montrant la même petite fille, plus âgée d'une année, habillée en rose et blanc, ses longs cheveux tirés en queue de cheval.

— Deuxième année de maternelle.

— Elle est grande, observa Jane, sentant sa voix se briser.

— Elle est toujours dans la dernière rangée, je dois dire. Les choses n'ont pas beaucoup changé depuis qu'elle est à l'école primaire.

Elle échangea la première photo contre la troisième et dernière, repérant tout de suite Emily, maintenant en CP, portant des vêtements à carreaux noirs et blancs, les cheveux défaits dans le dos, le sourire moins appuyé que les années précédentes, les yeux plus timides et réservés. Mon bébé, pensa Jane, trouvant que c'était une enfant magnifique mais ne ressentant rien de l'instinct maternel qu'elle aurait dû éprouver. La jeune Emily Whittaker âgée de six ans n'était qu'un joli visage sur la photo d'une classe entière. Cette constatation l'attrista et lui fit venir les larmes aux yeux.

— Où est la photo de cette année? demanda-t-elle.

— Quoi? Il eut l'air surpris, presque effrayé.

— Est-ce qu'il ne devrait pas y avoir une autre photo?

Mentalement, elle essayait de s'y retrouver dans les années.

— Il y a la première année de maternelle quand elle avait quatre ans, puis la deuxième année de maternelle et le CP, ce qui lui fait cinq et six ans. Mais tu as dit qu'elle avait sept ans.

— Oui, elle vient juste de finir le CE 1.

Elle balaya des yeux le dessus du piano.

— Je suppose qu'il n'y a pas eu de photo cette année,

dit-il lentement, considérant soigneusement la question. Elle devait être malade ou quelque chose comme ça.

Il haussa les épaules, saisissant une photo d'Emily assise sur les genoux du père Noël, et elle remarqua que ses mains solides tremblaient.

— Celle-ci a été prise il y a quelques années. Et celle-ci, continua-t-il, en lui tendant un grand cadre argenté, a été prise en juin dernier.

Jane ne pouvait détacher les yeux des visages des trois étrangers souriants qu'étaient son mari, sa fille et elle-même. Les mains tremblantes, elle laissa Michael reprendre la photo et l'éloigner du piano.

— Veux-tu t'étendre ? Sa voix était aussi moelleuse qu'une couverture. Elle souhaitait pouvoir s'y blottir. Mais elle secoua la tête.

— Tu devrais sans doute me montrer d'abord le reste de la maison.

Le bras passé autour de sa taille, il la guida hors du salon et le long du couloir vers l'arrière de la maison. Ils passèrent devant un cabinet de toilette et une rangée de placards avant d'atteindre la cuisine, une vaste pièce ensoleillée dont toute la partie sud était vitrée. La cuisine, qui donnait sur un grand jardin, était décorée presque uniquement en blanc : une table ronde blanche avec quatre chaises ; un sol carrelé blanc ; des murs blancs. Le seul élément coloré provenait du revêtement de carreaux sur le mur au-dessus du plan de travail, qui comportait, à intervalles réguliers, des carreaux décorés de pommes rouges et de pastèques peintes à la main, et également de la profusion d'arbres à l'extérieur.

— C'est charmant, dit-elle, se dirigeant aussitôt vers les fenêtres qui faisaient toute la hauteur de la pièce et observant le jardin bien entretenu. Elle remarqua dans le mur de droite une porte qui ouvrait sur l'extérieur, et dut lutter contre l'envie de s'y précipiter, de l'ouvrir et de s'enfuir.

— T'as encore rien vu, dit-il, un sourire dans la voix.

Passant le bras autour de son épaule, il la conduisit vers la porte de gauche et la fit passer dans une autre pièce.

— Le jardin d'hiver de Madame, annonça-t-il fièrement.

Elle pénétra dans un monde merveilleux de verre et de verdure.

— Nous avons ajouté cette pièce il y a environ trois ans, expliqua-t-il tandis qu'elle tournait en rond au milieu de la pièce.

— Je n'ai jamais vu une pièce aussi magnifique, lui dit-elle, sachant que c'était vrai, indépendamment de ce qu'elle avait pu voir et oublier.

Son sourire s'élargit au point d'envahir son visage tout entier.

— C'est ce que tu dis à chaque fois que tu viens ici, dit-il, une nuance d'espoir dans la voix.

Des gens dans des maisons de verre, songea-t-elle, se disant que personne n'avait jamais jeté de pierres dans cette pièce. Rien de mal n'avait pu se produire dans une maison possédant une pièce aussi magnifique que celle-ci.

Les murs sud et ouest étaient entièrement vitrés ; le sol était recouvert d'une mosaïque à petits carreaux noirs et blancs ; il y avait partout des plantes et des arbres en pots. Le long du mur nord — un mur qui était un vrai mur, et de l'autre côté duquel se trouvait le salon —, il y avait une balancelle en osier blanc avec des coussins vert et blanc. Des fauteuils bas du même style la flanquaient de chaque côté, eux-mêmes flanqués de plusieurs tables en verre et osier blanc.

Jane s'approcha de la balancelle et s'y laissa tomber, la sentant osciller sous l'effet de son poids. Elle se balançait doucement d'avant en arrière, se demandant comment elle avait pu oublier ce paradis sur terre.

— Ma propre forêt tropicale privée, dit-elle à haute voix, observant le sourire approbateur de Michael.

— Tout va te revenir, lui dit-il, s'écroulant dans le fauteuil à sa droite et étendant ses longues jambes devant lui. Prends ton temps, c'est tout. Essaie de ne pas forcer les choses.

— Est-ce que le Dr. Meloff t'a dit quelque chose sur la durée possible de cet état ?

Elle se demandait si le bon docteur s'était davantage confié à son mari qu'à elle.

— Il a dit que la plupart des cas d'amnésie hystérique, si c'est ce dont il s'agit, se résolvaient en général spontanément, que ça pouvait être une question d'heures ou de jours.

— Ou de semaines ou de mois.

— Il est peu probable que ça dure des mois, mais c'est vrai, il n'y a pas de durée définie. Des états de ce type s'arrangent généralement d'eux-mêmes quand c'est le moment.

— Mais quelle est la cause essentielle de cette situation ?

Ses yeux parcouraient frénétiquement toute la pièce, se jetant sur les plantes et les arbres en pots pour chasser d'indésirables visions de sang et de billets de cent dollars. Ça n'a aucun sens. Je veux dire, apparemment je suis une femme qui a tout : une jolie maison, un mari amoureux, une fille magnifique. Pourquoi oublierais-je brusquement tout ça ? Qu'est-ce qui a pu se produire pour que j'en arrive à faire comme si rien de tout ça n'avait jamais existé ?

Michael ferma les yeux, se mit à se frotter l'arête du nez avec les doigts de la main droite. Lorsqu'il rouvrit les yeux, il l'observa comme s'il était en train d'évaluer sa force, comme s'il se demandait quelle part de vérité elle pourrait supporter.

— Quoi ? demanda-t-elle. A quoi penses-tu ? Qu'est-ce que tu ne veux pas me dire ?

Aussitôt il fut près d'elle, son poids soudain faisant tanguer la balancelle.

— J'étais en train de penser que nous devrions laisser les questions au repos jusqu'à ce que nous ayons eu tous deux une bonne nuit de sommeil. J'étais en train de penser qu'on aura bien le temps de parler demain matin.

— Ça veut donc dire qu'il y a quelque chose, persista-t-elle.

Il lui caressa la main d'un air rassurant.

— Non, lui dit-il. Rien.

La sonnette de la porte d'entrée retentit.

— Qui ça peut bien être ? demanda Jane.

Michael s'extirpa de la balancelle et se mit debout.

— Je crois que je devine.

Jane le suivit avec réticence hors du jardin d'hiver, retraversa la cuisine et parvint à l'entrée. Elle s'arrêta tandis qu'il atteignait la porte, se tenant dans l'ombre de l'escalier pour l'observer ouvrir la porte et faire un pas en arrière.

— Comment va-t-elle ? demanda d'un ton ferme la femme en entrant.

— Perturbée, lui dit Michael en la conduisant dans le salon. Elle n'a absolument aucun souvenir la concernant.

— Mon Dieu ! Rien du tout ?

Il secoua la tête.

— Elle est couchée ?

— Je suis là, dit Jane à Carole Bishop, reconnaissant la femme que Michael lui avait indiquée comme étant sa voisine.

Elle portait encore son bermuda informe qui laissait voir des genoux potelés.

Carole Bishop paraissait avoir quarante-cinq ans. Elle était petite, un mètre cinquante-cinq tout au plus, avait probablement dix kilos de trop, mais elle faisait partie de ces femmes pour qui l'on a certainement inventé les adjectifs « mignonne » et « vive ». Dès qu'elle aperçut Jane, les couleurs disparurent de ses joues rondes, son expression hésitant avec gêne entre l'inquiétude et la crainte.

Est-ce qu'elle est préoccupée par ce qu'elle devrait dire ? se demandait Jane. Ou inquiète de ce que je pourrais dire ?

— Michael m'a parlé de votre amnésie, entreprit Carole, recherchant le soutien de Michael.

— Je l'ai appelée de l'hôpital et lui ai raconté brièvement ce qui se passait, dit rapidement Michael. Je lui ai demandé de venir. (Il leva les mains dans un geste d'impuissance.) J'ai pensé que tu te sentirais moins menacée s'il y avait quelqu'un auprès de toi.

Une fois encore, les yeux de Jane se remplirent de larmes de gratitude.

— Je ne me sens pas menacée, murmura-t-elle, désirant violemment qu'il la prenne dans ses bras.

— Je suppose que vous devez être plutôt paniquée, dit Carole.

— Je suis plus angoissée que paniquée, précisa Jane. Je voudrais seulement savoir *pourquoi* ça s'est produit.

Elle se mit à marcher de long en large, ses pas laissant de profondes empreintes dans l'épaisse moquette verte.

— Il me semble qu'une fois que je saurai ça tout le reste se remettra en ordre.

— Vous ne vous souvenez de rien du tout?

— Non.

— Eh bien, peut-être que je peux vous donner un coup de main, proposa Carole, entraînant Jane vers le canapé et s'asseyant. Je m'appelle Carole Bishop. Ça s'écrit Carole avec un e. Je suis votre voisine depuis combien de temps, maintenant?

Elle se tourna vers Michael qui était resté debout.

— Trois ans?

— A peu près.

— A peu près trois ans. Quand nous sommes arrivés ici, vous êtes accourue avec cet extraordinaire gâteau au chocolat que vous aviez fait, en disant que c'était votre spécialité. C'est le meilleur gâteau au chocolat que j'aie jamais mangé, et Dieu sait si j'en ai mangé! Vous m'avez même donné la recette, et je ne peux pas vous dire combien de fois depuis lors je l'ai fait. Chaque fois qu'il y avait du monde, je faisais ce gâteau.

Elle avala sa salive plusieurs fois, baissant les yeux avant de poursuivre.

— Bien sûr, je ne reçois plus beaucoup depuis que Daniel est parti. C'est stupéfiant de voir avec quelle rapidité certains de vos soi-disant amis vous délaissent une fois que votre mari vous a quittée. Daniel, c'était mon mari, ajouta-t-elle, comme si cette réflexion lui venait après coup. Vous aviez l'habitude d'aller courir avec lui le matin plusieurs fois par semaine. Vous ne vous en souvenez pas?

— Je crains que non.

— J'aimerais pouvoir oublier ce salaud aussi facilement.

Carole poussa un long et profond soupir qui fit trembler son opulente poitrine.

— Il est parti fin octobre. J'ai essayé de le persuader d'emmener les enfants avec lui, plaisanta-t-elle. « Emmène au moins le chien, l'ai-je supplié. Ou mon père ! » Mais il a dit que si je gardais la maison j'étais responsable de son contenu. Et voilà. Vous êtes au courant à présent.

Elle passa ses doigts dans ses cheveux blonds courts et bouclés.

— Allez-y, posez-moi des questions. Vous pouvez voir que je ne suis pas timide. Je n'ai pas de secrets.

Jane observait les mains de Carole reposant nerveusement sur ses genoux, et remarqua qu'elle portait toujours sa bague de fiançailles et son alliance.

— Je ne sais pas quoi vous demander, dit-elle après un long silence.

Carole regarda tour à tour Jane et Michael, puis revint à Jane.

— Je veux juste que vous sachiez que je suis là si vous avez besoin de quoi que ce soit, si vous voulez me poser des questions...

— Merci.

— Vous étiez plus amie avec Daniel qu'avec moi, continua-t-elle sans y avoir été engagée. Mais après son départ vous m'avez beaucoup soutenue. Vous aviez toujours du temps pour moi. Vous me laissiez venir chez vous et pleurer sur votre épaule à chaque fois que j'en éprouvais le besoin. Alors, si vous avez besoin de quoi que ce soit à présent, je veux que vous sachiez que je suis à votre disposition.

— Merci, répondirent Jane et Michael presque en même temps.

— Je pourrais vous apporter à dîner, proposa Carole. Il me reste beaucoup de choses. Comme je dis toujours, en cas de doute, mange.

Les yeux de Jane s'agrandirent de stupeur.

— Quoi ? demanda Carole. J'ai dit quelque chose ?

Jane était très excitée et pouvait à peine rester tranquille. Michael fut tout de suite à genoux auprès d'elle.

— Qu'est-ce qu'il y a, Jane ?

— Ce que vous venez de dire, répliqua Jane, les mots se ruant furieusement hors de sa bouche, à peine reconnaissables, si bien qu'il lui fallut s'arrêter, prendre quelques secondes pour reformuler ses pensées avant de recommencer. Quand j'étais à l'hôtel Lennox et que je ne savais pas quoi faire de moi-même, je me souviens de m'être dit : « En cas de doute, mange ! » Et je me demandais d'où pouvait venir cette expression.

— C'est mon héritage ! dit Carole avec un humour très à propos.

— C'est formidable, dit Michael à Jane, puis il lui caressa doucement la tête. Ça veut dire que tout est là, enfermé bien à l'abri. Il nous faut juste trouver les bonnes clés.

Jane approuva en souriant, se sentant grisée par un optimisme soudain.

— Je vais retourner à la maison et vous préparer rapidement quelque chose à dîner, dit Carole.

— Pas pour moi, dit vivement Michael. Je ne pourrais rien avaler.

— Moi non plus, renchérit Jane.

Bien qu'elle eût faim, elle se sentait trop excitée pour pouvoir manger.

— En tout cas, merci, continua Michael. Nous apprécions votre proposition.

— Bon, vous pouvez toujours m'appeler si vous changez d'avis. J'ai tout ce qu'il faut.

Elle éclata de rire, d'un rire rauque totalement dépourvu de gaieté.

— Mes enfants dévorent chaque repas comme s'ils n'avaient jamais vu de nourriture auparavant, et on a oublié de dire à mon père que les personnes âgées sont censées perdre leur appétit, sans parler du chien, qui croit qu'il est humain et refuse donc de manger quelque chose qu'il ne nous voit pas manger nous aussi, si bien que je fais la cuisine pour tout le quartier. Bon, je ne devrais pas me plaindre. Les enfants partent camper dans quelques jours, et en tout cas tout le monde est en bonne santé. Si vous avez faim dans un moment, vous pouvez toujours me le dire.

— D'accord, lui dit Michael en se mettant debout et en se dirigeant vers la porte d'entrée, indiquant que la conversation était terminée.

Carole Bishop prit la main de Jane dans la sienne. Sa voix puissante ne fut plus qu'un murmure.

— Vous êtes en bonnes mains, lui confia-t-elle. Vous ne pourriez pas trouver meilleur mari.

Elle lutta contre l'apparition soudaine de larmes inattendues.

— Tout ira bien, Jane. Laissez Michael s'occuper de vous.

Jane se tenait parfaitement immobile tandis que Carole rejoignait Michael dans le vestibule.

— Vous m'appellerez si vous avez besoin de moi ? entendit-elle Carole demander avant que la porte ne se referme.

— Elle a l'air très gentille, dit Jane tandis que Michael rentrait dans la pièce.

— Oui, elle l'est.

— Ça doit être très dur pour elle d'avoir à s'occuper de son père et de ses enfants à la fois.

— Un véritable membre de la génération sandwich, dit Michael.

Jane approuva, se souvenant d'un épisode de l'émission de Phil Donahue [1] qui traitait exactement de ce sujet — les femmes prises en sandwich entre les exigences de leurs enfants et les besoins de leurs parents âgés. Faisait-elle partie du même groupe ?

Son père était mort lorsqu'elle avait treize ans, lui avait dit Michael à l'hôpital. Mais qu'en était-il de sa mère ? Vivait-elle encore dans le Connecticut ou avait-elle décidé de s'installer dans la région de Boston pour être plus près de sa fille unique ? Ou peut-être avait-elle préféré les côtes plus ensoleillées de

1. Talk-show à la télévision.

Californie en se chargeant de prendre son frère Tommy en sandwich ?

Ce qui paraissait plus vraisemblable, décida-t-elle aussitôt. Si sa mère vivait dans les environs, Michael lui aurait sûrement demandé de venir, et non à Carole.

— Est-ce que ma mère habite toujours dans le Connecticut ? demanda-t-elle, observant Michael s'enfoncer dans un fauteuil et regarder par la fenêtre d'un air absent. Michael ? interrogea-t-elle à nouveau, croyant qu'il n'avait peut-être pas entendu. Est-ce que ma mère habite toujours dans le Connecticut ?

Il secoua la tête, joignant les mains et les mettant devant sa bouche.

— Michael ?

Il la regarda droit dans les yeux et elle comprit immédiatement que sa mère était morte. Il lui parut néanmoins nécessaire de prononcer les mots.

— Ma mère est morte, n'est-ce pas ?

Il acquiesça gravement.

— Quand ?

— L'année dernière.

— Quel âge avait-elle ?

— Soixante-trois ans.

— C'est très jeune, observa-t-elle, ne ressentant aucun lien émotionnel avec la femme qui lui avait donné le jour et était à présent disparue.

— Oui, reconnut-il simplement, sans autre observation.

— Comment est-elle morte ? Un cancer ? Une attaque ?

— Non.

— Alors quoi ?

Elle se mit sur le bord du canapé, l'angoisse envahissant le creux de son ventre.

Il n'hésita que quelques secondes.

— Un accident.

— Quel genre d'accident ?

— Un accident de voiture.

— Un accident de voiture, répéta-t-elle, repensant à ce qu'ils avaient vu sur leur chemin, se souvenant du regard étrange que lui avait lancé Michael, comme s'il attendait de sa part un signe de reconnaissance, comme s'il évaluait sa réaction. Raconte-moi.

Il respira profondément avant de commencer.

— Ta mère était venue passer quelques semaines avec nous. En fait, nous avions essayé de la persuader de venir s'installer à Boston, mais elle insistait toujours sur le fait que son club de bridge d'Hartford ne pouvait se passer d'elle, et que c'était comme ça. Fin de la discussion. On ne pouvait jamais avoir le dernier mot avec ta mère.

Il s'interrompit, souriant à l'évocation de ce souvenir.

— Quoi qu'il en soit, elle avait décidé d'aller en voiture à Boston un après-midi, de faire quelques derniers achats au Filene's Basement avant de repartir pour le Connecticut, et toi...

Il s'arrêta, puis reprit :

— Tu étais occupée avec Emily ce jour-là, sur un projet pour l'école, je crois...

Il s'interrompit à nouveau, reprit une troisième fois.

— Alors, elle a pris ta voiture...

— Ma Honda ? demanda Jane, songeant à la Prélude argent dans le garage, dans un besoin de détails pour donner une réalité à ce qu'elle entendait.

— Non. Tu avais une Volvo. Vert foncé, précisa-t-il de lui-même. Quoi qu'il en soit, elle a emprunté ta voiture et elle est partie.

Il s'interrompit encore, momentanément incapable ou peu disposé à continuer. Jane ne savait pas très bien si c'était à elle ou à lui-même qu'il cherchait à épargner la souffrance de ce qui allait suivre.

— Continue.

— Ça s'est passé à seulement quelques rues d'ici. Elle n'avait même pas atteint l'autoroute. Un type a grillé un stop et l'a percutée à près de cent kilomètres à l'heure. Elle a été tuée sur le coup.

Il quitta son fauteuil pour venir à côté d'elle, et elle vit que ses yeux étaient remplis de larmes.

Des larmes se formaient à présent dans ses yeux à elle aussi. Non des larmes de douleur mais plutôt des larmes de frustration. Comment pouvait-elle avoir oublié quelque chose d'aussi profond que la mort de sa mère ? Comment pouvait-elle ne pas être émue par la terrible histoire que son mari venait de raconter ?

Et pourtant, comme lorsqu'il lui avait parlé de la mort de son père, elle n'éprouvait rien de plus qu'une légère tristesse, le genre de tristesse que l'on éprouve en apprenant le décès d'un ami qu'on a perdu de vue depuis longtemps.

— Est-ce que nous étions très proches ? demanda-t-elle.

Il fit un signe affirmatif.

— Tu étais inconsolable après sa mort.

Tout à coup Jane bondit sur ses pieds.

— Merde ! Pourquoi je ne peux pas me souvenir ?

— Tu y arriveras, Jane, la rassura-t-il, s'efforçant de la calmer. Quand tu seras prête...

— Tu avais peur de me parler de ça, déclara-t-elle, lui faisant face. Pourquoi ?

— J'avais peur que ça te perturbe.

— Non, c'est pas ça. Je t'en prie, dis-moi la vérité.

Il tourna les yeux vers le vestibule, comme s'il espérait que Carole Bishop reparaisse pour lui venir en aide.

— L'accident, commença-t-il, s'est produit il y a presque un an exactement.

— Et alors, qu'est-ce que tu veux dire ? Que tu penses que l'anniversaire de la mort de ma mère a pu déclencher mon amnésie ?

— Je pense que c'est une possibilité, oui. Dernièrement tu étais très inquiète ; tu dormais mal ; tu étais très contrariée. C'est pour cette raison que je t'ai suggéré de partir quelques jours chez ton frère.

Elle enregistra cette information du mieux qu'elle put. Apparemment, tout ça avait un certain sens pour Michael. L'anniversaire de la mort tragique de sa mère approchait ; elle était contrariée, avait du mal à affronter le souvenir, pour finalement décider de l'évacuer totalement. Parfait. Sauf que ça n'expliquait pas comment sa robe s'était retrouvée éclaboussée de sang et ses poches bourrées de billets de cent dollars. Il manquait encore quelques pièces au puzzle, conclua-t-elle, éprouvant une grande lassitude.

— Je crois que tu devrais te reposer un peu, lui dit Michael, lisant une fois de plus dans ses pensées et venant à son secours. Viens, la pressa-t-il doucement, laisse-moi te mettre au lit.

8

Il lui fit gravir les escaliers pour la conduire jusqu'à leur chambre.

En passant sous l'énorme lucarne, il s'arrêta et observa le ciel encore ensoleillé, puis consulta sa montre. Il était presque huit heures. Il ferait bientôt nuit. La lune, qui n'était encore qu'une série de vagues taches blanches sur un fond bleu clair, allait devenir plus grosse et plus brillante, exerçant son empire sur la nuit. Où était passé le temps ?

— Par ici, dit Michael, la guidant vers la chambre située au bout du couloir sur la gauche.

— Ces autres pièces, c'est quoi ?

Elle s'arrêta devant la première porte à droite des escaliers.

— Nous pourrions continuer la visite demain matin ?

Sa voix était légère en dépit d'une nuance de gravité sous-jacente, comme s'il considérait qu'il y avait eu assez de révélations en une soirée, qu'en faire davantage risquait de contrarier le fragile équilibre sur lequel reposait sa santé mentale.

— Je préférerais maintenant, insista-t-elle. S'il te plaît.

— Comme tu veux.

Sa voix était douce.

Ils pénétrèrent dans la chambre de taille moyenne, vert pâle et jaune, située à droite des escaliers. Un grand lit à colonnes était placé en face d'un gros vieux buffet, au-dessus duquel était accroché un énorme miroir ancien. Jane caressa la courtepointe apparemment ancienne et d'une grande valeur qui recouvrait le lit, évitant de poser les yeux sur le miroir, s'appuyant sur le fauteuil ancien installé devant le lit tout en s'approchant du vitrail de la fenêtre. Une licorne blanche était en train de ruer au milieu d'une prairie vert et rouge. Elle suivait des yeux ses doigts qui dessinaient le bord sombre du verre coupé. La licorne est un animal mythique, pensa-t-elle, se demandant si on pouvait dire la même chose d'elle-même. Jane Whittaker est un animal mythique, répéta-t-elle en elle-même, appréciant la sonorité de ces mots.

Elle fut tirée de sa rêverie par des hurlements. Son regard quitta le vitrail pour se porter vers la fenêtre ordinaire juste à côté, et observa deux jeunes qui sortaient précipitamment de la porte principale de la maison de Carole Bischop dans un débordement d'enthousiasme adolescent qui avait presque l'air d'être organisé à son intention.

— Andrew et Celine, lui dit Michael, la rejoignant près de la fenêtre. Andrew a quatorze ans et je crois que Celine aura seize ans l'automne prochain. Ils faisaient du baby-sitting chez nous.

— Faisaient?

— C'est de plus en plus difficile de les coincer. Tu sais comme sont les adolescents. Ils croient qu'ils ont le droit de mener leur propre vie.

Jane sourit, appuyant son front sur la vitre et sentant sa fraîcheur sur sa peau. C'est alors qu'un vieil homme vêtu d'un pyjama à rayures tout froissé sortit en trébuchant, suivi d'un gros chien qui aboyait. Tous deux atterrirent au beau milieu d'une rangée de pétunias de toutes les couleurs qui courait le long de l'allée principale. Carole Bishop apparut derrière eux, attrapa le chien par le collier et retint le vieil homme par le bras de sa veste de pyjama alors qu'il tentait de s'enfuir. Jane perçut la frustration dans la voix de Carole même à travers la vitre. « Rentre à la maison, Papa », criait-elle par-dessus les aboiements puissants du chien, tandis que ses enfants observaient la scène depuis une autre allée, se tordant de rire.

— On dirait un prisonnier qui essaie de s'évader, commenta Jane, sa sympathie tout acquise au vieil homme.

— C'est sans doute exactement ce qu'il ressent, dit Michael. C'est vraiment triste. Carole fait de son mieux. Mais parfois, quoi qu'on fasse, ça ne suffit pas.

Jane se demanda si à cet instant précis Michael parlait de Carole ou de lui-même.

« Rentre à la maison, Papa », l'implorait Carole d'une voix forte. « Allons, tu abîmes mes fleurs et tu te donnes en spectacle. Est-il indispensable que tout le quartier te voie ? » Comme si elle s'était soudain rendu compte que Jane était en train de l'observer, Carole dirigea son regard directement vers la fenêtre de l'étage, où se tenait Jane. Celle-ci recula brusquement, sentant qu'elle écrasait les pieds de Michael et que son dos heurtait la poitrine de ce dernier.

— Je suis désolée, s'excusa-t-elle, percevant les battements de son cœur contre elle, prise du désir de s'abandonner à sa force, hésitant à s'en détacher.

— Pas la peine de t'excuser.

Jane retourna vers la porte, évitant soigneusement son reflet dans le vieux miroir en passant devant.

— Tu n'as pas à avoir peur des miroirs, Jane, dit doucement Michael qui se retrouva aussitôt près d'elle. Tu existes vraiment. Tu n'es pas une sorte de vampire.

Elle pénétra dans la pièce située de l'autre côté du couloir, avec l'image de ses dents plantées dans la peau d'un cou offert, le sang de sa malheureuse victime se répandant sur sa robe.

— Ton bureau ? demanda-t-elle, s'efforçant de se concentrer sur le lourd bureau de chêne situé près de la fenêtre, sur le canapé de cuir vert qui lui faisait face, sur les étagères remplies d'ouvrages médicaux.

— Mon bureau hors du bureau.

Jane passa la main sur le grain très fin du bois du bureau. Un ordinateur dernier modèle reposait fièrement sur le meuble, son grand écran vide la fixant comme un visage dont les traits n'étaient pas encore dessinés, son clavier presque entièrement caché sous des feuilles de papier. Un stylo à bille argenté apparaissait sous un manuel de médecine ouvert sur la table.

— Tu travailles sur quelque chose ?

— Je prépare un article pour un congrès médical à l'automne prochain. J'essaie de mettre mes idées en ordre.

— Et je t'aide en perdant tous mes moyens.

— Tu m'aides simplement en étant là.

Elle essaya de jauger l'image de Michael sur l'écran vide de l'ordinateur.

— Est-ce que tu es toujours aussi gentil ?

L'image disparut de son champ de vision. Elle sentit son bras effleurer le sien, se retourna pour le voir debout à ses côtés, fixant par la fenêtre la pelouse des Bishop.

— Oh, regarde, elle a réussi à le faire rentrer dans la maison.

Jane se retourna à temps pour voir Carole Bishop poussant à la fois le chien et son père à travers la porte ouverte avant de refermer celle-ci derrière elle. Ses enfants restaient dans l'allée, paralysés de rire.

— C'était vraiment une question, dit Jane s'adressant à Michael, amusée par son air tout à coup perplexe.

— La question étant... ?

— Est-ce que tu es toujours aussi gentil ? répéta-t-elle, et elle attendit sa réponse.

Son visage se détendit en un sourire.

— J'ai des bons côtés.

— Tu as l'air d'en avoir beaucoup.

— Il n'est pas difficile d'être gentil avec toi, dit-il simplement.

— J'espère que c'est vrai.

— Et pourquoi ça ne le serait pas ?

Elle fit comme si elle était absorbée par le spectacle d'Andrew et Celine sortant de leur paralysie et courant l'un autour de l'autre dans la rue.

— Où est la chambre d'Emily ? demanda-t-elle après qu'ils eurent disparu au coin de la rue.

— A côté de la nôtre.

Elle le suivit le long du couloir, passant devant une salle de bains très gaie, jaune et blanc, et se dirigeant vers deux autres pièces situées à gauche des escaliers.

— Est-ce que nous avons eu un décorateur ? demanda-t-elle incidemment, admirant le goût chaleureux qui transparaissait à chaque endroit.

— Un grand décorateur, confirma-t-il. Son nom est Jane Whittaker.

Jane sourit, se sentant bêtement fière d'un travail bien fait, même si elle ne pouvait se souvenir de l'avoir réalisé.

— Voici la chambre d'Emily, dit-il, la suivant à l'intérieur de la pièce mais restant en arrière dans l'encadrement de la porte.

— C'est parfait. La chambre parfaite pour une petite fille. Elle doit l'adorer.

Jane nota rapidement les détails de la pièce : le papier peint plein de fraîcheur, blanc parsemé de fleurs vertes et bleues ; le lit de cuivre avec son couvre-lit de dentelle blanche ; un panier à linge en forme de kangourou dont la poche servait au linge sale ; des animaux en peluche et des poupées partout ; une table et des chaises miniatures près de la fenêtre donnant sur le jardin ; un panneau de vitrail semblable à celui de la chambre d'amis ; le sol recouvert de la même moquette vert menthe que le reste de la maison. Sur le mur opposé au lit, au milieu des fleurs vertes et bleues du papier peint, se trouvait une série de peintures impressionnistes, des gravures encadrées de Monet, Renoir et Degas.

— Et voici notre chambre, dit Michael, la faisant passer si doucement de la chambre de leur fille à la leur qu'elle se rendit à peine compte d'avoir bougé.

Jane pénétra précautionneusement dans la pièce, soudain attentive à ne pas se tenir trop près de l'homme dont elle avait partagé le lit pendant les onze dernières années. La pièce était une apaisante combinaison de verts et mauves tendres, dominée par un très grand lit à baldaquin placé au centre. L'un des murs était totalement occupé par des fenêtres, l'autre par des placards recouverts de miroirs dans lesquels se réfléchissait le jardin, faisant pénétrer celui-ci à l'intérieur de la pièce. L'illusion était celle d'une pièce dépourvue de frontières et de limites.

Jane s'aperçut qu'il était impossible de se tenir dans cette pièce sans voir son image réfléchie. Tandis qu'elle s'efforçait de se concentrer sur les lithographies de Chagall accrochées sur le mur faisant face au lit géant, son attention ne cessait de se reporter sur le mur de miroirs.

— Qu'est-ce que tu vois ? lui demanda Michael la prenant au dépourvu. Elle se vit sursauter.

— Une petite fille effrayée, répondit-elle, essayant de saisir la signification de son reflet, y renonçant, et ouvrant toutes les portes des placards les unes après les autres, se débarrassant une fois pour toutes de son image.

Les vêtements de sa vie passée lui faisaient face. Elle examina le contenu des placards comme si chaque élément était un objet inestimable datant d'une autre ère, tâtant les divers tissus, cherchant des traces de son histoire dans chaque étiquette. Il y avait une demi-douzaine de robes et probablement le double de chemisiers, ainsi que de jupes et de pantalons. Certaines tenues étaient très élégantes ; d'autres semblaient faites davantage pour une adolescente que pour une femme dans la trentaine. Elle avait apparemment ses bons et ses mauvais jours en matière d'achats.

Une série de tiroirs encastrés séparait ses vêtements de ceux de son mari. Elle ouvrit chaque tiroir tour à tour, examinant les délicats sous-vêtements de satin et de soie, s'émerveillant des dentelles élaborées de ses caracos et combinaisons, repoussant avec gêne au fond du tiroir un porte-jarretelles et des bas noirs avant que Michael ne les remarque. Est-ce qu'elle portait vraiment ces choses-là ? se demanda-t-elle, se sentant rougir. Elle portait des collants quand elle s'était retrouvée errant dans les rues de Boston. Peut-être préférait-elle les porte-jarretelles dans l'intimité de sa chambre. Plus vraisemblablement, c'est Michael qui les préférait.

Elle baissa les yeux vers le sol, comptant douze paires de chaussures avant de se sentir assez forte pour se retourner vers lui.

— J'ai beaucoup de jolies choses, dit-elle.

— C'est mon avis, acquiesça-t-il, bien que je ne reconnaisse pas les vêtements que tu portes maintenant.

Jane considéra les vêtements qu'elle avait achetés le matin même.

— Moi non plus, dit-elle, et elle éclata de rire.

— Est-ce que tu es fatiguée ?

Elle fit signe que oui, souhaitant désespérément pouvoir se glisser dans son lit, ne sachant pas très bien si elle avait envie que Michael l'y rejoigne.

— Tu n'as pas à t'inquiéter, Jane, lui dit-il, pénétrant une fois de plus dans son cerveau pour y lire ses pensées errantes. Je dormirai dans la chambre d'amis jusqu'à ce que tu me dises de faire autrement.

— Moi, je peux dormir dans la chambre d'amis, proposa-t-elle aussitôt.

— Non, dit-il avec force. Cette chambre est la tienne.

— C'est notre chambre, rectifia-t-elle.

— Ça le deviendra. J'ai confiance.

Il prit une longue chemise de nuit en coton blanc sur un crochet.

— Ta préférée, lui dit-il, la laissant tomber sur le lit. Tu devrais te changer. Il y a une salle de bains de l'autre côté de cette porte.

Il indiqua une porte à l'autre bout de la rangée de placards ouverts.

— Pendant ce temps je vais en bas pour préparer du thé.

Il avait disparu avant qu'elle n'ait eu le temps de dire : « Ça serait gentil. »

Elle laissa son corps s'enfoncer doucement sur le lit, s'agrippant d'une main à l'une des colonnes, et de l'autre attrapant la chemise de nuit de coton blanc posée près d'elle. Elle l'examina soigneusement, se demandant comment quelqu'un qui était capable de se promener en bas et porte-jarretelles noirs pouvait également acheter quelque chose d'aussi aseptisé et virginal que ça.

Sa préférée ! « Allons », dit-elle à haute voix, « ça vaut toujours mieux que de dormir dans mon manteau. »

En un instant elle eut ôté ses vêtements et enfilé l'enveloppe blanche qui lui tombait jusqu'aux pieds. Enlevant ses chaussures neuves, elle vérifia la semelle de celle de droite et fut soulagée d'y trouver la clé de son casier de consigne saine et sauve dans sa cachette. Elle suspendit rapidement son pantalon neuf sur un cintre, mit son pull neuf dans un tiroir par-dessus une pile d'autres pulls, et dissimula ses chaussures tout au fond du placard avant de se précipiter dans la salle de bains pour se laver la figure et se brosser les dents.

Elle n'eut guère de difficultés à trouver quelle brosse était la sienne — il était peu probable que Michael ait opté pour la rose pâle — et elle se brossa les dents énergiquement, puis se frotta le visage jusqu'à ce qu'il soit aussi rose que sa brosse à dents. Prenant la brosse à cheveux posée sur la tablette à côté du double lavabo, elle se brossa les cheveux jusqu'à ce qu'elle sente des picotements dans son cuir chevelu, tout en observant la vaste baignoire à jacuzzi, la cabine de douche assez grande pour deux, et le bidet. Tout le confort souhaité, pensa-t-elle, se demandant si elle était bien ici à sa place.

Elle retourna dans sa chambre et s'assit au bord du lit, souhaitant vivement se glisser sous la couette en duvet, ne sachant que faire de ses mains. Celles-ci allaient nerveusement du coton blanc et raide de sa chemise jusqu'à la table de nuit à côté du lit, soulevant le réveil pour vérifier l'heure sans nécessité, repoussant le téléphone blanc et or de l'autre côté de la table, puis le remettant aussitôt à son emplacement précédent, frottant le pied de la petite lampe de porcelaine posée à côté comme si elle s'attendait à voir apparaître Aladin.

Elle crut entendre Michael dans les escaliers, mais quand elle regarda en direction de la porte, elle ne vit personne. Elle se leva, puis se rassit, et reporta son attention sur la table de nuit à côté d'elle. Elle envisagea de mettre le réveil à l'heure, d'allumer la lampe, de se servir du téléphone, et finalement opta pour le tiroir de la petite table, qu'elle ouvrit, ne cherchant rien de particulier, juste pour occuper ses mains.

Elle l'aperçut immédiatement, sans avoir besoin de se demander ce que c'était. Tous les carnets d'adresses se ressemblent un peu. Celui-ci était de taille moyenne avec une couverture de tissu à motifs cachemire. Elle tendit lentement la main vers lui, ayant l'impression de se conduire comme une invitée curieuse qui mettrait son nez dans ce qui ne la regarde pas. Elle le posa sur ses genoux sans l'ouvrir pendant plusieurs secondes avant de trouver le courage d'y jeter un coup d'œil. Allons, se dit-elle avec agacement. C'est à toi. Ouvre-le. Qu'est-ce qui te prend ? De quoi as-tu peur ? Ce n'est que l'alphabet, pour l'amour de Dieu. Juste un ensemble de lettres, une liste de noms. Des noms sans signification, se rappela-t-elle, commençant par les A. *Lorraine Appleby*, lut-elle, se souvenant que Michael l'avait décrite comme une amie d'assez longue date. *Arlington, école privée* figurait juste en dessous. Ecole privée d'Arlington ? Bien sûr, l'école où allait Emily. Regarde, c'est facile, se dit-elle, s'enhardissant, passant aux B, trouvant le nom de *Diane Brewster,* supposant que ça devait être son autre amie, la Diane quelque chose que Michael avait mentionnée dans la voiture. Elle repéra rapidement les autres noms qu'il avait cités : David et Susan Carney ; Janet et Ian Hart ; Eve et Ross McDermott ; Howard et Peggy Rose ; Sarah et Peter Tanenbaum. Ils étaient tous là, écrits noir sur blanc en ordre alphabétique.

Elle repéra dans la liste son frère, Tommy Lawrence, Montgomery Street, à San Diego, puis elle sentit ses mains trembler tandis qu'elle tournait les pages pour revenir aux R.

Elle ne l'avait pas vu la première fois, alors pourquoi espérait-elle le trouver en regardant de nouveau ? Néanmoins elle lut attentivement la page de haut en bas, écartant Howard et Peggy Rose dont elle se souvenait qu'ils étaient en vacances en France pour tout l'été, ne reconnaissant aucun de la demi-douzaine d'autres noms inscrits ici, revérifiant les Q et les S pour s'assurer qu'elle n'avait pas mis le nom au mauvais endroit. Mais non. Il n'y avait de *Pat Rutherford* nulle part. Qui que soit ce/cette Pat Rutherford, il/elle n'était rien de plus qu'une vague relation, pas suffisamment importante pour figurer dans son carnet de téléphone particulier.

Elle était encore en train d'éplucher le carnet lorsque Michael revint.

— Tu trouves quelque chose d'intéressant ? demanda-t-il, posant le plateau avec deux tasses de thé et quelques biscuits sur la petite table ronde près de la fenêtre.

Jane remit le carnet dans le tiroir et le rejoignit près de la fenêtre, se laissant tomber dans l'un des deux fauteuils ronds dont elle n'avait même pas remarqué la présence.

— Je devrais peut-être appeler mon frère, commença-t-elle, acceptant avec reconnaissance la tasse de thé que lui tendait Michael et aspirant le liquide chaud. Il est sans doute inquiet.

— Je l'ai déjà fait et l'ai assuré que tout était en ordre. Attends donc demain matin pour l'appeler, suggéra-t-il, et elle sourit avec reconnaissance parce qu'elle ne se sentait pas encore prête à parler à qui que ce soit. Que pourrait-elle dire, après tout, à un frère qu'elle ne connaissait pas, qui vivait à l'autre bout du pays ? Je m'amuse bien — dommage que tu ne sois pas là ? J'aimerais savoir qui tu es serait plus près de la vérité ? Et cela ne l'inquiéterait-il pas davantage alors que, elle s'en doutait, il s'était déjà suffisamment inquiété ? Non, elle attendrait pour appeler son frère de pouvoir se souvenir de lui. Et s'il téléphonait avant, alors elle ferait comme si elle le connaissait. Elle *affabulerait*.

— Le thé est bon, lui dit-elle, et elle le regarda sourire, se disant qu'il suffisait de bien peu pour le rendre heureux.

— Spécialité de la maison. Prends ça.

Il lui tendait deux petites pilules blanches.

— Qu'est-ce que c'est ?

— Un sédatif léger.

— Un sédatif ? Pourquoi ? Je n'ai pas de problème pour dormir.

— C'est juste pour te détendre.

Jane observa les deux petites pilules, les trouvant lourdes dans la paume de sa main.

— Le Dr. Meloff n'a pas parlé de sédatif.

— C'est le Dr. Meloff qui les a prescrits, lui dit-il sans aucune trace d'impatience. C'est juste pour t'aider à te détendre, Jane. C'est très léger, vraiment. Tu ne sentiras ensuite aucun effet.

— C'est que les médicaments me font plutôt peur, dit-elle.

Il fit un énorme sourire.

— Ça a toujours été le cas. Tu vois ? Tu vas déjà mieux. Ils font effet !

Jane se mit à rire, se demandant pourquoi elle lui en faisait voir de toutes les couleurs.

— Je suppose que j'ai simplement peur de perdre tout contrôle de moi, admit-elle, s'efforçant de trouver à son attitude une explication rationnelle.

— Quel contrôle ? demanda-t-il, et elle rit de nouveau.

Bien sûr, quel contrôle ! Comment un individu qui ne savait pas qui il était pouvait-il espérer exercer un contrôle sur lui-même ?

Elle mit les pilules dans sa bouche et les avala avec le reste de son thé.

— Prends un gâteau, proposa-t-il. Ils sont délicieux. Paula les a faits vendredi.

— Paula ?

— Paula Marinelli. Elle vient quelques jours par semaine pour faire le ménage et la lessive ainsi qu'un peu de pâtisserie. Je lui ai demandé de venir tous les jours jusqu'à ce que tu te sentes mieux.

— Tu veux dire jusqu'à ce que je me sente plus moi-même.

Il rit.

— Jusqu'à ce que tu te sentes plus toi-même.

Elle mordit largement dans le biscuit aux pépites de

chocolat, regardant une pluie de miettes se répandre sur la moquette à ses pieds.

— Oh mon Dieu, est-ce que je suis toujours aussi maladroite ?

Elle se pencha pour ramasser les miettes et sentit la tête lui tourner et la pièce vaciller.

Il fut aussitôt près d'elle, l'aidant à se mettre debout, la guidant vers le lit.

— Tu dois être vraiment épuisée, l'entendit-elle dire tandis qu'il écartait l'édredon et l'allongeait sous les draps. Il est rigoureusement impossible que ces pilules agissent aussi vite.

— Je suis fatiguée, c'est vrai, acquiesça-t-elle, fermant les yeux, sachant qu'elle combattait sa fatigue depuis trop longtemps et se sentant soudain écrasée.

— Repose-toi, dit-il doucement, l'embrassant sur le front comme si elle était un petit enfant. Veux-tu que je reste près de toi jusqu'à ce que tu t'endormes ?

Elle sourit, se sentant comme une petite fille dorlotée.

— Ça va aller. Tu dois avoir des choses à faire.

— Rien qui ne puisse attendre.

— Vas-y, dit-elle d'une voix lourde et distante. Tout va bien.

Elle le sentit se relever.

— Souviens-toi, si tu as besoin de quelque chose, tu n'as qu'à crier. Je serai là en l'espace de deux secondes.

Je le sais, pensa-t-elle, mais elle était trop fatiguée pour le dire. Elle essaya de sourire, espéra que ses lèvres avaient réussi à prendre la forme appropriée, puis s'abandonna à une agréable torpeur qui s'insinuait dans ses membres avant de gagner son cerveau. Elle sentit Michael lisser ses couvertures puis s'éloigner d'elle. Ses yeux s'ouvrirent dans un rapide battement puis se fermèrent aussitôt. Elle s'endormit tout de suite.

Elle rêva qu'elle se trouvait dans un vaste champ. Derrière elle il y avait un bâtiment bas, un peu comme un motel, mais sans aucun signe pour l'identifier. Un motel sans nom, pensa-t-elle, entendant de la musique s'échapper de l'une des chambres. Et Michael se trouva soudain près d'elle. Elle sentit ses mains rassurantes sur ses bras nus.

— Tu veux aller te promener ? demanda-t-il.

Elle fit signe que oui, se blottissant contre lui.

— Oh, non, non, dit une voix derrière eux. Vous ne pouvez pas aller vous promener.

— Bien sûr que si, dit-elle avec obstination, essayant de reconnaître la voix.

— Non.

— Mais pourquoi ? demanda-t-elle, exaspérée. Pourquoi ne peut-on pas aller se promener ?

Il y eut un silence. Puis la voix reprit :

— Le champ est plein de cobras, prononça-t-elle.

Elle pivota sur elle-même.

Michael était parti. Un serpent géant, lové et prêt à attaquer, se tenait à ses pieds. Elle recula et tomba dans le champ des cobras qui attendaient. Elle sentit leurs corps surgir tous ensemble des hautes herbes jaunes, et osciller vers elle. Elle sentit leurs langues fourchues lui fouetter les jambes. Elle vit le serpent géant se dresser de toute sa hauteur et faire un brusque mouvement vers elle. Elle poussa un cri.

Elle était en train de hurler.

— Jane ! entendit-elle appeler, mais elle était trop terrifiée pour ouvrir les yeux. Jane ! Ça va ? Jane, réveille-toi ! Ce n'est qu'un rêve. Tu es en train de faire un cauchemar, Jane, réveille-toi !

Elle se força à ouvrir les yeux, agitant les bras dans tous les sens lorsqu'il essaya de la toucher.

— C'est moi, Michael. Je suis là. Tout va bien.

Il lui fallut encore une minute pour se calmer, pour renvoyer les cobras aux enfers des démons auxquels ils appartenaient, pour se souvenir qu'elle n'était pas coincée dans un motel inconnu, mais qu'elle se trouvait à la maison, dans son propre lit, saine et sauve.

— J'ai fait le rêve le plus horrible qui soit, commença-t-elle dans un murmure. Il y avait des serpents partout.

— Tout va bien maintenant, dit-il pour la rassurer en la prenant dans ses bras. Ils sont partis. Je les ai fait fuir.

Elle se cramponna à lui.

— C'était si réel. J'ai eu tellement peur.

Elle se rendit compte qu'elle était trempée de sueur de la tête aux pieds et s'arracha à ses bras.

— Je suis toute mouillée.

— Je vais chercher un gant de toilette. Je reviens tout de suite.

Elle s'assit dans son lit, tremblant et frissonnant jusqu'à ce que Michael revienne. Pendant ce temps, les détails de son rêve avaient commencé à s'estomper. Elle ne fit aucune tentative pour les retenir, souhaitant les voir disparaître aussi vite que possible. Mais elle se rappelait le sentiment d'épouvante absolue qui avait pénétré chaque pore de sa peau et la terrifiante sensation de tomber à la renverse dans un trou plein de serpents venimeux. Elle frissonna avec des haut-le-cœur de dégoût.

— Respire à fond, lui disait Michael en lui passant un linge frais sur le front. C'est ça. Continue à respirer à fond. Essaie de te détendre. Tout va bien maintenant.

— C'était tellement horrible.

— Je sais, dit-il, lui parlant aussi doucement que si elle était une de ses petites malades. Mais tout va bien maintenant. C'est fini.

Elle vit qu'il ne portait qu'un jean, dans lequel il avait vraisemblablement sauté quand il l'avait entendue hurler. De quels rêves l'avait-elle tiré ? se demanda-t-elle tandis qu'il l'appuyait contre l'oreiller. Elle sentit une fraîcheur apaisante sur ses bras.

Tout à coup elle sentit quelque chose piquer la surface dénudée de sa peau, et crut que les cobras avaient envahi son lit. Elle suffoqua, relevant la tête juste à temps pour voir la vipère se retirer hâtivement.

— C'est juste une injection de quelque chose qui te fera dormir sans cauchemars, lui dit Michael d'un ton apaisant, reposant la seringue à côté et la reprenant dans ses bras. Tu as besoin de dormir, Jane.

D'un baiser il écarta de son front une mèche de cheveux humides.

— C'est la meilleure chose pour toi.

Elle approuva, sentant qu'il la remettait en position allongée. Elle étudia son visage dans la pénombre, vit la crainte et la solitude qu'il s'efforçait de dissimuler, et eut très envie de tendre les bras vers lui pour le toucher et l'attirer à elle, pour qu'il la serre contre lui pendant toute la nuit. Au lieu de cela, elle sentit que ses yeux commençaient à se fermer. Elle savait qu'il ne la quitterait pas tant qu'elle ne serait pas profondément endormie, et elle lutta pour rester éveillée. A travers ses paupières mi-closes, elle le vit porter la main à sa tête pour repousser ses cheveux en arrière. Elle vit alors la longue rangée de points de suture qui serpentait le long de son crâne juste au-dessus de la naissance des cheveux et que ceux-ci cachaient en temps normal.

Qu'est-ce que c'est ? tenta-t-elle de demander, mais sa bouche était trop sèche pour pouvoir former les mots nécessaires. Qu'est-il arrivé à ta tête ? voulait-elle savoir, mais avant qu'elle ne pût extirper la question de sa bouche, elle fut plongée dans le noir et sombra dans le sommeil sans rêves qu'il lui avait promis.

9

Elle ouvrit les yeux sur un soleil qui entrait à flots à travers les volets. Elle s'assit lentement en s'appuyant sur les coudes, s'adossa à la tête du lit et attendit que sa vue s'éclaircisse et que le bourdonnement cesse dans ses oreilles. Elle déglutit plusieurs fois, essayant d'humidifier sa bouche qui était aussi sèche que si on y avait enfoncé un tampon d'ouate en guise de bâillon. Elle tenta ensuite de se mettre debout.

La pièce se mit à tourner ; sa tête oscillait précairement sur ses épaules, comme si un mouvement trop brusque allait la faire tomber par terre. Elle lui semblait être d'un poids énorme, trop imposant pour que son corps fragile puisse la supporter. Humpty Dumpty[1] s'assit sur un mur, pensa-t-elle, en retombant en arrière sur le lit. Humpty Dumpty fit une grande chute.

Elle regarda en direction des miroirs. Tous les chevaux du roi, entendit-elle une petite voix psalmodier, et tous les soldats du roi...

« Pas pu recoller les morceaux de Jane Whittaker », annonça-t-elle aux images démultipliées dont elle voyait le reflet. « Jane Whittaker », entonna-t-elle solennellement, souhaitant que son image demeure immobile. « Bon sang, qui es-tu ? »

Son reflet chancela puis disparut tandis qu'une nouvelle vague d'étourdissement la rabattait sur son oreil-

1. Comptine de *Mother Goose* : « Humpty Dumpty ».

123

ler. « Vas-y doucement », recommanda-t-elle, sachant que c'était doucement ou pas du tout.

Elle se représenta un enchevêtrement de toiles d'araignée tissées d'un côté à l'autre de son cerveau, et observa sa main qui se portait vers l'image pour les chasser toutes. Mais elles furent aussitôt remplacées par d'autres toiles d'araignée, et chaque fois qu'elle essayait de les écarter, le résultat était le même.

Elle secoua la tête, comme si ce geste de défi pouvait d'une secousse libérer les toiles d'araignée, mais il eut pour seul résultat de lui faire tourner la tête, ce qui l'obligea à fermer les yeux pour ne pas s'évanouir. Sa tête était engourdie, anesthésiée, figée. Elle lui semblait immense, remplie de gaz toxique, sur le point d'exploser.

Les yeux fermés, elle tenta de revenir à la surface : elle se trouvait chez Jane Whittaker, dormant dans le lit de Jane Whittaker, le mari de Jane Whittaker étant juste au bout du couloir, ce qui était parfait puisque Jane Whittaker, c'était elle. Elle en avait comme preuve des pièces justificatives. Michael lui avait montré son passeport et leur certificat de mariage. Elle s'était reconnue dans les photos de famille sur le piano. Elle avait même joué du piano, nom d'un chien. Quelles autres preuves lui fallait-il ?

Bon, OK, elle était Jane Whittaker, et Michael Whittaker, le beau et célèbre chirurgien pour enfants, était son mari qui l'aimait et la soutenait. Et elle avait une jolie petite fille et une charmante maison, et beaucoup d'amis. Alors pourquoi le fait de savoir toutes ces choses merveilleuses la concernant la déprimait-il brusquement ? Pourquoi voulait-elle ramper dans un trou quelque part et se laisser mourir ?

Elle se souvint vaguement de son cauchemar avec un frisson. Elle avait toujours détesté les serpents. Elle se frotta le bras, sentant à nouveau la brusque piqûre d'une aiguille lui percer la peau, et elle ouvrit les yeux, espérant trouver Michael près d'elle, mais il n'y avait personne.

Il lui avait promis un sommeil dépourvu de rêves, et il

avait tenu parole. Il n'y avait plus eu de cauchemars. Elle avait dormi profondément, d'une seule traite. Alors pourquoi se sentait-elle aussi minable ? Pourquoi avait-elle l'impression que sa tête était prise dans du ciment ?

Ses yeux trouvèrent le réveil sur la table de nuit et parvinrent à lire les chiffres avec suffisamment de clarté. « Dix heures dix ! » lut-elle sans y croire. Pouvait-il réellement être dix heures dix du matin ? Etait-il possible qu'elle ait dormi plus de douze heures ?

Elle approcha le réveil à quelques centimètres de ses yeux. Il était bien dix heures dix. Mon Dieu, la moitié de la matinée avait passé, se dit-elle, décidant de sortir du lit. Pourquoi moi ? se demanda-t-elle, se mettant debout et voyant le sol s'incliner vers elle. Elle avança la main devant elle, fut arrêtée par quelque chose de froid et de lisse, comme une mare gelée, se dit-elle. Elle leva les yeux et se trouva nez à nez avec sa propre image. La paume de sa main droite était pressée contre son propre reflet, comme si l'étrangère du miroir était venue à son secours et la soutenait.

Où était Michael ? se demanda-t-elle en titubant vers la salle de bains où elle s'écroula sur le siège des toilettes, la tête entre les mains. Elle ne s'était même pas donné la peine de fermer la porte. Et s'il entrait juste à cet instant ? Est-ce qu'il serait gêné ? Et elle ? Etaient-ils du genre à fermer poliment la porte sur leurs ablutions, ou à la laisser ouverte pour que tout le monde puisse voir ? Elle n'en savait rien. Elle était trop sonnée pour s'en préoccuper. Si Michael devait entrer maintenant, elle n'était même pas sûre de le remarquer.

Et pourtant, elle s'étonnait qu'il ne soit pas déjà là. Elle s'était attendue à le voir dès qu'elle ouvrirait les yeux. Etait-elle déçue ? Etait-ce là la raison de son découragement ?

Peut-être qu'il était en bas en train de préparer le petit déjeuner. Peut-être qu'il était tout aussi doué pour faire le café qu'il l'était pour le thé. Peut-être qu'il s'apprêtait à lui apporter au lit des œufs au bacon. Elle reprit aussitôt courage, puis retomba en réalisant à quel point elle commençait déjà à se sentir dépendante. « Oprah ne t'a donc rien appris ? »

Elle tira la chasse d'eau. Ce bruit allait sûrement le faire venir. Ensuite elle se lava les mains et le visage, s'aspergeant les yeux d'eau froide à de nombreuses reprises. Mais c'était comme s'ils étaient recouverts d'une pellicule invisible. Bien qu'elle les frottât maintes fois avec le gant de toilette, elle ne parvenait pas à chasser le brouillard qui semblait s'être déposé sur ses yeux comme une paire de lunettes.

Contre toute attente, elle fut étonnée de découvrir qu'elle n'avait pas si mauvaise mine. Ses cheveux pendaient sur ses épaules, brillants et robustes ; son teint était clair, bien qu'un peu pâle. Même les poches sous ses yeux semblaient s'être effacées comme pour reconnaître qu'elle avait bien assez de problèmes. Elle se brossa les dents et envisagea de s'habiller. Mais elle était trop fatiguée pour tirer sa chemise de nuit par-dessus sa tête, et quelle différence ça ferait, de toute façon ? Elle n'allait nulle part.

Elle rejeta la tête en arrière d'un air de défi en s'efforçant de se dégager de la léthargie qui avait pris possession de son corps, mais ce geste eut pour seul effet de lui donner un vertige et c'est à peine si elle parvint à atteindre son lit avant de s'écrouler. « Je vais juste me reposer ici quelques minutes », murmura-t-elle dans les draps aux fleurs roses qui furent sa dernière vision avant de sombrer dans l'inconscience.

Quand elle ouvrit à nouveau les yeux, près d'une heure s'était écoulée. « Jésus », dit-elle, redressant les épaules et se forçant à sortir du lit. Cette fois le sol resta stable sous ses pieds. Son vertige avait disparu, bien qu'un vague sentiment de découragement persistât. Elle se dit que ce découragement était une amélioration par rapport à la terreur. « Tu fais des progrès », dit-elle à haute voix, et elle vit que son image souriait.

Elle écarta machinalement quelques cheveux de son front, imitant inconsciemment le geste que Michael avait eu la veille au soir. C'est alors qu'elle s'interrompit. « Mon Dieu », dit-elle, se rappelant la rangée de points de suture qui s'étirait juste au-dessus de la naissance de ses cheveux. Qu'est-ce que ça signifiait ? Est-ce que d'ailleurs ça signifiait quelque chose ?

Peut-être qu'il avait subi une petite intervention chirurgicale. Ou peut-être qu'il avait fait une chute et s'était ouvert le cuir chevelu. L'image de sa robe bleue couverte de sang lui vint immédiatement à l'esprit. Les blessures à la tête saignent énormément. Etait-il possible que le sang sur sa robe soit celui de Michael ?

Elle chassa cette pensée aussi vite qu'elle était apparue. Si c'était le cas, Michael aurait sûrement dit quelque chose, bien qu'il se soit montré réticent à lui dire quoi que ce soit qui pût la troubler davantage.

Peut-être n'y avait-il jamais eu de cicatrice. Peut-être que tout ça n'était que pure invention de son imagination perverse. Son cauchemar l'avait rendue hystérique ; elle ne savait plus où elle en était ; tout était sombre. Si son esprit pouvait faire naître des champs de serpents venimeux, il devait sûrement être capable d'imaginer une simple rangée de points de suture. Il était évident qu'un esprit capable d'oublier qui on était pouvait aussi se montrer capable de n'importe quoi.

Ce serait en tout cas facile à déterminer. Elle n'avait qu'à regarder attentivement Michael et, si les cicatrices étaient toujours là, elle lui demanderait comment il les avait eues. Simple comme bonjour. La vie était vraiment très simple, une fois qu'on avait attrapé le coup de main.

Elle s'approcha des fenêtres qui occupaient tout le mur du fond, ouvrit les volets et observa le jardin en se demandant pourquoi il fallait si longtemps à Michael pour la rejoindre. Etait-il possible qu'il dorme encore ?

Elle entendit son estomac gargouiller et se mit à rire, heureuse de voir qu'il y avait des choses qui ne changeaient jamais. Eh bien, si Michael ne lui apportait pas son petit déjeuner au lit, il lui faudrait trouver la cuisine en bas et se le préparer elle-même. Et peut-être même le surprendre, lui, en lui portant son petit déjeuner.

Elle se tourna vers la porte et poussa un cri.

La femme qui se trouvait dans l'encadrement était jeune et arborait un bronzage aussi outrancier que passé de mode. Elle était de taille moyenne, peut-être un mètre soixante-deux, avec des cheveux noirs tirés en arrière en une natte stricte. Elle était mince, bien que ses jambes aient l'air robustes sous sa jupe en jean foncé. « Je suis désolée », dit-elle d'une voix étonnamment forte, « je ne voulais pas vous faire peur. »

Jane examina la femme, lui donnant entre vingt-cinq et trente ans. Son visage arrondi n'était pas suffisamment délicat pour être qualifié de joli, ni suffisamment grossier pour être qualifié d'ingrat. C'était un visage que l'on décrirait probablement comme « intéressant », un de ceux que l'on pourrait même, en certaines occasions, élever au rang de « mystérieux ». Ses yeux étaient opaques, aussi sombres que ses cheveux, et elle avait un nez long et fin, compensant une bouche large et rouge.

— Je m'appelle Paula, commença-t-elle d'emblée. Paula Marinelli.

Elle attendit que son nom soit enregistré et poursuivit quand même, bien qu'il ne le fût pas.

— Je viens faire le ménage ici deux fois par semaine. Le Dr. Whittaker devait vous le rappeler.

— Oui, il l'a fait, la rassura Jane, se souvenant vaguement de la conversation. Pardonnez-moi, j'ai beaucoup de mal à garder trace des choses.

Elle fut sur le point de rire de sa litote. Paula Marinelli avait l'air embarrassée.

— Le Dr. Whittaker dit que vous souffrez d'amnésie.

— C'est seulement temporaire, avança Jane. Du moins c'est ce qu'ils m'ont dit.

Elle s'éclaircit la voix, plus pour faire quelque chose que parce qu'elle en éprouvait le besoin.

— D'ailleurs, où se trouve le Dr. Whittaker ? Il dort encore ?

Paula Marinelli eut l'air sincèrement choquée par cette idée.

— Oh, non, le Dr. Whittaker est parti travailler très tôt ce matin.

— Il est allé travailler ?

— Une urgence chirurgicale.

Jane hocha la tête.

— Bien sûr. Je suppose que ça doit arriver assez souvent.

— Tout le monde veut le Dr. Whittaker. Ce qui n'est pas étonnant, ajouta-t-elle avec un soupçon de fierté. Il n'y a pas meilleur que lui.

Elle jeta un coup d'œil dans la chambre.

— Est-ce que vous avez faim ? Je peux vous apporter un petit déjeuner.

— Je crois que j'aimerais mieux le prendre à la cuisine.

Paula la considéra d'un air soupçonneux.

— Le Dr. Whittaker a dit qu'il aimerait que vous vous reposiez le plus possible.

— Je crois que je peux supporter le voyage jusqu'au rez-de-chaussée, lui dit Jane, s'efforçant de ne pas prendre un ton plaintif. Je vous assure, ça va aller.

Elles descendirent au rez-de-chaussée.

— Vous n'avez qu'à vous reposer pendant que je prépare tout, dit Paula, installant Jane sur l'une des chaises de la cuisine.

— Il y a sûrement quelque chose que je peux faire pour vous aider.

Jane ne se sentait pas à l'aise à ne rien faire tandis que cette jeune femme, aussi efficace qu'elle semblât, s'occupait de tout.

— Je crois que je peux arriver à me rappeler comment on fait du café.

— Le café est déjà fait, dit Paula en lui en versant une tasse. Comment le prenez-vous ?

— Je ne sais pas exactement, dit Jane. Je l'ai pris noir ces jours derniers.

Paula posa la tasse fumante devant Jane et attendit d'autres instructions.

— Vous n'en prenez pas ?

— Peut-être plus tard. Qu'est-ce que je peux vous servir d'autre ? Des œufs brouillés ? Du pain perdu ? Un bol de céréales ?

— J'aimerais des toasts, dit Jane, ne voulant pas l'ennuyer. Et du jus d'orange, si ça n'est pas trop compliqué.

— Bien sûr que ce n'est pas trop compliqué. Je suis là pour ça.

— Pour me servir du jus d'orange ?

Jane espérait que la jeune femme sérieuse sourirait, mais aucun sourire n'apparut. Je me demande si c'est une parente du Dr. Klinger, songea Jane, évoquant le jeune interne maussade de l'Hôpital de la ville de Boston.

— Pour vous aider de mon mieux.

— Qu'est-ce que vous faites normalement quand vous êtes ici ? demanda Jane après avoir aspiré une longue gorgée de café.

Paula était déjà affairée sur le plan de travail de la cuisine, mettant deux tranches de pain dans le grille-pain, versant un grand verre de jus d'orange, remettant la bouteille dans le réfrigérateur, attendant que les toasts soient prêts et beurrant rapidement les deux tranches dès qu'elles furent éjectées, puis apportant le tout sur la table, avec un choix de confitures.

— En général je fais le ménage, la lessive, le repassage, répondit-elle, se tenant debout à côté de Jane jusqu'à ce que celle-ci ait mordu dans son toast. Vous ne prenez pas de confiture ?

Jane attrapa la marmelade d'oranges, pensant que c'était plus facile qu'une longue discussion.

Paula prit le couteau des mains de Jane et étala une épaisse couche de marmelade sur chaque toast. Jane la regarda faire avec la colère impuissante d'un petit enfant. « Je peux le faire, Maman », voulut-elle dire, mais elle pensa qu'il ne valait mieux pas. Il était clair que la jeune femme avait reçu des instructions et qu'elle avait l'intention de les suivre à la lettre. Ça ne servait à rien de l'agacer alors qu'elle ne faisait que s'efforcer de l'aider.

— Depuis combien de temps travaillez-vous pour nous ? demanda Jane tandis que Paula se mettait à nettoyer le plan de travail qui était déjà parfaitement propre.

— Un peu plus d'un an.

— J'aimerais pouvoir m'en souvenir.

— Il n'y a aucune raison pour que vous vous souveniez de moi, lui dit Paula. Je viens le mardi et le jeudi, les jours où vous aidez le Dr. Whittaker à l'hôpital. J'arrive après votre départ le matin et je m'en vais avant votre retour.

— Mais c'est moi qui vous ai engagée, avança Jane.

— A vrai dire, c'est le Dr. Whittaker qui m'a engagée.

Même sans connaître les détails de leur relation, il lui parut particulièrement étrange que ce soit Michael qui recrute leur femme de ménage.

— J'ai rencontré le Dr. Whittaker à l'hôpital, lui expliqua Paula, sur un ton guère plus amical qu'il ne fallait. C'est lui qui a opéré ma petite fille.

— Vous avez une fille ?

— Christine. Elle a presque cinq ans maintenant. Grâce au Dr. Whittaker.

— Il lui a sauvé la vie ?

— Elle avait une série d'anévrismes spinaux. Elle était en train de jouer avec ses amis dans le jardin et quelques secondes plus tard je l'ai trouvée en train de pleurer qu'elle ne pouvait plus marcher. Je me suis précipitée à l'hôpital, où ils ont découvert les anévrismes. Le Dr. Whittaker a pratiqué une opération qui a duré huit heures, et elle a été entre la vie et la mort pendant plusieurs jours. Sans lui elle serait morte.

— Mais elle va bien, maintenant ?

— Elle marche avec un appareil orthopédique. Elle le fera sans doute tout le temps. Mais ça n'a pas l'air de la ralentir. Encore des toasts ?

— Pardon ?

— Voulez-vous d'autres toasts ?

Jane regarda son assiette, surprise de voir qu'elle avait mangé les deux tartines de confiture.

— Euh, non. C'était parfait, merci.

— On dirait que vous pourriez grossir un peu.

Jane observa son corps mince et aperçut les courbes de ses seins à travers le coton blanc de sa chemise de nuit. Elle aurait sans doute dû passer un peignoir.

— Où est votre fille en ce moment ? demanda-t-elle en regardant en direction du vestibule comme si elle s'attendait à la voir.

— Ma mère s'en occupe.

— Pour que vous puissiez vous occuper de moi, déclara Jane sur un ton plus affirmatif qu'interrogatif.

— Je suis contente de le faire.

— Je suis sûre que dans un jour ou deux je serai capable de me débrouiller seule.

— Oh, non. Je suis ici jusqu'à ce que tout soit rentré dans l'ordre, lui dit Paula d'un air qui ne souffrait aucune discussion.

— Dites-moi, comment se fait-il exactement que mon mari vous ait engagée ? dit Jane, revenant à sa première question.

Paula débarrassa la table et entreprit de faire la vaisselle à la main.

— Le Dr. Whittaker, commença-t-elle, rinçant et rerinçant la même assiette plusieurs fois de suite, est très sensible aux problèmes des autres. Il savait que je ne pourrais jamais payer l'opération de Christine, et il s'est arrangé pour que l'une de ces associations de bienfaisance dont il fait partie prenne en charge la majorité de la facture. Il m'a ensuite proposé un travail.

— Où était votre mari pendant ce temps ? demanda Jane, comprenant instinctivement que Paula était amoureuse de Michael, et pourquoi.

Elle savait aussi au fond d'elle-même que Michael était totalement ignorant des sentiments de Paula.

— Je n'ai jamais eu de mari.

Paula Marinelli se mit à essuyer vigoureusement la vaisselle qu'elle venait de laver.

— L'homme avec qui j'étais liée a décidé que son engagement ne pouvait intégrer le mariage et un bébé. Avec mon éducation catholique, il n'était pas question d'avortement. J'ai donc décidé de continuer et j'ai eu le bébé toute seule, et c'est à peu près comme ça que j'ai vécu depuis.

Elle s'interrompit, interrogeant Jane du regard, à la recherche de marques de désapprobation.

— Je ne suis pas allée très loin à l'école, et mes perspectives d'avenir n'ont jamais été terribles au début. Après Christine, je ne pouvais plus trouver aucun emploi. Je vivais sur les aides sociales quand il a fallu opérer Christine. La plupart des médecins ne l'auraient même pas examinée. Ils sont trop occupés à se remplir les poches.

Jane pensa aussitôt aux billets de cent dollars qu'elle avait trouvés dans ses propres poches et fronça les sourcils.

— Pardon, s'excusa immédiatement Paula. Je suppose que vous avez beaucoup d'amis qui sont médecins.

— Pas besoin de vous excuser.

— J'essayais juste de vous dire comme votre mari a été formidable avec moi. Il a sauvé ma petite fille, puis il m'a sauvée. Il m'a fait suivre des cours du soir, il a fait inscrire Christine dans une école spéciale pour enfants handicapés. Il a mis mon nom en tête de liste. (Elle rangea la vaisselle dans les placards.) Au début, j'attendais qu'il abatte ses autres cartes. Vous savez, je me disais tout le temps personne ne peut être aussi gentil que ça. Qu'est-ce qu'il veut, en fait ? Mais il n'y avait pas d'autres cartes. Il voulait juste rendre service. Il disait qu'il croyait en cette philosophie orientale, qui dit qu'une fois que vous avez sauvé la vie de quelqu'un vous en êtes responsable pour toujours. (Elle respira profondément.) Cet homme ne peut pas faire de mal, en ce qui me concerne. Je ferais n'importe quoi au monde pour lui.

— Savez-vous ce qui lui est arrivé au front ? s'entendit demander Jane.

— Vous voulez dire les cicatrices ?

Jane hocha la tête.

— C'est un gosse qui lui a lancé quelque chose, dit Paula en secouant la tête. Avec tous les jouets qu'il a dans son bureau. Des poupées, des camions, des trucs, vous voyez, pour que les gosses se sentent plus à l'aise. Ça n'a pas marché, je suppose. Un d'entre eux lui a jeté un avion à la tête. Un de ces avions au nez très pointu. Il a dit qu'il l'avait vu venir mais qu'il n'avait pu s'écarter à temps. Vous imaginez? Il a fallu presque quarante points de suture pour le recoudre.

— Quelle horreur!

— Vous connaissez le Dr. Whittaker. C'est pas le genre à se plaindre.

Jane sourit, espérant que Paula continuerait, lui en dirait davantage sur l'homme avec qui elle était mariée. Elle aimait entendre de bonnes choses sur son mari, pas seulement parce que cela signifiait implicitement que si un homme comme Michael pouvait l'aimer, elle n'était sans doute pas si mal. Alors, pourquoi la fugue hystérique?

— Est-ce que vous aimeriez vous remettre au lit maintenant? demanda Paula en s'approchant d'elle.

Jane secoua la tête.

— Je crois que j'aimerais m'asseoir un peu dans le jardin d'hiver.

Paula l'aida à franchir la porte de la cuisine et, bien que Jane se sentît assez solide pour y arriver seule, elle savait qu'il était inutile de protester.

La pièce était tout aussi magnifique que dans son récent souvenir, son propre pays des merveilles. Le soleil entrait à flots, l'enveloppait, réchauffait ses bras nus. Paula la guida vers la balancelle, la déposant sur les coussins comme si elle était une porcelaine fragile.

— Je vais vous chercher une couverture, dit-elle, et elle sortit de la pièce avant que Jane ait pu lui dire de ne pas se donner cette peine.

Elle avait une baby-sitter, que ça lui plaise ou non. On allait s'occuper d'elle, que ça lui convienne ou non. On allait faire en sorte qu'elle aille mieux, alors elle ferait bien de s'y faire, et le plus tôt possible. Tu ferais mieux d'y croire!

C'est idiot, se dit-elle, et elle pouffa de rire. Je deviens idiote. Je me conduis comme un des patients de Michael, celui qui a voulu faire atterrir son petit avion sur son front. Que cette femme soit amoureuse de mon mari n'est pas une raison pour ne pas l'apprécier. Je ne suis qu'une grande gamine ingrate qui ne connaît pas son bonheur, qui n'arrive pas à se rappeler comment il faut se comporter quand les gens sont gentils avec elle, qui ne voit pas que les gens sont seulement en train de vouloir l'aider. Je ne sais pas ce qui est bien pour moi, hurla-t-elle silencieusement. Je ne sais pas ce qu'on attend de moi. Je ne sais pas pourquoi tout ça m'arrive. Je ne sais rien du tout. Merde! Je ne sais rien de rien!

Elle partit d'un éclat de rire incontrôlable, avant de prendre un air égaré tandis que le rire se transformait en un déluge de larmes. Paula fut tout de suite près d'elle, la couvrant d'une moelleuse couverture jaune.

— Prenez ça.

Elle tendait les mains, y laissant voir deux petites pilules dans l'une et un verre d'eau dans l'autre.

— Je n'ai pas besoin de pilules, lui dit Jane, s'essuyant le nez avec le dos de sa main, comme un enfant.

— Le Dr. Whittaker a dit qu'il fallait les prendre.

— Mais je n'en ai pas besoin.

— Vous ne voulez pas fâcher le docteur, dit Paula avec simplicité, exprimant l'inconcevable.

Jane comprit que ce n'était pas la peine de discuter. Elle savait, et elle savait que Paula savait que tôt ou tard il lui faudrait avaler ces deux petites pilules blanches, alors pourquoi compliquer la vie de cette femme pour qui tout était déjà si difficile?

Elle prit les deux petites pilules dans la main de Paula, les jeta sur le bout de sa langue et les avala.

10

Dans son rêve, Jane se voyait marcher le long d'une rue sombre qu'elle ne reconnaissait pas aux côtés d'une femme dont le visage ne lui disait pas grand-chose.

Elles parlaient, riaient à propos d'une scène d'un film qu'elles venaient de voir, discutant pour savoir qui avait été la première à découvrir Kevin Costner, et laquelle détenait par conséquent le plus fort droit de propriété sur lui, si jamais elles se trouvaient nez à nez avec lui et qu'il dût faire un choix.

« J'ai déjà fait broder les serviettes à nos initiales », annonçait la femme en secouant la masse de ses cheveux roux.

« T'es cinglée, Diane », disait Jane en riant.

La femme s'appelait donc Diane, murmura une voix dans le lointain. Diane quelque chose, entendit-elle dire Michael. *Diane Brewster*, vit-elle inscrit sur son carnet d'adresses.

Jane passa sa main sous le bras de l'autre femme et elles s'apprêtèrent à traverser la rue ensemble. « En voilà un qui n'a pas mis ses phares. » Elle fit signe au jeune homme aux cheveux noirs qui conduisait une Trans Am rouge vif. « Excusez-moi, vous n'avez pas allumé vos phares », dit-elle tandis qu'il baissait sa vitre.

Sa réponse la frappa avec la violence d'une gifle inattendue. « Putain de salope ! Qu'est-ce que tu veux, bordel ? »

« Allons-nous-en », murmura Diane, tirant Jane par le bras.

Jane restait obstinément clouée au sol. Le jeune homme l'avait sûrement mal comprise. « Je voulais juste vous signaler que vos phares n'étaient pas allumés », répéta-t-elle aussi aimablement que possible.

« Putain de salope ! Va te faire enculer ! »

Il y eut un déclic dans l'esprit de Jane. Sa réponse fut automatique. « Enculé toi-même, trou du cul ! » dit-elle.

« Doux Jésus », gémit Diane.

Les yeux du jeune homme s'écarquillèrent si violemment qu'on aurait dit qu'ils allaient lui sortir de la tête. Agitant furieusement un doigt dans sa direction, il démarra et s'éloigna dans la rue.

« Merci, mon Dieu », souffla Diane.

« Il revient ! » s'écria Jane, regardant, médusée, la Trans Am s'arrêter dans un crissement de pneus au milieu de la rue puis faire demi-tour et accélérer en revenant vers elle en zigzaguant, son conducteur tellement penché hors de la fenêtre qu'il était presque debout, hurlant des obscénités. « Putain de salope ! Je vais te tuer ! »

Jane attrapa Diane par la main et se mit à courir, entendant les imprécations furieuses les poursuivre. Elle se retourna pour voir le jeune homme sur leurs traces, gagnant de la vitesse avec ses petites jambes, gagnant du terrain, sa voiture abandonnée sur le trottoir.

« Où sont les autres ? » criait Jane, balayant frénétiquement du regard la rue vide.

« Au secours ! » hurla Jane. « A l'aide ! »

Un géant se dressa tout à coup devant elle, un homme aux proportions incroyables, près de deux mètres de haut, avec une large poitrine et un cou énorme. Et le jeune homme aux cheveux noirs, aux petites jambes et au langage grossier était en train de détaler jusqu'à sa Trans Am rouge, agitant les poings en l'air dans sa honteuse retraite.

« Je crois que ces petites dames auraient bien besoin de boire un coup. » Le géant les entraîna dans le restaurant mal éclairé d'où il était sorti. « Rick, sers à boire à ces deux demoiselles en détresse. Aux frais de la maison. » Un téléphone se mit à sonner quelque part dans le fond. « Vaudrait mieux que je réponde. Je reviens tout de suite. »

« C'est Keith Jarvis, le joueur de football ! » cria Diane dès qu'il fut hors de portée de voix. « C'est pas possible ! Tu nous fais presque tuer par un maniaque, et ensuite tu nous fais secourir par Keith Jarvis ! Je me demande s'il est marié. »

« Pourquoi ne répond-il pas au téléphone ? » se demanda Jane, entendant que la sonnerie persistait.

La sonnerie cessa tout à coup. « Allô », dit doucement une voix qui n'était pas du tout celle d'un géant mais plutôt celle d'une jeune femme. « Non, je suis désolée. Elle n'est pas là. Elle est partie chez son frère pour quelques semaines. »

Jane ouvrit les yeux et son rêve s'évanouit à mesure qu'elle se réveillait. Elle fit aussitôt l'inventaire du décor, essayant de se réorienter aussi vite que possible. Elle était à demi allongée sur la balancelle à fleurs vertes et blanches, recouverte d'une moelleuse couverture jaune, et le soleil avait provisoirement disparu derrière un gros nuage. Combien de temps avait-elle dormi ? Et qui donc lui suggérait les étranges rêves qu'elle faisait ?

— Oui, elle s'est décidée comme ça, disait Paula, reconnaissant sa voix comme étant celle qu'elle avait entendue à la fin de son rêve. Non, tout va bien. Elle voulait juste lui faire la surprise.

Jane s'extirpa de la balancelle aussi doucement que possible, la maintenant de la main pour qu'elle ne fasse pas de bruit, puis avança sur la pointe des pieds vers la cuisine. Elle poussa la porte séparant les deux pièces et écouta.

— Je suis sûre qu'elle vous appellera dès son retour, était en train de dire Paula dans le téléphone, tournant le dos à Jane, ignorant sa présence. Bonne journée. Au revoir.

Elle reposa le combiné, prit une profonde inspiration et se retourna.

Si l'apparition inattendue de Jane la fit sursauter, elle reprit très vite ses esprits.

— Je croyais que vous étiez encore en train de dormir, dit-elle.

— Qui était-ce ? Jane montrait le téléphone.

Paula eut l'air embarrassée.

— J'ai oublié de demander.

— Pourquoi avez-vous dit que j'étais partie voir mon frère ?

Paula avait l'air à présent penaude, hésitante.

— Le Dr. Whittaker pense qu'il vaudrait mieux que vous ne soyez pas dérangée par des coups de téléphone. Du moins pour l'instant. Jusqu'à ce que vous ayez retrouvé vos forces.

— Je suis bien assez forte, répondit Jane d'un ton irrité, alors qu'elle se sentait tout le contraire. Mon problème, ce n'est pas ma force mais ma mémoire.

— Quel intérêt y a-t-il à parler à quelqu'un dont vous ne vous souvenez pas ?

La logique qu'impliquait la question de Paula mit Jane en colère.

— L'intérêt est que je pourrais peut-être me souvenir de quelque chose.

— Peut-être que non. Et vous n'en seriez alors que plus contrariée. Maintenant, vous êtes prête à prendre votre déjeuner ?

— Je viens juste de prendre mon petit déjeuner, non ?

— C'était il y a plusieurs heures. Allons, vous avez besoin de...

— Retrouver mes forces, je sais.

Jane s'assit à la table de la cuisine et attendit que Paula lui ait préparé son déjeuner.

Elle trouva les albums de photos sur l'étagère du bas dans le salon, parcourut l'un après l'autre chacun des six albums reliés de cuir, regardant sa vie se dérouler en une série de photographies parfois stupides, la plupart du temps banales, et parfois remarquables. Une année elle avait les cheveux longs, l'année suivante ils étaient courts, bouclés, raides, relevés ou pendants, en fonction de la longueur des ourlets du moment. Il y avait des jeans à pattes d'éléphant et des pantalons en stretch, des nu-pieds et des cuissardes, des vestes en cuir et des pulls trop grands. La seule constante était son sourire. Elle avait toujours le sourire.

Il y avait des tas d'images d'elle et de Michael : la période où ils se fréquentaient ; leur mariage ; leur voyage en Orient. Avec d'autres. Seuls. Et toujours se tenant par la taille, de l'amour plein les yeux.

Il y avait une photo de Michael encadré par un couple âgé que Jane supposa être ses parents. Ils formaient un couple élégant, grand et imposant : son père avait des cheveux gris clairsemés et sa mère avait l'air d'être une blonde têtue. Sur une autre page on voyait Jane embrassant une femme qui ne pouvait être que sa mère. Jane sentit son cœur se précipiter vers cette femme. « Pardonne-moi, Mère », murmura-t-elle, suivant des doigts la silhouette de la femme. « Je voudrais tant me souvenir de toi. »

Jane ferma brusquement l'album, sentant les larmes lui remplir les yeux et refusant de les laisser couler. « Merde, il faut que je me souvienne. » Elle rouvrit l'album. « Bien sûr que je me souviens de toi, Mère », dit-elle à l'image souriante, heureuse de constater que sa mère avait l'air de s'en trouver satisfaite. « Et bien sûr que je me souviens de mon frère Tommy. Comment ça va, Tommy ? »

Un jeune homme blond avec un léger espace entre les deux dents de devant lui sourit en retour. Il se tenait entre la jeune femme qui était Jane et la vieille femme qui était sa mère, les bras passés autour d'elles deux d'un air fièrement possessif. Et cependant, l'image suivante montrait un autre jeune homme, brun celui-là et la bouche fermée, dans une attitude semblable, l'air tout aussi possessif vis-à-vis des femmes de chaque côté de lui. Peut-être que c'était lui, Tommy.

Elle ouvrit rageusement un autre album et se trouva en train de fixer avec étonnement une femme monstrueusement enceinte portant une chemise à rayures et des jeans bleus, ses cheveux tirés en arrière laissant voir un visage bien rondelet, et ses jeans roulés révélant des chevilles terriblement gonflées.

Instinctivement, Jane se passa la main sur le ventre. La voilà, l'image de la future mère, et la voilà, elle, à présent, qui ne pouvait se souvenir d'une seule minute de ces moments-là. Et voilà Emily, le visage rose et superbe, avec de fines mèches de cheveux blonds et des joues de petit écureuil chipmunk, pointant le nez hors de sa couverture de bébé. Jane regarda sa fille grandir devant ses yeux, bébé gazouillant par terre dans le salon et l'instant d'après pctite fille plongeant hardiment dans un lac.

« Tu es une bien jolie petite fille », murmura Jane, feuilletant rapidement le dernier album et riant de constater que sa fille avait manifestement pris sa place comme modèle favori de son mari. Est-ce que cela lui avait déplu ? Avait-elle été jalouse de son unique enfant ?

Elle se frictionna le front, sentant la menace d'une migraine derrière ses yeux. Pourvu qu'elle ne s'avèrc pas être une de ces horribles mères anxieuses qui détestent leurs enfants. « Ne me fais pas ça », dit-elle, entendant le bourdonnement d'un aspirateur au-dessus de sa tête.

Paula était assurément une petite femme énergique. Si elle n'était pas en train de faire la cuisine, elle faisait le ménage. Si elle n'était pas en train de faire le ménage, elle arrosait les plantes. Si elle n'était pas en train d'arroser les plantes, elle faisait les lits. Ou elle disait à Jane que c'était l'heure de faire la sieste. Ou l'heure de prendre ses pilules. Mon Dieu, est-ce que je suis comme ça ? se demanda-t-elle. Jalouse même de la femme de ménage ? Méprisante vis-à-vis de son dévouement et de son intérêt ?

« Pas étonnant que je sois déprimée », dit-elle. « Je ne suis qu'une lamentable pourrie. »

Jane essaya d'imaginer la jeune femme traînant l'aspirateur d'une pièce à l'autre. D'après le ronflement, elle devait être à présent dans le bureau de Michael, faisant attention à ses affaires.

Depuis combien de temps savait-elle que Paula était

amoureuse de Michael ? Et comment cela l'avait-il affectée ? Avait-elle vraiment pu lui en tenir rigueur ? N'était-ce pas normal d'être au moins un peu amoureuse du médecin qui avait sauvé la vie de votre enfant, surtout quand le médecin était aussi facile à aimer que Michael ?

Et pourtant, cette femme la mettait mal à l'aise. Paula pouvait-elle avoir quelque chose à voir avec son amnésie ?

Mais certainement, se dit Jane. Tu as essayé de la tuer et elle se venge en nettoyant ta maison de fond en comble. La femme était sournoise, d'accord.

Jane remit les albums à leur place sur l'étagère du bas, puis se demanda quoi faire. Elle pouvait regarder la télévision, se remettre à jour des faits et gestes des *Feux de l'amer*, mais elle se sentait déjà assez amère comme ça, et elle décida donc de ne pas le faire. Elle pouvait lire, se dit-elle, examinant les rangées de livres et se demandant lesquels elle avait déjà lus, curieuse de savoir si elle préférait la fiction ou les biographies, les histoires d'amour ou le suspense. Michael avait dit qu'elle avait fait des études d'anglais, avant de travailler dans l'édition. Qu'y avait-elle fait exactement ? Quel genre de fonction y avait-elle occupée ?

Elle souhaitait que Michael rentre pour pouvoir lui poser ces questions, lui demander s'il pensait qu'elle devrait aller voir un psychiatre, peut-être même un spécialiste d'hypnothérapie s'il pensait que ça pourrait servir. Elle voulait qu'il revienne à la maison, pour lui demander comment s'était passée sa journée et lui raconter la sienne. Pour qu'ils fassent comme s'ils vivaient normalement. Avait-il vraiment besoin de s'absenter toute la journée le premier jour de son retour ?

Retour de quoi ?

Elle errait dans le jardin d'hiver, comprenant que c'était dans cette pièce qu'elle venait à chaque fois qu'elle avait besoin de réfléchir. Elle avait manifestement une vie merveilleuse. Qu'est-ce qui avait bien pu se passer pour qu'elle veuille se débarrasser de tout ça, pour faire comme si ça n'avait jamais existé ?

Elle effleurait des doigts les feuilles des nombreuses

plantes, vérifiant automatiquement du regard si elles avaient suffisamment d'eau. Bien sûr qu'elles en avaient suffisamment. Paula s'en était occupée.

Je devrais avoir honte, se dit-elle en s'écroulant dans un fauteuil, le regard vague. Voici une jeune femme avec une fille illégitime et handicapée, sans argent, sans avenir, et elle s'active en haut à faire le ménage dans ma maison à moi — elle arrive à s'en sortir —, tandis que je reste là avec un mari extraordinaire et un enfant en bonne santé, à m'apitoyer sur moi-même, sans parvenir à m'en sortir. A moins que le Dr. Meloff n'ait expliqué que l'amnésie hystérique était en réalité un mécanisme de conservation ? Une façon d'affronter une situation intolérable provoquée par une frayeur, une rage ou une humiliation extrêmes ?

Qu'cst-ce que ça pouvait être ? réclama-t-elle en silence, tapant du poing sur le côté du fauteuil. Depuis combien de temps cela durait-il ? A vrai dire, quelle que soit l'intolérable situation qu'elle avait fuie, elle ne pouvait être plus intolérable que celle-ci !

— Qu'y a-t-il ? entendit-elle Michael demander depuis la porte, et elle sursauta. Tu vas bien ? Tu ne souffres pas… ?

— Ça va, lui dit-elle très vite, se mettant sur ses pieds. Je suis si contente de te voir.

Elle fut tout de suite dans ses bras.

— Tu m'as manqué, murmura-t-elle d'un air penaud.

Elle était heureuse de le voir au point d'en être idiote.

— Je suis content, lui dit-il, l'embrassant sur le front. J'espérais que tu réagirais ainsi.

Il se recula, l'examina en l'écartant à bout de bras sans la lâcher.

— Qu'y a-t-il ? Est-ce qu'il s'est passé quelque chose ? Est-ce que Paula ne s'est pas bien occupée de toi ?

— Ce n'est pas ça, dit Jane, se demandant en fait ce que c'était. Je suppose que j'attendais trop. Je ne sais pas. Sans doute croyais-je qu'une fois revenue à la maison ma mémoire reviendrait.

— Elle reviendra. Laisse-lui le temps.

— Comment s'est passée ta journée? demanda-t-elle, et elle se mit à rire gauchement.

Il l'enveloppa à nouveau de ses bras.

— Chargée. Très chargée.

Il lui caressait les cheveux sur la nuque.

— Je suis tellement désolé d'avoir eu à sortir ce matin. Je n'avais pas prévu d'aller travailler de toute la journée, mais ça a été une urgence après l'autre, et à chaque fois que j'ai téléphoné Paula m'a dit que tu dormais.

Le son qui s'échappa de la bouche de Jane était à mi-chemin entre le rire et le grognement.

— J'ai beaucoup dormi aujourd'hui. Je crois que ça doit être ces pilules.

— Les pilules ne devraient pas te faire dormir tant que ça, lui dit-il. Tu es sans doute plus épuisée que tu ne le crois.

— J'ai fait des rêves si bizarres.

— Encore des serpents?

— Non, Dieu merci. Cette fois c'était seulement des maniaques dans des voitures rouges essayant de m'écraser.

Il parut tressaillir.

— Raconte-moi ça.

Elle lui exposa les détails de son rêve, encore aussi présents que lorsqu'ils lui étaient apparus pour la première fois.

— Ce n'était pas un rêve, lui dit-il doucement lorsqu'elle eut fini.

— Quoi?

— Ça s'est réellement passé. Je crois que c'était il y a à peu près deux ans. Un cinglé a essayé de te tuer parce que tu lui as dit d'aller se faire foutre.

Il éclata de rire malgré lui.

— Tu as un sacré caractère, lui dit-il, secouant la tête de stupéfaction. On disait tout le temps qu'un jour ça te causerait de gros ennuis.

— Ça s'est réellement passé, répéta-t-elle, et elle n'offrit aucune résistance lorsqu'il l'installa dans la balancelle et l'enveloppa dans la couverture.

144

— Tu ne vois pas ce que ça veut dire, Jane ? Tu commences à te souvenir. Donne-toi simplement le temps. Ne te décourage pas. Tout s'arrangera tout seul. En attendant, repose-toi donc un peu avant le dîner. Peut-être que quelque chose d'autre va te revenir.

Peut-être que quelque chose d'autre va me revenir, répéta-t-elle en elle-même, voyant derrière ses paupières closes la Trans Am rouge la rattraper à toute allure. « Tu as un sacré caractère », avait déclaré Michael. « On disait tout le temps qu'un jour ça te causerait de gros ennuis. »

11

— Tiens, bonjour ! Comment ça va ?

— Je peux entrer ?

Carole Bishop recula aussitôt dans son vestibule pour laisser entrer Jane.

— Bien sûr que vous pouvez. Venez prendre un café. Comment vous sentez-vous ?

— Pas mal, mentit Jane qui se sentait mal fichue.

Elle suivit Carole dans sa cuisine située, comme celle de Jane, à l'arrière de la maison.

— Je n'ai pas appelé parce que je ne voulais pas vous déranger. Michael a dit qu'il téléphonerait si vous aviez besoin de quelque chose...

— Je n'ai besoin de rien. (Sauf de ma santé mentale, pensa Jane.) On s'occupe très bien de moi.

Je suis retenue prisonnière dans ma propre maison, voulait-elle dire, mais elle s'abstint, sachant à quel point cette assertion paraîtrait mélodramatique et à quel point elle était injuste. A la vérité on s'occupait vraiment très bien d'elle. Michael ne pouvait pas être plus prévenant, plus attentionné. Et Paula s'activait à préparer les repas, à faire le ménage, à tenir la maison, veillant à satisfaire le moindre de ses désirs. Sauf que ce que Jane désirait réellement, c'était qu'on la laisse seule, et ce n'était pas le cas avec Paula.

Presque une semaine avait passé depuis que Michael l'avait ramenée de l'hôpital à la maison. Pendant tout ce temps elle n'avait guère fait que manger et dormir.

Lorsqu'elle ne dormait pas, il lui fallait lutter pour rester éveillée, et lorsqu'elle était éveillée, il lui fallait lutter pour ne pas tomber dans la dépression. Plus elle restait éveillée, plus elle devenait déprimée. Le seul moyen d'échapper à sa dépression était de s'endormir. Elle avait réussi à s'endormir à l'heure d'un rendez-vous que Michael avait arrangé pour elle avec un grand psychiatre de Boston. Par courtoisie professionnelle, le collègue de Michael avait spécialement réorganisé son planning pour pouvoir la recevoir, mais quand Michael était arrivé à la maison pour la chercher — après avoir modifié son propre agenda —, il n'avait pas pu la réveiller. Un autre rendez-vous était prévu pour six semaines plus tard, le psychiatre ne voulant pas déranger son planning une seconde fois. Dans six semaines, priait Jane, elle n'aurait sûrement plus besoin de ses services. Ce cauchemar serait terminé.

Elle n'avait pas fait d'autres rêves. Elle n'avait pas eu d'autres souvenirs. Elle existait, si on peut dire, et elle commençait à douter même de cela, dans un vide absolu.

— J'ai oublié comment vous preniez votre café, était en train de dire Carole.

— Noir. Et merci de ne pas vous en souvenir.

Carole rit.

— Attendez d'avoir mon âge. Vous verrez que vous n'êtes pas la seule dans ce cas. Le vôtre est un peu excessif, peut-être. Mais pas unique. Il y a des jours où je ne suis pas fichue de me souvenir de quoi que ce soit. Il faut que j'écrive tout. J'ai des millions de listes.

Elle se dirigea vers un petit bureau contre le mur opposé et en sortit une demi-douzaine de bouts de papier.

— J'ai une liste pour tout. Si je ne note pas tout, j'oublie.

Elle revint vers le plan de travail et versa à Jane une tasse de café fumant.

— J'en fais un plein pot le matin, expliqua-t-elle en montrant la cafetière électrique, et je le laisse au chaud toute la journée. C'est du décaféiné, qui ne m'empêche donc pas de dormir. Evidemment, on dit que ça donne le cancer, et après, c'est pareil pour tout. A la vôtre, dit-elle en levant sa tasse et en trinquant avec celle de Jane, comme si elles étaient en train de boire du champagne.

Elle approcha une chaise et s'assit en face de Jane. L'espace de quelques secondes aucune des deux femmes ne parla, laissant leurs pensées s'ordonner et leurs questions prendre forme.

Jane en profita pour examiner la pièce. La cuisine avait à peu près les mêmes dimensions que la sienne, mais elle avait grandement besoin d'un coup de peinture, et elle remarqua plusieurs traces de brûlures sur le revêtement du plan de travail. Le cannage des chaises s'effilochait, près de s'effondrer, et le sol de linoléum était jonché de miettes. Elle reconnut à l'arrière-plan le nasillement country de Dolly Parton que diffusait la radio posée contre le mur, près du téléphone.

— Vous aimez la musique country ? demanda Jane distraitement.

— Je l'adore, fut la réponse immédiate. Comment ne pas aimer une musique qui produit des chansons comme *I'm Going To Hire A Wino To Decorate Our Home*[1] ?

Jane entendit un rire et fut heureuse de constater que c'était le sien. Il y avait des jours qu'elle n'avait ri sans retenue. Michael était absent la plupart du temps et Paula n'était pas du genre à plaisanter. Jane regarda le jardin à travers la fenêtre et vit le gros chien des Bishop qui courait après un écureuil. Elle s'attendait à moitié à voir Paula tapie quelque part dans les buissons.

Il était presque deux heures, elle aurait dû normalement être en train de faire la sieste. Mais elle avait fait semblant de dormir quand Paula était entrée pour lui donner ses médicaments, puis était sortie furtivement de la maison comme un enfant désobéissant pendant que Paula se trouvait dans la salle de bains. Combien de temps faudrait-il pour que Paula réalise qu'elle n'était plus là ?

1. « Je vais engager un poivrot pour décorer notre intérieur. »

148

La maison de Carole retentit tout à coup d'un bruit de pas dévalant l'escalier.

— Je suis là, cria une voix dans le vestibule.

Carole se dressa aussitôt.

— Andrew, une minute. Andrew, viens ici.

Un adolescent tout en bras et jambes, ne tenant pas en place, apparut sur le seuil. Il tanguait, sautillait, s'agitait. Il n'y avait pas un muscle qui paraisse immobile.

— Qu'est-ce qu'il y a, M'man ? Je suis en retard.

— Tu ne dis pas bonjour ?

Sa mère lui indiquait la visiteuse.

— Oh, salut, Mrs. Whittaker. Comment va ?

— Bien, merci.

— OK, M'man, faut qu'j'y aille.

Il était déjà dans le vestibule lorsque la voix de Carole l'arrêta :

— Attends un peu. Tu devais emmener ton grand-père se promener.

— Celine le fera.

Jane entendit la porte d'entrée s'ouvrir et se refermer.

Carole baissa les bras dans un geste de défaite.

— Evidemment. Celine le fera. Et est-ce qu'on voit Celine quelque part ? Celine est en ville et sera sans doute trop crevée d'avoir fait du shopping pour emmener son grand-père se promener, si jamais elle daigne nous honorer de sa présence. Vous me trouvez amère ?

La question n'était posée que pour la forme.

— Vous avez l'air fatiguée, lui dit Jane.

Carole sourit et retourna s'asseoir.

— Je prends ça comme un compliment.

— Carole ?

Une voix âgée brisa soudain le silence, comme des ongles grinçant sur un tableau noir.

— Carole, où es-tu ?

Carole ferma les yeux et laissa tomber sa tête en arrière.

— En voilà un autre qui se ramène. Je suis dans la cuisine, Papa.

Une silhouette frêle et courbée apparut sur le seuil.

Jane reconnut dans le vieux monsieur, qui parvenait à garder une certaine dignité malgré sa chemise tachée et son pantalon de flanelle grise trop grand, l'homme qu'elle avait vu en train d'essayer de s'échapper de cette maison le premier soir où elle était revenue chez elle. Elle se sentit de tout cœur avec lui. Elle savait exactement ce qu'il ressentait.

— J'ai faim, dit-il. Où est mon déjeuner ?

— Tu viens juste de déjeuner, Papa, lui rappela Carole patiemment.

— Non, insista-t-il, je n'ai pas mangé. Tu ne m'as pas servi à déjeuner.

Il jeta un coup d'œil soupçonneux à Jane, comme si c'était elle qui avait pu manger son repas.

— Qui êtes-vous ?

— Papa, c'est Jane Whittaker. Elle habite en face. Elle allait souvent courir avec Daniel. Tu te souviens d'elle, non ?

— Si je me souvenais d'elle, est-ce que je demanderais qui c'est ?

La question semblait logique, et Jane ne put s'empêcher de sourire. Elle aimait le père de Carole, essentiellement parce qu'il paraissait avoir beaucoup de choses en commun avec elle.

— Je vous en prie, ne lui en veuillez pas, s'excusa Carole. Il n'est pas toujours aussi impoli.

— Tu as dit quelque chose ?

Le père de Carole tapa du pied dans un élan de colère, et Jane pensa à Oustroupistache [1]. Si tu parles de moi, j'aimerais que tu parles plus fort.

— Si tu veux entendre la conversation, Papa, tu devrais mettre ton appareil acoustique.

— Je n'ai pas besoin de mon appareil acoustique. Ce qu'il me faut, c'est mon déjeuner !

— Tu as eu ton déjeuner.

Carole désigna le devant de sa chemise.

— Le voilà. Là, et là. Je croyais t'avoir dit de monter te changer.

_____

1. Personnage des Contes de Grimm.

— Pourquoi, qu'est-ce que j'ai sur moi?

Carole leva les mains en l'air comme si une arme était braquée sur son dos et qu'elle ait décidé de se rendre sans difficulté.

— Rien du tout. Des pantalons d'hiver et des chemises couvertes de moutarde sont du dernier cri à Boston cet été. Vous n'êtes pas d'accord, Jane?

Jane s'efforça de sourire. La moutarde valait mieux que le sang, se dit-elle, tâchant de ne pas regarder fixement la sinistre teinte grise de la peau du vieil homme qui lui donnait l'air d'être recouvert d'une mince couche de poussière.

Le père de Carole commença à hocher la tête comme s'il était en train de participer à une conversation que lui seul pouvait entendre. De sa langue, il jouait distraitement avec son dentier, le faisant sortir par instants de sa bouche, sur le rythme de la musique country de la radio, Glen Campbell gémissant à propos de quelqu'un qui était parti, parti, parti.

— Tu veux bien garder ton dentier dans ta bouche, Papa? (Carole regarda Jane.) Il le fait pour m'agacer.

— Où est mon déjeuner? vociférait le vieil homme.

Carole respira profondément et se dirigea vers le réfrigérateur.

— Qu'est-ce que tu veux?

— Un sandwich au bœuf.

— Je n'ai pas de steaks. Je peux te faire un sandwich au saucisson. Ça t'ira?

— Qu'est-ce que tu as dit?

— Assieds-toi, Papa.

Le père de Carole prit une chaise et s'assit

— Fais-en un pour elle aussi, dit-il, en montrant Jane du pouce. Elle est trop maigre.

— Non, merci, se hâta de dire Jane tout en s'examinant.

Comme Carole, elle portait des vêtements pour être à l'aise, jupe-culotte et T-shirt.

— Je n'ai pas faim.

— Il a mangé il n'y a même pas deux heures, dit Carole, étalant de la moutarde sur deux tranches de pain et coupant de fines rondelles de saucisson. Elle mit le sandwich sur une petite assiette qu'elle posa devant son père.

— Qu'est-ce que c'est ?

— Ton sandwich.

— C'est pas un sandwich au bœuf.

Il repoussa l'assiette comme un enfant gâté.

— Non, Papa. C'est du saucisson. Je t'ai dit qu'il n'y avait pas de steak. Tu vas dîner dans quelques heures, de toute façon. Pour l'instant, il faudra te contenter de saucisson.

— Je ne veux pas de saucisson.

Il secoua la tête d'un air consterné.

— Ne vieillissez pas, dit-il à Jane en se levant de son siège, et il sortit en traînant les pieds.

Elle entendit ses pas lourds dans les escaliers puis juste au-dessus d'elle, ensuite, il claqua la porte de sa chambre.

— Ça fait combien de temps qu'il est comme ça ? interrogea Jane, se demandant pour qui elle se sentait le plus désolée.

— Ça empire chaque année. Il n'entend que ce qu'il veut bien entendre. Il est grossier, discutailleur. Je ne sais jamais ce qu'il va dire ou faire. L'autre nuit je me suis réveillée vers trois heures — je dors mal depuis que Daniel est parti — et je me suis dit que je devrais aller jeter un coup d'œil sur lui. Je l'ai trouvé debout dans l'entrée, en train de regarder fixement la porte. Quand je lui ai demandé ce qu'il faisait, il a dit qu'il attendait le journal, et d'ailleurs pourquoi son petit déjeuner n'était-il pas prêt ? Lorsque je lui ai dit qu'en général on ne prenait pas le petit déjeuner en pleine nuit, il a dit que si je ne le lui préparais pas, il le ferait lui-même. Et alors qu'est-ce qu'il fait ? Il met des œufs dans le four à micro-ondes qu'il règle au plus fort. Quelques minutes plus tard, j'entends une explosion. Je me précipite. C'est une vraie pagaille. Le micro-ondes a l'air d'avoir reçu une bombe. Il est trois heures du matin et me voilà en train de nettoyer les œufs collés au foutu plafond. Ça pourrait être drôle si ça n'était pas si salement pathétique. Elle secoua la tête de la même façon que son père. « Vous vous rendez compte ? Vous avez des problèmes que je ne peux même pas imaginer, et je suis là à râler après les miens !

— Depuis combien de temps vit-il avec vous ?

— Depuis la mort de ma mère. Ça doit faire six ans.

— Comment est morte votre mère ?

La voix de Carole devint faible, à peine audible.

— Un cancer, forcément. Ça a commencé par l'estomac puis ça s'est pour ainsi dire propagé partout.

— Je suis navrée.

— C'était très dur.

Elle s'interrompit, ses yeux se remplissant de larmes.

— Je me souviens d'être allée la voir à l'hôpital quelques jours avant sa mort, elle souffrait beaucoup, même avec tous ces médicaments. Je lui ai demandé à quoi elle pensait toute la journée, étendue là à fixer le plafond, et elle a dit : « Je ne pense à rien. Je veux juste que ça soit fini. »

— J'aimerais pouvoir me souvenir de ma mère, dit Jane, remarquant la surprise qui remplaça la tristesse sur le visage de Carole. Michael m'a parlé de l'accident.

— Vraiment ?

— Pas beaucoup. Juste qu'elle était morte sur le coup et que ça s'était produit il y a environ un an.

— Déjà un an, marmonna Carole. Mon Dieu, le temps passe si vite. Vous n'avez gardé absolument aucun souvenir d'elle ?

Jane secoua la tête.

— Je regarde des photos d'elle et elles ne signifient rien pour moi. Je me sens si… déloyale.

— Je sais ce que c'est que de se sentir déloyal.

Carole approcha sa chaise de celle de Jane au point que leurs genoux se touchèrent. Elle se pencha en avant, murmurant d'un air de conspirateur.

— J'aime mon père. Mais parfois, dernièrement, c'est comme si je passais mon temps à attendre qu'il meure. Oh, mon Dieu, je suis horrible. Vous ne me connaissez même pas, et vous devez croire que je suis la personne la plus horrible au monde.

— Je ne pense pas que vous soyez horrible. Je pense que vous êtes humaine.

Carole esquissa un sourire plein de reconnaissance.

— C'est pour ça que j'étais tout le temps sur le pas de votre porte après que Daniel fut parti. Vous avez toujours réussi à trouver quelque chose à dire pour me réconforter.

— Parlez-moi de Daniel. Je veux dire, si ça ne vous gêne pas de parler de lui.

— Vous plaisantez ? Je ne vis que pour parler de Daniel ! Je n'ai plus d'amis parce qu'ils en ont tellement eu marre de m'écouter parler sans arrêt de Daniel. Ils pensent que je devrais cesser de parler et m'occuper de ma nouvelle vie, mais je ne suis pas encore prête à laisser tomber le fantôme. Pas après quinze ans ensemble. J'ai encore trop de choses à dire.

— Dites-les-moi. Je vous en prie, la pressa Jane. Peut-être que si les gens commençaient à me traiter comme ils l'ont toujours fait, continua-t-elle, exprimant pour la première fois par des mots ses réflexions des jours précédents, alors j'arriverais à comprendre ma vie d'autant plus vite. Pour l'instant, chacun est tellement occupé à se montrer prévenant, marchant sur la pointe des pieds, faisant des choses pour moi, s'assurant que je me repose bien, que j'ai l'impression de vivre dans une sorte de bulle en verre. Je vous en prie, dit-elle à nouveau, parlez-moi de Daniel.

— Bon, alors ne dites pas que je ne vous ai pas prévenue.

Carole attendit que Jane la rassure d'un signe de tête.

— Nous nous sommes mariés quand j'avais vingt-huit ans. J'étais vraiment prête à me marier, je peux vous le dire. J'étais là, un peu trop grosse, pas la plus mignonne du quartier, et toutes mes amies étaient déjà mariées. Je me désespérais. Mes parents avaient presque perdu tout espoir. Vous avez à peu près dix ans de moins que moi, ce genre de désespoir ne vous dit donc pas grand-chose, mais c'était juste avant que ça devienne à la mode de dire qu'on pouvait se passer d'homme. Et voilà qu'arrive Daniel Bishop. Il est dentiste. Il est beau. Il a quelques années de moins que moi, mais quoi ? Ce n'était que cinq ans. J'en suis tombée à la renverse.

— Et alors vous vous êtes mariés, souffla Jane.

— En réalité, je suis d'abord tombée enceinte. Ensuite on s'est mariés. On a eu Celine, et Andrew quelques années plus tard. Ça a été une rude aventure au début, mais le mariage avait l'air d'aller de mieux en mieux au fil des années. Les affaires de Daniel étaient florissantes. Tout le monde était en bonne santé. L'argent affluait.

« C'est alors que les choses ont commencé à aller mal. Daniel a découvert qu'un de ses associés le roulait, et ça a été un foutoir monstre, ça s'est terminé au tribunal. Ensuite ma mère est tombée malade, et ça nous a mis les nerfs à rude épreuve. Et ensuite, bien sûr, après sa mort, mon père est venu vivre avec nous. Je crois que tout ça a été trop pour Daniel. J'ai essayé d'en discuter avec lui, mais il n'a jamais été très bavard. Il aimait se libérer de ses tensions en pratiquant un sport, ce qui me laissait en plan, vu que je n'ai jamais été très sportive. Il s'est mis à courir, et il en est devenu fanatique. Il fallait qu'il coure tous les jours. Au début, il a essayé de m'entraîner avec lui, mais je lui disais tout le temps que j'étais trop vieille, que je laissais la course à pied aux jeunes. Erreur, non ?

« Ensuite, il a eu la proposition intéressante d'ouvrir un cabinet avec un type avec lequel il avait fait ses études, et il a décidé de le faire. Ça signifiait déménager dans les environs de Boston, mais nous avons tous deux pensé que ça serait pour nous un nouveau début. En tout cas c'est ce que nous essayions de nous dire.

« On a acheté cette maison ; on a acheté un chien. Les enfants ont commencé l'école. Tout le monde avait l'air heureux. Daniel aimait beaucoup son nouvel associé, adorait sa clientèle. Il s'est inscrit dans un club de tennis et un club de golf, et il a recommencé à courir tous les jours. Il emmenait parfois le chien, et c'est comme ça qu'il vous a rencontrée.

— Racontez-moi, dit Jane avec impatience.

— Eh bien, ce dont je me souviens, c'est qu'un jour il

est rentré de son travail et a décidé que J.R. avait besoin d'exercice. J.R. d'après ce type de *Dallas*, vous voyez ? Et alors il a sorti le chien avec lui un matin. Juste avant qu'il n'ait vraiment démarré, J.R. a entendu l'appel de la nature et a décidé d'y répondre. Et bien sûr Daniel ne s'y attendait pas et n'avait pas son ramasse-crottes avec lui, et il était donc planté là, faisant son jogging sur place, pendant que le chien faisait son affaire sur votre pelouse. Tout à coup, il a entendu un hurlement. A vrai dire, tout le quartier a entendu un hurlement.

— C'était moi ? demanda Jane, devinant déjà la réponse.

— « Otez cette merde de ma pelouse ! » avez-vous crié. Oh, c'était magnifique. « Hé, vous, ôtez cette merde de ma pelouse ! » Et vous avez jailli hors de chez vous en agitant les bras. Daniel a dit ensuite qu'il avait cru que vous alliez le frapper.

— Oh, non.

— Oh, si. Vous étiez superbe. Tellement en colère. Tellement furieuse. « J'ai une petite fille qui joue sur cette pelouse », hurliez-vous après lui, en des termes on ne peut plus clairs. J'étais dehors devant la porte, et je me disais : « Oh, incroyable, elle ne me fera plus jamais de ces fantastiques gâteaux au chocolat. » Daniel est donc revenu tête basse à la maison, a pris un sac en plastique, est allé sur votre pelouse et a ramassé la crotte. Et en un rien de temps vous êtes devenus amis et vous alliez courir ensemble chaque fois que vous pouviez l'organiser dans vos emplois du temps.

— Il semble que j'aie un sacré caractère.

Carole prit un air grave.

— Oui, c'est ce que je dirais.

— Quand Daniel est-il parti ?

— Le 23 octobre. Il n'y a pas eu de grande bagarre, pas de désaccord important, rien qu'on puisse noter en disant : « C'est à cause de ça qu'ils en sont arrivés là. » Il en avait simplement par-dessus la tête, je suppose. Il en avait assez de mon père, assez d'avoir deux adolescents, et assez de moi. Il a décidé qu'il était encore relativement jeune pour jouer le célibataire dynamique.

Alors, il s'est acheté un appartement sur le front de mer dans le centre de Boston, qu'il a payé plus d'un million de dollars, et maintenant il fait son jogging sur le Freedom Trail chaque matin plutôt que dans les rues nettement moins excitantes de Newton Highlands, et il va à pied à son travail, et il peut voir les enfants quand il en a envie, et sa vie est exactement comme il la souhaite. C'est pas ça, avoir la pêche ?

— Pêche Intégrale.

Jane pensait au rouge à lèvres qu'elle avait acheté puis abandonné. Elle décida de s'en mettre quand elle rentrerait chez elle.

— Comment font-ils ? demanda Carole, se mettant debout et se dirigeant vers le plan de travail où elle se versa une autre tasse de café et prit quelques gâteaux à l'avoine et aux raisins secs dans un bocal en céramique ébréché.

— Vous en voulez ?

Jane secoua la tête.

— Je veux dire, comment font-ils pour rester des petits garçons toute leur vie ? Comment est-ce qu'ils en arrivent à larguer toute une vie de responsabilités et à sortir avec des belles blondes, pendant qu'on reste là à regarder les poils de notre pubis devenir gris ? Je veux dire, je vous le demande, est-ce que c'est juste ?

Elle finit un cookie, puis en entama un autre.

— Qu'est-ce que vous pouvez connaître de tout ça ? Vous êtes mariée avec l'homme parfait.

— Il a l'air très gentil, c'est vrai, acquiesça Jane, se sentant stupide. Pouvait-elle décrire ainsi celui qui était son mari depuis onze ans ? « *Il a l'air très gentil, c'est vrai.* »

Elle se tourna vers Carole et vit que celle-ci la regardait comme si elle voulait parler, comme s'il y avait quelque chose qu'elle voulait lui dire.

— Quoi ? demanda-t-elle.

Carole fut saisie d'un accès d'activité inutile. Elle revint vers la table et s'assit, porta sa tasse de café à sa bouche, puis la reposa sur la table sans en avoir bu une gorgée. Elle répéta le même geste avec son gâteau.

— Quoi ? dit-elle, imitant Jane comme un perroquet. Qu'est-ce que vous voulez dire ?

— Vous aviez l'air de vouloir me dire quelque chose.

Carole secoua la tête.

— Non. Rien.

— Je vous en prie, parlez-moi. S'agit-il de Michael ? De notre relation ?

Carole porta son café à ses lèvres et, cette fois, aspira une longue gorgée.

— Je crois que si vous vous posez des questions sur votre relation, c'est à Michael que vous devriez vous adresser. Vraiment, je ne suis au courant de rien.

— Vous m'en parleriez si vous l'étiez ?

Il y eut un long silence pendant lequel Jane observa Carole qui essayait de mesurer sa réponse. La radio diffusait K.D. Lang en duo avec Roy Orbison.

— Est-ce que Roy Orbison n'est pas mort ? demanda Carole brusquement.

— Je crois que si, lui dit Jane, se sentant tout à coup déphasée. Il est mort il y a quelques années, non ?

— Je n'arrive pas à me rappeler. Vous voyez ? C'est ce que je veux dire à propos de vieillir et d'oublier tout. D'habitude je savais toujours qui était mort.

Un aboiement puissant parvint du jardin.

— Oh, ferme-la, J.R., aboya Carole en retour à travers la fenêtre fermée. Le chien se tut aussitôt. J'aimerais qu'il soit aussi facile de se faire obéir de tout le monde, soupira-t-elle. Hé ! j'ai une blague à vous raconter.

Jane attendit, comprenant que leur véritable conversation était terminée.

— C'est une femme qui trouve une lampe magique, elle la frotte, et un génie s'en échappe. Et le génie lui dit qu'il peut exaucer n'importe quel vœu de son cœur. Alors elle réfléchit une minute et lui dit : « J'aimerais avoir des cuisses minces ! » Et le génie la regarde et dit : « C'est ça ? C'est ça votre vœu ? Je vous dis que je peux exaucer n'importe quel vœu de votre cœur, et vous voulez des cuisses minces ! Il y a des tas de gens qui meurent de faim ; des guerres font rage ; la maladie et la misère sont partout. Et vous, qui pourriez former n'importe quel vœu, vous voulez avoir des cuisses minces ! » Et, évidemment, cette pauvre femme est très embarrassée, alors elle réfléchit un peu et dit : « Bon, d'accord. Des cuisses minces pour tout le monde ! » Carole partit d'un grand éclat de rire. Jane ne réussit à émettre qu'un petit gloussement. Dites donc ! dit Carole, vos cuisses sont comme des allumettes. Mon père avait raison. Vous êtes trop maigre. Prenez un gâteau.

Jane s'apprêtait à accepter lorsqu'elle entendit que l'on frappait frénétiquement à la porte.

— Carole, cria son père d'en haut, il y a quelqu'un à la porte.

Carole était déjà debout.

— C'est soit Andrew qui a oublié quelque chose, soit Celine qui est tellement encombrée de paquets qu'elle n'arrive pas à trouver ses clés.

Jane sut avant même que Carole n'atteigne la porte d'entrée que ce n'était ni Andrew ni Celine.

— Est-ce que Jane est là ? entendit-elle Paula demander d'une voix proche de l'hystérie.

— Oui, elle est là, répondit Carole avec calme. On était justement en train de prendre un café. Vous en voulez une tasse ?

— J'étais dans tous mes états, dit Paula, se précipitant dans la cuisine et faisant face à Jane. Pourquoi ne m'avez-vous pas dit que vous sortiez ?

— Je n'ai pas cru que c'était nécessaire, mentit Jane. Vous étiez occupée, je ne voulais pas vous déranger.

— Je suis allée voir si vous aviez besoin de quelque chose, et vous n'étiez pas dans votre chambre. J'ai cherché dans toute la maison, le jardin, le garage. J'ai parcouru deux fois la rue dans les deux sens avant d'avoir l'idée de venir ici. Je ne savais plus quoi faire. J'ai cru que vous vous étiez peut-être sauvée à nouveau.

Elle était au bord des larmes.

— Je suis navrée de vous avoir fait peur, lui dit Jane, et elle l'était.

Ç'avait été totalement irresponsable de sa part de

quitter la maison sans au moins dire à Paula où elle allait. Pourquoi ne l'avait-elle pas fait ?

— Je voulais juste sortir un petit moment.

— Bon, je peux le comprendre, concéda Paula, la prenant par surprise. Jane ne s'était pas attendue à de telles marques de sympathie de la part de Paula. Simplement, la prochaine fois, j'aimerais que vous me préveniez d'abord.

— Je le ferai.

— Et en attendant, ordonna Paula en regardant sa montre, nous ferions mieux de rentrer. Vous devriez faire une sieste avant que le Dr. Whittaker ne revienne, et...

— Je sais, dit Jane. C'est l'heure de mes pilules.

12

Elle se réveilla avec un mal de tête.

Le sourd élancement prenait naissance à la base de sa nuque pour se propager dans tout son crâne, comme un arbre en hiver, grêle et dépouillé de tout ornement, aux branches dénudées atteignant de fines terminaisons nerveuses. Même ses dents lui faisaient mal.

Un jour de plus au Paradis, se dit-elle, tentant de balancer ses jambes hors du lit. Elles étaient lourdes, comme si quelqu'un y avait attaché des poids en plomb pendant qu'elle dormait. Elle vérifia. Elle remua ses doigts de pieds nus sous sa chemise de nuit de coton blanc. Pas de poids en vue, se dit-elle, se mettant debout et s'appuyant à une colonne du lit pour ne pas tomber. Rien que ceux qui étaient dans sa tête.

Elle soupira, luttant contre l'envie de se remettre au lit. A quoi bon se lever ? Elle se sentait très mal en point. Elle ne se sentirait que plus mal au fil de la journée. Dans quelques minutes, Paula serait là pour jeter un œil sur elle, lui donner d'autres pilules et lui proposer son petit déjeuner. Et alors elle dormirait encore, et quand elle ne serait pas en train de dormir elle retournerait aux albums de photos pour tenter de se rappeler qui étaient tous ces gens inconnus, même si Michael avait examiné chaque photographie avec elle au moins une demi-douzaine de fois, jusqu'à ce qu'elle sache par cœur le nom de chaque personne et qu'elle soit en mesure de les reconnaître tous si elle devait jamais les rencontrer dans la rue, ce qui était peu probable puisqu'elle quittait rarement la maison.

Elle jeta un coup d'œil en direction de la porte de sa chambre, s'attendant à voir le visage de sa geôlière, mais il n'y avait personne. « Tu n'es pas juste », dit-elle à son reflet dans le miroir. « Paula n'est pas ta geôlière. C'est toi qui l'es. »

Elle fixa l'étrangère dans le miroir, observant la femme qui tirait sur sa chemise de nuit blanche avec dégoût. « Qui que tu sois, tu as un goût infect », lui dit la femme. « Ce truc a à peu près autant de sex-appeal qu'une camisole de force. » Ce qui serait sans doute une tenue plus appropriée, ajouta-t-elle en silence.

Alors pourquoi continuer à la mettre ? demandèrent ses yeux à leur image du miroir.

Parce que chaque fois que je la jette dans le panier à linge, tu sais qui la lave et la repose sur ton oreiller. Et c'est plus facile de la mettre que de se battre à propos de ça.

C'était aussi une sécurité. Elle n'avait pas à s'inquiéter que ça éveille chez son mari quelque chose qu'elle n'était pas encore prête à affronter. Elle pourrait probablement porter cette chose en présence de Warren Beatty sans obtenir de réaction.

Elle fit glisser ses mains le long de son corps, effleurant le bout de ses seins, la légère courbe de son ventre, le doux renflement de son pubis. Elle ressentit une légère excitation. Est-ce que Michael et elle faisaient souvent l'amour ? Et quelle sorte d'amant était-il ?

Elle laissa retomber ses mains. Elle n'était pas prête pour ce genre de questions. A quoi bon réveiller ces élans si elle n'était pas prête à les suivre ?

Etait-elle prête à les suivre ? Etait-elle prête à faire l'amour avec un homme qu'elle ne connaissait pas, simplement parce que c'était son mari ?

« Es-tu prête ? » demanda-t-elle à la femme du miroir.

La femme haussa les épaules.

« Salope », dit Jane, et elle se mit à rire, puis fit demi-tour, s'attendant à voir le visage désapprobateur de Paula dans l'encadrement de la porte.

Puis elle se souvint qu'on était samedi. Paula avait congé le week-end. Il n'y aurait qu'elle et Michael. Beaucoup de temps pour se conformer à ces désirs si jamais elle en faisait le choix. Etait-il possible que ça soit vraiment ce qu'elle voulait ? Est-ce que ça pouvait être aussi simple que ça ?

Peut-être que son célibat forcé était la cause de ses maux de tête. Ou la raison de sa perpétuelle dépression. Peut-être qu'elle n'avait tout simplement pas l'habitude de se passer de rapports sexuels pendant aussi longtemps !

Et quel mal y aurait-il à coucher avec lui ? Elle le trouvait extrêmement attirant. Et c'était son mari, après tout. Elle avait couché avec lui pendant onze ans. Ce n'était pas comme s'ils venaient juste de faire connaissance. Ce n'était pas comme si elle venait de le rencontrer et qu'elle ait accepté de venir chez lui.

Sauf que c'était exactement comme ça.

Et elle ne le connaissait pas mieux aujourd'hui qu'une semaine auparavant. Oh, elle connaissait des choses sur lui, des détails de sa vie, de leur vie ensemble. Elle savait qu'il était gentil et sensible et patient, et tout ce qu'elle aurait souhaité chez un mari.

Peut-être qu'elle n'avait rien d'autre à savoir.

Et si elle ne se souvenait pas de lui ? Etait-ce vraiment nécessaire ? Elle le connaissait depuis un peu plus d'une semaine à présent. Les gens se précipitaient au lit ensemble alors qu'ils se connaissaient depuis bien moins longtemps que ça. Et il lui plaisait. Même dans son état de trouble et de dépression, elle le trouvait séduisant. Elle comprenait pourquoi elle avait été attirée par lui onze ans plus tôt. Alors quel mal y aurait-il à l'inviter dans son lit ? Manifestement, il attendait une invitation, bien qu'il n'en ait jamais dit un mot. Ils étaient des adultes consentants. Bien plus, ils étaient des adultes consentants légalement mariés. Qui pourraient-ils offenser ? Peut-être que s'ils couchaient ensemble, cela l'aiderait à se souvenir. Et même si ça ne l'aidait pas à se souvenir, ça pourrait simplement l'aider à se sentir mieux. Quel mal à cela ?

« Je ne sais pas », murmura-t-elle, ouvrant l'un des placards et fouillant dans le tiroir du haut à la recherche de son porte-jarretelles en dentelle noire. Elle le souleva pour que son reflet puisse le voir, et fut satisfaite de l'air choqué qu'il suscita. « Ceci devrait probablement le faire démarrer. »

« Je ne sais pas. Je ne sais pas ce que je veux », dit Jane sur le ton de la colère, remettant le porte-jarretelles dans le tiroir et claquant la porte du placard. « Je n'arrive pas à avoir les idées claires. J'ai la tête comme si on l'avait remplie de pierres. » Elle porta les mains à l'arrière de son crâne, enfonça ses ongles dans son cuir chevelu, et sentit des picotements. « Ma tête me fait mal », cria-t-elle. « Ma tête me fait mal et je n'arrive pas à avoir les idées claires, et je suis tout le temps fatiguée. Merde, qu'est-ce qui m'arrive ? »

Ça devait être les pilules qu'elle prenait. Bien que Michael lui ait affirmé qu'elles étaient légères, elles étaient visiblement trop fortes. Elle n'était probablement pas accoutumée à une médication de longue durée. Les pilules étaient responsables de sa confusion et de sa dépression, de sa perpétuelle fatigue et de son sentiment de désespoir. Pourtant, chaque fois qu'elle en parlait à Michael, chaque fois qu'elle lui demandait si elles étaient vraiment nécessaires, il lui disait que le Dr. Meloff les avait spécialement prescrites, précisant qu'elle devait continuer à les prendre pendant au moins plusieurs semaines.

Est-ce que c'était bien les instructions du Dr. Meloff ?

« Et maintenant, qu'est-ce que ça signifie ? » demanda-t-elle à son reflet, se demandant de quel recoin pervers de son cerveau avait pu jaillir cette idée bizarre. « Qu'est-ce que tu es en train d'essayer de dire ? Que Michael te ment ? Que le Dr. Meloff n'a jamais prescrit aucun médicament ? Que Michael, avec l'aide de Paula, tente délibérément de te maintenir sous l'effet des drogues, de l'abrutissement et de la dépression ? Pourquoi ? Et comment peux-tu penser de telles choses d'un homme avec lequel, il y a quelques instants, tu étais prête à aller au lit ? »

« Parce que je suis manifestement en train de devenir folle », fut la réponse immédiate. « Qui d'autre qu'un fou discuterait avec son propre reflet ? »

Il y a un bon moyen de le savoir, lui indiqua la femme du miroir, lui transmettant silencieusement le message à travers la glace. Appelle le Dr. Meloff.

« Quoi ? »

Appelle le bon docteur. Il t'a dit que tu pouvais lui téléphoner n'importe quand. Appelle-le et demande-lui si oui ou non il t'a prescrit des médicaments.

« Comment puis-je faire ça ? »

Facile. Tu n'as qu'à prendre le téléphone et faire le numéro.

Jane tourna la tête vers le téléphone sur la table de nuit. Etait-ce réellement si simple que ça ? Etait-ce tout ce qu'elle avait à faire ? Prendre le téléphone et faire le numéro ?

Elle tendit la main vers le combiné, et s'arrêta. Et si Michael entrait ? D'ailleurs, où était-il ? Il était plus de neuf heures. Etait-il possible qu'il dorme encore ?

Elle sortit délibérément de sa chambre, veillant à ne pas faire de bruit dans le couloir. S'il était en train de dormir, elle ne voulait pas le déranger. S'il était occupé dans une autre partie de la maison, elle ne voulait pas le voir accourir à son aide. Du moins pas encore. Elle marcha sur la pointe des pieds le long du couloir, jetant un coup d'œil d'abord dans la chambre d'Emily, puis dans la salle de bains, la chambre d'amis, et enfin dans le bureau de Michael. Mais le lit dans la chambre d'amis avait été fait, et il n'était pas en train de travailler sur son ordinateur. Elle entendit des aboiements et s'approcha de la fenêtre pour regarder dehors.

Michael était en train de parler avec Carole Bishop sur la pelouse de celle-ci. J.R. aboyait impatiemment et tirait sur sa laisse, sa promenade ayant apparemment été interrompue. De là où se tenait Jane, leur conversation avait l'air sérieuse. Ils avaient tous les deux la tête penchée, les yeux fixés sur l'herbe. Carole hochait la tête et Michael tapotait le bras de Carole avec sollicitude. Elle continue sans doute à propos de Daniel, se dit Jane. Ou à propos de son père. Michael était simplement dans sa bienveillance habituelle. Pouvait-elle réellement douter de lui ?

Elle retourna dans sa chambre, pleine de colère et de honte. Cet homme avait-il fait quelque chose, une seule chose qui puisse lui permettre de s'interroger sur lui ? de le suspecter de lui faire prendre des drogues sans nécessité ? Non ! Il n'avait fait que s'occuper d'elle, que lui donner des pilules vingt-quatre heures sur vingt-quatre. Jane regarda le téléphone près de son lit. « Prends le téléphone et fais le numéro », dit-elle à haute voix.

Non sans hésitation, elle souleva l'appareil. Il n'y avait pas de tonalité. Elle suivit des yeux le fil jusqu'à la prise dans le mur. La prise était vide, le fil enroulé sur le sol juste en dessous comme un serpent endormi. Michael avait dû débrancher le fil pour le cas où il y aurait des appels pendant qu'elle dormait. Il ne voulait pas qu'elle soit dérangée. Il ne pensait qu'à son bien-être, comme il l'avait prouvé chaque jour depuis qu'elle était revenue à la maison. Et elle s'apprêtait à le récompenser de sa gentillesse en se renseignant sur son compte.

Elle se pencha en avant, s'appuyant contre le lit, luttant contre le vertige qui l'envahissait, et rebrancha le téléphone. Il bourdonna très fort dans son oreille, la rappelant à l'ordre. « Et maintenant ? »

Maintenant, tu appelles les renseignements, se donna-t-elle comme consigne en s'asseyant sur le lit et en composant le 411.

— Quelle localité, s'il vous plaît ? fut la réponse instantanée.

— Boston, dit-elle tout aussi vite. L'Hôpital de la ville de Boston.

Il y eut une pause pendant laquelle la voix humaine fut remplacée par une machine. Celle-ci répéta le numéro deux fois tandis qu'elle fouillait dans le tiroir de la table de nuit pour trouver son carnet d'adresses.

« Une minute », supplia-t-elle en s'adressant à la machine. « Je veux le noter. Où est mon carnet ? » Elle se souvenait parfaitement avoir parcouru page par page le carnet à couverture cachemire quand elle était revenue de l'hôpital. Et maintenant il avait disparu.

— Je suis désolée, vous pouvez répéter ? demanda-t-elle, abandonnant sa recherche et s'efforçant de se concentrer sur les chiffres que l'opérateur automatique retransmettait. « Formidable, à présent tu parles aux machines. »

Elle composa aussitôt ce qu'elle espérait être le bon numéro.

— Hôpital de la ville de Boston, ânonna la voix à l'autre bout de la ligne.

— Pourrais-je parler au Dr. Meloff, s'il vous plaît ?

— Excusez-moi. Pourriez-vous parler plus fort, s'il vous plaît. Quel médecin désirez-vous ?

— Le Dr. Meloff, répéta Jane plus fort.

— Je ne pense pas qu'il soit là aujourd'hui. Mais si vous patientez une minute, je vais quand même essayer son poste.

« Bien sûr, on est samedi ! Il ne doit pas être là le samedi. » Jane s'apprêtait à raccrocher lorsqu'elle entendit sa voix.

— Dr. Meloff ?

— Lui-même. Puis-je vous aider ?

— Ici Jane Whittaker.

Il n'y eut pas de réponse.

— Jane Whittaker. La femme du Dr. Michael Whittaker.

— Oh, bien sûr, Jane, dit-il, prononçant son nom avec une emphase qui indiquait qu'il était heureux d'avoir de ses nouvelles. Je ne devrais pas être là aujourd'hui, c'est pourquoi je n'attendais pas d'appels. Comment allez-vous ?

— Je suis vraiment navrée de vous déranger...

— Ne soyez pas navrée. Je suis ravi d'avoir de vos nouvelles. Est-ce que tout va bien ?

— Je ne sais pas très bien.

— J'ai parlé à votre mari à plusieurs reprises. Il m'a

dit qu'il avait dû reprogrammer votre rendez-vous avec le psychiatre mais qu'il avait l'impression que vous faisiez des progrès, que vous vous étiez rappelé un incident de votre passé.

— Oui, confirma-t-elle, s'efforçant de ne pas laisser paraître son trouble. Je n'avais pas réalisé que vous aviez parlé avec lui.

— Eh bien, j'espère que vous ne m'en voulez pas de ma curiosité, et votre mari est évidemment très préoccupé. Nous avons donc pensé que nous devrions rester en contact. Que puis-je faire pour vous ?

— C'est ces pilules que vous m'avez prescrites, Dr. Meloff, commença-t-elle, espérant à demi qu'il explose avec indignation : « Quelles pilules ?! Je n'ai pas prescrit de pilules ! » Mais il ne dit rien. Je me demandais de quoi il s'agissait exactement.

— Je crois que j'ai prescrit de l'Ativan. Donnez-moi juste une seconde et je vérifie dans mes dossiers.

Il y eut quelques secondes d'intense silence. Alors, le Dr. Meloff lui avait quand même prescrit des médicaments. Michael ne faisait que suivre les instructions du médecin.

— Oui, de l'Ativan, déclara le Dr. Meloff en reprenant la ligne. Son composé principal est quelque chose que l'on appelle le Lorazepam. Je ne sais pas si ça signifie quelque chose pour vous, mais c'est globalement un tranquillisant très léger, proche du Valium mais sans avoir le même effet de dépendance.

— Mais pourquoi ai-je besoin de prendre quelque chose ?

— Un sédatif léger a en général de très bons effets dans les cas d'amnésie hystérique.

Il s'interrompit, et Jane put presque l'entendre sourire.

— Ecoutez, vous êtes dans une situation très stressante : vous ne vous rappelez pas qui vous êtes ; vous êtes mariée avec un homme que vous ne connaissez pas ; vous êtes entourée par un tas d'étrangers. Tout ceci doit produire une grande dose d'anxiété qui ne peut que gêner le retour de votre mémoire. L'Ativan est censé neutraliser cette anxiété et laisser votre mémoire trouver le chemin du retour.

— Mais je suis tout le temps si fatiguée et si déprimée...

— Ce n'est pas contradictoire avec la situation. Plus cela se prolongera, plus vous allez être déprimée. C'est pourquoi l'Ativan est si important. Comme pour votre fatigue, eh bien, je dirais que votre corps est en train d'essayer de vous indiquer quelque chose. A savoir que vous avez besoin de sommeil. Ne le combattez pas, Jane. Ecoutez ce que vous dit votre corps.

— Alors vous ne pensez pas que ce soit le traitement qui me rende comme ça...?

Pourquoi lui demandait-elle cela ? Ne venait-il pas de lui dire que l'Ativan était un tranquillisant très léger ? Qu'il le jugeait essentiel à sa guérison ?

— Il n'y a rien dans l'Ativan qui puisse causer de la dépression. Je suppose qu'il est possible qu'il vous fasse dormir, étant donné que votre poids est un peu faible, mais cela devrait s'arrêter une fois que votre corps s'y sera accoutumé.

— C'est simplement que je me sens si impuissante, comme si je ne pouvais rien contrôler...

Elle s'interrompit, tout à coup consciente des pas de Michael dans l'escalier.

— Je devrais vous laisser, dit-elle précipitamment. Je vous ai suffisamment ennuyé.

— Je suis heureux d'avoir été là quand vous avez appelé. Ecoutez, si votre mari est là, j'aimerais lui parler une minute.

Michael se tenait dans l'encadrement de la porte.

— Il est ici, dit-elle dans le téléphone avant de tendre le combiné à son mari. C'est le Dr. Meloff, lui dit-elle, le cœur battant la chamade. Il veut te parler.

Michael prit l'air perplexe qui s'imposait en lui prenant l'appareil des mains. Il a l'air aussi troublé que moi, pensa Jane, se demandant à nouveau ce qui l'avait incitée à téléphoner au Dr. Meloff. Avait-elle réellement soupçonné son mari de lui faire prendre des médicaments sans nécessité ? Pourquoi ? Cet homme s'était montré la bonté même avec elle. Il avait été patient, merveilleux et d'un grand soutien. Etait-elle allergique aux hommes merveilleux? Quel était son problème? Pour n'avoir pu affronter le fait de connaître autant de bonheur dans son mariage, elle s'était enfuie dans une sorte de folie passagère et, à présent, ne pouvant affronter son amour et son dévouement constants, elle essayait de se convaincre qu'il était en train de comploter contre elle. Tout ça tenait parfaitement debout.

Quand donc y avait-il eu pour la dernière fois quelque chose de sensé? Etait-il sensé qu'elle se retrouve en train de marcher dans les rues de Boston sans un indice pour savoir qui elle était? Qu'elle ait les poches pleines de billets de cent dollars et une robe maculée de sang? Qu'elle ne puisse se souvenir de la naissance de sa fille ni de la mort de sa mère? Qu'elle soit aussi méfiante et hostile à l'égard de ceux qui ne faisaient que vouloir l'aider? Que le plus faible des tranquillisants la transforme en zombie? Qu'elle devienne paranoïaque au point de se sentir prisonnière dans sa propre maison?

Etait-il sensé qu'elle ait mal au dos, des élancements dans la tête et de la peine à avaler? Qu'elle ne puisse accomplir la plus élémentaire des tâches? Qu'elle se souvienne parfaitement avoir remis son carnet d'adresses dans le tiroir de sa table de nuit et qu'il n'y soit plus? Est-ce que tout ça avait un sens? Et comment quelqu'un qui ne pouvait se rappeler son propre nom pouvait-il prétendre se souvenir de quoi que ce soit?

— Où est mon carnet d'adresses? demanda-t-elle lorsque Michael reposa le téléphone.

Il est blessé, reconnut-elle, s'efforçant d'éviter son regard. Il ne comprend pas pourquoi j'ai appelé le Dr. Meloff. Et que puis-je lui dire alors que je ne le comprends pas moi-même?

— Il était là. (Elle ouvrit le premier tiroir de la table de nuit pour appuyer sa phrase.) Et maintenant il n'y est plus.

— Je ne sais pas où il est, dit-il simplement.

— C'était quand je suis rentrée de l'hôpital.

Pourquoi insistait-elle ? Pourquoi créait-elle un problème là où il n'y en avait pas ? Parce que la meilleure défense était une bonne offense. Parce qu'en agissant ainsi elle n'avait pas à expliquer son coup de téléphone au Dr. Meloff.

— Alors il doit y être encore, dit-il.

— Il n'y est pas. Regarde toi-même !

— Je n'ai pas besoin de regarder. Si tu me dis qu'il n'y est pas, je te crois.

Jane traduisit ces paroles en : « Si tu m'avais dit que le Dr. Meloff m'avait prescrit un traitement, je n'aurais pas pensé à vérifier. » Ce qui la remplit de fureur.

— Paula doit l'avoir déplacé, cria-t-elle, marchant de long en large devant le lit.

— Pourquoi l'aurait-elle déplacé ?

— J'en sais rien. Mais il y a une semaine il était là et maintenant il n'y est plus. Quelqu'un a donc dû le déplacer.

— Je vérifierai lundi auprès de Paula, dit-il, manifestement contrarié par son comportement tout en s'efforçant de garder son calme. Je ne comprends pas ce que tu veux faire avec ce carnet, d'ailleurs.

— Peut-être que je veux appeler un de mes amis, lui rétorqua-t-elle, ce qui lui parut irrationnel à elle aussi. Peut-être que je veux commencer à rassembler des éléments de ma vie. Peut-être que je suis fatiguée d'être cloîtrée ici toute la journée, surveillée par cette nazie...

— Nazie ? Paula ? Mon Dieu, qu'est-ce qu'elle a fait ?

— Rien ! hurla Jane, toute apparence de santé mentale ayant disparu.

Rien ne pouvait empêcher le flot de paroles de jaillir de sa bouche, comme si, elles aussi, avaient été retenues prisonnières pendant trop longtemps et se trouvaient à présent décidées à s'échapper à tout prix.

— Elle fait tout à la perfection. C'est une sacrée machine. Elle me surveille comme Big Brother. Je ne peux pas aller aux toilettes sans qu'elle ait l'œil sur moi. Elle ne me laisse pas répondre au téléphone. Elle dit à mes amis que je ne suis pas à Boston. Pourquoi ne me laisse-t-elle pas parler à mes amis ?

— Qu'est-ce que tu leur dirais ? demanda-t-il d'un ton plaintif. Est-ce que tu veux vraiment que tes amis te voient dans cet état ?

— A quoi servent les amis ? demanda-t-elle.

La couleur se retira lentement du visage de Michael, comme si quelqu'un était en train de régler la nuance d'une télévision. Il se laissa tomber sur le lit, la tête entre les mains.

— C'est ma faute. J'ai dit à Paula de ne pas te laisser prendre d'appels. Je pensais que ça t'aiderait de te tenir à l'écart des situations difficiles. Je croyais que ça serait mieux qu'il n'y ait pas trop de gens qui soient au courant de ce qui se passait. Tu as toujours été quelqu'un de très réservé, et je pensais que tu n'aimerais pas que les autres sachent... Je suis désolé. Je suis désolé, répétait-il, tandis que sa voix s'éteignait et disparaissait dans l'espace entre eux deux.

Elle s'assit à côté de lui, sa colère soudain apaisée.

— Non, c'est moi qui suis désolée. Tu me connais manifestement mieux que moi.

Elle espérait qu'il sourirait et constata avec un grand plaisir qu'il le faisait.

— Si tu veux parler à tes amis, tu n'as qu'à le dire. Je vais les appeler tout de suite si tu veux, leur dire de venir.

Jane envisagea un instant l'idée de parler à des inconnus virtuels, seule en face d'eux, ce qui lui fit battre le cœur. Il avait raison — cela se révélerait incontestablement trop pénible. Qui pourrait-elle appeler ? Que pourrait-elle dire ?

— Non, pas maintenant, lui dit-elle, et je t'en prie, pardonne-moi. C'est que je suis tellement embrouillée.

— C'est pour ça que tu as appelé le Dr. Meloff ?

— Je ne sais pas pourquoi j'ai appelé le Dr. Meloff.

— Tu ne crois pas que tu peux me parler ?

Elle vit des larmes se former dans ses yeux, le vit lutter pour les contenir.

— Tu ne crois pas qu'il n'y a rien au monde que je ne puisse faire pour toi ? Que si tu as des questions, des doutes, des craintes, tu peux m'en parler ? Si tu n'aimes pas Paula, on s'en débarrassera. Si tu veux sortir davantage de la maison, je t'emmènerai où tu veux, ou bien tu peux y aller par toi-même. Tu peux venir au bureau avec moi, si tu en as envie. Mais tu n'es pas obligée d'aller où que ce soit avec moi.

Il s'interrompit, sa poitrine se creusant comme s'il avait reçu un vilain coup dans l'estomac.

— C'est bien ça, Jane ? Est-ce que c'est moi le problème ? Parce que si c'est moi, si je suis celui que tu ne veux pas voir, tu n'as qu'à le dire et je m'en irai. Je prendrai quelques affaires et j'irai à l'hôtel jusqu'à ce que ce cauchemar soit fini.

— Non, c'est pas ce que je veux. C'est pas toi le problème. C'est moi.

— Je veux juste ton bien, Jane. Notre bien.

Il pleurait franchement à présent, sans essayer de se retenir.

— Je t'aime tellement. Je t'ai toujours aimée. Je ne sais pas pourquoi cette horrible chose nous arrive, mais je ferai tout ce que je peux pour la chasser le plus vite possible, même si ça implique de renoncer à toi.

Elle pleurait à présent elle aussi.

— Je ne veux pas que tu partes. Je veux que tu restes avec moi. Ne me laisse pas, je t'en prie. Je t'en prie.

Elle sentit ses bras l'envelopper tandis qu'elle posait la tête contre sa poitrine, et ils pleurèrent tous les deux ensemble. Puis il ne pleurait plus et ses yeux cherchaient les siens et sa bouche rencontrait la sienne et ils s'embrassaient, et c'était bon, non, plus que bon, c'était merveilleux. Elle avait pour la première fois l'impression d'être revenue à la maison, comme si sa place était vraiment ici.

— Oh, mon Dieu, Jane, tu es si belle, dit-il, l'embrassant encore et encore.

Ses mains trouvèrent ses seins, écartèrent sa chemise de nuit pour caresser ses jambes. Il se recula alors brusquement, s'écarta, enfouit ses mains pleines de douceur sous les couvertures.

— Je suis désolé. Je t'en prie, pardonne-moi. Je n'aurais pas dû faire ça.

— Pourquoi pas ? demanda Jane, bien consciente de la réponse.

— Tu es bouleversée en ce moment ; tu n'es pas sûre...

— Je suis tout à fait sûre.

Il la fixa l'espace de plusieurs secondes interminables, puis pencha la tête vers elle pour lui embrasser le nez.

— Je t'ai toujours aimée dans cette chemise de nuit ridicule, dit-il, et elle éclata de rire.

— Fais-moi l'amour, Michael. Je t'en prie.

Il la regarda attentivement dans les yeux, comme s'il voulait se faufiler dans sa tête.

— C'est ça que je veux, lui dit-elle, et il n'y eut plus d'autres protestations.

13

La semaine suivante, Jane fit un autre « rêve ».

Elle se tenait avec une petite fille qu'elle reconnut comme étant la sienne au bord d'une petite patinoire au Newton Center. Elles se tenaient côte à côte, Emily dans son anorak rose et ses patins blancs tout neufs, Jane dans une parka à capuche et de grosses bottes fourrées, s'apprêtant à mettre le pied sur la glace lorsqu'elles furent arrêtées par une voix mâle à l'intonation sévère.

« Excusez-moi, mais vous ne pouvez pas aller sur la glace sans patins. »

Jane porta les yeux sur ses pieds puis sur le jeune homme aux joues rouges qui se dressait devant elle. « Mais je veux seulement guider ma fille sur la piste. »

« Vous devez avoir des patins. Je suis désolé, mais c'est le règlement. »

Jane sentit la moutarde lui monter au nez. « Ecoutez, je ne veux pas discuter avec vous. Est-ce qu'on ne pourrait pas s'arranger ? Il n'y a personne sur la glace, et je ne vois pas quel mal ça ferait... »

« Vous n'avez pas le droit d'aller sur la glace sans patins, ma petite dame. C'est aussi simple que ça. »

Jane sentit tous les muscles de son corps se raidir au mot « ma petite dame ».

« Allons », insista Jane, dissimulant son poing serré au fond de la poche de sa grosse veste. « Vous ne voulez pas décevoir ma petite fille. Ça fait une semaine qu'elle attend cet instant. »

Le jeune homme haussa les épaules d'indifférence. « Ecoutez, ma petite dame, le règlement c'est le règlement. C'est à prendre ou à laisser. » Il pivota sur lui-même et commença à s'éloigner.

« Trou du cul », marmonna Jane, mais pas tout à fait à voix basse.

« Qu'est-ce que vous avez dit ? »

Tout se déroula ensuite très vite : le jeune homme faisant volte-face, revenant vers elle à grands pas, lui agrippant le col, la soulevant en l'air, lui vomissant des injures, Emily hurlant à côté d'elle, les gens se précipitant autour, le jeune homme la lâchant brusquement, ses pieds retrouvant le sol avec reconnaissance, elle disant : « Je suis désolée, j'ai perdu mon sang-froid, je comprends que le règlement c'est le règlement », puis faisant retraite vers un banc, les jambes tremblantes, Emily se dirigeant sur la glace toute seule et s'en débrouillant très bien, Michael essayant de lui faire entendre raison plus tard dans la soirée : « Mon Dieu, Jane, pourquoi fais-tu ce genre de choses ? Un jour un type peut te tuer ! » « Je suis désolée, Michael, mais il m'a mise hors de moi ! »

— Tout va bien ?
— Quoi ?

Jane se fraya un passage à travers le brouillard de ses souvenirs pour rejoindre le visage de Michael.

— J'étais juste en train de revoir ce qui s'est passé à la patinoire.
— Est-ce que tu t'es rappelé autre chose ?

Elle secoua la tête, se demandant rapidement quel jour on était, combien de jours avaient passé depuis que l'incident de la patinoire lui était revenu.

— Il faut que j'aille à l'hôpital à présent. Paula est en bas, si tu as besoin d'elle.
— Quelle heure est-il ?
— Presque huit heures.
— Du matin ?

Il l'embrassa sur le front.

— Du matin.

— J'aimerais que tu ne sois pas obligé de partir, dit-elle, méprisant le ton plaintif de sa voix. Je me sens si seule quand tu n'es pas là. J'ai si peur.

— Il n'y a aucune raison d'avoir peur, Jane. Tu es à la maison à présent. Et tu te souviens de certaines choses. C'est une bonne nouvelle, et non quelque chose d'effrayant.

— Mais je me sens si affolée au fond de moi. Je me sens si embrouillée, si faible...

— Peut-être que tu devrais essayer de sortir, aujourd'hui, suggéra Michael en s'écartant d'elle et en l'observant depuis le bord du lit. Pourquoi ne demandes-tu pas à Paula de t'emmener faire une promenade ce matin ?

— Je ne crois pas que je pourrais aller bien loin.

— En voiture, alors. L'air frais te fera du bien.

— C'est que je ne comprends pas pourquoi je suis tout le temps aussi fatiguée.

— Il faut vraiment que j'y aille, chérie. Je reçois mon premier patient dans moins d'une heure.

— Peut-être que je devrais retourner voir le Dr. Meloff. Peut-être qu'il y a vraiment quelque chose qui cloche avec mon cerveau.

— On en parlera à mon retour. D'accord ?

Il l'embrassa à nouveau puis se dirigea vers la porte de la chambre.

— Je vais dire à Paula de te monter ton petit déjeuner.

— Je n'ai pas très faim.

— Il faut que tu manges un peu, Jane. Tu veux aller mieux, n'est-ce pas ?

N'est-ce pas ? N'est-ce pas ? N'est-ce pas ? Les mots la suivirent comme un écho lorsqu'elle tituba de son lit à la salle de bains. Elle eut besoin de toute sa concentration juste pour mettre un pied devant l'autre, et une fois dans la salle de bains, elle ne parvint pas à se souvenir de ce qu'elle était venue y faire. « Qu'est-ce qui ne va pas avec moi ? » demanda-t-elle à son reflet dans le miroir au-dessus du lavabo. Remarquant que la bave lui dégoulinait aux coins de la bouche, elle l'essuya rageusement. Et puis, était-ce son imagination, ou ses traits avaient-ils pris un air inquiétant, presque comme un masque ?

Elle tenta de se redresser, sentant les muscles de son dos pris d'un de ces spasmes qui devenaient de plus en plus fréquents. Etait-il possible qu'elle ait eu une sorte d'attaque ? Ce qui expliquait certainement sa perte de mémoire, la léthargie qui ne la quittait plus, les divers maux qui la tourmentaient. Et pourtant, on aurait sûrement dû retrouver les signes d'une attaque dans l'un au moins des tests qu'on lui avait fait passer à l'Hôpital de la ville de Boston. A moins qu'elle n'ait eu cette attaque qu'après être rentrée chez elle ! Etait-il possible d'avoir une attaque et de ne pas s'en rendre compte ?

Il y a définitivement quelque chose qui cloche avec toi, dit-elle à son reflet passif. Tu es bien mal en point.

Jane s'aspergea le visage d'eau froide, puis retourna à son lit sans prendre la peine de se sécher et s'y glissa, serrant son oreiller contre sa joue humide, sentant l'odeur de Michael tout en sachant qu'il était parti.

Elle se le représenta allongé près d'elle dans le lit, leurs bras entrelacés, leurs corps s'ajustant comme des cuillers, le calme de sa respiration apaisant la sienne. Ils dormaient à présent dans le même lit, bien qu'ils n'aient pas refait l'amour depuis la première fois, il y avait combien de temps maintenant ? Quelques jours ? Une semaine ? Elle était toujours tellement fatiguée. Elle n'en avait pas la force. Il n'exigeait rien, se blottissant simplement près d'elle, apparemment satisfait des miettes qu'elle pouvait lui jeter. Se pouvait-il vraiment qu'une semaine se soit écoulée ?

Jane se retourna sur le dos, ce qui provoqua de nouveaux spasmes. Elle respira profondément, s'efforçant de les conjurer tout en comprenant que leur volonté était plus forte que la sienne. Elle essaya de se concentrer sur autre chose : le son de la voix de Michael lorsqu'il murmurait des mots d'amour ; la douce humidité de sa langue parcourant les courbes de son corps ; la façon dont les muscles de ses bras s'étaient tendus lorsqu'il l'avait pénétrée ; la façon dont il s'était écroulé auprès d'elle, éperdu de reconnaissance, lorsqu'ils eurent fini de faire l'amour.

Elle ouvrit les yeux, espérant à demi trouver son corps nu se dessinant au-dessus d'elle, et vit à la place le visage honnête de Paula qui l'observait. Jane suffoqua, sentant aussitôt les muscles de son dos se nouer en signe de protestation. Sa suffocation se mua en cri de douleur.

— Votre dos vous fait encore mal ?

Paula avait l'air d'être habituée. Elle hochait la tête affirmativement, incapable de la soulever de l'oreiller.

— Tournez-vous sur le côté. Je vais vous masser.

Jane obéit sans hésiter. Combien de fois au cours de la semaine passée ce rituel s'était-il répété ? Elle sentit les mains de Paula exercer une légère pression dans le bas de son dos.

— Ici ? demanda-t-elle, ses doigts traçant des cercles invisibles sur la chemise de coton blanc.

— Un peu plus haut. Oui, c'est là. Merci.

— Essayez de diriger votre respiration sur cette zone, entendit-elle Paula lui dire, et elle se demanda ce qu'elle voulait signifier.

Comment pouvait-elle diriger sa respiration ?

— Concentrez-vous, dit encore Paula, et Jane essaya de faire ce qu'on lui disait mais elle échoua lamentablement. Comment aurait-elle pu concentrer sa respiration alors qu'elle pouvait à peine porter son attention sur quoi que ce soit ?

Qu'est-ce qui lui arrivait ? Quand avait-elle franchi la frontière entre l'hystérie et l'invalidité ?

— Comment ça va à présent ? demanda Paula en retirant ses mains.

— Mieux, merci.

— Vous devriez essayer de vous lever, de faire un peu d'exercice.

L'idée même d'exercice lui donna envie de vomir.

— Je ne crois pas que ce soit une bonne idée.

— Le Dr. Whittaker pense que nous devrions sortir de la maison aujourd'hui. Il a dit que je devrais vous emmener faire une promenade.

— Ou un tour en voiture, dit Jane, se souvenant de la seconde possibilité, de loin préférable.

— Il a dit que vous n'aviez pas envie de prendre votre petit déjeuner.

— Je ne crois pas que je serais capable de le garder.

Jane jeta un regard plein d'espoir à Paula.

— Vous ne croyez pas que j'ai la grippe ou quelque chose comme ça ? Elle se demandait si son amnésie avait pu embrouiller tout le monde au point de leur faire ignorer d'autres raisons physiques de son état actuel. Supposons que les deux choses n'aient rien à voir. Supposons qu'elle soit simplement tombée malade.

Paula posa aussitôt sa main sur le front de Jane.

— Vous semblez avoir un peu chaud, admit-elle, mais ce serait le cas de n'importe qui restant au lit toute la journée.

Les paroles étaient empreintes de reproches. Jane eut l'impression d'être une petite fille en train de se faire gronder par sa nounou.

— Je vais essayer de me lever.

— Vous feriez mieux de prendre d'abord ça.

Deux petites pilules blanches firent leur apparition dans le creux de la main de Paula, suivies d'un verre d'eau.

Elle doit travailler au noir comme prestidigitateur, se dit Jane, transférant avec lenteur les pilules dans sa propre main et les fixant avec une intensité qui laissait supposer qu'elle espérait les voir se mettre à parler.

— Prenez-les, lui enjoignit Paula tandis que le téléphone se mettait à sonner dans l'autre pièce, Michael ayant enlevé l'appareil de leur chambre quelques jours auparavant. Je reviens tout de suite.

Paula posa le verre d'eau sur la table de nuit et sortit vivement de la chambre.

— Si c'est pour moi, j'aimerais vraiment répondre, peu importe qui est à l'appareil, lui cria Jane, mais elle ne reçut aucun signe d'avoir été entendue.

« Pas de chance », dit-elle à son reflet dans les miroirs de l'autre côté de son lit, écartant ses cheveux de son visage et tentant de forcer les muscles de sa bouche à

180

ébaucher un sourire. « Je te forcerai à sourire », déclara-t-elle, portant les doigts à ses lèvres et essayant d'en relever les côtés, comme si sa peau était faite d'argile. Les pilules blanches tombèrent sur la moquette vert menthe à ses pieds. « Oh ! mon Dieu, je vous avais oubliées, vous. » Jane s'écroula à quatre pattes, ramassa les pilules puis redressa la tête, s'examinant dans le mur de miroirs. La Femme-Chien, pensa-t-elle avec stupeur, se demandant ce qui l'avait réduite à cet état.

Concentrez-vous, entendit-elle Paula répéter en silence. Concentrez-vous. Tu te sentais bien quand tu errais dans les rues du centre de Boston, tu étais OK à l'hôtel Lennox. Tu allais bien, au commissariat de police et à l'hôpital, et quand Michael t'a ramenée à la maison. Ce n'est qu'après avoir commencé à prendre ces ridicules petites pilules blanches, censées être si bénéfiques et si légères, que tu t'es mise à baver comme ça, que tu as perdu l'appétit. « Ça n'a pas de sens », dit-elle à haute voix. « Même quand j'ai perdu la mémoire, je n'ai jamais perdu l'appétit ! »

Elle examina pendant plusieurs secondes les deux petites pilules blanches, rondes, bombées, non dragéifiées, aux bords biseautés, avant d'ouvrir son placard et de les fourrer dans le bout d'une paire de chaussures noires. Puis elle se mit debout avec effort et se traîna jusqu'à la table de nuit où elle avala rapidement le verre d'eau juste au moment où Paula revenait dans la chambre.

— Ce n'était que ma mère, annonça Paula avant qu'on le lui demande.

— Est-ce que tout va bien ?

— Christine s'est mis dans la tête de mettre un vêtement bien précis et ma mère n'arrivait pas à le trouver. Elle voulait savoir si je savais où il était.

— Et vous le saviez ?

Jane ne voulait pas laisser s'éteindre la conversation, heureuse de tout ce qui pouvait lui donner le sentiment, même vague, de se comporter comme un être humain.

Paula haussa les épaules.

— Il y a des années que cette robe est trop petite

pour Christine. Je ne sais pas d'où elle sort ces idées. (Elle fronça les sourcils.) Elle a des milliers d'idées idiotes ces temps-ci. Je suppose que c'est comme ça quand on a cinq ans.

Jane essaya de se rappeler Emily à l'âge de cinq ans, évoquant aussitôt l'image d'une petite fille dans un anorak rose lui serrant très fort la main au bord d'une patinoire ovale. Michael avait dit que cet incident s'était produit environ un an et demi auparavant, Emily devait donc avoir cinq ans. Quel genre d'idées idiotes avaient traversé sa tête d'enfant de cinq ans ? Quelles idées idiotes devaient lui traverser la tête à présent ?

Est-ce qu'elle pense à moi ? se demanda Jane. Est-ce qu'elle se demande pourquoi quelques jours chez ses grands-parents sont devenus quelques semaines ? Pourquoi je ne lui téléphone pas pour lui dire bonjour ? Pense-t-elle que je l'ai abandonnée ? Et quand je me souviendrai d'elle, est-ce qu'elle se souviendra de moi ?

— J'aimerais appeler ma fille, déclara Jane tout à coup.

— Il faudra que vous en parliez avec le Dr. Whittaker quand il rentrera.

— Je n'ai pas besoin de la permission de mon mari pour téléphoner à ma fille.

— Je ne crois pas que ça soit raisonnable, dans votre état actuel, de faire quelque chose qui pourrait vous bouleverser, vous et votre fille.

— Comment le fait de parler avec sa propre mère pourrait-il la bouleverser ?

Paula hésita :

— Eh bien, vous n'êtes pas tout à fait la mère dont elle se souvient, non ?

Jane sentit sa détermination s'effriter. La justesse des dernières paroles de Paula était indéniable. De plus, elle ne pouvait réellement insister pour appeler sa fille alors qu'elle ne savait pas exactement où se trouvait l'enfant ni le numéro de téléphone où on pouvait la joindre.

— Paula, dit-elle abruptement, tandis que Paula

était penchée en train de faire le lit. — Elle vit les épaules de Paula se raidir et ses bras retomber à ses côtés —, où avez-vous mis mon carnet d'adresses ?

Paula lui jeta un regard par-dessus son épaule, sans changer d'attitude.

— Je ne l'ai mis nulle part.

— Il était dans ma table de nuit et maintenant il n'y est plus.

— Je ne l'ai jamais vu, et encore moins touché.

— Il était dans ma table de nuit et maintenant il n'y est plus, répéta Jane avec entêtement.

— Il faudra que vous demandiez au Dr. Whittaker quand il rentrera, dit à nouveau Paula, avec le même entêtement.

— Je devrais faire la liste de toutes les choses que je dois lui demander.

Jane ne chercha pas à dissimuler le sarcasme dans sa voix.

— On se sent d'humeur un peu bagarreuse ce matin, non ? observa Paula. Peut-être que c'est bon signe.

Elle finit de faire le lit.

— Vous devriez vous habiller et nous irions faire cette promenade en voiture.

C'était plus une exigence qu'une requête, et Jane décida de ne pas discuter. Paula pouvait être très obstinée. De plus, Jane voulait réellement sortir de la maison. N'avait-elle pas supplié Michael et Paula de le lui accorder ? Quand avait-elle cessé de vouloir sortir ? Et pourquoi ? Qu'est-ce qui l'avait arrêtée ?

Elle regarda à l'intérieur du placard avec l'air de se préoccuper du choix des vêtements qu'elle allait mettre pour sortir, mais en réalité ses yeux étaient dirigés sur le sol, fixés sur le bout d'une paire de chaussures de cuir verni noir.

— Allez, bon sang ! Tu vas pas m'en faire voir !

Jane retint son souffle et attendit que la colère de Paula se calme. C'était la seconde explosion de ce genre depuis le début de leur excursion entreprise dix minutes auparavant.

— Merde ! Paula tapa sur le volant, actionnant le klaxon par mégarde. La voiture de derrière klaxonna aussitôt à son tour. Paula fit un geste d'excuse dans le rétroviseur, puis reporta son attention sur le problème du moment. Merde ! tu vas pas me lâcher maintenant !

— Peut-être que si vous arrêtiez le moteur une demi-seconde, suggéra Jane.

— Non, ça ne marchera pas. Ça fait un mois qu'elle cale comme ça. Je la connais. Elle ne démarrera que quand elle sera tout à fait prête.

— Il faut la faire réviser.

— Il me faut une nouvelle voiture, c'est ça qu'il me faut.

Jane ne dit rien. Que pouvait-elle ajouter ? La voiture de Paula était vieille en effet, et sans doute déjà très usagée quand elle l'avait achetée. Elle était à présent définitivement près de rendre l'âme, chose que Jane trouvait bizarrement opportune en ce sens qu'elle se sentait ainsi moins seule. Je ne suis donc pas la seule ici près de rendre l'âme, se dit-elle, décidée à ne pas faire partager de telles pensées à sa compagne.

Paula fit une nouvelle tentative pour faire démarrer la voiture, mais la vieille Buick ne fit que toussoter un instant avant de perdre connaissance dans un halètement rauque. Paula jeta un regard soupçonneux à Jane et, sur le moment, Jane sentit Paula capable de la tenir pour responsable.

— Est-ce que c'est Michael qui vous a dit de couper le moteur ?

— Je ne me rappelle pas, dit Jane, trouvant que c'était une étrange question. Je suppose que oui.

Cela suffisait à Paula. Elle coupa aussitôt le contact.

Le conducteur derrière elles klaxonna d'indignation.

— Qu'est-ce que vous voulez qu'on fasse ? cria Jane. Ramasser ce foutu engin et l'emporter sous le bras ?

Elle lui fit un bras d'honneur indigné.

— Jane, pour l'amour du ciel, qu'est-ce que vous faites ?

Jane reposa ses mains sur ses genoux d'un air coupable.

— Désolée. La force de l'habitude, je suppose.

— Alors, je comprends.

— Qu'est-ce que vous voulez dire ?

Paula ignora la question, se concentrant sur le démarrage de la voiture. Avec une nouvelle détermination elle tendit le bras et tourna la clé. La voiture hoqueta, toussa, puis dans un crachement se mit en mouvement.

— Dieu merci, murmura Paula, faisant un signe de la main au conducteur derrière elles et continuant vers le nord-ouest sur Woodward Street.

— Qu'est-ce que vous vouliez dire, « alors vous comprenez » ?

— Le Dr. Whittaker m'a parlé de votre fameux caractère.

Paula fixait résolument la route devant elle, si bien que Jane fut incapable de tirer d'autres conclusions de son expression.

— Qu'est-ce qu'il vous a dit exactement ?

Jane perçut l'irritation dans sa voix, qu'elle savait être un signe avant-coureur de la colère, et se demanda pourquoi elle se sentait aussi furieuse. Est-ce parce qu'elle ne s'attendait pas à ce que Michael parle d'elle avec la femme qui était payée pour s'occuper d'elle ?

— Juste que vous êtes soupe au lait.

Il y avait autre chose, mais Jane comprit d'après la raideur des épaules de Paula qu'elle ne lui en dirait pas plus.

— Il m'a dit que j'avais l'habitude d'appuyer sur le klaxon de sa voiture pendant qu'il conduisait, l'informa spontanément Jane, espérant que ce détail croustillant pourrait amener Paula à proposer d'autres informations qu'elle détenait.

— Essayez ça avec moi et vous perdrez un bras.

Jane se surprit à serrer ses bras contre elle. Elle décida de ne pas poursuivre la conversation, et dirigea plutôt son attention vers les rangées de vieilles demeures victoriennes qui bordaient les rues. Elle se sentait plus en train qu'à son réveil. Le fait qu'elle n'ait pas pris ses médicaments du matin expliquait-il qu'elle ait la tête plus claire, ou était-ce simplement la victoire de l'esprit sur la matière ? Toute sa vie actuelle n'était-elle pas une question de victoire de l'esprit sur la matière ? Y avait-il matière à faire de l'esprit ?

Elle gloussa de rire.

— Il y a quelque chose de drôle ? Pour la première fois depuis qu'elles s'étaient glissées sur le siège sale de la Buick grise de Paula, celle-ci regarda Jane droit dans les yeux.

Ce fut au tour de Jane de regarder ailleurs.

— J'étais simplement en train de penser à quel point tout ça est ridicule.

— C'est dur pour le Dr. Whittaker.

Oh, va te faire foutre avec le Dr. Whittaker ! fut-elle sur le point de crier, se mordant la lèvre inférieure pour empêcher les mots de s'échapper. Elle sentit un filet de bave couler sur son menton, et elle l'essuya avec le dos de sa main.

— Il y a des mouchoirs en papier dans la boîte à gants.

— J'ai pas besoin de mouchoirs.

Jane sentit dans sa voix un tremblement incontrôlé et réalisa qu'elle était au bord des larmes. Comment pouvait-elle passer si vite d'un extrême à l'autre ? Elle riait, et l'instant d'après elle pleurait. Je me conduis comme une enfant parce qu'on me traite comme une enfant, se dit-elle. Elle regarda par la vitre et remarqua, comme si on venait de leur faire signe d'entrer en scène, un groupe d'une douzaine de gosses, leurs petits poings serrés sur la même corde, que l'on faisait marcher sur le trottoir, encadrés à chaque bout par plusieurs jeunes femmes résolument enthousiastes qui portaient des T-shirts proclamant leur allégeance au centre aéré des Highlands.

Les enfants avaient à peu près six ou sept ans, et il y avait deux fois plus de filles que de garçons. Si l'été était plus normal, est-ce qu'Emily ferait partie de cette ménagerie souriante ?

Jane ressentit une douleur au creux de l'estomac. Je ne suis peut-être pas capable de me souvenir de toi, mon amour, pensa-t-elle en se détournant des enfants, mais je sais que j'ai besoin de toi et je crois que tu as besoin de moi. Elle décida de demander formellement à Michael de ramener leur fille à la maison.

Paula tourna à gauche dans Beacon Street. Une autre Beacon Street, se dit Jane. Il y en avait plein Boston.

— Stop ! cria-t-elle tout à coup, et le pied de Paula écrasa la pédale de frein.

La voiture toussa de reproche, puis tomba dans un coma bruyant et frémissant.

— Qu'est-ce qui vous prend ?...

— C'est l'école d'Emily !

Jane sauta hors de la voiture et courut vers le bâtiment simple à deux étages qu'était l'école privée d'Arlington.

— Jane, remontez dans la voiture.

Jane s'arrêta brusquement au son de la voix de Paula, mais ne fit aucun effort pour revenir vers la voiture. En effet, elle n'aurait pas pu bouger même si elle avait essayé. Ses jambes étaient enracinées dans le béton ; tout son corps était pris de tremblements. Quelque chose se précipitait vers elle, s'amplifiant, comme un gigantesque raz de marée, et elle ne pouvait ni s'y soustraire ni s'écarter de sa trajectoire pour éviter d'être emportée. Elle était paralysée, plus par l'étonnement que par la peur, tandis qu'un autre souvenir la submergeait.

14

— OK, tout le monde a son ticket ?

Jane écoutait la voix perçante du professeur se frayer un chemin dans sa conscience. Elle se vit sur le quai supérieur de la gare du Sud, debout au milieu d'un vaste rassemblement d'enfants, avec leurs professeurs et un groupe de parents volontaires, tout le monde étant fatigué après avoir passé tout l'après-midi au musée pour enfants dans le centre de Boston. Elle compta rapidement les têtes des huit écoliers, y compris Emily dont elle avait la charge.

— Souvenez-vous que le train est pour tout le monde, continuait le professeur, alors pas de bousculade, pas de bagarre, et pas trop de bruit. On est prêt ?

Et tout à coup, un homme petit, courtaud, la tête chauve en avant, les yeux fixés au sol, se mit à foncer, tel un Moïse en fureur ouvrant la mer Rouge, agitant les bras pour écarter les enfants de sa trajectoire. Une petite fille tomba contre une autre et toutes deux se mirent à pleurer ; un petit garçon faillit recevoir un coup dans l'œil. L'homme, sans le moindre remords, impitoyable, furieux de l'invasion de ce qu'il considérait manifestement comme son territoire, continuait à avancer au milieu des enfants à présent terrorisés, tandis que parents et professeurs regardaient, dans une rage impuissante. Il avait presque atteint la sortie quand la voix de Jane le rattrapa.

« Hé, vous ! » hurla-t-elle, courant après l'homme.

Elle leva en l'air son gros sac comme une batte de base-ball et le lui balança en plein derrière la tête.

Un silence total emplit l'espace tandis que Jane balayait du regard la foule muette. Les professeurs et les parents se tenaient là, bouche bée, les yeux écarquillés par le choc ; les enfants la regardaient avec une sorte d'effroi mêlé de respect. Ou peut-être que c'était de la peur, se dit Jane, ressentant la même chose tandis que l'homme se retournait pour lui faire face.

Oh, merde, se dit Jane. Il va me tuer.

Au lieu de ça, l'homme, dans la cinquantaine, musclé, les traits déformés par la fureur, se mit à hurler :

— Qu'est-ce qui vous prend ? Vous êtes folle ? avant de partir en courant.

Suis-je folle ? se demanda Jane. Pourquoi est-ce que c'est toujours moi qui fais ce genre de choses ? Je n'ai vu personne d'autre courir après lui, se précipiter pour défendre les enfants. Elle chercha le regard des autres adultes qui étaient présents, mais tous les yeux la fixaient, comme s'ils avaient peur de faire ou de dire quelque chose qui pourrait la faire exploser à nouveau. Il n'y avait qu'une femme, une mère dont la main entourait d'un geste protecteur les épaules d'une petite fille, qui la regardait avec un air approbateur. Même Emily restait en arrière, comme si elle se sentait en quelque sorte responsable du comportement scandaleux de sa mère.

— Qu'est-ce qu'il y a ? demanda une voix derrière elle.

— Quoi ?

Le raz de marée s'évanouit, laissant Jane en plan avec les résidus amers de ses souvenirs. Elle se retourna pour voir l'expression inquiète de Paula, le même air qui avait transformé le visage des parents et des professeurs de l'école privée d'Arlington.

— Vous croyez que je suis folle ? demanda Jane à Paula, remarquant qu'elle se reculait instinctivement.

— Vous passez par des moments très pénibles.

— C'est pas ce que je vous ai demandé.

— C'est la seule façon dont je puisse vous répondre.

Chacune des deux femmes évitait de regarder l'autre en face.

— Allez, Jane. Remontez en voiture. On va rentrer à la maison.

— Je ne veux pas rentrer à la maison.

Le ton inflexible de la voix de Jane les surprit toutes deux. Paula tressaillit comme si elle s'attendait à ce que Jane la frappe. Eh bien, est-ce que ce n'est pas là mon numéro habituel ? s'interrogea Jane en silence. Me mettre en colère et mettre ma vie en danger ? C'est extraordinaire que je sois encore en vie. C'est extraordinaire que mon mari ne m'ait pas fait interner. Je suis manifestement bonne à enfermer. Pour quelle autre raison mes souvenirs ne sont-ils qu'une collection de crises de rage ?

A moins que ces souvenirs n'essaient de me dire quelque chose, qu'il n'y ait une signification que mon subconscient ait choisi de dévoiler. Ou pis. Peut-être que ces souvenirs ne sont que les hors-d'œuvre avant le plat principal, préparant le terrain pour le morceau de résistance final, la spécialité de la maison, l'acte ultime d'indiscrétion qui m'a rapporté près de dix mille dollars, une robe pleine de sang et une tête vide. Suis-je vraiment aussi folle que mon subconscient pourrait me le faire croire ? Pourquoi ces souvenirs-là et pas d'autres ?

— Je veux voir Michael.

— Vous verrez le Dr. Whittaker pour le dîner.

— Maintenant.

Paula essayait de pousser Jane vers la porte ouverte de la voiture.

— Le Dr. Whittaker est un homme très occupé. Vous ne voulez tout de même pas le déranger quand il reçoit ses patients.

— C'est justement ce que je veux faire.

— Je ne crois pas que ce soit une bonne idée.

— Emmenez-moi voir mon mari, ordonna Jane. Maintenant.

Elle monta dans la voiture et claqua la portière.

— Vous n'êtes pas raisonnable.

Paula reprit sa place derrière le volant, et entreprit de se battre pour faire démarrer la voiture.

Jane dit sans s'excuser :

— C'est ce que je fais de mieux.

— Je crains que vous ne puissiez entrer. Oh, Jane ! C'est vous ? Mon Dieu, je ne vous avais pas reconnue.

La réceptionniste fixa Jane à travers de grosses lunettes épaisses. Mais même les verres ne suffirent pas à dissimuler l'inquiétude qui s'inscrivait sur son visage banal. Est-ce que j'ai l'air si terrible que ça ? se demanda Jane en essayant de s'apercevoir dans le verre de la reproduction accrochée derrière le bureau de la réception et qui représentait deux jeunes filles de Renoir enlacées près d'un piano.

— Rosie, commença-t-elle, prenant note du nom que la femme portait sur son badge, et faisant comme si elle se souvenait d'elle, j'ai vraiment besoin de voir mon mari.

— Est-ce que ça peut attendre quelques minutes ? Il est occupé avec un patient pour le moment. Il vous attend ?

Le pli anxieux de sa bouche laissait supposer qu'elle connaissait déjà la réponse.

— J'ai essayé de vous le dire, Jane, dit une voix quelque part derrière elle.

Bon Dieu ! Paula était encore là ? Elle ne s'arrêtait donc jamais ?

— Il ne m'attend pas, mais je suis sûre qu'il me recevra si vous lui dites que je suis ici. Et que je tiens beaucoup à lui parler.

La réceptionniste, que le badge désignait comme étant Rosie Fitzgibbons, frappa doucement à la porte du bureau du Dr. Whittaker puis y pénétra, orientant son corps de telle sorte que personne à l'intérieur du bureau ne puisse être vu depuis la réception.

— Nous n'aurions pas dû venir. Le Dr. Whittaker sera très fâché contre moi.

— Oh, va donc te balader, marmonna Jane à voix

basse, se frottant la tête, les idées bien plus claires qu'elles ne l'étaient depuis des jours.

Une toux violente attira son attention sur la rangée de sièges placée de l'autre côté du bureau d'accueil. Une femme d'aspect négligé était assise avec sa petite fille sur ses genoux, une enfant pâle et agitée, qui ne voulait jouer avec aucun des jouets éparpillés à ses pieds. Ses quintes de toux alternaient avec des gémissements. Sa mère regardait sa montre, davantage, soupçonnait Jane, pour éviter son regard insistant que par besoin de savoir l'heure. Une grosse pendule en forme de Mickey Mouse fixait la femme depuis le mur situé près de la porte. Juste sous la pendule étaient assis un homme d'âge mûr et un jeune garçon avec un bec-de-lièvre, qui pouvait être son fils ou son petits-fils. On ne sait plus, de nos jours. Le jeune garçon était totalement absorbé par plusieurs modèles réduits d'avions, utilisant les pieds croisés de son père (ou grand-père ?) comme piste de fortune. L'un de ces petits avions avait-il été le coupable qui avait arraché une partie du cuir chevelu de Michael ?

— Excuse-moi, dit-elle, s'agenouillant auprès du garçon aux pieds de son père (ou grand-père ?). Est-ce que je peux voir cet avion à réaction une minute ?

Le garçon la considéra d'un air méfiant, serrant le jouet sur sa poitrine.

— Je te le rends tout de suite. Promis.

— Laisse la dame regarder l'avion, Stuart.

Stuart donna aussitôt l'avion.

Jane en évalua le poids dans le creux de sa main. Ou plutôt, le manque de poids. Comment quelque chose d'aussi léger pouvait-il occasionner une blessure nécessitant presque quarante points de suture ? Elle ferma les yeux, tenta d'imaginer le petit avion fendant l'air à une vitesse suffisante pour arracher la peau du front d'un homme adulte. Quelle force devrait avoir un tout jeune enfant pour lancer quelque chose d'aussi léger à cette vitesse, et faire autant de dégâts ?

— Jane ?

Michael se trouva tout à coup près d'elle, l'aidant à

se mettre debout. Le petit garçon arracha aussitôt l'avion des mains de Jane.

— Je suis vraiment désolée, Dr. Whittaker. Elle a insisté pour venir.

— Tout va bien, Paula. Vous avez fait ce qu'il fallait. Jane, tu te sens bien ?

— J'ai besoin de te parler, Michael, s'entendit prononcer Jane.

— Alors nous allons parler, dit-il sans difficulté. Viens dans mon bureau.

Il la conduisit doucement vers la porte, juste comme une jeune femme avec son petit garçon en sortaient...

— Merci infiniment, Dr. Whittaker. Pour tout ce que vous avez fait, murmura la femme en lui serrant longuement la main.

— Je vous en prie. Prenez bien soin du petit gars et envoyez-moi un mot de temps en temps pour me faire savoir comment il va.

— Vous n'aurez pas besoin de le revoir ?

La femme avait l'air presque déçue.

— Non, sauf si quelque chose d'inattendu se produit. Bien sûr, vous pouvez toujours m'appeler s'il y a quelque chose qui vous inquiète.

La femme le remercia d'un sourire et serra à nouveau la main de Michael avant de partir.

— Paula, prenez donc un café et détendez-vous un moment, suggéra Michael, et Jane eut envie de lui sauter au cou.

Elle le suivit dans son bureau qui ressemblait beaucoup à celui qu'il avait à la maison, avec le même genre de mobilier de cuir vert, une grande table de chêne, des murs couverts de livres. Elle remarqua tout de suite une photo d'elle en évidence sur son bureau, ainsi qu'un grand portrait de leur fille, avec une dent de devant en moins.

— Je veux voir Emily, annonça-t-elle comme il fermait la porte.

— Tu la verras.

— Maintenant.

— Bientôt, confirma-t-il. Pas maintenant, Jane,

poursuivit-il avant qu'elle n'ait pu protester. On s'était mis d'accord sur le fait qu'elle serait mieux chez mes parents tant que ta mémoire ne serait pas revenue.

— Elle est en train de revenir.

Elle l'informa rapidement de son dernier souvenir.

— Jane, dit-il doucement, pesant soigneusement ses mots, comprends-moi bien. Je trouve que c'est formidable que tu commences à te rappeler certaines choses, mais ce n'est que le début. Tu as encore beaucoup de chemin à faire. Tu as fait quelques rêves, tu t'es souvenue de deux incidents particulièrement dramatiques, mais pas des choses de la vie de tous les jours, et je pense que réintroduire Emily dans ta vie à ce moment précis irait à l'encontre du but recherché et serait même nocif pour vous deux.

— Mais je crois que si je pouvais juste la voir...

— Quoi ? Que tout te reviendrait ?

Jane hocha la tête sans conviction. Etait-ce ce qu'elle pensait réellement ?

— Il est peu probable que ça se passe de cette façon, l'informa Michael. Si ta mémoire devait revenir d'un seul coup, il y a de fortes chances que ça se serait déjà produit à présent. Tu sembles te souvenir de choses par à-coups, petit bout par petit bout. Ecoute, je ne suis pas en train de dire que tu ne vas pas finir par récupérer ta mémoire, je suis simplement en train de dire que ça pourrait prendre un peu plus de temps pour que tous les éléments se rejoignent.

— Et si ça prend des mois ?...

Elle ne voulait pas envisager l'éventualité que ça prenne encore plus longtemps.

— Alors c'est le temps qu'il faudra attendre.

— Mais Emily ?

— Jane, crois-tu vraiment que ça soit une bonne idée qu'elle te voie dans ton état actuel ?

Jane se laissa tomber dans le petit canapé de cuir près du mur faisant face à son bureau, sans avoir besoin de vérifier son expression pour savoir ce qu'il voulait dire.

— Je me sens un peu mieux ce matin. Je n'ai pas pris mes pilules et je crois que...

— Tu n'as pas pris tes pilules ? Pourquoi ? Est-ce que Paula a oublié de te les donner ?

— Non. Elle me les a données. C'est moi qui ne les ai pas prises. Je les ai cachées quand elle est sortie de la chambre.

— Tu les as cachées ? Jane, est-ce ainsi que se conduit une femme qui veut guérir ?

— Elles aggravaient mon état !

Michael s'était mis à marcher de long en large, visiblement déçu.

— C'est vrai, Michael, je me sentais si minable ces derniers temps, et la seule explication que je pouvais trouver c'est que, soit j'avais eu une attaque...

— Une attaque ?

Il la regardait à présent comme si elle avait totalement perdu l'esprit.

— Soit c'était le traitement qui me mettait dans ce terrible état. Peut-être que j'y suis allergique, je ne sais pas. Tout ce que je sais c'est que je n'ai pas pris les pilules ce matin et que je me sens beaucoup mieux. Je n'ai pas l'impression d'avoir la tête prise dans du béton. Ni de te parler du milieu d'un tunnel. Je t'en prie, ne sois pas fâché contre moi.

Il s'écroula sur le siège à côté d'elle.

— Jane, Jane, commença-t-il, lui prenant les mains, comment pourrais-je être fâché contre toi ? Bien sûr que je ne le suis pas. Je suis aussi déçu et embrouillé que toi. Tout ce que je veux c'est que tu ailles mieux, c'est retrouver ma femme, ma famille. Tu ne crois pas que ma fille me manque ? Que je donnerais tout pour qu'on soit à nouveau ensemble ?

— C'est ce que je veux, qu'on soit à nouveau tous ensemble.

— Alors tu dois suivre les instructions du Dr. Meloff. Tu dois prendre tes médicaments.

— Est-ce que je ne peux pas essayer de m'en passer pendant quelque temps ? Si je ne vais pas mieux d'ici quelques jours, alors je recommencerai à les prendre. C'est promis.

— Ça fait quelques précieux jours de gâchés.

Elle ne sut que répondre. Que signifiaient quelques précieux jours, d'une manière ou d'une autre ?

— Je suis désolé, disait-il. Je ne veux pas te compliquer les choses. Si tu crois que le traitement te rend malade, alors j'en parlerai au Dr. Meloff. Peut-être qu'il peut prescrire quelque chose d'autre. Et je crois qu'il serait temps maintenant d'essayer l'hypnose. Je vais voir si je peux organiser quelque chose.

On frappa timidement à la porte.

— Oui ? répondit Michael.

Rosie Fitzgibbons passa la tête par l'ouverture.

— Mr. Beattie m'a demandé de vous dire qu'il doit être de retour à son travail dans vingt minutes, et que si vous ne pouvez pas recevoir Stuart maintenant, il faudra qu'il prenne un autre rendez-vous.

— Ce ne sera pas nécessaire.

Michael se leva, défroissa sa blouse blanche.

— Je vais le recevoir tout de suite. Tu n'y vois pas d'inconvénient, Jane ?

Jane se mit aussitôt debout.

— Tu veux que je m'en aille ?

— Bien sûr que non. Ecoute, je pourrais essayer de rentrer déjeuner ? Nous pourrions alors continuer à discuter.

Il la raccompagna dans la salle d'attente. Paula n'était pas encore revenue de sa pause café.

— Rosie, voulez-vous vous occuper de ma femme en attendant le retour de Miss Marinelli ?

— Avec plaisir, Dr. Whittaker.

— A tout à l'heure, murmura Michael, embrassant Jane sur la joue puis se retirant dans son bureau avec Mr. Beattie et son fils (ou petit-fils ?), Stuart.

— Voulez-vous une tasse de café ou autre chose ?

— Non, merci.

Jane observa Rosie Fitzgibbons reprendre sa place derrière son bureau.

— Asseyez-vous donc et mettez-vous à l'aise.

Jane s'assit.

— Vous n'êtes pas obligée de me faire la conversation. Vous avez l'air très occupée...

— C'est-à-dire que je suis toujours occupée. Vous savez ce que c'est, à ce poste ! Vous nous manquez beaucoup. Quand allez-vous revenir ? Michael m'a dit que vous aviez une sorte de virus spécial...

— On ne sait pas très bien ce que c'est. Je dois avoir l'air horrible.

— Eh bien, je vous ai vue en meilleure forme, si je peux me permettre.

Le téléphone se mit à sonner. Rosie décrocha.

— Bureau du Dr. Whittaker. Non, je suis désolée. Il est avec un patient pour le moment. Je peux prendre votre nom et votre numéro et lui dire de vous rappeler plus tard. Un peu plus lentement, s'il vous plaît. Pouvez-vous l'épeler ? T-h-r-e-t-h-e-w-y ? Threthewy ? D'accord. Et le numéro. Oui, je l'ai. Il vous rappellera dès que possible. Merci.

Elle raccrocha, se retourna vers Jane, lorsque le téléphone sonna à nouveau.

— Ça n'arrête jamais.

— Je me souviens, mentit Jane.

Non, elle ne mentait pas — elle était en train d'*affabuler*.

— Bureau du Dr. Whittaker.

Jane quitta des yeux la réceptionniste hypermétrope pour s'intéresser à la petite fille qui pleurnichait sur les genoux de sa mère.

— Ça va aller, Lisa, disait la mère de l'enfant. Le Dr. Whittaker va juste vérifier que tout va bien. Il ne te fera pas mal.

— Je veux pas y aller.

La voix de l'enfant gagnait en force à chaque mot.

— On n'en a que pour cinq minutes. Pas d'aiguilles, je te promets. Là, pourquoi tu ne joues pas un petit moment avec le jeu de construction ?

La femme prit conscience du regard insistant de Jane. « Elle n'aime pas les médecins et tout ce qui les entoure. L'autre jour mon mari a dit qu'il voulait prendre quelques photos et elle s'est mise à hurler. Nous avons fini par comprendre qu'elle croyait qu'il allait la faire passer aux rayons X ! Je veux dire, c'est ce que nous disions toujours quand elle devait aller passer une radio, qu'on allait juste prendre quelques photos d'elle, alors elle a naturellement assimilé les deux. Une fois qu'on lui a expliqué qu'il s'agissait de deux choses différentes, on n'a plus eu de problèmes. Elle est devenue une vraie Cindy Crawford. »

CINDY CRAWFORD.

Jane regarda ses mains, se rappelant le très beau visage à l'air assuré qui lui avait souri depuis la couverture de *Cosmopolitan* juste avant qu'elle ne découvre que le devant de sa robe était couvert de sang.

Ce souvenir la fit bondir de sa chaise. Elle se précipita vers la porte sans savoir où elle allait. Ce n'est que lorsqu'elle sentit une douleur violente à la cheville qu'elle s'arrêta, baissant les yeux pour voir que l'aile du petit avion lui avait heurté la jambe, comme un serpent dans l'herbe. Elle se baissa pour le ramasser, et entendit des voix se précipiter autour d'elle.

— Jane, ça va ? Où alliez-vous ?

— Je suis désolée. Est-ce que j'ai dit quelque chose qui vous a contrariée ?

— Miss Marinelli va sûrement revenir d'une seconde à l'autre.

— Maman, je veux rentrer à la maison.

Jane regarda tour à tour l'avion dans ses mains, la petite Lisa par terre, la mère de l'enfant, à demi hors de son siège, Rosie Fitzgibbons debout derrière son bureau, le téléphone encore dans les mains.

— Vous devriez peut-être vous débarrasser de ces choses, dit Jane, montrant le modèle réduit d'avion, pensant à ce qui était arrivé à Michael. C'est dangereux.

— Il faut faire très attention où on met les pieds, par ici, acquiesça Rosie, raccrochant le téléphone et se rasseyant.

Jane parcourut des yeux la moquette usée.

— Vous vous en êtes bien sortis avec le nettoyage du sang.

— Du sang ?

A la mention de ce mot, Lisa revint rapidement vers les genoux de sa mère.

— Quand ce petit garçon a lancé l'avion à la tête de Michael. Il a dû y avoir beaucoup de sang pour nécessiter autant de points de suture.

Rosie Fitzgibbons eut l'air totalement perplexe.

— Je ne vous suis pas très bien...

La porte du bureau de Michael s'ouvrit et Stuart et son père (ou grand-père ?) sortirent. Presque en même temps, Paula arriva à grandes enjambées dans le bureau de réception, et Michael apparut auprès d'elle.

— Je rentre à la maison dès que je peux, murmura-t-il, puis il fit un clin d'œil. On préparera à déjeuner.

Jane sourit, levant les yeux vers son front, imaginant la rangée de points de suture cachés par les cheveux, convaincue que, en plus de sa mémoire, elle était à présent en train de perdre l'esprit.

15

Il était évidemment possible que l'incident ne se soit pas produit dans la salle d'attente, se dit Jane, vaguement consciente du paysage qui défilait. Paula conduisait très vite, comme pour diminuer le laps de temps pendant lequel sa voiture pourrait avoir un problème. Jane était impatiente de sortir de la vieille auto. Ses toussotements la rendaient nerveuse et son cœur bondissait au même rythme que le moteur. Elle aurait préféré sortir et marcher le reste du trajet, mais elle savait que Paula n'accepterait jamais, même si elles n'étaient plus qu'à quelques kilomètres de la maison. Peut-être que lorsqu'elles seraient revenues saines et sauves dans l'allée, Paula consentirait à une promenade dans le quartier avant le déjeuner. Elle se sentait plus forte. Il était tout à fait concevable que ses jambes soient en mesure de lui faire parcourir quelques pâtés de maisons.

Plus Jane y pensait, plus elle était convaincue que l'air frais lui ferait du bien — qu'il chasserait les dernières toiles d'araignée, qu'il donnerait à ses pensées tout comme à ses jambes la place nécessaire pour s'étirer. Juste en ce moment, des milliers d'idées disparates se pressaient aux frontières de son cerveau, s'opposant les unes aux autres, poussant d'un côté ou de l'autre sans jamais vraiment se rejoindre, comme des enfants qui se battent dans une cour de récréation. Elle avait besoin d'ouvrir les grilles, de laisser s'échapper ses pensées.

Et quelles étaient ces pensées, au juste ? Que son

mari avait menti quand il avait dit à Paula qu'il avait été frappé à la tête par un modèle réduit d'avion ? Que Paula avait inventé toute l'histoire pour protéger Michael ? Que c'était une sorte de complot mystérieux ? Ou peut-être que Michael avait vraiment été frappé par un petit avion, exactement comme il l'avait dit, sauf que l'incident ne s'était pas produit dans son bureau, du moins pas dans la salle d'attente — avait-il jamais dit que c'était arrivé dans la salle d'attente ? — mais ailleurs.

En quel autre endroit ? C'était dans la salle d'attente que se trouvait le coffre à jouets. Évidemment, l'un des enfants aurait pu emporter le modèle réduit dans le bureau et le lancer là. Sauf qu'il n'y avait pas de taches de sang non plus sur cette moquette. Elle s'en serait aperçue. Elle avait remarqué tout le reste : le mobilier, les livres, les photos. Il est vrai qu'elle ne pensait pas alors à sa blessure à la tête, mais elle aurait sûrement remarqué quelque chose d'aussi identifiable qu'une tache de sang.

Ou peut-être que l'incident ne s'était pas produit du tout.

Rosie Fitzgibbons n'avait pas l'air au courant de quoi que ce soit. Ses yeux étaient devenus aussi larges que ses verres de lunettes quand Jane avait abordé le sujet. « Je ne vous suis pas très bien », avait-elle dit. Manifestement elle ne savait rien d'un tel incident. A moins, bien sûr, qu'elle n'ait pas été à son bureau à ce moment-là. Ou qu'elle ait été absente ce jour-là. Il y avait toujours cette possibilité. Dieu sait s'il y avait d'innombrables possibilités.

Et la pire de toutes : qu'elle était vraiment en train de devenir folle. Qu'elle avait tout interprété de travers : les cicatrices, l'explication de Paula, la réaction de Rosie. Ça n'avait pas de sens. Plus rien dans sa vie n'avait de sens. En avait-elle jamais eu ?

Pourquoi Michael mentirait-il ? Dans quel intérêt ? Son esprit tournait frénétiquement en rond à la recherche de réponses. Il n'y avait qu'une explication possible : si Michael avait menti, il avait menti pour la protéger. Il savait ce qui s'était passé, ce qu'elle avait fait, et c'était quelque chose de si épouvantable, de si impardonnable, qu'il fallait l'en protéger. Avait-il été là ? Avait-il essayé de l'arrêter ? Etait-ce elle la responsable de la profonde balafre sur son front qu'il avait fallu recoudre avec près de quarante points de suture ? Etait-ce le sang de Michael qui recouvrait le devant de sa robe bleue ?

Elle suffoqua, son corps se tassant sur lui-même comme un accordéon.

— Qu'est-ce qu'il y a ? Vous avez envie de vomir ?

Le son de la voix de Paula chassa les images pénibles.

— Quoi ? Oh, non. Non.

Jane se remit dans une position plus appropriée, regardant par la vitre tandis que la voiture tournait dans Forest Street.

— J'étais juste en train de m'étirer, en train de faire un peu d'exercice. Elle ne mentait pas, se dit-elle. Elle était en train d'*affabuler*.

— Peut-être que nous pourrions marcher un peu.

— Je crois que vous en avez fait assez pour aujourd'hui.

— Juste un peu.

Paula gara la voiture dans l'allée.

— Nous n'avons vraiment pas le temps. Il faut que je m'occupe du déjeuner si le Dr. Whittaker revient.

— Vous n'êtes pas obligée de venir avec moi. Je suis sûre que je peux me débrouiller.

— Pas plus tard que ce matin vous pouviez à peine quitter votre lit.

— Mais je me sens beaucoup plus forte maintenant, et d'ailleurs je ne ferai que le tour du pâté de maisons.

— Et vous ne serez pas là quand votre mari reviendra spécialement pour déjeuner avec vous ?

— Juste quelques minutes, commença Jane, puis elle s'arrêta, reconnaissant une cause perdue tout aussi facilement qu'elle savait reconnaître du sang. Elle ouvrit la portière de la voiture et sortit.

Elle se dirigeait vers la porte d'entrée quand une voix masculine l'arrêta.

— Jane !

Elle se retourna, espérant voir Michael, décidée à courir vers lui et à le supplier de lui dire la vérité. Toutes ces suppositions la rendaient folle. Elle lui raconterait tout, l'argent et le sang, comme elle aurait dû le faire au début, et l'implorerait de faire de même. Je n'ai pas besoin de protection, lui dirait-elle. J'ai besoin de savoir ce qui s'est réellement passé. Mais à la place de Michael, elle vit un bel inconnu avec des cheveux châtain foncé et un sourire cordial lui faire signe depuis la pelouse de Carole. Etait-ce quelqu'un qu'elle était censée connaître ?

Avant que Paula n'ait pu l'arrêter, Jane s'écarta brusquement d'elle et traversa la route en courant, sous les yeux de Paula impuissante.

— Salut, lança Jane au personnage souriant qui s'avançait pour la saluer.

— Quel plaisir de vous voir, dit-il en se rapprochant.

Son sourire se figea peu à peu et sa voix s'assombrit.

— Est-ce que vous allez bien ? Vous n'avez pas l'air très en forme.

Qui que ce fût, Jane lui était reconnaissante de minimiser la réalité.

— J'ai été malade. Mais je vais mieux.

— Rien de grave, j'espère.

Ses yeux lui indiquaient qu'il craignait le contraire.

— Juste un de ces virus mystérieux, lui dit Jane, se rappelant ce que Michael avait dit à sa réceptionniste. Je suis en voie de guérison.

Avec qui était-elle en train de parler ? Qui était cet homme et pourquoi se préoccupait-il de savoir comment elle se sentait ?

— Je suppose que vous n'avez pas beaucoup couru, ces temps-ci.

— Couru ? Non, je n'ai pas eu très envie de courir, c'est certain.

Courir très loin, peut-être, pensa-t-elle, mais elle n'en dit rien.

— C'est la première fois que je suis sur pied depuis plus d'une semaine.

— Eh bien, j'ai vraiment de la chance d'être là aujourd'hui. A vrai dire, je n'ai pas beaucoup couru moi non plus, avoua-t-il, essayant manifestement de faire durer la conversation. Pourtant je commence à m'y remettre. (Il regarda ses pieds.) Je suppose que c'est toujours dur de recommencer.

Enfin un énoncé auquel elle pouvait s'identifier !

Ainsi, ça doit être mon ancien compagnon de jogging, l'ex-mari de Carole, Daniel, réalisa-t-elle, le considérant sous un jour nouveau. Et pas simplement un charmant inconnu s'enquérant de sa santé, mais l'homme qui avait abandonné femme et enfants, sans parler du beau-père et du chien, au profit d'un jogging définitif le long de l'ancien Freedom Trail. Un homme ayant le courage de réussir là où elle avait échoué, le courage de se créer une vie totalement nouvelle.

— Et alors, comment ça se passe pour vous... Daniel ?

— Oh, vous n'allez pas devenir protocolaire avec moi, non ?

Il avait l'air presque abattu.

— Bon, je sais que Carole préfère Daniel, et vous avez sans doute beaucoup parlé avec Carole ces derniers temps, mais est-ce que ça veut dire que vous devez m'appeler Daniel vous aussi ? Vous ne pourriez pas m'appeler simplement Danny, comme d'habitude ?

Jane ravala son erreur, puis sourit.

— Danny, répéta-t-elle.

— C'est mieux. En entendant « Daniel » sortir de votre bouche, j'ai eu peur que vous ne vous soyez mise à me détester.

— Je ne pourrais jamais vous détester.

Etait-ce vrai ? D'une certaine façon, elle savait que oui.

— Eh bien, je peux vous le dire, le divorce vous permet de savoir qui sont vos amis. Vous ne pouvez pas savoir combien de nos soi-disant amis m'ont totalement laissé tomber après la rupture. Des gens sur qui je croyais pouvoir compter, dont je croyais qu'ils s'arrangeraient pour trouver un peu de place dans leur vie pour

Carole et pour moi, mais j'attendais sans doute beaucoup trop.

— C'est dur.

L'était-ce ?

— Je me suis quand même senti très coupable vis-à-vis de vous, dit-il, et Jane se surprit à essayer de s'insinuer à l'intérieur de ses yeux bleus opaques. J'aurais pu au moins vous dire au revoir.

Jane ne dit rien, craignant de laisser voir son ignorance si elle exprimait une opinion. Apparemment Carole ne lui avait rien dit de son état. Elle se demanda si elle devait le lui dire.

— J'ai voulu vous appeler au moins une demi-douzaine de fois, poursuivit-il de lui-même, prenant son silence comme une invitation à continuer. Mais je suppose que j'avais l'impression qu'on s'était déjà dit au revoir. Tous ces matins où je me suis épanché auprès de vous. Toutes ces fois où vous m'avez écouté gémir sur ma vie. Vous saviez ce que j'étais en train de traverser. (Il se tut un moment.) Et je savais que vous aviez une idée très précise de mes sentiments pour vous. (Une autre seconde de silence.) Qu'y avait-il de plus à dire ?

Il mit ses mains dans les poches de son pantalon, puis les retira aussitôt, les tendit vers elle, les passa sur ses bras nus, la toucha.

— Et pourtant je ne crois pas vous avoir jamais dit combien vous comptiez pour moi, combien vous m'aidiez. Je sais que vous n'étiez pas d'accord avec la façon dont j'ai finalement traité les choses mais, au moins, vous ne m'avez jamais jugé. C'est une attitude que j'ai beaucoup appréciée. Et que j'apprécie toujours.

Il s'interrompit, comme s'il voulait choisir soigneusement ce qu'il allait dire ensuite.

— Vous m'avez manqué, commença-t-il. Je pense beaucoup à vous. Je me demandais souvent si vous aviez continué à aller courir sans moi ?

Il la regarda attentivement, le visage empreint d'inquiétude.

— Je suis vraiment désolé d'apprendre que vous avez été malade.

— A vrai dire c'est un peu plus que ça.

— Que voulez-vous dire ?

Jane haussa les épaules, se demandant par où commencer, quand elle aperçut la porte d'entrée de la maison de Carole qui s'ouvrait et le fils de Daniel, Andrew, sortant avec un gros sac de couchage roulé sous un bras et un sac de bivouac en toile sous l'autre. Jane secoua la tête, décidant que ce n'était pas le meilleur moment pour des confessions approfondies.

— Vous allez quelque part avec Andrew ? demanda-t-elle à la place.

— Je le conduis à son camp.

Ils regardèrent tous deux Carole sortir derrière son fils.

— Elle passe toute la journée à lui crier après, et ensuite elle ne peut supporter de le laisser partir, fit observer Daniel, et Jane ne savait pas s'il parlait d'Andrew ou de lui-même.

— Et Celine ?

— Elle est partie samedi.

— Ils ne vont pas au même camp ?

— Non. Celine va au Manitou. Vous ne vous souvenez pas ? C'est vous qui nous l'avez recommandé.

Jane sentit son corps se couvrir de sueur.

— Bien sûr. Je ne sais pas à quoi je pensais.

Les yeux bleu foncé de Daniel se plissèrent d'inquiétude et sa main recommença à lui caresser le bras.

— Ça va ? Vous êtes devenue aussi blanche qu'un spectre. Peut-être que vous devriez retourner au lit.

— Non, je vais bien.

Retourner au lit était bien la dernière chose que voulait Jane.

— Je pense que je suis encore un peu faible, c'est tout.

Il lui fallait apprendre à en dire le moins possible lors de ces rencontres avec des inconnus de son passé. Plus elle se tairait, plus ils se dévoileraient, plus elle en apprendrait, et moins elle ferait d'erreurs.

— Où est-ce que je mets ces trucs, Papa ?

Andrew était déjà près de la voiture de son père.

— Salut, Mrs. Whittaker.

— Bonjour, Andrew, dit Jane doucement.

— Je crois qu'il y a de la place dans le coffre. Sinon, étends-les sur le siège arrière.

— C'est ta nouvelle philosophie de la vie, hein ? demanda Carole, rejoignant Jane et Daniel sur la pelouse, la voix coupante comme un rasoir. Les étendre sur le siège arrière ?

Jane se détourna, se sentant embarrassée et même un peu coupable, tout en ne sachant pas pour quelle raison. Elle regarda Andrew ouvrir le coffre et y mettre ses sacs, agitant perpétuellement bras et jambes, comme s'il était davantage un personnage de dessin animé qu'un vrai garçon. Est-ce que tous les adolescents étaient si affairés ?

— Tu ne crois pas qu'on pourrait laisser tomber les sarcasmes quelques minutes ?

La voix de Daniel était moins forte que celle de Carole, bien que tout aussi furieuse.

Jane ne souhaitait pas se retrouver au milieu d'une querelle de famille. Peut-être que c'était maintenant le bon moment pour se retirer. Peut-être qu'elle irait se reposer un peu avant l'arrivée de Michael.

— Je crois que je devrais m'en aller...

— Vous n'allez pas laisser une petite tension conjugale vous faire peur, n'est-ce pas ?

La voix de Carole était chargée de défi.

— Eh bien, je me sens encore un peu faible...

— Je sais. Vous en avez vu de dures.

Il y avait dans la voix de Carole une méchanceté sous-jacente que Jane n'avait jamais entendue auparavant. C'était comme si sa colère contre Daniel rejaillissait sur n'importe quoi et n'importe qui se trouvant dans le voisinage immédiat.

— C'était si gentil à vous de sortir de votre lit de malade pour dire bonjour. Je parie que vous avez passé toute la semaine à guetter la venue de Daniel depuis la fenêtre de votre chambre.

— Jane venait juste d'arriver chez elle quand je suis sorti de la maison, expliqua Daniel.

— Comme c'est merveilleusement commode ! Mais vous avez toujours réussi à arranger les choses à votre convenance, non ?

Jane ne savait pas très bien si la question s'adressait à elle ou à Daniel.

— Carole, est-ce vraiment nécessaire ?

— N'est-ce pas formidable d'avoir toujours quelque part où s'échapper ?

— Ecoute, Carole, je ne sais pas ce qui te fait exploser, mais dans une minute tu ne m'auras plus sur le dos et tu ne me verras plus jusqu'à l'automne.

— Du moment que j'ai mon chèque chaque mois.

Les épaules de Daniel s'affaissèrent en signe de défaite. Jane pouvait sentir des désirs contradictoires — répliquer, laisser courir, attaquer, calmer — vibrer à travers son corps. Il s'apprêtait à dire quelque chose quand Andrew intervint depuis la voiture.

— Viens, Papa, allons-nous-en.

— La voix de la raison, fit observer Daniel, se tournant vers Jane. Prenez bien soin de vous.

— Oh, vas-y, embrasse-la, pour l'amour de Dieu. Je ne voudrais pas t'en empêcher, cracha Carole, les bousculant pour se diriger vers la voiture, où elle serra dans une dernière étreinte son fils qui ne tenait pas en place.

— Appelez-moi si vous avez besoin... de quoi que ce soit, dit Daniel.

— Merci, commença Jane. Je le ferai peut-être.

— J'en suis sûre, interrompit Carole, s'écartant de la voiture. Jane a de gros besoins ces jours-ci, n'est-ce pas, ma chère ?

Daniel hocha la tête sans un mot et s'installa au volant de sa voiture. Jane les regarda quitter l'allée et s'engager dans la rue, Daniel agitant la main une dernière fois. Jane fixa la voiture des yeux jusqu'à ce qu'elle disparaisse et, même après, elle hésita à se retourner. Elle sentait le regard de Carole, aussi brûlant qu'un laser, lui embraser le dos, l'hostilité s'étendre sur elle comme une couche d'acide, lui carbonisant la peau.

— Il y a quelque chose qui ne va pas ? demanda Jane,

trouvant le courage de faire face à la femme qu'elle avait crue son amie.

Carole répliqua par un rire cassant et amer :

— Vous me prenez pour une idiote.

— Pas du tout. Je ne sais pas de quoi vous parlez.

— Oh, oui, j'avais oublié — vous oubliez ! Comme c'est pratique !

— Je vous en prie, vous ne voulez pas me dire ce qui vous tracasse ? Vous avez l'air tellement en colère contre moi.

— Quelle raison valable pourrais-je avoir d'être en colère après vous ?

— Je ne sais pas.

— Vous ne savez pas.

— Non, vraiment. Vous n'étiez pas en colère après moi la dernière fois que nous avons discuté. Du moins, je ne pensais pas que vous l'étiez.

— Vous ne vous rappelez pas ?

— Je me rappelle que je croyais que nous étions amies.

— C'est drôle. C'est ce que moi, je croyais.

— Alors que s'est-il passé ? Est-ce que ça vous a contrariée de me voir parler avec Daniel ?

— Pourquoi est-ce que ça devrait me contrarier ?

— Je ne sais pas. Peut-être que vous avez éprouvé un sentiment de trahison.

— Trahison. Très intéressant choix de mots, vous ne trouvez pas ?

— Je ne sais pas quoi penser. J'aimerais que vous cessiez de me parler par énigmes.

— Vous n'aimez pas les énigmes ? C'est bizarre. Je croyais que les gens qui aimaient faire des manigances appréciaient en général les énigmes. Ça vous montre simplement, je suppose, qu'en fait on ne connaît personne aussi bien qu'on le croit.

— Je vous en prie, dites-moi ce que vous pensez que j'ai fait.

— Oh, je ne fais pas que le penser. Et croyez-moi, il n'y a rien qui me plairait autant que de vous le dire. Simplement j'ai fait une promesse et, à l'inverse de certains dont je pourrais dire le nom, mes engagements ont pour moi de la valeur.

— Vous avez fait une promesse à qui ? A propos de quoi ?

— Carole ! Carole, viens ici, cria une voix âgée pleine de terreur.

Le père de Carole apparut sur le seuil de la maison, gesticulant dans tous les sens.

— Il y a le feu. Il y a le feu dans la cuisine !

Carole se précipita vers la maison, manquant de trébucher sur le chien qui était sorti en courant et aboyait furieusement.

— Dégage, J.R., hurla-t-elle, disparaissant à l'intérieur tandis que le détecteur de fumée commençait à retentir.

Jane réagit instinctivement, courant vers la maison derrière Carole. S'il y avait le feu, elle pourrait peut-être apporter son aide. Paula ressentit manifestement la même chose parce qu'elle se retrouva juste derrière Jane, les deux femmes se guidant sur les volutes de fumée grise pour pénétrer dans la cuisine.

Carole était déjà près de la cuisinière, tentant, au moyen du petit extincteur qui se trouvait sur le côté du plan de travail, d'éteindre les flammes qui jaillissaient de la poêle, mais sans grand succès. Jane attrapa le couvercle de la poêle et le jeta sur celle-ci. Les flammes jaillirent dans un dernier sursaut de protestation avant de mourir.

— Seigneur, Papa, qu'est-ce que tu avais l'intention de faire ? Nous faire brûler ?

— Je voulais des œufs brouillés.

— Si ton cerveau est brouillé, ça ne veut pas dire que tu peux faire des œufs brouillés ! Tu n'as pas fait assez de dégâts ici sans avoir à noircir le plafond ? Regarde-moi ça, cria-t-elle, montrant plusieurs taches sur le plan de travail. Tous ces souvenirs de ton grand art culinaire ! Si tu voulais des œufs brouillés, pourquoi tu ne me l'as pas demandé ?

— Parce que tu m'aurais dit que je venais de manger, voilà pourquoi ! répliqua le vieil homme d'une voix forte qui couvrait les hurlements du chien et la sonnerie continue de l'alarme.

— Je pourrais lui faire des œufs brouillés, proposa Jane.

— Vous êtes très aimable, dit le vieil homme sur un ton de reconnaissance qui faisait pitié.

— Il n'en est pas question.

Le téléphone sonna, interrompant les paroles furieuses de Carole.

— Oui, bonjour, dit-elle d'un ton brusque. Non, il n'y a pas de feu. Tout est en ordre. C'était juste mon père qui essayait d'ajouter quelques cheveux gris à ma collection. Merci d'avoir appelé.

Carole reposa l'appareil.

— C'est une bonne chose que le service de surveillance se renseigne avant d'envoyer les pompiers.

Elle regarda Jane fixement, ignorant son père, Paula, les aboiements du chien et la sonnerie de l'alarme.

— Vous pouvez rentrer chez vous maintenant. Le spectacle est terminé.

— Je vous en prie, dites-moi ce que j'ai fait pour vous contrarier à ce point.

— Rentrez chez vous, Jane, répéta Carole. Je ne veux pas faire quelque chose que je regretterais.

— Comme quoi ?

— Comme de vous dire ce que je pense vraiment de vous.

La colère de Carole s'embrasa, puis s'évanouit brusquement.

— Je croyais que vous étiez mon amie, nom d'un chien.

— Moi aussi je le croyais.

Carole se mit à marcher de long en large dans la pièce remplie de fumée, le chien et son père s'écartant tous deux du trajet de ses furieuses enjambées.

— Je me sens tellement crétine. Je crois que c'est ça le pire. De n'avoir jamais rien soupçonné. De n'en avoir jamais eu la moindre idée.

— Idée de quoi ?

— Oh, faites pas chier, cessez de faire l'innocente,

OK ? Je sais tout de votre liaison avec mon mari ! Je sais tout.

— Ma liaison avec votre mari ? Qu'est-ce que vous dites ?

Jane ne pouvait en croire ses oreilles. Elle avait sûrement mal entendu. « Non ! » Ça n'était pas possible.

— Pendant tout le temps où je pleurais sur votre épaule, toutes ces matinées où je m'épanchais auprès de vous, vous vous moquiez de moi. Après coup, ça vous a bien fait ricaner, Daniel et vous ?

— Ça n'a aucun sens, implora Jane, cherchant un soutien auprès de Paula mais ne voyant que dégoût dans son expression.

— Au contraire, tout ça est parfaitement clair pour moi.

— Je crois qu'on devrait partir, maintenant, dit Paula. Le Dr. Whittaker va bientôt rentrer.

Etait-ce vrai ? Avait-elle eu une liaison avec le mari de sa voisine ? Daniel avait fait allusion à ses sentiments vis-à-vis d'elle. Etait-il possible que ces sentiments soient réciproques ? Qu'ils aient agi en conséquence ? Sa conscience l'avait-elle amené insidieusement à avouer toute cette vilaine affaire à sa femme ? Venait-il juste d'en révéler les détails sordides quand Paula et elle étaient arrivées ? Fallait-il y voir la raison du brusque changement dans l'attitude de Carole vis-à-vis d'elle ?

Se pouvait-il que Daniel soit la source de tous ses problèmes ? Que Michael ait tout compris ? Qu'il les ait découverts ensemble ? Y avait-il eu une bagarre ? S'était-elle déchaînée contre lui ? L'avait-elle frappé à la tête avec le premier objet venu ? Avait-elle tenté de tuer son mari parce qu'elle avait une liaison avec un autre homme ? Cette liaison était-elle réelle, ou le produit de l'imagination débordante de Carole ?

Qu'est-ce qui était réel et qu'est-ce qui ne l'était pas, pour l'amour du ciel ?

Se trouvait-elle réellement au milieu d'une cuisine remplie de fumée avec une sirène hurlant autour d'elle, un chien aboyant à ses pieds, un vieil homme près d'elle qui réclamait des œufs brouillés, une femme de ménage outragée à sa droite qui l'envoyait silencieusement se faire damner en enfer, et une voisine devenue à moitié folle qui venait de l'accuser de coucher avec son mari, liaison dont elle ne pouvait se souvenir, avec un homme avec lequel elle venait de passer près de dix minutes à bavarder agréablement ? Sur la pelouse même de sa voisine, avec son fils qui attendait dans la voiture ! Est-ce que c'était ça la réalité ? Jane Whittaker — *voilà votre vie !* Pas étonnant qu'elle se soit enfuie. Pas étonnant qu'elle n'en veuille plus.

— Comment le savez-vous ?

C'est la question que Jane s'entendit poser.

— Je le sais.

Carole s'écroula sur une chaise de cuisine.

— Michael le sait aussi.

— Oh, mon Dieu.

— Il m'a fait promettre de ne rien vous dire avant que vous n'alliez mieux.

Elle secoua la tête, feignant l'étonnement.

— Je ne sais pas comment vous faites. Un jour il faudra que vous me disiez votre secret. Vous traitez les hommes comme de la merde, et ils se mettent en quatre pour s'assurer que tout va bien pour vous. Il doit falloir un don spécial. Peut-être qu'un jour vous écrirez un livre.

— Je suis tellement désolée, marmonna Jane. Il faut me croire quand je vous dis que je ne me souviens de rien de tout ça.

— Oh, je vous crois. Faire l'amour avec Daniel était loin d'être inoubliable. Si vous m'aviez demandé, je vous aurais évité de perdre votre temps. Maintenant, j'aimerais vraiment que vous sortiez de chez moi avant que je n'essaie sérieusement de vous tuer.

Jane se mordit violemment la lèvre inférieure pour s'empêcher de crier et laissa Paula l'emmener hors de la maison. Tandis que la porte d'entrée se refermait derrière elles, Jane entendit le père de Carole qui demandait si c'était l'heure de manger.

— Non ! hurlait Jane en se précipitant dans les escaliers jusqu'à sa chambre. Non, c'est pas possible !

— Essayez de vous calmer avant le retour du Dr. Whittaker, suppliait Paula, courant derrière elle.

« Quel genre de femme suis-je donc ? Quel genre de femme trompe un homme comme Michael avec le mari de sa voisine ? » Jane attendait que Paula lui fournisse une réponse, et comme rien ne venait — attendait-elle réellement des réponses de la part de Paula ? —, elle courut dans sa chambre et se mit à taper du poing sur son image dans le miroir. « Qui es-tu, merde ? Qu'est-ce que t'as foutu comme bordel dans ta vie ? Avec qui d'autre as-tu fait des conneries ? Combien d'autres liaisons ? Combien d'autres types dont Michael est au courant ? »

— Je vais chercher vos médicaments.

— Je ne veux pas de médicaments. Tout ce que je veux, c'est foutre le camp d'ici !

Jane lança un regard furieux à son reflet. « Je ne veux plus savoir qui tu es ! » Jane frappa son image effrayée avec la paume de sa main. « Je ne veux plus rien me rappeler de toi. Je veux juste partir le plus loin possible de toi, comme j'ai essayé de le faire avant. Sauf que cette fois, je le ferai correctement. » Elle ouvrit violemment les portes de son placard tandis que Paula se précipitait en bas. « Il faut que je m'en aille d'ici. Que je foute le camp de tout ça. Il faut que je foute le camp. »

Elle s'agrippa frénétiquement, et sans raison, aux vêtements du placard, les arrachant de leurs cintres, les éparpillant dans la chambre. L'un après l'autre les chemisiers furent ôtés de leurs cintres, puis déchirés et jetés. Ce fut ensuite le tour des jupes et des robes, puis des pantalons. Elle ouvrit tous les tiroirs et les vida un par un, lançant à terre les foulards et les chemises de nuit, piétinant délibérément les sous-vêtements, donnant des coups de pied dans les étoffes délicates. « Saloperie », hurlait-elle, attrapant sa chemise de nuit de coton blanc, pour essayer de la déchirer en petits morceaux. « Rien de tout ça n'est à moi. Rien de tout ça n'est ce que je suis ! »

214

L'instant d'après elle était à quatre pattes, fouillant dans les coins éloignés du placard, écrasant ses chaussures au passage, arrachant de leurs cintres les quelques vêtements qui restaient. « Saloperie », criait-elle. « Saloperie, va te faire foutre, qui que tu sois ! Tu m'entends ? Je veux plus rien avoir à faire avec toi. T'es cinglée ! Rien qu'une foutue lunatique ! » Elle donnait des coups de pied dans ses chaussures, les regardant sauter en l'air. Puis elle se remit debout et se dressa sur la pointe des pieds pour atteindre l'étagère du haut qui faisait toute la longueur du placard, une étagère pleine de vieux pulls et chapeaux, de valises et de boîtes. De la main elle balaya tout d'un seul geste, envoyant chaque objet s'écraser sur le sol. « C'est comme ça que les cinglés font le ménage », gloussait-elle, et un carton lui tomba sur la tête avant de rebondir par terre. Elle regarda son contenu s'éparpiller, un sac à main bleu marine atterrit à ses pieds.

Tout s'arrêta. Elle était aussi immobile à présent qu'elle avait été frénétique quelques secondes auparavant. Avec une lenteur délibérée, elle se mit à genoux et prit dans ses mains le sac abandonné. Retenant son souffle, sans pourtant savoir pourquoi, elle ouvrit le sac d'un claquement sec et en retira quelques vieux Kleenex, des clés de voiture, des clés de maison et un portefeuille bordeaux. Jane l'ouvrit et en examina le contenu.

Tout était là : son permis de conduire ; sa carte de sécurité sociale ; ses cartes de crédit. Son identité. Cachée dans un carton dans le haut de son placard. Pourquoi ? Si elle avait eu l'intention d'aller chez son frère à San Diego, n'aurait-elle pas emporté ces choses avec elle ? Etait-il logique qu'elle prenne l'avion pour la Californie sans aucun papier d'identité ? Qu'elle quitte la maison sans son sac ?

A moins qu'elle n'ait jamais eu l'intention d'aller voir son frère. Mais alors pourquoi Michael lui avait-il dit ça ? Pourquoi aurait-il raconté cette histoire aux médecins et aux policiers ? Pourquoi aurait-il menti ? Etait-il encore en train de vouloir la protéger ?

Ou se protéger, lui ?

« Maintenant je sais que tu es folle », murmura-t-elle, incapable d'accepter ces brusques soupçons. « T'es devenue complètement dingue. »

Elle se tourna vers la porte et vit Michael et Paula, côte à côte, exprimant un mélange de crainte et d'inquiétude.

— Qu'est-ce qui se passe ici, Michael ? demanda-t-elle, montrant le contenu de son sac.

— Ne bouge pas, lui dit Michael tandis que Paula lui saisissait le bras et le tenait fermement.

— Non, je vous en prie... cria Jane, mais c'était trop tard. L'aiguille avait déjà transpercé sa peau et le produit s'écoulait rapidement dans ses veines.

16

Jane sortit d'un rêve où elle tenait en échec un groupe de skinheads nazis grâce à un des animaux en peluche de sa fille. Elle transpirait et avait des nausées. Son bras lui faisait mal, et pendant quelques minutes ses yeux refusèrent de s'ouvrir. Elle parvint enfin à soulever ses paupières, puis dut les refermer lorsqu'elle vit la pièce tourner autour d'elle.

Pas de panique, criait-elle en elle-même tout en s'affolant. Tout ira bien. N'était-elle pas en sécurité chez elle dans son propre lit ? N'avait-elle pas le mari le plus fantastique du monde pour s'occuper d'elle ?

Pouvait-elle réellement l'avoir trompé ?

« Non », gémit-elle tout haut. « Je n'ai pas fait ça. Je n'aurais pas pu. » Je ne sais peut-être pas qui je suis, mais je sais que je n'ai pas eu de liaison. Je suis peut-être capable de commettre un meurtre, mais je ne suis pas capable de tromper mon mari.

Est-ce que tout ça a un sens ?

Est-ce que ça a un sens que Carole mente ? Quelle raison aurait-elle à ça ?

Même avec les yeux étroitement fermés, Jane pouvait sentir que sa tête lui tournait. Elle était convaincue que la fureur de Carole était authentique. Sa colère était trop réelle pour être feinte. Pourtant, jusqu'à quel point connaissait-elle Carole ? Et n'était-ce pas Carole qui avait fait remarquer qu'on ne connaît jamais vraiment quelqu'un ?

Elle ne peut pas être une aussi bonne actrice, se dit Jane. Cependant, lorsque Carole était venue voir Jane la première fois chez elle, puis lorsque Jane lui avait à son tour rendu visite, Carole s'était montrée amicale et ouverte, toute prête à apporter son aide. Elle n'avait exprimé ni ressentiment ni colère. Et en tout cas pas d'hostilité. Ce qui voulait dire qu'elle n'avait dû avoir connaissance de la duplicité de Jane que récemment. Soit Daniel avait avoué leur liaison, poussé par un malencontreux sens de la loyauté, soit quelqu'un d'autre le lui avait dit. Qui ?

Jane connaissait la réponse sans avoir à former le mot ou prononcer le nom. Carole lui avait dit que Michael était au courant de cette liaison, qu'il lui avait demandé de ne pas affronter Jane tant que celle-ci ne serait pas totalement rétablie. Il allait de soi que c'était aussi Michael qui le premier avait parlé à Carole de tout ça.

Jane se débattit pour se rappeler quand ça avait pu se passer. N'avait-elle pas vu Michael et Carole ensemble un matin ? Ne les avait-elle pas observés depuis la fenêtre, en train de parler à voix basse sur la pelouse de Carole, J.R. tirant sur sa laisse à côté de sa maîtresse ? Oh, mon Dieu, murmura Jane, se tournant sur le côté puis se remettant sur le dos en sentant des élancements dans le bras. Pourquoi Michael irait-il raconter à Carole quelque chose d'aussi destructif ?

Peut-être qu'il en avait simplement eu assez de porter ce poids tout seul. Ou peut-être que son objectif était de brouiller les deux femmes. Mais pourquoi ? Que pouvait lui dire Carole que Michael ne voulait pas qu'elle sache ?

Et si Michael avait vraiment été celui qui avait révélé à Carole la prétendue liaison de Daniel avec Jane, de deux choses l'une : soit Michael disait la vérité, soit il mentait. Il avait déjà menti à propos de sa blessure à la tête et à propos de la visite de Jane chez son frère. *Ne me demande pas de secrets, je ne te dirai pas de mensonges.* Quels secrets ? se demanda Jane. Combien de mensonges ?

Jane écarquilla les yeux de peur. Il y avait une autre

éventualité, réalisa-t-elle en regardant les lithographies de Chagall sur le mur d'en face qui prenaient vie et s'approchaient d'elle en dansant : les violonistes qui étaient la tête en bas se remettaient soudain dans l'autre sens, les mariés se balançaient d'avant en arrière au rythme de la musique qu'eux seuls pouvaient entendre. L'éventualité que Michael et Paula et Carole participent à un vaste complot, qu'ils soient tous liés dans cette histoire. Oh, génial, une conspiration, se dit Jane en frottant son bras douloureux, se sentant stupide et mélodramatique. Où donc était passé Robert Ludlum quand on avait besoin de lui ?

La vérité était vraisemblablement beaucoup plus simple : elle était complètement cinglée.

Jane perçut des élancements dans le creux de son bras gauche. La peau à cet endroit laissait voir un vilain bleu. Elle passa doucement les doigts autour de la zone colorée, rapprocha son bras de ses yeux, se rappelant la piqûre de l'aiguille tandis que Paula lui tenait le bras bien droit pour que Michael lui administre le sédatif. Combien de fois l'aiguille lui avait-elle piqué le bras depuis cet instant ? Combien de jours avaient passé ? Combien de temps l'avaient-ils gardée sous calmants ?

Elle fit un effort pour se mettre debout, luttant contre l'envie de vomir, s'agrippant aux colonnes du lit tandis qu'elle rampait à moitié vers la porte de la salle de bains. La voix de Paula parvenait jusqu'à elle depuis la cuisine. Etait-elle en train de parler avec Michael ? Jane s'efforça de saisir des bribes de la conversation, mais comme la voix de Paula était la seule qu'elle entendît, elle en conclut que celle-ci devait être en train de parler au téléphone. A moins qu'elle ne parle toute seule, se dit Jane, et elle fut sur le point de rire. Peut-être que c'était la maison qui les rendait tous fous. Peut-être qu'elle n'avait pas été correctement isolée et qu'une intoxication à l'amiante était en train de les rendre tous dingues.

Se cramponnant à la main courante, sentant le soleil lui tomber sur le dos depuis la lucarne au-dessus d'elle, Jane se dirigea vers le bureau de Michael, se demandant un bref instant ce qu'elle était en train de faire lorsqu'elle s'effondra dans le fauteuil derrière le bureau et souleva précautionneusement le téléphone pour le porter lentement à son oreille.

« … une semaine qu'elle a ces cauchemars », disait Paula. « Quoi ? Tu veux me faire croire que je n'ai jamais fait de cauchemars quand j'étais petite ? »

La femme à l'autre bout du fil dut marmonner quelque chose.

Le silence qui suivit était tellement chargé d'hostilité que Jane retint sa respiration. « OK, toi tu étais la mère parfaite et pas moi », concéda Paula amèrement. « Mais je n'ai pas les moyens de rester toute la journée à la maison pour m'occuper d'elle. Ses cauchemars vont cesser un jour ou l'autre. C'est une gosse, nom de Dieu. Tous les gosses font des cauchemars.

« Maman, qu'est-ce que tu veux, hein ? Tu veux la mettre au lit quelques heures, bon. Fais-le. Alors elle ne voudra pas dormir le soir. Au moins elle n'aura pas de cauchemars. C'est ça ? D'accord, écoute, il faut que j'y aille. Il faut que je me mette à préparer le dîner. »

Le dîner ? Jane jeta un coup d'œil à la pendule sur le bureau de Michael en reposant soigneusement l'appareil sur son support. Il était quatre heures passées. De quel jour ? Combien de jours avait-elle manqués ?

Elle fixa le téléphone, entendant Paula qui s'affairait dans la cuisine. Combien de ses amis avaient essayé de l'appeler au cours des dernières semaines ? Combien s'étaient entendu dire qu'elle était partie voir son frère à San Diego ?

Son frère ! Elle se leva brusquement, se cognant les genoux contre la table, et entendit un cri involontaire s'échapper de ses lèvres, puis resta complètement immobile. Est-ce que Paula avait entendu ? Elle se cramponna aux bords du bureau pour ne pas tomber, le cœur battant tellement fort qu'elle avait peur de s'évanouir. Son frère, répéta-t-elle, s'appuyant contre le mur en se traînant vers sa chambre. Elle se rappela tout à coup comment elle avait saccagé son placard, comment elle avait trébuché sur son sac, trouvé son permis de conduire et ses cartes de crédit, toutes les choses qu'elle aurait certainement emportées avec elle pour un voyage lointain.

Elle pénétra en titubant dans sa chambre, s'attendant à moitié à voir le désordre qu'elle avait fait, à trouver ses vêtements éparpillés partout, mais la chambre était propre et rangée. Il n'y avait plus trace de sa crise de rage. Elle s'approcha du placard et ouvrit silencieusement les portes recouvertes de miroirs.

Ses vêtements étaient soigneusement suspendus à leur place. Rien n'avait l'air d'avoir été dérangé. Les chaussures qu'elle se souvenait avoir lancées ici et là se tenaient sagement côte à côte ; les pulls qu'elle avait jetés à travers la pièce étaient proprement empilés l'un sur l'autre. Les tiroirs qu'elle avait vidés étaient bien remplis et parfaitement rangés. Les vieux chapeaux et sweat-shirts s'alignaient sur l'étagère au-dessus de sa tête. La seule chose qui manquait était le carton qui était tombé, s'était ouvert pour laisser apparaître son sac qui, à son tour, avait déversé ses cartes de crédit et son permis de conduire. Ce carton avait-il jamais existé ? Se pouvait-il qu'elle ait imaginé tout cet épisode ?

Ou se pouvait-il que Michael lui ait menti depuis le début ?

Michael avait dit à la police que la raison pour laquelle il n'avait pas signalé la disparition de sa femme était qu'il la croyait chez son frère à San Diego. Il avait dit à Jane qu'elle avait voulu faire une visite-surprise, et que c'est pour ça que son frère ne s'était pas inquiété de ne pas la voir arriver. Il avait déclaré avoir téléphoné pour dire que tout allait bien. Mais son frère pouvait-il être vraiment rassuré par quelques paroles bien choisies ? Les fugues hystériques ne se produisent pas si fréquemment, même en Californie. Est-ce qu'il était logique que son unique frère se montre aussi indifférent devant quelque chose d'aussi grave qu'une perte totale de la mémoire ? Qu'il n'ait pas insisté pour prendre l'avion et venir la voir ? Au moins, qu'il n'ait pas appelé ? Et s'il avait vraiment appelé, si on lui avait dit à chaque fois qu'elle était en train de dormir ou mal en point, ou incapable de répondre au téléphone, est-ce que ça ne l'aurait pas inquiété encore davantage ?

Il y avait un moyen facile de le savoir, réalisa-t-elle en entendant les pas de Paula dans l'escalier. Tout ce qu'elle avait à faire, c'était de l'appeler.

Elle se glissa dans son lit et ferma les yeux, faisant semblant de dormir, juste au moment où Paula atteignait la porte. Jette juste un coup d'œil sur moi et va-t'en, l'exhorta Jane en silence, sentant la jeune femme s'approcher de son lit. Tu vois, je dors. En toute sécurité, bien au chaud, comme une puce dans un tapis. N'est-ce pas ainsi que commence la comptine ? N'est-ce pas ainsi que tu veux que je sois — docile et inconsciente ? Retape juste mes couvertures et va-t'en. J'ai des choses à faire, des gens à appeler. Arrange juste mes couvertures et va préparer le dîner. Voilà une bonne fille. Non, qu'est-ce que tu fais ? Qu'est-ce que tu fais ?

Jane sentit qu'on lui tirait le bras gauche de sous ses couvertures puis qu'on le posait à plat, l'intérieur vers le haut. Elle respira une odeur d'alcool, sentit quelque chose de froid et d'humide contre ses veines déjà meurtries, et ouvrit les yeux pour protester.

— Non, par pitié, ne faites pas ça, cria-t-elle, sentant l'aiguille la toucher.

— Là, là, disait Paula, comme si elle parlait à sa petite fille. C'est pour votre bien.

— Pourquoi faites-vous ça ? implora Jane, décidée à ne pas sombrer dans le sommeil.

— Vous avez besoin de repos, Jane.

— Mais je ne veux pas me reposer, dit Jane, sentant ses yeux se fermer, n'étant pas sûre d'avoir dit quelque chose.

Un bruit de vaisselle cassée la réveilla.

— Oh, mon Dieu, je suis désolée, Dr. Whittaker. Je la remplacerai.

— Ne vous tracassez pas. Ce n'est qu'une assiette. Vous ne vous êtes pas coupée, au moins ?

— Non, ça va. Voilà, laissez-moi nettoyer.

Jane fit un effort pour sortir de son lit et se diriger vers le haut de l'escalier, portant sa nausée comme un enfant sur ses épaules. Elle s'efforça de saisir la conversation puis lutta pour pouvoir la retenir.

— Je ne sais pas ce que j'ai aujourd'hui. Tout m'échappe des mains. Je suis sans doute simplement fatiguée.

— Ça n'est pas facile de s'occuper de quelqu'un dans l'état de ma femme.

— Oh, Mrs. Whittaker n'est pas le problème.

Jane se représenta Michael haussant les sourcils d'un air préoccupé.

— Entre les cauchemars de ma fille et les reproches perpétuels de ma mère, je n'ai pas beaucoup le temps de me reposer, ces jours-ci.

— Vous voulez en parler ?

— Je crois que vous avez assez de soucis en ce moment sans vous intéresser en plus à mes problèmes.

— Laissez donc le reste de la vaisselle quelques minutes et racontez-moi ça, proposa Michael ; et Jane l'imagina en train d'avancer une chaise de cuisine pour que Paula vienne s'asseoir.

Jane lutta contre l'envie de poser sa tête sur la moquette et de se rendormir. Elle ne pouvait prendre le risque de s'allonger, même pour une minute. Il fallait qu'elle téléphone, qu'elle appelle son frère à San Diego, qu'elle le fasse maintenant, pendant que Michael était occupé avec les problèmes de Paula. Avant qu'il ne soit l'heure de sa prochaine piqûre.

Elle se traîna silencieusement le long de la rambarde en haut de l'escalier jusqu'au bureau de Michael, s'arrêtant une seconde sur le seuil pour essayer de déterminer s'il était plus risqué de fermer la porte ou de la laisser ouverte. Si elle la fermait, il y avait moins de chances pour qu'on l'entende. Mais il y en avait aussi moins pour qu'elle puisse les entendre s'ils décidaient de monter. Elle choisit de la laisser ouverte.

S'asseyant derrière le bureau de Michael, elle prit le téléphone, entendant chaque geste mille fois amplifié. Elle colla le récepteur contre son oreille et fut aussitôt accueillie par le rugissement de la tonalité. Ils l'avaient sûrement entendu en bas. Elle cacha l'appareil contre sa poitrine et attendit le bruit des pas dans l'escalier, mais rien ne vint. Lentement, maladroitement, les doigts hésitant sur leur destination, son objectif vacillant, elle composa le 411.

— Quelle localité, s'il vous plaît ? hurla presque la femme dans le téléphone.

Jane pressa plus étroitement le récepteur contre son oreille. Il ne fallait pas qu'elle laisse les sons s'échapper.

Sa voix était à peine un murmure.

— Je voudrais le numéro de Tommy Lawrence à San Diego.

— San Diego ? Vous avez dit San Diego ?

— Oui !

— Vous devez appeler les renseignements longue distance.

— Comment ?

— 1-213-555-1212.

Jane tâtonna pour trouver le bouton au-dessus du téléphone, obtint une autre tonalité, puis composa les chiffres indiqués.

— Renseignements. Quelle localité, s'il vous plaît ?

— San Diego.

Jane eut l'impression que les mots résonnaient dans tout le bureau comme dans une chambre sonore.

— Oui ?

— Je voudrais le numéro de Tommy Lawrence.

— L'adresse ?

— Je ne sais pas.

— Un instant s'il vous plaît.

Dépêche-toi. Je t'en prie, dépêche-toi, suppliait Jane en silence.

— Il y a un Thomas Lawrence au 155 South County Road et un Tom Lawrence au 1800 Montgomery Street.

— Je n'en sais rien.

Oh, mon Dieu, je n'en sais rien. Réfléchis, lui dicta une petite voix. Tâche de te souvenir de l'adresse qui figurait sur ton petit carnet. Tâche de visualiser le nom. Jane ferma les yeux et retint son souffle, évoquant l'image de son carnet d'adresses, arrivant à la bonne page, voyant le nom de son frère et son adresse juste en dessous.

— Je ne vois pas...

— Je ne vous entends pas.

— 1800 Montgomery Street, s'écria-t-elle plus fort qu'elle ne l'avait voulu. Je crois que c'est 1800 Montgomery Street.

Mais l'opératrice avait déjà disparu, remplacée par la machine habituelle. Jane griffonna le numéro qu'on lui indiquait, les yeux rivés sur la porte ouverte, entendant un léger rire venir d'en bas. Continuez à rire, implora-t-elle. Riez, que je puisse vous entendre.

Jane composa le numéro, s'aperçut qu'elle avait oublié de faire l'indicatif, et dut recommencer. Elle voulait désespérément poser sa tête sur la table. Tout ce qu'il lui fallait, c'était quelques secondes supplémentaires de sommeil et alors elle serait prête. Sa tête se pencha vers le dessus de la table et ne s'arrêta que lorsqu'elle vit son image sur l'écran vide de l'ordinateur.

La femme qui la fixait à travers ses paupières à demi fermées n'avait qu'un vague aspect humain, le visage gris et distordu. Etait-ce bien la même femme dont elle avait pour la première fois vu le visage dans la boutique de Charles Street ? La femme que le propriétaire à la queue de cheval avait décrite comme « plutôt mignonne » ? Nom de Dieu, qu'est-ce qu'ils sont en train de me faire ? demanda-t-elle, en se redressant avec difficulté.

Un téléphone était en train de sonner quelque part, et une voix disait bonjour.

— Bonjour, dit Jane à son tour, se couvrant la bouche avec la main. Bonjour. Qui est-ce ?

— Et si c'était vous qui me le disiez ? prononçait une voix de femme, puisque c'est vous qui avez appelé.

— C'est Jane.

— Qui ? Je vous entends à peine.

— Jane, répéta Jane, plus fort.

— Jane ? La sœur de Tommy ?

— Oui !

Elle commençait à crier.

— Mon Dieu, je n'ai pas reconnu ta voix. Tu as un rhume, ou quoi ?

— J'étais mal fichue, commença Jane.

Cette femme devait être la femme de Tommy, Eleanor.

— Tu n'as vraiment pas l'air bien. Qu'est-ce que c'est, la grippe ?

— Non. Un de ces mystérieux virus, lui dit Jane, avec un serrement de cœur. Comment ça va chez vous ?

— Oh, comme d'habitude. Jeremy vient de terminer un rhume et Lance a le nez qui coule en permanence, ton frère n'arrête pas de se plaindre de son dos, et je deviens folle à essayer de décider ce qu'il faut mettre dans les bagages...

— Vous partez ?

— Notre voyage en Espagne, tu te souviens ? Enfin. Pas trop tôt. Mon Dieu, comment as-tu pu oublier ? Ça fait des années qu'on en parle. Je croyais que c'était pour ça que tu appelais, pour nous souhaiter bon voyage.

— Eleanor, il faut que je parle à mon frère !

Jane se demandait si sa voix était aussi forte qu'elle l'imaginait.

— Eleanor ? mais tu sais que je préfère Ellie. De toute façon, ton frère ne rentrera pas avant une heure.

Jane regarda la pendule sur le bureau de Michael. Il était presque sept heures.

— Il travaille tard ?

— Il n'est que quatre heures. Jane, tu as oublié le décalage horaire ?

Jane surmonta son envie de vomir, parlant avec netteté dans le téléphone. « Eleanor... Ellie, il faut que tu me dises la vérité. »

— La vérité ? Pourquoi mentirais-je à propos de ton frère qui est à son travail ?

— Est-ce que tu as parlé avec Michael dernièrement ?

— Michael ? Eh bien, non, je n'ai pas...

— Et Tommy ?

— Je ne pense pas. Du moins il ne m'a rien dit.

— Il n'a pas dit que Michael avait appelé pour demander si j'étais là ?

— Pourquoi Michael aurait-il demandé si tu étais là ?

— Parce que c'est ce qu'il a raconté à la police.

— C'est ce qu'il a raconté à la police ? Jane, de quoi tu parles ?

Jane pouvait à peine s'exprimer à cause des palpitations rapides de son cœur. Elle pensa entendre des voix, des pas dans l'escalier, mais lorsqu'elle regarda, il n'y avait rien.

— Il faut que tu m'écoutes, Eleanor... Ellie. Ellie, tu dois m'écouter.

— Je t'écoute.

Sa tête lui tournait ; son esprit s'emballait. Elle entendit les voix se rapprocher, puis plus rien. Elle fixa les yeux sur la porte. Toujours rien. Elle avait tant de choses à dire, si peu de temps pour les dire.

— Il m'est arrivé quelque chose.

— Quoi ? Qu'est-ce qui t'est arrivé ?

— Je ne sais pas. Je ne peux pas t'expliquer. Je n'arrive pas à me rappeler qui je suis.

— Jane, ça ne veut rien dire.

— Je t'en prie, écoute-moi. Ne m'interromps pas. C'est très dur pour moi de me concentrer. Ils n'arrêtent pas de me donner des drogues...

— Des drogues ? Qui te donne des drogues ?

— Michael et Paula.

— Paula ? Qui est Paula ?

— Ils étaient censés m'aider, m'aider à me souvenir. Mais ils ne font qu'aggraver mon état, et maintenant ils me font des piqûres...

— Jane, est-ce que Michael est là ? Je peux lui parler ?

— Non !

Jane savait qu'elle avait parlé trop fort.

— Ecoute-moi. Michael m'a menti. Il a raconté à la police que j'étais chez mon frère à San Diego. Il m'a raconté que ça devait être une visite-surprise. Mais ensuite j'ai trouvé mon sac avec tous mes papiers d'identité. Comment pouvais-je aller à San Diego sans papiers ? Donc il mentait sur la raison pour laquelle il n'avait pas appelé la police après ma disparition…

— Jane, pas si vite. Tu as disparu ? Je ne comprends pas. Tu peux recommencer depuis le début ?

— Non, merde. J'ai pas le temps. Ils vont monter ici dans un instant pour me faire une autre piqûre. Je t'en prie, Ellie, il faut que tu m'aides. Il faut que tu le dises à mon frère. Il faut qu'il vienne me chercher.

— Ellie, une voix masculine s'interposa sur la ligne tandis que Jane voyait Paula pénétrer dans la pièce. Ellie, c'est Michael.

— Michael, qu'est-ce qui se passe ?

Jane écouta distraitement la conversation, sachant que ça n'était plus la peine de dire quoi que ce soit d'autre. Paula était en train de s'approcher d'elle, la seringue à la main.

— Je suis désolé que tu sois mêlée à ça, disait Michael. Je ne voulais pas vous inquiéter.

— Que se passe-t-il donc chez vous, bon sang ?

— J'aimerais le savoir.

Michael était-il en train de pleurer ?

— Je reçois ce coup de téléphone cinglé ; je ne reconnais même pas sa voix ; elle me raconte une histoire dingue, qu'elle a disparu, qu'elle a perdu la mémoire, qu'on la drogue…

— Nous lui donnons bien des drogues, expliqua Michael. On est censé la maintenir calme. C'est ce que son médecin a conseillé. Elle est en train de faire une espèce de dépression. Je crois que c'est lié à l'accident…

— Mon Dieu. Qu'est-ce qu'on peut faire ?

— Rien, sinon attendre. Le médecin pense que ça ne durera plus très longtemps. Il appelle ça un état de fugue hystérique. En général ça ne dure pas plus de deux semaines.

— Un quoi hystérique ?

— Peu importe. Ce qui est essentiel c'est que vous ne vous inquiétiez pas.

— On doit partir pour l'Espagne dans quelques jours.

Jane entendit bredouiller Eleanor tandis que Paula arrivait à sa hauteur.

— Partez, enjoignit Michael. Ça fait une éternité que vous projetez de faire ce voyage. Il n'y a rien que vous ne puissiez faire. Je n'en parlerais même pas à Tommy. Vous ne pouvez rien faire pour nous aider, et cette histoire sera probablement terminée quand vous rentrerez.

— Je suis vraiment très impatiente de faire ce voyage fut la dernière chose que Jane entendit dire avant que Paula ne lui prenne le téléphone des mains.

— Je parie que je n'ai jamais aimé cette femme, pensa Jane en tendant son bras à Paula sans faire de difficultés.

17

— Je peux vous apporter quelque chose ? demanda
Paula.
— Quoi ?
Jane ne savait plus à présent si elle entendait des
choses ou non.
— J'ai dit, je peux vous apporter quelque chose ? Un
peu plus de jus d'orange ? Des toasts ?
— Et du café ?
— Certainement.
— Du vrai café, pas cette merde de décaféiné.
— Si vous avez l'intention de faire des difficultés, je
serai obligée de vous ramener dans votre chambre.
— Je vous en prie, laissez-moi rester ici. J'adore cette
pièce. Jane ouvrit rapidement les yeux pour s'assurer
que le jardin d'hiver était toujours là.
— Si vous voulez avoir droit à des privilèges, vous
devez bien vous conduire.
— Les privilèges, c'est ce qu'on donne aux enfants.
— Quand on se comporte comme un enfant, on est
traité comme un enfant, lui répondit Paula.
— Je n'en ai pas l'intention. C'est juste que je me
sens si mal et que je suis si embrouillée.
— Vous devez suivre les instructions de votre mé-
decin.
— Je le ferai. Merci de m'avoir laissée descendre ici.
— Le jardin d'hiver, c'était l'idée du Dr. Whittaker.
— J'en suis reconnaissante, dit Jane, et elle l'était.

230

— Comment va votre fille ? demanda Jane, trouvant que Paula avait l'air fatiguée. Comment s'appelle-t-elle, déjà ? Caroline ?

— Christine.

— C'est votre mère qui s'en occupe ?

— Pour le moment.

— Je parie que vous ne pensiez pas devoir rester ici aussi longtemps.

— Ça ne devrait plus être très long.

— Pourquoi dites-vous ça ?

Jane se redressa sur la balancelle.

— Ne vous mettez pas dans tous vos états. C'était juste pour dire quelque chose.

— Mais vous aviez l'air de savoir.

— Tout ce que je sais, c'est ce que le Dr. Whittaker me dit.

— Qu'est-ce qu'il vous a dit ?

— Que ça ne devrait plus être très long, répondit Paula.

— Est-ce que Michael a parlé à Emily ?

— Je ne sais pas. Paula était en train d'arroser les plantes.

— Elle doit lui manquer.

— J'en suis sûre.

— Est-ce qu'il parle d'elle, parfois ?

— Non.

— De quoi parle-t-il ?

— Il ne dit pas grand-chose.

— Mais je vous entends parler, insista Jane. Il y a des soirs où je suis au lit et où je vous entends parler tous les deux dans la cuisine.

— Je lui demande comment s'est passée sa journée. Il me raconte si quelque chose de particulièrement intéressant s'est produit.

— C'est moi qui devrais faire ça.

— Oui, vous devriez.

— Est-ce qu'il parle jamais de moi ?

— Parfois.

— Que dit-il ?

— Qu'il vous aime. Qu'il voudrait vous aider. Parfois il pleure.

— C'est l'heure de vos pilules.

— Est-ce je suis vraiment obligée ?

— Vous n'allez pas me compliquer la tâche, Jane ?

— C'est juste parce qu'elles n'ont pas l'air d'être efficaces.

— Le Dr. Whittaker pense que si.

— Mais je ne fais que rester là toute la journée comme un zombie.

— C'est tout ce que vous êtes censée faire. Vous donnez à votre subconscient une chance d'éclaircir les choses.

Paula se balançait d'un pied sur l'autre.

— Mais je suis incapable d'avoir les idées claires. Ma tête n'arrête pas de tourner. Je peux à peine bouger. Ça fait combien de temps maintenant ?

— Que quoi ?

— Que je suis revenue de l'hôpital ?

— Un peu plus de trois semaines.

— Et tout ce que je fais, c'est de rester là toute la journée.

Jane pouvait entendre la stupéfaction dans sa propre voix.

— Vous récupérez vos forces.

— Mais ce n'est pas mes forces que j'ai perdues.

— On ne va pas se disputer, non, Jane ?

— Je ne veux pas me disputer. Je veux juste comprendre...

— Comprendre que si vous ne prenez pas vos pilules, le Dr. Whittaker vous remettra aux piqûres.

— Il a dit que je n'en avais plus besoin.

— Pas tant que vous prenez vos pilules.

— Peut-être que nous pourrions aller nous promener aujourd'hui, dit Jane.

— Peut-être.

— Vous dites toujours ça. Et on n'y va jamais. Vous avez peur que j'essaie de me sauver ?

— Non.

— Je n'en ai pas la force. Vous n'avez pas à vous inquiéter.

— Je ne m'inquiète pas.

— Je ne suis pas dupe, vous savez, lui dit Jane. Je connais la vraie raison pour laquelle vous me permettez de rester dans le jardin d'hiver.

— Et c'est quoi ?

— Pour que vous puissiez garder un œil sur moi.

— Vous ne m'aimez pas beaucoup, hein ? déclara Jane.

— Ça n'est pas vrai.

— Et qu'est-ce qui est vrai ? Vous croyez que j'ai trompé Michael ?

— Je ne sais pas.

— C'est en tout cas ce que croit ma voisine.

— Oui, elle le croit.

— Vous me laisseriez appeler Daniel ?

— Quoi ?

Paula n'essaya même pas de réprimer sa stupeur.

— Pour que je puisse le lui demander.

— Vous voulez appeler l'ex-mari de votre voisine et lui demander si oui ou non vous avez couché ensemble ? Jane, est-ce que vous vous rendez compte à quel point ça aurait l'air fou ?

Jane ferma les yeux, vaincue, sachant que Paula avait raison.

— Je veux simplement savoir la vérité, murmura-t-elle.

— Qui c'était, au téléphone ? demanda Jane tout haut tandis que Paula revenait dans la pièce.

— Juste quelqu'un qui voulait vous vendre une souscription pour les Boston Pops.

— Vous mentez. Je sais toujours quand vous mentez parce que vous prenez cette drôle de petite expression, comme si vous aviez la bouche pleine de noyaux et que

233

vous vouliez les cracher. Et je vous ai entendue dire que j'étais encore à San Diego.

— On ne vous avait jamais dit que ce n'était pas bien d'écouter aux portes ?

— Je veux savoir pendant combien de temps vous croyez pouvoir m'empêcher de parler à mes amis.

— Jusqu'à ce que vous vous rappeliez qui ils sont.

— Qu'y aurait-il de si terrible si je leur parlais maintenant ? demanda Jane.

— Ça vous contrarierait probablement, et eux définitivement.

— Pourquoi est-ce que ça les contrarierait ?

— Pour commencer, vous n'articulez pas quand vous parlez, lui dit Paula, redressant le coussin derrière la tête de Jane.

— Vraiment ? Je n'étais pas sûre...

— Et ils s'inquiéteraient, ils insisteraient sans doute pour vous voir...

— Et alors ?

— Et alors, est-ce que vous vous êtes regardée dans une glace, dernièrement ?

— Vous pensez que je suis quelqu'un d'affreux, n'est-ce pas ?

Jane regarda Paula fixement sans être sûre qu'elle veuille répondre ou non.

— Vous ne comprenez pas comment un homme comme Michael peut rester marié avec une femme comme moi.

— Lorsqu'un homme comme le Dr. Whittaker prend un engagement, il s'y tient, dit Paula. Seule la mort vous séparera.

— Qu'est-ce que vous êtes en train de cuire ? Jane se tenait à la porte de séparation entre la cuisine et le jardin d'hiver, regardant Paula devant le plan de travail.

Paula fit volte-face.

— Qu'est-ce que vous faites dans la cuisine ?

— C'est *ma* cuisine.

Paula haussa les épaules.

234

— Alors vous feriez mieux de prendre une chaise.

— Est-ce que je peux faire quelque chose pour vous aider ?

— Vous pouvez vous asseoir tranquillement et me laisser me concentrer. Je ne veux pas me couper le doigt parce que je suis en train de vous parler.

— Qu'est-ce que vous coupez ?

— Des pommes.

— Vous faites une tarte aux pommes ?

— Je me suis dit que Michael prendrait bien un petit quelque chose pour se remonter le moral.

Le téléphone sonna.

La tête de Jane se tourna vers le son, puis continua à tourner. Elle se cramponna aux bords de la table, fixant son attention sur le petit vase de fleurs d'été qui était posé au milieu.

— Flûte, pourquoi le téléphone sonne toujours quand on a les mains dans le cambouis ?

Paula attrapa un torchon suspendu à un crochet derrière l'évier. Sans prendre le temps d'observer ses gestes, d'un élan Jane se mit debout et s'avança brusquement vers le téléphone.

— N'y répondez pas !

— Pourquoi pas ? C'est *mon* téléphone !

Elle empoigna le récepteur sur le mur.

— Allô ?

Paula lâcha le torchon et saisit le fil du téléphone en tirant dessus et elle réussit presque à l'arracher des mains de Jane. Jane se mit aussitôt à enrouler le long cordon autour d'elle, se servant de son corps comme d'une gigantesque pelote de fil, ne gardant que ses mains de libres pour tenir à distance une Paula de plus en plus excitée.

— Reculez, siffla Jane.

— Allô ? Allô ? Jane, tu es là ?

— Salut, cria Jane dans l'appareil.

— Jane, c'est toi ?

— Oui, c'est moi.

— Bon, parfait. Je ne savais pas très bien ce que c'était que cette histoire. Susan a dit qu'elle avait appelé l'autre jour et que ta nouvelle femme de ménage, ou je ne sais qui, avait dit que tu étais encore à San Diego et qu'elle ne savait pas exactement quand tu serais de retour.

— Je suis rentrée hier soir. Jane était sur le point d'éclater de rire.

— Oh, bon, si c'est pas le moment, tu peux me rappeler plus tard.

— Non! C'est tout à fait le moment. Tu m'as manqué.

A qui pouvait-elle bien parler?

— Tu m'as manqué aussi. Je ne pouvais pas croire que tu aies passé presque un mois chez Gargamella.

— Qui?

— Eh bien, ta belle-sœur. Gargamella! c'est bien comme ça que tu l'as toujours appelée? Gargamel, le méchant traître qui est toujours en train de poursuivre les pauvres petits Schtroumpfs. Pourquoi est-ce que je te raconte ça? C'est toi qui me l'as expliqué.

— Elle est méchante?

— Enfin, disons que tu ne l'as jamais vraiment supportée. Jane, quelque chose ne va pas? Cette conversation est bizarre, au cas où tu ne l'aurais pas remarqué.

— Tout va bien. Que deviens-tu?

Jane observait Paula qui s'était mise à tourner lentement en rond autour d'elle.

— Ne m'approchez pas!

— Quoi?

— Pas toi.

— Qu'est-ce que tu veux dire : « ne pas t'approcher »?

— Il y a une grosse araignée dans la cuisine.

Jane décida que cette description de Paula en valait une autre.

— Tu sais comme je déteste les araignées.

— Ah non, à vrai dire, je ne le savais pas.

Paula se mit à se balancer d'avant en arrière, obligeant Jane à la suivre des yeux, ajoutant à son vertige.

— Arrêtez de bouger, merde!

— Jane, laisse tomber la foutue bestiole. Elle a plus peur de toi que toi d'elle.

— Donnez-moi le téléphone, Jane.

La voix de Paula était basse, lénifiante, presque hypnotique.

— Ne m'approchez pas !

— Jane, rappelle-moi, plutôt.

Paula bondit vers elle pour empoigner le téléphone. Jane sauta hors de portée, enroula le fil encore plus étroitement autour de son corps, serra le récepteur contre son oreille avec son épaule, battant l'air de son bras libre et faisant légèrement perdre son équilibre à Paula tandis qu'elle plongeait pour attraper le couteau posé sur le comptoir. Elle le brandit en direction de Paula qui se figea, terrorisée, puis s'écroula sur une chaise de cuisine, admettant sa défaite.

— Nom de Dieu, Jane, ça doit être une sacrée araignée. Qu'est-ce qui se passe, chez toi ?

Jane observait Paula qui l'observait. Elle agita le couteau, vit Paula tressaillir, la poitrine haletante, les yeux fous. Elle-même se demanda en silence si elle allait dire ce qui se passait exactement à cette femme, quelle qu'elle fût, qui se trouvait à l'autre bout du fil.

Et que lui dire ? Au secours, je suis retenue prisonnière dans ma propre cuisine par une femme qui, il y a seulement quelques instants, était en train de me faire une tarte aux pommes ? Mon mari et cette femme me droguent en permanence et m'empêchent de voir mes amis, dont je suis de toute façon incapable de me souvenir parce que j'ai perdu la mémoire. Perdu l'esprit, c'est plutôt ça qu'elle croira, ce qui est sans doute sacrément plus près de la vérité.

A moins que je ne puisse la faire venir ici, à moins qu'elle ne puisse me voir de ses propres yeux, que je ne trouve le temps nécessaire pour lui parler vraiment, lui expliquer tout ce qui s'est passé.

— J'aimerais bien te voir, se risqua Jane, voyant

Paula serrer les dents tout en restant parfaitement immobile. Quand est-ce qu'on se retrouve ?

— Eh bien, c'est surtout pour ça que j'appelais. Pour voir si c'est toujours d'accord pour ce soir.

— Ce soir ?

— Evidemment tu as oublié. J'en étais sûre. Je l'ai dit à Peter. On avait prévu cette soirée il y a si longtemps.

— Bien sûr que non, je n'ai pas oublié.

— Ça marche toujours pour le dîner ?

— Evidemment.

— Tu es sûre ? Je veux dire, tu viens juste de rentrer de Californie. Tu as sans doute des milliers de choses à faire…

— Pourquoi crois-tu que je suis revenue ?

— Ah oui ? Eh bien, je suis très flattée. Mais tu es sûre que tu es prête à recevoir ? Je veux dire, on pourrait tout aussi bien aller au restaurant.

— Pas question.

Que se passait-il ? Qu'arrivait-il ? Il fallait qu'elle réfléchisse très vite, ce qui est difficile quand on a la tête qui tourne et le cœur qui s'emballe et qu'on menace quelqu'un d'un couteau. Elle avait besoin d'une minute pour remettre les choses en ordre. A qui était-elle en train de parler ? Et qui était cet homme, ce Peter, qu'elle avait mentionné ? Son mari, sans doute. Et ils venaient dîner. Ce soir.

Peter, songea-t-elle, répétant le nom mentalement et serrant le couteau plus fort quand elle vit Paula bouger. Mais Paula ne faisait que se croiser les jambes, se soumettant apparemment à son destin, comme un chat observant sa proie. Dès que je lui en fournirai l'occasion, elle bondira. En attendant, il faut que je trouve à qui appartient cette voix au téléphone.

Je pourrais toujours le lui demander, se dit Jane, et elle rit à moitié. Oui, bien sûr, soyez là à sept heures, et au fait, qui êtes-vous ? Non, ne sois pas stupide. Réfléchis, se réprimanda-t-elle. Ne perds pas la tête. Il faut que tu trouves la solution. C'est manifestement une amie, et même probablement une bonne amie. Et elle t'a donné un indice. Son mari s'appelle Peter.

238

Peter qui ? Peter Lapin. Peter Garenne. Peter Finch. Peter, Paul and Mary. Peter Peter Mangeur de Citrouille [1]. Le Principe de Peter. Salt Peter [2]. Saint Peter. Peter au pipeau picora un peu de pickles pimentés [3]. Peter-si-t'es-un-ami-alors-ton-nom-au-rait-dû-être-dans-mon-petit-carnet-d'adresses-à-couver-ture-cachemire !

Elle essaya de se remémorer les pages de son carnet d'adresses, le feuilletant mentalement : Lorraine Appleby ; Diane Brewster ; David et Susan Carney ; Janet et Ian Hart ; Eve et Ross McDermott ; Howard et Peggy Rose ; Sarah et Peter Tanenbaum.

Sarah et Peter Tanenbaum. Oui ! Qui d'autre ça pouvait être ? Combien d'amies proches pouvait-elle avoir, dont le mari s'appelait Peter ? La femme avec qui elle était en train de parler devait être Sarah Tanenbaum. Jane se mordit la langue pour s'empêcher de prononcer le nom à haute voix.

— Alors à quelle heure veux-tu qu'on vienne ?

— N'importe quand. Le plus tôt sera le mieux.

— Je suppose que tu as envie de te coucher tôt ce soir.

— Pas du tout. J'ai vraiment hâte de te parler.

— Est-ce que je peux apporter quelque chose ? Un dessert ?

— Oh, non, dit très vite Jane, ses lèvres esquissant un demi-sourire. En fait, j'étais en train de faire une tarte aux pommes.

Paula leva les yeux au ciel. Si les regards pouvaient tuer, pensa Jane.

— Et si jamais quelqu'un t'appelait, ajouta Jane, pour dire que le dîner est annulé, n'écoute pas, d'accord ? Venez de toute façon. Promis ?

— Qui pourrait bien m'appeler pour dire quelque chose comme ça ?

---

1. Comptine de *Mother Goose* : « Peter Peter Pumkin Eater ».
2. Jeu de mots intraduisible : salpêtre.
3. Comptine de *Mother Goose*.

— Je ne sais pas. Quelqu'un. Pour rire. Peut-être même Michael.

— Michael ?

— Pour faire une blague.

— Jane, est-ce qu'il se passe quelque chose dont je ne suis pas au courant ?

— Tu seras étonnée.

— Rien de ce que tu fais ne m'étonne plus.

— Promets-moi de venir quoi qu'il arrive.

— Jane, tu m'inquiètes...

— Promets-le.

— D'accord, c'est promis. Maintenant, tu vas me dire ce qui se passe ?

— Ce soir. Ne soyez pas en retard.

Jane entendit le déclic du téléphone et sourit, relâchant son étreinte sur le couteau et le laissant tomber sur le plan de travail. Paula fut immédiatement debout, rafla le couteau pour le mettre hors de portée de Jane en le serrant contre elle.

— Vous êtes folle, vous savez ! Vous auriez pu vous blesser.

Jane s'extirpa calmement et méthodiquement du fil du téléphone bien qu'elle soit loin de se sentir calme. Elle se sentait remplie de joie. Vivante. Même toutes ces drogues dans son organisme ne parvenaient pas à diminuer son excitation. Elle acheva d'extraire son corps du cordon et replaça le récepteur sur son support, puis s'assit à la table de cuisine, le sourire toujours présent sur ses lèvres.

— Devine qui vient dîner, dit-elle.

18

— Veux-tu quelque chose à boire ?

— Tu crois que c'est une bonne idée ?

— Je ne parle pas d'alcool. Je pensais à quelque chose du genre Coca ou Canada dry.

— Canada dry, ça sera parfait.

Pourquoi était-il aussi gentil avec elle ? Jane regarda Michael se lever pour aller lui chercher à boire.

— Je vais me servir, proposa-t-elle, s'empressant de le rejoindre près de la table basse où Paula avait soigneusement préparé plusieurs verres ainsi que diverses boissons.

— Tu crois vraiment que je vais mettre quelque chose dans ton verre ?

Sa voix laissait entendre qu'il se sentait blessé.

— Bien sûr que non.

C'est exactement ce que pensait Jane. Etait-elle en train de dramatiser les choses ?

Michael s'était montré préoccupé, et même alarmé, lorsque Paula l'avait fait revenir à la maison pour lui rapporter les événements de l'après-midi, mais il avait admis, en tête-à-tête avec Jane pendant qu'il l'aidait à s'habiller pour le dîner, qu'il pouvait comprendre son degré de frustration, qu'il n'avait pas saisi à quel point elle désirait parler à ses amis. Paula n'aurait certainement jamais dû tenter de lui arracher le téléphone des mains. Si Jane se sentait prête à recevoir, il n'était que trop heureux de remplir son rôle d'hôte.

Pouvait-elle au moins lui dire qui ils attendaient ?

Non, lui dit-elle. Elle ne le pouvait — devait — pas.

Très bien, avait-il dit. Ça aussi, il pouvait le comprendre.

Elle refusa de prendre ses médicaments, et il n'insista pas.

— A partir de maintenant, je te laisserai décider à propos de ça également, lui dit-il, et il se contenta de demander que ce soit Paula qui prépare et serve le dîner.

Jane accepta volontiers, décidée à ne manger que ce que les autres mangeraient, s'assurant ainsi qu'aucune drogue ne pouvait être ajoutée à sa nourriture. Elle avait besoin d'être tout à fait réveillée ; il était vital qu'elle reste vigilante, bien qu'elle ne sache pas exactement ce qu'elle avait l'intention de dire à Sarah (en supposant que ce soit Sarah qui vienne dîner).

Jane décapsula la bouteille bien fraîche et se versa une grande rasade de Canada dry, regardant les bulles danser dans le verre. Elle prit une petite gorgée puis retourna à son fauteuil près de la cheminée et observa Michael qui se préparait un gin-tonic. Il la regarda et lui sourit, et elle sourit à son tour, bien que cela lui demandât un certain effort. En vérité, elle ne se sentait ni particulièrement solide ni particulièrement en forme. Seulement particulièrement déterminée, se dit-elle, claquant des dents derrière ses lèvres tremblantes.

— Tout va bien, chérie ?

— Impeccable.

— Ils ne seront pas là avant dix minutes. Tu pourrais monter t'étendre un peu...

— Je vais bien.

— Tu es ravissante, dit-il en réussissant à paraître sincère.

Etait-elle ravissante ? Elle en doutait. Présentable, c'est tout ce qu'elle pouvait espérer ces temps-ci. Et pourtant, elle s'y était efforcée, se maquillant pour la première fois depuis son retour à la maison. Elle avait autorisé Michael à lui tenir la main quand celle-ci chancelait, avait mis peut-être un peu trop de blush en voulant redonner à son visage quelques couleurs bien nécessaires. Michael lui avait même brossé les cheveux, les avait attachés en une queue de cheval enfantine avec un ruban rose appartenant à Emily. C'était assorti au pull rose pâle qu'il lui avait suggéré de mettre. Pourquoi se montrait-il aussi serviable ? Pourquoi était-il aussi sacrément gentil avec elle alors qu'elle était aussi sacrément compliquée ?

Pourquoi as-tu menti aux médecins et à la police ? voulait-elle lui demander, réalisant qu'elle essayait encore de croire qu'il n'avait pas menti, qu'il pouvait d'une façon ou d'une autre lui fournir toutes les réponses adéquates, éclaircir les derniers détails, remettre à nouveau tout en ordre. Etait-ce possible ? Je te supplie d'expliquer tous ces mensonges, Michael. Dis-moi que tous mes soupçons peuvent trouver une explication logique. Ecarte les mensonges.

Elle ne pouvait pas le lui demander. Elle ne pouvait pas risquer d'encourir sa colère. Pas maintenant, pas quand ses amis étaient sur le pas de la porte, quand, grâce à une simple injection, il pouvait la rendre aussi impuissante qu'un bébé.

— Tu es sûre que tu es prête à affronter ça ? demanda-t-il ?

Elle hocha la tête sans rien dire, comprenant tout à coup que sa décision de ne pas l'interroger sur ces questions était moins liée à la crainte qu'il ne puisse pas lui apporter de réponses satisfaisantes qu'à celle qu'il le puisse.

Parce que s'il pouvait lui fournir des explications satisfaisantes, alors ça signifiait qu'elle était véritablement en plein dans une sorte de dépression nerveuse, que son refus obstiné de poursuivre son traitement ne faisait que contribuer à la dégradation de son état, qu'elle seule était responsable de ses difficultés, que tout ça pourrait durer indéfiniment, qu'elle pourrait rester dans cette situation pour le restant de sa vie, qu'elle avait perdu son moi réel quelque part, et qu'on n'avait là que ce qui était revenu à la maison au terme d'une errance.

Elle but une grande gorgée, tentant de décider quelle hypothèse elle préférait ; soit elle était très malade et son mari ne faisait que vouloir l'aider ; soit son mari avait de funestes raisons pour essayer de la rendre très malade.

Le concurrent choisit-il l'hypothèse numéro un ou l'hypothèse numéro deux ? Restez avec nous pour l'épisode d'aujourd'hui des *Feux de l'aliénée*.

La sonnette retentit.

— J'y vais, affirma Jane d'une voix forte, arrêtant Paula qui se dirigeait vers la porte.

— C'est bon, dit Michael pour rassurer la jeune femme morose qui se retira aussitôt dans la cuisine.

Jane avait les mains qui tremblaient d'une façon très visible et elle renversa une partie de son verre de Canada dry. Elle posa précautionneusement le verre sur la petite table à côté de son fauteuil et respira profondément, espérant que ses jambes soient plus assurées que ses mains.

— Tu peux y arriver, l'encouragea Michael, se relevant du canapé où il était assis.

Jane fit un effort pour mettre un pied devant l'autre, après avoir entendu la sonnette retentir une seconde fois avant qu'elle ne fût capable de bouger.

— Vas-y doucement, entendit-elle Michael lui dire tandis qu'elle atteignait la porte d'entrée et l'ouvrait.

Deux séduisants inconnus se tenaient devant elle, la femme avec un bouquet de fleurs d'été, l'homme avec une bouteille de vin blanc en forme de poisson.

— Bienvenue à la maison ! s'écria la femme, embrassant Jane avec effusion. Comment oses-tu t'en aller si longtemps sans prévenir personne !

Elle recula pour mieux regarder Jane, donnant à cette dernière l'occasion de faire de même.

La femme était grande et élancée, avec des cheveux bruns et raides coupés à hauteur du menton et parsemés de mèches blondes. Elle portait un pantalon bleu marine et une chemise de soie bleu pâle ornée d'une broche en strass avec le mot BISOU surmontant des lèvres en argent. Ses boucles d'oreilles étaient formées d'une série d'étoiles multicolores qui lui descendaient presque jusqu'aux épaules, et ses lèvres étaient rouge vermillon. La première impression de Jane fut que Sarah Tanenbaum était une femme très raffinée et très enjouée. Elle se demanda ce qu'elles pouvaient bien avoir de commun.

La femme était en train de fixer Jane comme si elle se posait la même question.

— Qu'est-ce que tu as fait ? demanda-t-elle, desserrant son étreinte.

Jane porta aussitôt les mains à son visage, voulant se cacher derrière ses doigts tremblants.

— Qu'est-ce que tu veux dire ?

— Qu'est-ce que tu as fait à ton visage ?

La femme lui fit tourner la tête, lui examinant attentivement la peau à la racine des cheveux. Tu ne t'es pas fait faire un de ces mauvais liftings pendant que tu étais en Californie, non ?

— Quelle question ! demanda l'homme qui se tenait près d'elle, en refermant la porte et en tendant la bouteille de vin à Michael qui s'était avancé pour le saluer. Content de te voir, Michael. Comment vas-tu ?

— Pas mal, Peter. Et toi ?

— Génial. Ça va toujours génialement bien, passé la période des impôts.

— Sarah, s'exclama Michael avec chaleur, et il embrassa la femme sur les deux joues puis il les conduisit tous dans le salon.

— Qu'est-ce qu'elle a, Jane ?

Jane entendit Sarah murmurer, et elle vit Michael réagir avec un hochement de tête. Paula, qui était apparue avec une assiette de pâté et de crackers, prit les fleurs, posa le plateau et quitta la pièce.

— Qui est-ce ? demanda Sarah complètement perturbée. Qu'est-ce qui se passe ici ?

— Sarah, pour l'amour du ciel, tu viens à peine d'arriver, dit Peter, réprimandant sa femme.

— C'est Paula, expliqua Michael tandis que Jane sentait les yeux de Sarah sur elle. Elle venait faire le ménage deux fois par semaine, mais quand Jane a pris ses vacances prolongées, je lui ai demandé si elle pourrait travailler à plein temps et elle a accepté. Au moins pour l'été.

— Veinards, dit Sarah, continuant à fixer Jane.

— Je ne me suis pas fait faire de lifting, se sentit forcée d'expliquer Jane. C'est vrai. Peut-être que c'est mon maquillage. Ou ma coiffure.

— Non, ce n'est pas quelque chose d'aussi superficiel.

— Et ma femme est une experte pour ce qui est du superficiel, n'est-ce pas, chérie ? Prenez de ce pâté, les filles, c'est délicieux.

Peter se fourra un cracker dans la bouche tout en étalant du pâté sur un autre.

— Je trouve qu'elle a l'air merveilleuse, dit Michael, se précipitant à la défense de sa femme et l'embrassant sur une joue trop fardée. Qu'est-ce que je peux vous servir à boire ? demanda-t-il.

— Un Bloody Mary, répondit aussitôt Peter.

— Et pour toi, Jane ?

Jane prit son verre et fit le geste de porter un toast.

— Je crois que je resterai au Canada dry.

— A présent je sais qu'il y a quelque chose qui cloche, dit Sarah. Depuis quand est-ce que tu t'es mise à boire du Canada dry ?

— J'ai eu l'estomac un peu perturbé, mentit Jane, pressentant que ce n'était pas le bon moment pour entrer dans des problèmes plus vastes. Sans doute l'avion.

— Et pourquoi n'as-tu pas annulé ? On aurait pu faire ça un autre soir. Tu n'as pas l'air bien.

— Sarah !

— Peter, arrête de me dire « Sarah » ! J'ai bien le droit d'être inquiète.

— Inquiète peut-être, mais pas impolie.

— En parlant d'impolitesse, interrompit Michael, je ne crois pas qu'on vous ait remerciés pour la bouteille de vin et les fleurs magnifiques.

— Je vous en prie.

— Mais qu'est-ce qu'il y a qui cloche dans mon aspect ? chuchota Jane à Sarah.

Sarah hésita.

— Comment dire ça sans que ça n'ait l'air trop désagréable ? Je ne peux pas. Je ne sais pas. C'est presque comme si tu avais été embaumée, comme si tu n'étais pas réelle. Je n'arrive pas à préciser quoi. Peut-être que c'est en fait ton maquillage. Peut-être ton pull. Ou tout simplement que tu es si... rose.

— J'ai toujours aimé Jane en rose, déclara Michael, passant son bras autour de sa femme tout en tendant à Sarah son gin-tonic.

— Non, c'est le bleu, sa couleur.

Sarah leva son verre pour porter un toast.

— Eh bien, à la bonne vôtre. Santé et prospérité.

Ils burent tous ensemble, et Jane vida son verre.

— En veux-tu un autre ? demanda Michael, plein de sollicitude.

— Je m'en occupe, dit Jane.

— Laisse-moi faire, proposa Peter, remplissant rapidement le verre de Jane.

— Et si on s'asseyait ?

— Bonne idée. Et si on pouvait avoir un peu de ce pâté dont tu t'es empiffré, Peter ?

Jane prit le cracker que lui tendait Peter et l'avala d'une seule bouchée.

— Alors, parle-nous de San Diego, la pressa Sarah. Qu'as-tu bien pu faire là-bas pendant tout ce temps ?

— Qu'est-ce que tu racontes ? San Diego est un endroit génial, dit Peter.

— Pour une semaine, c'est un endroit génial, lui dit sa femme. Pour un mois ou presque... Je veux dire, combien de fois peut-on aller au zoo ?

— Jane a toujours aimé le zoo de San Diego, dit Michael.

— Bon, d'accord, continua Sarah, tu es allée au zoo et tu es allée au musée de la Marine et tu as fait quelques promenades en bateau, et quoi d'autre ?

— Qu'est-ce que c'est ? demanda Peter. Une inquisition ? Qu'est-ce qu'on fait quand on est en vacances ?

On va voir ses amis et sa famille ; on fait du tourisme ;
on essaie de se détendre.

— Tu es allée à Los Angeles ?

— Quelques jours, mentit Jane, commençant à avoir
un peu le vertige et se demandant si toute cette
affabulation avait un sens. C'était génial.

— Maintenant je ne sais vraiment plus où j'en suis. Je
croyais que tu détestais L.A.

— Eh bien, parfois, oui.

— Mais pas cette fois-ci ?

— Cette fois-ci c'était génial.

Peter répondit pour Jane en terminant son Bloody
Mary.

— Alors, Michael, comment va le monde de la
médecine ?

— Très occupé.

— Trop occupé pour partir avec ta femme ? demanda
Sarah.

— J'y suis allé quelques week-ends.

— C'est gentil.

— Et le monde de la comptabilité ? demanda Michael
tandis que Jane observait son visage qui se séparait en
deux moitiés pour se réunir ensuite. Que lui arrivait-il ?

— Eh bien, l'été est toujours une bonne période. La
pression est tombée. On peut se détendre un peu,
prospecter quelques nouveaux clients. Oh, je t'ai dit qui
j'ai fait entrer dans la société ?

— Jane, ça va ?

Sarah était en train de se pencher en avant sur son
fauteuil.

— J'ai eu un vertige.

— Jane, qu'est-ce qu'il y a ? Est-ce que tu te sens
bien ?

Jane observa l'expression inquiète de Michael.

— Ça va aller.

Paula avait-elle pu glisser quelque chose dans le pâté ?
Comme pour répondre à son accusation silencieuse,
Michael se préparait un cracker qu'il tartinait avec la
chose, le mettant dans sa bouche tandis que Peter se
penchait pour s'en faire un autre. Ça ne pouvait donc

pas être le pâté qui pouvait l'abrutir à ce point. Quoi, alors ? Le Canada dry ? Etait-il possible que Michael ait quand même mis quelque chose dans son verre ?

Oh, je t'en prie, ne craque pas maintenant, gémit-elle en silence. Tu te sentais d'aplomb, cet après-midi. Bon, peut-être pas d'aplomb, mais pas aussi affreusement mal, avec cette sensation de n'avoir aucun contrôle, de voir la pièce danser autour de toi et d'entendre les voix dériver dans tous les sens. Je t'en prie, tiens le coup au moins jusqu'à la fin du dîner, jusqu'à ce que tu aies pu tout expliquer à Sarah.

Comment Sarah allait-elle réagir ? Elle était déjà suffisamment effrayée par l'aspect de Jane, par son séjour prolongé à San Diego chez une femme pour laquelle elle n'éprouvait manifestement que du mépris. Je savais que je n'aimais pas cette femme, se dit Jane, se remémorant la voix de sa belle-sœur au téléphone quand elle avait tenté de la convaincre qu'elle avait besoin d'aide. C'est bon de savoir que certains de mes instincts sont toujours intacts.

Alors, que te dit ton instinct au sujet de Sarah Tanenbaum ? Comment va-t-elle prendre l'histoire de ton amnésie ? Ta version de ta réclusion ? Aura-t-elle les mêmes problèmes que ta belle-sœur à assimiler l'information ? Réagira-t-elle de la même façon, choisissant de croire Michael ? Et comment peux-tu espérer qu'elle croie que Michael t'a menti alors que toi-même tu n'en es même pas convaincue ? Bien qu'il ait une telle facilité à mentir, pensa-t-elle. (« J'y suis allé quelques week-ends », l'avait-elle entendu dire à Sarah. Pourquoi avait-il dit ça ?) Pensera-t-elle que tu es devenue folle, réagira-t-elle comme Eleanor, persuadée que tu es en plein choc émotionnel ?

Et que comptes-tu révéler exactement ? Est-ce que tu vas parler à Sarah des dix mille dollars ? Du sang sur ta robe bleue ? Ta couleur, c'est le bleu, avait dit Sarah.

— Alors je lui ai dit, Frank, rends-toi service et débarrasse-toi de ce connard. Je veux dire, je sais que c'est une vedette locale et que c'est toujours bien de pouvoir dire : « C'est moi qui m'occupe des impôts de

Machin-Chose », mais ce type te donne des ulcères, et ça ne vaut pas le coup. Je m'explique, le gars en question a appelé Frank au beau milieu de la nuit pour lui raconter un rêve qu'il avait fait à propos des moyens d'échapper aux impôts. Un rêve ! Tu t'imagines. Et Frank qui l'écoute. Alors bien sûr, le type va continuer à l'appeler. C'est moins cher que d'aller voir un psy, ce dont je crois que Frank aurait franchement besoin.

— Alors, qui c'est, ce caïd ?

— Tu ne dois pas souffler un mot de ce que je t'ai dit...

— Il l'a déjà raconté à la moitié de la ville, dit Sarah, très pince-sans-rire.

— C'est Charlie McMillan.

— Qui est Charlie McMillan ?

— Le type de la météo sur la sixième chaîne ! Bon Dieu, Michael. T'es pas drôle. Tu ne connais jamais personne. Tu vois qui je veux dire, hein, Jane ? Jane ?

Jane fit un effort pour mettre au point l'image du visage de Peter. Pourquoi ne reste-t-il pas tranquille ? se dit-elle, essayant de se souvenir de sa question. Mais comment pouvait-on espérer qu'elle l'entende alors qu'il passait son temps à étouffer sa voix, comme dans une mauvaise communication téléphonique ? Je suis désolée. Je ne t'ai pas entendu.

— Jane, qu'est-ce qui ne va pas ?

— Tu veux peut-être monter t'allonger un petit moment ?

— Non ! Ça va, vraiment. Je veux dire, qu'est-ce qu'il y a ? Pourquoi est-ce que vous me sautez tous dessus parce que je n'ai pas entendu quelque chose ?

— On aurait dit que tu allais t'écrouler, lui dit Sarah en se rapprochant d'elle.

Jane secoua la tête.

— Ça va. J'ai peut-être simplement faim.

Elle regarda Michael qui indiqua du doigt le coin de sa propre bouche, lui signalant ainsi qu'elle avait quelque chose au coin de sa bouche à elle. Jane porta les mains à ses lèvres et essuya un filet de bave, voulut prendre une gorgée de Canada dry, mais y renonça.

250

D'ailleurs, que faisait Paula avec le dîner? Elle n'avait rien mangé depuis le déjeuner. Elle était probablement affaiblie parce qu'elle avait faim. Tout irait bien une fois qu'elle aurait avalé quelque chose.

— Combien de kilos as-tu perdus? lui demanda Sarah, comme si elle lisait dans ses pensées.

— J'ai maigri? demanda Jane, bizarrement reconnaissante de voir Paula entrer discrètement dans la pièce.

— Le dîner est prêt quand vous voulez, annonça Paula.

Jane bondit sur ses pieds et dut se cramponner au bras de Sarah pour ne pas tomber.

— C'est ridicule, Jane. Nous devrions partir. Tu devrais être au lit.

— Ça va, insista Jane, laissant Peter l'accompagner à la salle à manger. C'est sans doute juste le décalage horaire.

— Michael, quelle est la véritable histoire? entendit-elle Sarah demander à voix basse en essayant de garder Michael en arrière.

— Allons, venez vous asseoir, appela Jane sans laisser à Michael une chance de répondre, et elle s'installa au bout de la table. Michael et Sarah suivirent.

— Ça m'a l'air magnifique, dit Sarah d'un ton faussement enjoué, passant en revue le dîner que Paula était en train de disposer sur la table.

— Servez-vous, indiqua Jane, observant avec attention son mari et ses invités remplir leurs assiettes de nourriture. Elle fit de même, puis attendit que chacun eût goûté la cuisine de Paula avant de porter à sa bouche un peu de poulet.

— C'est délicieux, dit Sarah. Cette femme est une perle. Ne la laisse surtout pas partir.

Jane fit un effort pour mettre la nourriture dans sa bouche, sachant que tous les regards étaient fixés sur elle. Elle mastiquait avec une lenteur délibérée, se concentrant sur chaque mouvement, enfournant une bouchée après l'autre. Si le poulet n'avait pas le même goût que les haricots verts ou le riz sauvage, elle était incapable de s'en rendre compte. Tout se mélangeait sur sa langue. Elle ne souhaitait qu'une chose, que le tout reste dans son estomac jusqu'à ce qu'ils soient sortis de table.

— Qu'est-ce qui est arrivé à ton alliance ? demanda Sarah, s'efforçant de prendre un ton désinvolte.

Jane regarda son annulaire gauche dépourvu d'ornement, incapable de se souvenir de l'explication de Michael.

— Je lui en offre une nouvelle. J'ai pensé que les diamants lui iraient bien. Qu'en pensez-vous ?

— Je pense que tu es un brave homme, lui dit Sarah en lui tapotant la main.

— Et alors, vous n'avez pas questionné ma femme au sujet de Hitler, dit tout à coup Peter, visiblement dérangé par le sujet des diamants.

— Quoi ?

Jane voulut poser sa fourchette sur son assiette, mais elle rata son coup et la fourchette tomba par terre. Elle l'ignora, se concentrant sur Peter. Avait-il véritablement mentionné Hitler ?

— Notre voisin ! Mr. Intimidation, dit Sarah avec impatience. Celui qui se met au pas de l'oie dès qu'il me voit. La Gestapo — je t'en ai parlé au téléphone. Tu aurais été très fière de moi. Je lui ai réglé son compte.

— Elle lui a demandé de bien vouloir s'il vous plaît ne plus mettre sa poubelle devant chez nous.

— Non ! Je lui ai dit que si jamais il laissait encore sa poubelle devant chez nous, il la retrouverait étalée sur toute sa pelouse le lendemain matin !

— Bravo, dit Michael.

— Bien sûr, ça n'arrive pas à la cheville de Jane...

— Que veux-tu dire ? demanda Jane, se cramponnant aux bords de la table en voyant deux Sarah au lieu d'une.

— Tu l'aurais traité de trou du cul nazi et lui aurais renversé la poubelle sur la tête, lui dit Peter.

Michael et Sarah approuvèrent en riant. Jane perçut leurs rires comme si elle était sous l'eau et qu'ils se trouvaient au loin sur le rivage. Elle essaya de nager vers eux, de trouver la surface de l'eau et d'en émerger pour aspirer un peu d'air. Mais ses efforts ne firent que l'entraîner un peu plus loin dans l'abîme. Elle était en train de se noyer et personne n'en savait rien. Personne ne pouvait la sauver.

Qu'est-ce qui pouvait bien lui donner cette sensation ? Elle n'avait mangé que ce que les autres avaient mangé. Elle avait ouvert la bouteille de Canada dry elle-même, s'était servie elle-même. Jamais elle n'avait lâché son verre sauf quand Peter l'avait resservie, et même alors, elle l'avait observé de près.

Non, c'était inexact, réalisa-t-elle avec un sursaut. Elle avait posé le verre quand elle était allée ouvrir la porte ! Michael avait eu juste assez de temps pour y verser quelque chose pendant qu'elle disait bonjour à Sarah et à Peter. L'avait-il fait ? Mon Dieu, l'avait-il fait ?

— Sarah, il faut que tu m'aides...

Jane entendit les mots comme s'ils sortaient de la bouche de quelqu'un d'autre, et se vit elle-même s'écrouler par terre. Michael, Paula, Sarah et Peter se précipitèrent vers elle, Michael la releva et l'emporta dans l'escalier jusqu'à sa chambre, suivi de Sarah et Peter.

— Enfin merde, Michael, tu vas me dire ce qui se passe ? exigea Sarah.

Jane essaya d'ouvrir les yeux, mais c'était presque comme s'ils avaient été collés. Elle lutta pour rester consciente, entendit des pleurs, identifia la douleur de Michael. « Mais bon sang, j'aimerais le savoir », sanglotait-il doucement. « Vous ne pouvez pas imaginer ce qui se passe ici... »

— Raconte-nous.

— Jane est en train de faire une sorte de dépression nerveuse. Sa voix était rauque, incrédule.

— C'est impossible.

Même les yeux fermés, Jane savait que tout le monde la regardait.

— Elle ne se rappelle plus qui elle est ; elle dit qu'elle n'arrive pas à se souvenir de quoi que ce soit de notre vie commune...

— Mais c'est absurde. Elle s'est souvenue de nous ! bredouilla Peter.

— Eh bien, non, pas vraiment, rectifia Sarah. Je veux dire, elle ne se souvenait de rien à propos d'Hitler. Ça se voyait. Moi, en tout cas, je le voyais.

Que peux-tu voir d'autre ? demanda Jane, suppliant Sarah, à travers ses paupières closes, de venir à son secours.

— Elle était très bizarre au téléphone cet après-midi. Et je me suis dit qu'elle n'avait pas l'air normale à la seconde où elle a ouvert la porte. Est-ce qu'elle suit un traitement ?

— Son médecin lui a prescrit un léger tranquillisant, mais elle refuse de le prendre. Elle dit qu'elle n'aime pas l'effet qu'il produit sur elle. Je ne sais plus quoi faire, poursuivit Michael. Vous ne savez pas ce que c'est. Son comportement est si déconcertant. A un moment ça va bien, et la minute qui suit ça ne va plus. Le matin elle peut être aussi docile qu'un petit chat, et l'après-midi devenir folle furieuse, vidant le contenu de ses placards et le piétinant. Je ne peux jamais savoir ce qu'elle s'apprête à faire ou à dire.

— Et c'est comme ça depuis combien de temps ?

— Au moins un mois.

— Elle était comme ça en Californie ?

— Elle n'est jamais allée en Californie.

Jane entendit Sarah suffoquer.

— En fait ça dure depuis beaucoup plus d'un mois. Elle n'était plus vraiment la même depuis l'accident. Il ne fallait sans doute pas trop espérer...

— Mais elle avait l'air de s'en sortir très bien. Il n'y a jamais eu aucun signe...

— Pas en public. Quand nous devions sortir, elle faisait un effort. Je n'en sais rien. Peut-être que l'effort était trop pesant. D'un seul coup elle s'est simplement détachée de tout. Les médecins appellent ça un état de fugue hystérique.

— Je ne peux pas croire ça.

— Elle va aller mieux, non ?

— On pensait qu'elle irait mieux maintenant, mais

elle ne fait qu'aller de mal en pis. Cet après-midi, elle a menacé Paula avec un couteau.

— Un couteau !

— Je ne sais pas quoi faire. Que se passera-t-il si la prochaine fois qu'elle fait ce genre de choses elle blesse quelqu'un ? Qu'arrivera-t-il si elle se blesse elle-même ? Est-ce que je dois en prendre le risque ?

— Qu'est-ce que tu dis ?

— Je ne sais pas. Je ne sais plus ce que je dis. Je ne sais plus où j'en suis. Elle est si déprimée, et elle ne veut pas que je l'aide. Et j'ai peur ; à chaque fois que je quitte la maison j'ai peur qu'elle ne soit plus là à mon retour, qu'elle puisse tenter de... je ne veux même pas le dire.

— Jane n'est pas du genre à se suicider, dit Sarah avec conviction, exprimant les inquiétudes de Michael.

— Est-ce que c'était Jane, ce soir, pendant le dîner ? demanda-t-il simplement.

La question la réduisit au silence et le calme revint dans la pièce.

— Si son état ne s'améliore pas d'ici peu, commença Michael d'une voix sourde, le souffle lourd, je serai peut-être contraint d'envisager de la faire interner.

— Michael, non !

— Quel autre choix ? Dis-le-moi, Sarah. Dis-moi ce que je dois faire et je le ferai. Je ne sais plus à quel saint me vouer. J'ai tenté tout ce qui était en mon pouvoir. Je ne sais pas quoi faire d'autre.

Mon Dieu, pensa Jane tandis que l'obscurité s'insinuait en elle, faites que quelqu'un vienne à mon secours.

19

Elle rêva qu'Emily avait téléphoné et demandé qu'elle la retrouve au port de Boston. Mais quand elle y arriva, Emily était déjà partie, et Jane se mit donc à courir fébrilement le long de la Charles River, passant devant les rangées de bateaux d'excursions, devant le New England Aquarium, les quais et la jetée des Coast Guards, traversant le Charlestown Bridge, dépassant les groupes de visiteurs assemblés autour du navire USS Constitution, se dirigeant vers le Boston Navy Yard. Elle courut vers le dock pour voir le bateau d'Emily partir. « Emily! Emily! »

« Je crois que vous ne faites pas partie de ce groupe, dit une jeune femme, la voix chargée de reproches. Il vous faut rejoindre un autre groupe au Boston Common. Emily vous y retrouvera. »

« Emily! appela Jane, trébuchant sur la tombe de Mother Goose dans le vieux cimetière de Granary. Emily, où es-tu? »

« Vous venez juste de la manquer, dit quelqu'un. Elle est partie avec Gargamella. »

« Oh, non. »

« Elle a dit qu'elle attendrait à Fanheuil Hall jusqu'à quatre heures. »

Jane s'engouffra dans une voiture qui l'attendait et démarra en trombe, klaxonnant et faisant des bras d'honneur à tous ceux qui la ralentissaient.

« Du calme, du calme », avertissait Michael depuis le

siège arrière. Tu ne veux pas avoir un accident, non ? »

C'est alors qu'elle vit soudain la Volvo vert foncé perdre tout contrôle et donner de la bande en se dirigeant droit sur elle. Elle voulut tourner le volant, mais il resta obstinément bloqué tandis qu'elle écrasait le frein dans un vain effort pour arrêter l'inévitable.

« Non ! » hurla Jane, se dressant avec une violence telle qu'elle faillit dégringoler du lit, les yeux égarés parcourant frénétiquement toute la pièce. Elle s'aperçut qu'elle se trouvait dans son propre lit, dans sa propre maison.

Elle jeta un regard vers la table de nuit près du lit, remarqua l'espace vide où se trouvait le téléphone avant que Michael ne l'enlève et comprit qu'Emily n'avait pas essayé de la joindre. Ou peut-être que si ? Peut-être qu'elle l'avait appelée, un être terrorisé en interpellant un autre.

Elle perçut des murmures lointains qui lui résonnaient dans la tête — Je ne sais plus quoi faire. Vous ne pouvez pas savoir ce que c'est. Son comportement est si déconcertant.

Michael ?

Elle n'était plus vraiment la même depuis l'accident.

Pourquoi dis-tu ça ? Y a-t-il quelque chose que tu ne m'aies pas dit au sujet de l'accident ?

Si son état ne s'améliore pas d'ici peu, je serai peut-être contraint d'envisager de la faire interner.

Internée ? Oh mon Dieu. Elle avait sûrement rêvé ça avec le reste.

Quel autre choix me reste-t-il ?

Internée. Michael avait dit qu'en vérité il serait peut-être obligé de la faire interner. Il l'avait roulée, droguée, puis il avait révélé en pleurant à deux de ses meilleurs amis à elle qu'il n'aurait peut-être pas d'autre solution que de la faire interner. Ce n'était pas un rêve. Ce cauchemar était bien réel.

Il fallait qu'elle s'en aille d'ici.

Jane fit un effort pour se dégager de ses couvertures, découvrant qu'elle avait toujours sur elle ses vêtements de la veille au soir, ce qui était bien, car elle doutait d'avoir la force de s'habiller. Seuls ses pieds étaient nus, ce à quoi elle pouvait remédier grâce à quelques pas rapides jusqu'au placard.

Elle tâta la moquette et sentit revenir le vertige familier. Tiens le coup, se réprimanda-t-elle. Concentre-toi sur ce que tu as à faire. Tu dois sortir d'ici pendant qu'il en est encore temps.

Et que comptes-tu faire une fois que tu seras hors d'ici ? lui demanda son reflet, une expression stupéfaite sur le visage.

Je m'en préoccuperai plus tard. Commençons par le commencement. Et la première chose à faire est de sortir de cette maison.

Jane ouvrit la porte du placard et glissa ses pieds dans ses chaussures de vernis noir, à l'extrémité desquelles elle sentit quelque chose comme des petits cailloux.

— Qu'est-ce que vous faites ?

Jane se figea au son de la voix de Paula.

— Il faut que j'aille aux toilettes, mentit Jane, luttant pour garder son calme et ne pas perdre l'équilibre.

— C'est pas ici que vous allez les trouver. Jane sentit les mains de Paula sur ses épaules, la guidant dans la bonne direction, la faisant avancer d'une légère poussée. C'est ça. Tout droit.

Elle donna à Jane une dernière poussée, comme on pourrait le faire avec un enfant qui apprend à marcher.

— Je crois que j'ai besoin d'aide, lui dit Jane en chancelant, ce qui fit aussitôt venir l'autre femme près d'elle.

— Mon Dieu, qu'est-ce que c'est ? cria Jane, indiquant le jacuzzi.

Paula se pencha vers la baignoire et Jane se jeta sur elle de tout son poids. Paula trébucha, tomba les mains en avant pour amortir la chute, et se retrouva à moitié dans la grande baignoire, poussant des cris, plus à cause du choc qu'à cause de la douleur, tandis que Jane se précipitait hors de la pièce, claquant la porte derrière elle, traînant la table de nuit avec la lampe et tout, depuis son lit, pour bloquer l'accès. Elle reconnut que Paula n'aurait pas grand mal à l'escalader pour se lancer à sa poursuite, mais espéra que ça la ralentirait assez longtemps pour lui permettre de s'échapper.

Jane vola quasiment dans l'escalier, perdant l'équilibre, et s'écroula sur les dernières marches. Elle entendit Paula se libérer de sa prison éphémère et sortit en courant par la porte d'entrée tandis que Paula atteignait le haut de l'escalier.

— Jane, nom de Dieu ! qu'est-ce que vous faites ? Où est-ce que vous allez ?

Jane claqua la porte, vit la voiture de Carole garée de l'autre côté de la rue, priant qu'elle ne soit pas fermée à clé. Elle tira sur la poignée de la porte arrière, faillit éclater en sanglots de gratitude quand elle s'ouvrit, et bondit à l'intérieur, refermant doucement la porte derrière elle, se tapissant dans le fond de la voiture, coincée entre le siège avant et le siège arrière, le cœur battant à toute allure, l'estomac se contractant si douloureusement qu'elle crut qu'elle allait vomir. Elle entendit Paula l'appeler, se l'imagina la cherchant du regard dans toute la rue, contournant la maison et finalement levant les bras au ciel dans un geste de frustration.

Et maintenant ? Paula allait-elle retourner dans la maison ? Téléphoner une fois de plus à Michael ? J'ai combien de temps ? se demanda Jane. Et qu'est-ce que je vais faire ?

Elle sut sans avoir besoin de lever les yeux que quelqu'un était en train de l'observer à travers la vitre de la voiture. Fin du jeu, se dit-elle, se refusant pendant plusieurs secondes à lever les yeux, à laisser à Paula la satisfaction de sa capture. Capture, pensa-t-elle, en entendant que l'on secouait légèrement la porte, comme si j'étais une sorte de criminelle. Elle se représenta aussitôt sa robe pleine de sang et les dix mille dollars en liquide qu'elle avait trouvés dans les poches de son manteau. Peut-être que c'est exactement ce que je suis. Peut-être que j'ai exactement ce que je mérite. N'est-il pas temps d'abandonner le combat ? l'exhortait une partie d'elle-même, la partie qui était fatiguée et qui voulait seulement aller se recoucher. Inspirant profondément, s'appuyant contre le cuir usé du siège arrière, Jane s'obligea à diriger son regard vers la fenêtre de la voiture.

Le père de Carole était en train de lui sourire, l'observant comme si elle était un oiseau exotique dans une cage en verre. Jane perçut un bruit de pas, entendit la voix de Carole lui parvenir à travers la portière de la voiture.

— Papa, qu'est-ce que tu peux bien faire ici ?

Jane porta un doigt à ses lèvres, dans un geste qui suppliait le vieil homme de garder le silence. Il répondit par un large sourire édenté.

— Papa, je ne suis pas encore prête pour t'emmener faire un tour en voiture. Rentre. Tu n'as pas fini ton petit déjeuner. Tu sais bien que tu détestes les toasts refroidis.

Le père de Carole se redressa, son visage prenant un air très grave à la pensée des toasts froids. Puis il fit demi-tour et se dirigea vers la maison.

— Carole ! Jane entendit la voix de Paula qui criait, chaque mot la rapprochant davantage. « Est-ce que vous avez vu Jane ? »

— Jane ? Non. Pourquoi ? elle a encore disparu ?

— Elle m'a poussée dans la baignoire et s'est enfuie de la maison. J'ai failli me casser le poignet en tombant.

— Bon Dieu, on dirait qu'elle a perdu les pédales pour de bon, cette fois.

— Bon, si vous la voyez ou si elle frappe chez vous, vous m'appellerez tout de suite ?

— Promis ! Papa, rentre à la maison.

Jane entendit une porte se fermer. L'instant d'après, plus loin, elle en entendit une autre. Etaient-elles parties toutes les deux ? Elle se redressa lentement, s'autorisant à jeter un coup d'œil par la fenêtre. Il n'y avait personne. La pelouse devant la maison de Carole était vide. La sienne également. Evidemment, il pouvait y avoir quelqu'un en train de regarder depuis une fenêtre. Il lui fallait être très prudente. Avec beaucoup de précautions elle ouvrit la porte de la voiture et rampa à l'extérieur, prenant garde de maintenir la tête basse et de rester hors de vue.

Et quoi maintenant ? Où avait-elle l'intention d'aller ? Elle n'avait pas d'argent, n'ayant pas pensé à prendre un sac en sortant. Il fallait s'y attendre, pensa-t-elle. Une fois de plus, je vais me retrouver errant dans les rues sans sac ni papiers d'identité. Sauf que cette fois, je sais qui je suis, même si je ne m'en souviens pas. Je suis Jane Whittaker. Qu'est-ce qui fait courir Jane ? se dit-elle, avançant tant bien que mal le long de la rue en position à moitié accroupie, les doigts frôlant le trottoir, comme si elle tenait davantage du primate que de l'être humain.

Elle tourna dans Walnut Street en direction du nord, se refusant à s'arrêter même pour reprendre son souffle. Elle se rendait compte instinctivement que si elle le faisait, même pendant quelques secondes, elle pourrait s'effondrer, se pelotonner sur la première pelouse venue et s'endormir. Elle ne pouvait se permettre de se laisser aller.

Elle entendit plusieurs voitures la dépasser et envisagea un instant d'en intercepter une. Quelqu'un s'arrêterait-il ? C'était peu probable, décida-t-elle, après avoir aperçu une expression inquiète sur le visage d'une conductrice qui la dépassait. Je dois valoir le coup d'œil, à courir dans la rue comme un singe, vêtue d'une jolie tenue de soirée rose, dégoulinant de transpiration, tentant désespérément de garder les yeux ouverts. Ce qu'il me faut, c'est un taxi, se dit-elle, sentant rouler sous ses doigts de pieds ces fichus trucs qui se baladaient au bout de ses chaussures. Sauf que, à la différence de ma dernière grande évasion, j'ai oublié d'emporter de l'argent. Elle mit les mains dans ses poches. Rien. Pas le moindre billet de cent dollars en vue.

Elle s'arrêta brusquement. Si elle devait marcher, il valait mieux que ce soit dans de bonnes conditions. Relativement parlant, évidemment, se dit-elle, tout en ôtant sa chaussure droite. Elle vit deux petites pilules blanches tomber par terre. Ses médicaments, réalisat-elle, les pilules que lui avaient fait prendre Michael et Paula, les pilules qu'elle avait cachées. Elle se baissa et les ramassa, s'appuyant sur le trottoir avant de se sentir suffisamment de force pour se relever. Elle enfouit alors les pilules dans sa poche et se remit en marche, se disant que Paula avait peut-être décidé de partir à sa recherche en voiture. Elle s'abrita aussitôt derrière une rangée d'arbres.

Quelques pâtés de maisons plus loin, elle vit ce qui ressemblait à une artère principale. Si elle pouvait arriver jusque-là... quoi ? Qu'avait-elle l'intention de faire ? Aller trouver la police ? Et lui dire quoi ? Qu'elle s'était sauvée parce que son mari voulait la faire interner ?

Votre mari ? Ce célèbre pilier de bonnes œuvres, saint Michael ?

Il n'est pas aussi saint homme qu'il en a l'air.

Si quelqu'un a l'air d'un saint et se conduit comme un saint...

Mais il me ment, à moi et à tout le monde.

Les saints ne mentent pas.

Il me fait prendre des drogues.

Les saints ne s'occupent pas de drogue.

J'ai essayé de ne pas les prendre...

Non à la drogue !

« Non ! » cria Jane, atteignant l'omniprésente Beacon Street. Elle croisa le regard d'un passant qui se hâta de traverser la rue pour l'éviter. Non, je ne peux pas aller trouver la police. Regardez-moi. Je suis une véritable épave. Ils ne me croiraient jamais.

Quelle preuve avait-elle que tout le monde était en train de comploter contre elle ? Elle ne se rappelait même plus qui elle était ! Ça ferait bonne impression sur les flics. La parole d'une amnésique hystérique contre celle d'un saint de renom ? Redescends sur terre. Fous le camp[1].

J'ai essayé. Ça n'a pas marché.

Elle était en train de fixer l'enseigne depuis plusieurs

1. D'après un slogan des années 70 : *Get real. Get lost.*

minutes quand son cerveau enregistra précisément : *Pharmacie Beacon,* annonçaient les grandes lettres bleu et or. Les pieds de Jane la propulsèrent jusqu'à la porte. Elle dut s'écarter pour laisser sortir un client. Une fois à l'intérieur, elle sentit le froid de l'air conditionné lui tomber aussitôt sur la peau, glaçant les gouttes de sueur qui coulaient le long de son cou et de ses bras. Moite et prise de vertige, elle pria qu'elle puisse arriver jusqu'au comptoir au fond du magasin sans s'évanouir.

— Vous désirez ? demanda l'homme derrière le comptoir, la regardant d'un air inquiet par-dessus ses lunettes pour lire. Mon Dieu, vous vous sentez bien ?

— Vous avez une chaise ?...

C'est alors qu'elle se retrouva par terre, les jambes étendues devant elle, les bras ballants à ses côtés, le dos retenu par une étagère de remèdes pour le rhume. Le pharmacien était près d'elle, lui tapotant la main, demandant à son assistant d'apporter un verre d'eau.

— Buvez ça, lui ordonna-t-il en pressant le verre sur ses lèvres.

Elle laissa l'eau s'écouler dans sa bouche, faisant un effort pour garder les yeux ouverts. Le pharmacien bienveillant, un homme d'une soixantaine d'années pourvu d'une épaisse moustache et de favoris qui n'étaient probablement plus à la mode depuis son enfance, entreprit de lui éponger le front avec un mouchoir.

— C'est sans doute la chaleur, dit-elle, ne sachant pas très bien si elle avait parlé assez fort pour qu'on l'entende.

— Eh bien, si je peux me permettre, vous êtes habillée un peu chaudement pour une journée comme aujourd'hui. A la météo ils ont dit qu'il pourrait faire pas loin de quarante ! Vous croyez que vous pouvez vous mettre debout ?

Jane secoua la tête.

— J'aime mieux pas.

— Il y a une chaise juste derrière le comptoir. On ne peut pas vous laisser assise par terre. Venez, vous pouvez me tenir compagnie quelques minutes en attendant de retrouver vos forces.

Il la prit à bras-le-corps pour la mettre sur ses pieds.

Jane sentit quelqu'un s'approcher derrière elle et la pousser dans le dos. Elle se retourna, pour voir Paula qui souriait poliment, la main fermement calée dans son dos.

— Excusez-moi. Je vous ai fait mal ? demanda la jeune fille, surprise.

Ce n'était pas du tout Paula, réalisa Jane, et elle laissa le pharmacien la conduire jusqu'à la chaise derrière le comptoir.

— Vous êtes malade ? demanda l'homme d'une voix inquiète.

Jane sentit monter des larmes qui se mirent à couler. Elle se laissa tomber sur la chaise et enfonça une main tremblante dans la poche de son pantalon pour y prendre les deux petites pilules blanches.

— Seriez-vous en mesure de me dire ce que c'est ? Je veux dire, sans avoir besoin de les faire analyser.

Le pharmacien prit les pilules dans la paume de sa main, les examinant soigneusement sous toutes les coutures.

— Où avez-vous eu ça ?

— Vous savez ce que c'est ?

— Je crois savoir ce que c'est.

— De l'Ativan ?

— De l'Ativan ? Oh non, ce n'est pas de l'Ativan. Les pilules d'Ativan sont minces et allongées. Qui vous a dit que c'était de l'Ativan ?

Jane sentit son cœur se mettre à battre à toute allure.

— Non, on dirait plutôt de l'Haldol.

— Qu'est-ce que c'est ?

— Quelque chose avec quoi il vaut mieux ne pas s'amuser. (Il plissa les yeux.) Vous n'en avez pas pris, n'est-ce pas ? Je veux dire, sans ordonnance ?

Elle hocha la tête d'un air coupable.

— J'avais des problèmes pour dormir et un ami m'a dit que ça serait efficace.

— Tout d'abord, débarrassez-vous des pilules, et

ensuite débarrassez-vous de l'ami. Les amis comme ça sont dangereux. (Il grogna de dégoût.) Pas étonnant que vous ayez failli vous évanouir. Combien en avez-vous pris ?

— Juste deux.

— Seigneur !

— Vous êtes sûr que c'est de l'Haldol ?

— Pratiquement certain. Mais je vais vérifier pour m'en assurer.

Il disparut quelques minutes derrière une rangée de dossiers et revint avec un gros livre noir.

— Il y a tout là-dedans. (Il l'ouvrit.) Vous voyez ? Même des photos.

Jane parcourut des yeux les pages de papier glacé, passant en revue la liste des médicaments que complétaient des photos des cachets eux-mêmes. Le pharmacien arriva à la lettre H et ne fut pas long à trouver l'Haldol. Il posa la petite pilule sur la page, à côté de la reproduction.

— Vous voyez ? Elles sont de la même grosseur et de la même couleur. Elles ont toutes deux ce même bord biseauté. Elles sont striées, non dragéifiées. Il s'agit bien d'Haldol.

— Et ça n'est pas recommandé pour les insomnies.

— Vous souffrez d'insomnies ? J'ai là des milliers de remèdes pour ça. On prend de l'Haldol quand on a une grave psychose. C'est avant tout une drogue de dernier recours. On le donne à ceux qui souffrent de dépression profonde. Si on le donne à quelqu'un d'autre, il y a de grandes chances pour lui en provoquer une.

— Alors quelqu'un qui n'était pas déprimé au départ va le devenir ?

— Si on prend de l'Haldol pendant un certain temps sans motif, on devient un véritable zombie. Sans parler des effets physiques : ça peut produire tous les symptômes de la maladie de Parkinson. Déglutition difficile, spasmes, démarche traînante...

— Bave ?

Il hocha la tête.

— On passe par tous les stades de la destruction

psychique. Croyez-moi, ce ne sont pas des pilules à donner allégrement à ses amis quand ils ont du mal à dormir. Il faudra que vous en parliez à votre ami. Avertissez ce crétin qu'il est en train de jouer avec la vie d'autrui. Quelqu'un pourrait en subir de graves dommages. (Il secoua la tête d'un air étonné.) Vous avez de la chance de n'en avoir pris que deux. Vous auriez pu être très malade.

Il s'interrompit et l'examina attentivement.

— Vous êtes sûre que c'est tout ce que vous avez pris ?

Elle sourit, ressentant une sorte de soulagement. Elle n'était donc pas en train de devenir folle. Les pilules que Michael lui avait fait prendre n'étaient pas les pilules que le Dr. Meloff avait prescrites. Celles qu'elle avait prises, loin d'être un léger tranquillisant, étaient « avant tout une drogue de dernier recours », dont l'usage prolongé pouvait la transformer en « zombie ». Pas étonnant qu'elle se sente à ce point déprimée. Pas étonnant qu'elle puisse à peine sortir de son lit le matin, qu'elle puisse à peine bouger. Elle avait une maladie de Parkinson provoquée par la drogue. Elle était en train de « passer par tous les stades de la destruction psychique » !

— J'ai besoin de récupérer mes pilules, dit-elle calmement au pharmacien. Et il faut que j'aille à l'Hôpital de la ville de Boston. Croyez-vous que vous pourriez me prêter de l'argent pour prendre un taxi ?

— Il vaudrait peut-être mieux que j'appelle une ambulance.

— Je n'ai pas besoin d'ambulance. J'ai simplement besoin de voir quelqu'un à l'Hôpital de la ville de Boston. Je vous en prie, aidez-moi.

20

— Il faut que je voie le Dr. Meloff.

Jane considéra la jeune femme aux cheveux noirs qui montait la garde devant le bureau du Dr. Meloff et faisait semblant de travailler sur son ordinateur. La femme, dont les yeux bleus étaient aussi clairs que sa chevelure était sombre, regarda Jane avec un mélange d'ennui et d'hésitation. Elle ne sait pas très bien quoi faire de moi, réalisa Jane, défroissant les plis de son pantalon blanc, tirant le bas de son pull rose à manches longues, tout en sentant un reste de moiteur au bout de ses doigts.

La jeune femme, dont le badge personnel portait le nom de Vicki Lewis et qui était vêtue avec élégance sous sa blouse blanche, détailla pendant quelques secondes l'incongruité de la tenue de Jane avant de répondre.

— Je crains que ça ne soit pas possible.

— Je sais que je n'ai pas de rendez-vous, mais je peux attendre.

Elle parcourut du regard le bureau vide. Il n'y avait personne d'autre qui attendait.

— Ce n'est pas la question. J'ai bien peur que le Dr. Meloff ne soit pas là.

— Je vous demande pardon ? Jane consulta sa montre. Il était un peu trop tôt pour le déjeuner. Peut-être qu'il faisait une pause café. Peut-être qu'elle pourrait le trouver à la cafétéria.

— Le Dr. Meloff est en congé. Il ne sera pas de retour avant plusieurs semaines.

— En congé ?

— Il est parti descendre des rivières en canoë, je ne sais pas comment on appelle ça. Chacun son truc.

Vicki Lewis haussa les épaules.

— Si vous voulez prendre rendez-vous pour quand il sera rentré…

— Non. Ça ne peut vraiment pas attendre.

— Bon, vous pourriez voir le Dr. Turner ou l'un des internes.

— Non, il faut que ce soit le Dr. Meloff.

Vicki Lewis fixa avec gêne l'écran de son ordinateur. « Alors il n'y a rien que je puisse faire pour vous à moins de vous donner un rendez-vous pour le voir à son retour. »

— Je ne peux pas attendre jusque-là.

Jane se rendit compte que sa voix devenait tout à coup perçante, remarqua l'inquiétude qui traversa les yeux vagues de Vicki Lewis, et se dit qu'il fallait qu'elle s'assoie et examine la situation avant de dire autre chose.

— Vous permettez que je m'assoie un instant ?

Vicki haussa les épaules à nouveau. Jane s'installa sur une inconfortable chaise orange adossée au mur opposé et respira profondément.

— Etes-vous une patiente du Dr. Meloff ? demanda la jeune femme, visiblement impatiente de voir Jane sortir de son bureau.

— Il m'a examinée il y a environ un mois.

Est-ce que ça faisait un mois ? Elle n'en était plus sûre. Elle avait perdu toute notion du temps.

— Quel jour sommes-nous ?

— Jeudi. 26 juillet 1990, lui dit Vicki Lewis, scandant la date en détachant bien les trois mots. Je devrais peut-être appeler un interne. Je crois que le Dr. Klinger est disponible.

— Non !

Cette explosion soudaine fit sursauter Vicki Lewis. D'un geste instinctif, elle posa la main sur le téléphone.

— Je ne veux pas voir le Dr. Klinger.

Le Dr. Klinger avec ses yeux vides et sa bouche dépourvue de tout sourire, son manque d'humour et son sens inexistant de la compassion. Comment prendrait-il l'histoire qu'elle avait à raconter ? J'ai simplement besoin de rester ici un petit moment, le temps de décider ce que je dois faire. Je vous en prie.

Après avoir à nouveau haussé les épaules, Vicki Lewis reporta son attention sur l'écran de son ordinateur.

Et maintenant, qu'est-ce que je fais ? se demanda Jane, refoulant ses larmes. Elle s'était préparée à toutes les réponses que le Dr. Meloff pourrait lui faire, elle savait exactement comment elle devrait réagir à chaque question chargée d'incrédulité. « Je sais que vous allez avoir du mal à croire cela, Dr. Meloff, et il est possible qu'il y ait une explication logique pour tout, mais je n'ai pas été en mesure de la trouver. Peut-être que vous, vous le pourrez. »

Et quel est donc le problème, Jane ?

Eh bien, vous savez que vous avez dit que ma mémoire reviendrait probablement au bout de quelques semaines...

Ce n'était pas une promesse, Jane. L'esprit a son propre programme.

Je le sais. Ce n'est pas pour ça que je suis ici. Je suis ici parce qu'il m'arrive des choses bizarres depuis que je suis rentrée chez moi...

Quel genre de choses ?

J'ai été très malade, Dr. Meloff. Déprimée et léthargique. Il y a des jours où je peux à peine sortir de mon lit.

Nous en avons parlé au téléphone, Jane. Je vous ai dit qu'il n'était pas rare de se sentir déprimé dans de telles circonstances.

Je sais, mais il y a autre chose. Vous voyez, je crois que mon mari a modifié mon traitement.

Qu'est-ce qui vous fait penser ça ?

Vous m'avez dit que vous m'aviez prescrit de l'Ativan, mais j'ai montré au pharmacien les pilules que Michael me donne. Il a dit que ce n'était pas de l'Ativan. C'est de l'Haldol.

De l'Haldol ? Vous devez vous tromper. Vous les avez avec vous ?

Oui. Tenez.

Ce ne sont absolument pas les pilules que j'ai prescrites. Etes-vous sûre que ce sont les pilules qu'il vous fait prendre ?

Oui. Et elles me mettent dans un état épouvantable. Elles me donnent des vertiges, m'abrutissent et me rendent malade.

Ce n'est pas étonnant. Il s'agit là d'une médication très puissante. Mais pourquoi donc votre mari vous donnerait-il une médication inappropriée ? C'est un médecin très respecté. Il est très au courant. Ça n'a pas de sens.

Je ne vous ai pas raconté toute l'histoire, Dr. Meloff.

C'est-à-dire ?

Quand je me suis retrouvée en train d'errer dans les rues de Boston, j'ai fait une autre découverte, quelque chose que je n'ai dit à personne.

Pas même à la police ?

J'avais peur d'en parler à la police. Les poches de mon manteau étaient pleines de billets de cent dollars, pas loin de dix mille dollars en tout, vous voyez ?

Quoi ?

Et le devant de ma robe était couvert de sang.

Du sang ?

J'allais vous en parler au moment où ce médecin m'a reconnue, et après ça tout s'est passé si vite que je n'en ai parlé à personne.

Pas même à Michael.

Non.

C'était le sang de qui ?

Au début je n'en avais pas la moindre idée. Mais maintenant je sais que Michael a menti au sujet de la cicatrice sur son front.

Vous pensez que c'est le sang de Michael qui était sur votre robe.

Oui ! Je crois qu'il sait quelque chose qu'il ne veut pas

me dire, qu'il s'est peut-être passé quelque chose entre nous, que je l'ai peut-être frappé.

Et vous pensez qu'il vous fait prendre de l'Haldol dans le but de vous empêcher de vous souvenir de ce qui a provoqué cette scène ?

Il a parlé de me faire interner. Ce qui me ferait taire à jamais.

— Mais les dix mille dollars que vous avez trouvés dans vos poches. D'où viennent-ils ?

Je n'en sais rien. Je ne sais pas comment ils sont arrivés là.

Ce sont des accusations très graves que vous portez contre un homme dont la réputation est au-dessus de tout soupçon.

Je le sais. C'est la raison pour laquelle je suis venue vous trouver. Si j'étais allée directement trouver la police, ils ne m'auraient pas crue. Ils n'auraient jamais accepté ma parole contre la sienne. Mais si vous m'aidez, j'ai au moins une chance. Je vous en prie, dites que vous allez m'aider, Dr. Meloff. Dites que vous viendrez avec moi quand j'irai trouver la police.

Je viendrai avec vous, Jane.

Vous me croyez, alors. Vous ne me prenez pas pour une folle.

Je ne sais pas bien quoi penser. Tout ce que je sais, c'est que ces pilules ne sont pas celles que j'ai prescrites.

Oh, merci, Dr. Meloff. Merci.

— Il y a quelque chose de drôle ? (La voix de Vicki Lewis interrompit la rêverie de Jane.) Vous étiez en train de rire.

Jane secoua la tête, sachant qu'elle avait définitivement abusé de son hospitalité, mais se demandant ce qu'elle allait faire. Elle pouvait aller trouver la police sans le Dr. Meloff, mais où cela la mènerait-il ? Même si elle devait leur confier tous ses soupçons, même si elle devait leur parler des pilules, même si elle devait les conduire jusqu'à son casier de consigne à la gare routière Greyhound et leur montrer sa robe ensanglantée et les liasses de billets de cent dollars, on la considérerait avec scepticisme et incrédulité. Elle avait menti, après tout, avait omis de les informer au sujet de l'argent et du sang la première fois qu'elle avait fait appel à eux. Et qui étaient-ils le plus disposés à croire à présent, une nana cinglée qui ne savait toujours pas qui elle était, ou le célèbre chirurgien pour enfants qu'était son mari, et qui apporterait bien évidemment une réponse logique à toutes leurs questions ?

Non, elle ne pouvait pas aller trouver la police. Pas encore. Il lui faudrait attendre — peut-être disparaître à nouveau — jusqu'à ce que le Dr. Meloff rentre de vacances. Sauf que la clé de son casier de consigne se trouvait dans la semelle d'une chaussure au fond d'un placard dans une maison où elle ne pouvait prendre le risque de retourner. Peut-être que si elle expliquait aux responsables de la gare routière Greyhound qu'elle avait perdu la clé, ils lui ouvriraient le casier. Non, ils ne le feraient sûrement pas, d'autant plus qu'elle n'avait ni argent ni papiers d'identité.

Elle n'avait nulle part où aller, aucun endroit où se cacher.

— Y a-t-il une bibliothèque médicale dans le bâtiment ? demanda-t-elle.

— Je vous demande pardon ?

Ce n'était apparemment pas une question à laquelle s'attendait Vicki Lewis.

— Est-ce que l'hôpital a une bibliothèque médicale ?

— Au troisième étage, répondit Vicki Lewis, mais elle est réservée au personnel.

Jane se leva et sortit du bureau en vacillant, s'appuyant au mur, sentant le regard de Vicki Lewis dans son dos.

Elle suivit la ligne grise qui courait le long du mur jusqu'aux ascenseurs, et attendit à côté d'une vieille femme noire.

— Vous devez avoir très chaud, dit la femme tandis qu'elles entraient dans l'ascenseur et que les autres passagers s'efforçaient de laisser la plus grande distance possible entre eux et le pull de laine rose de Jane.

— Je ne pensais pas qu'il ferait si chaud, dit Jane, puis elle porta les yeux sur les boutons du tableau de

272

commande quand elle s'aperçut que ça n'intéressait personne. Elle renifla l'air vicié qui régnait dans l'espace confiné et prit aussitôt conscience des désagréables odeurs corporelles, en comprenant que c'était elle la responsable. L'ascenseur s'arrêtait à chaque étage, laissant des gens sortir et d'autres entrer, prolongeant l'agonie de Jane jusqu'à ce qu'elle se trouve repoussée tout au fond de la cabine. On arriva au troisième étage, et ce fut à son tour de descendre.

— Excusez-moi, dit-elle, se frayant un chemin vers les portes, et sortant juste avant que celles-ci ne se referment.

Elle entendit les soupirs de soulagement que poussèrent ceux qui étaient restés à l'intérieur. Elle essaya de se concentrer sur les diverses signalisations sur les murs, flèches et directions qui lui indiquaient probablement tout ce qu'elle avait besoin de savoir, mais les lettres dansaient devant elle et elle finit par renoncer à obliger ses yeux à coopérer.

— Excusez-moi, demanda-t-elle à un interne qui passait, pourriez-vous me dire où se trouve la bibliothèque médicale ?

Il lui indiqua la direction à suivre, mais pas avant de lui avoir dit que la bibliothèque était réservée au personnel de l'hôpital. Jane le remercia, puis attendit qu'il soit hors de vue pour continuer. Si la bibliothèque médicale était réservée au personnel de l'hôpital, elle devait s'arranger pour faire partie des employés.

— Bonjour, dit-elle à la femme entre deux âges qu'elle supposa être la bibliothécaire : Je suis Vicki Lewis, la secrétaire du Dr. Meloff. Le docteur m'a demandé de faire une recherche pour lui pendant son absence.

— Allez-y.

Jane laissa échapper un long soupir. Si la femme avait quelque soupçon, elle réussissait parfaitement à le cacher. Si seulement le reste pouvait être aussi facile, pria Jane, se demandant comment procéder pour localiser l'information qu'elle cherchait.

— Je me demandais si vous pourriez m'aider, hasarda-t-elle.

La bibliothécaire sourit.

— Je suis là pour ça.

— Je cherche un livre détaillé sur la psychiatrie.

— Nous en avons beaucoup.

La femme, qui était petite et bien ronde, se leva de son bureau et conduisit Jane vers une étagère située le long du mur du fond.

— Tous les ouvrages sur la psychiatrie se trouvent ici. Mais vous devez le savoir, ajouta-t-elle, comme s'il lui venait précisément à l'esprit que ces choses-là devaient être familières à la secrétaire d'un neurologue. Elle indiqua un volume particulièrement épais et lourd. Celui-ci contient probablement tout ce dont vous pouvez avoir besoin.

Jane serra le gros livre dans ses bras, puis regarda autour d'elle pour trouver un endroit où le poser.

— Par ici.

La femme lui montra plusieurs grandes tables avec des chaises. Elle s'éventa avec ses doigts en regagnant son bureau, puis s'arrêta.

— Quel est votre nom, déjà ?

— Vicki Lewis. (La voix de Jane était à peine un murmure.) La secrétaire du Dr. Meloff.

— Bien sûr. Il est en congé, je comprends.

— Descente de rivières en canoë, confirma Jane, luttant contre le vertige.

— Quelle aventure !

— Chacun son truc, s'entendit répondre Jane en haussant les épaules. Peut-être qu'elle était véritablement Vicki Lewis.

Elle laissa tomber le gros livre sur la table avec un bruit qui attira l'attention d'un interne qui lui adressa un bref sourire avant de retourner à son étude. La bibliothécaire lui jeta un coup d'œil puis ouvrit le premier tiroir de son bureau, y prenant ce qui ressemblait à une sorte de liste. Est-elle en train de vérifier si le Dr. Meloff a bien une secrétaire qui s'appelle Vicki Lewis ? se demanda Jane en plongeant la tête dans le traité de psychiatrie quand la femme regarda à nouveau dans sa direction.

Au travail, s'ordonna Jane à elle-même, repérant Amnésie dans la lettre A. Au moins cette dernière n'a pas oublié où elle est censée se trouver, pensa-t-elle, et elle dut étouffer un rire. Elle lança un coup d'œil furtif à la bibliothécaire, mais la femme était au téléphone et ne l'avait pas entendue. Concentre-toi, se dit-elle, souhaitant que les mots restent sur des lignes droites sur les pages.

L'amnésie était décrite comme étant l'incapacité totale ou partielle à se souvenir d'expériences passées et était le résultat soit d'une maladie organique du cerveau, soit de problèmes émotionnels. Si l'amnésie était basée sur des troubles d'origine purement émotionnelle, elle avait tendance à combler des besoins émotionnels spécifiques et disparaissait en général lorsque ces besoins n'existaient plus.

Tout à fait comme le lui avait dit le Dr. Meloff, l'amnésie hystérique était définie comme une perte de mémoire liée à une période particulière de la vie passée ou à certaines situations associées à une grande frayeur ou une grande fureur. *Elle pouvait causer une grave dépression.* Cela signifiait-il que sa dépression pouvait être simplement le résultat de son état, ainsi que Michael le soutenait ? Qu'elle n'avait rien à voir avec les pilules qu'elle avait prises ?

Elle tourna les pages jusqu'à l'état de Fugue hystérique et eut rapidement la confirmation qu'il s'agissait d'une réaction dissociative qui apparaissait à la suite d'un grave traumatisme émotionnel. Dites-moi donc quelque chose que j'ignore, pensa-t-elle, parcourant des yeux le reste du paragraphe, éprouvant de la déception et une angoisse croissante. Apparemment elle ne trouverait rien ici qui puisse l'aider.

C'est alors qu'elle vit : *Une perte momentanée du contrôle de l'impulsion conduisant presque au meurtre d'un être cher peut être suivie d'une perte totale de la mémoire liée à tous les éléments d'identification personnelle de l'individu.*

Etait-il possible qu'elle ait vraiment voulu tuer Michael ?

Elle se remémora aussitôt son trouble initial, à l'hôtel Lennox, lorsqu'elle essayait frénétiquement de reconstituer ce qui avait bien pu lui arriver. Elle se rappela l'horreur qui l'avait traversée lorsqu'elle s'était rendu compte qu'elle avait peut-être été capable de tuer quelqu'un. Tout ce qu'elle avait appris à son propre sujet au cours du mois passé avait confirmé qu'elle avait un caractère violent. Il se pouvait donc très bien qu'elle ait voulu tuer son mari qui l'adorait depuis onze ans. Mais pourquoi ? Parce qu'il avait découvert sa liaison avec Daniel Bishop ? La transformer en légume, était-ce pour lui un moyen de se venger d'elle pour sa trahison ?

Le texte expliquait également que ce type de perte de mémoire était aisément réversible grâce à l'hypnose ou à une puissante suggestion, notamment si on pratiquait ces techniques dans un cadre offrant un soulagement durable ou une séparation physique d'avec la situation du vécu traumatique. Peut-être que le fait qu'elle soit chez elle, sur le lieu probable d'un éventuel crime, était largement responsable de ce que sa mémoire ne revenait pas.

Le sommeil l'avait fort à propos empêchée de se rendre à son premier rendez-vous avec un psychiatre, et la visite que Michael avait reprogrammée n'aurait lieu que six semaines plus tard. Il avait récemment parlé de la conduire chez un hypnothérapeute, mais ça n'était pas allé plus loin. Jane secoua la tête, la posa un instant sur les pages ouvertes du livre, sentant la fraîcheur du papier imprimé contre sa joue. Il était tout à fait possible qu'elle ne connaisse jamais la vérité.

Elle releva la tête juste à temps pour voir le Dr. Klinger se diriger vers elle de son habituel air renfrogné.

— Mrs. Whittaker, la salua-t-il en approchant une chaise en face d'elle et en s'asseyant.

— Dr. Klinger.

Elle se demanda s'il pouvait voir son cœur battre sous son pull rose.

— Vous vous souvenez de moi. J'en suis flatté.

— Même les amnésiques hystériques doivent se souvenir de quelqu'un. (Le fait qu'il ne parvînt pas à sourire la rassura quelque peu.) Et il n'est pas nécessaire de me dire que seuls les employés de l'hôpital ont le droit d'utiliser cette bibliothèque. Je le sais. J'ai simplement décidé de ne pas en tenir compte.

— Vous aviez apparemment quelque chose d'important à faire.

— Il y avait deux ou trois choses que je voulais savoir.

— Au sujet de votre état? (Il examina le titre de la couverture du livre.)

— Non, au sujet du système de catalogage de la bibliothèque du Congrès.

Le Dr. Klinger eut l'air de considérer sa réponse avec sérieux l'espace d'une minute.

— Oh, je vois, remarqua-t-il, un peu de sarcasme.

— Les amnésiques sont très forts pour le sarcasme. C'est écrit à la page 13.

— Qu'avez-vous appris d'autre?

Elle haussa les épaules, imitant le geste insouciant de Vicki Lewis.

— Qui vous a dit que j'étais ici?

— Mrs. Pape, dit-il en montrant la bibliothécaire, a appelé le bureau du Dr. Meloff pour se renseigner sur Vicki Lewis et s'est aperçue que c'est à elle qu'elle était en train de parler, et Miss Lewis m'a contacté.

— Et qu'est-ce qu'elle vous a dit exactement?

— Que vous vouliez voir le Dr. Meloff, que vous aviez l'air perturbée, égarée...

— ... Trop habillée?

— Elle a dit que vous aviez l'air d'avoir dormi tout habillée.

— Miss Lewis est manifestement plus observatrice que je ne le supposais. Dites-moi, Dr. Klinger, n'êtes-vous pas curieux?

— Curieux de quoi?

— Curieux de savoir *pourquoi* j'ai pu dormir tout habillée.

— Vous voulez m'en parler?

Jane inspira profondément. Quel bordel, se dit-elle.

— Nous avions des invités pour dîner hier soir et mon mari a versé quelque chose dans mon verre, m'a assommée, et a dû ensuite me mettre au lit. Je suppose qu'il ne voulait pas s'embêter à me déshabiller, pas plus que je ne voulais m'embêter à me changer après avoir poussé la bonne dans la salle de bains ce matin et essayé d'obstruer la porte. Pourquoi est-ce que les portes s'ouvrent toujours vers l'intérieur, Dr. Klinger ? C'est sûr que ça complique les choses quand vous essayez de vous sauver.

Elle scruta le visage du Dr. Klinger, attendant une réaction, mais n'en vit aucune.

— Pourquoi vouliez-vous vous échapper ?

— Je trouvais que c'était une bonne idée. (Elle rit très fort.) La fuite semble définitivement être chez moi une réaction typique devant des situations stressantes, n'est-ce pas ?

Elle tapa du doigt sur la couverture de l'ouvrage posé sur la table devant elle.

— L'évasion, après tout, est le signe distinctif du syndrome non psychotique aigu.

— Vous êtes manifestement une femme très intelligente, Mrs. Whittaker. Vous ne semblez pas vouloir échapper à vos problèmes.

Cette remarque ainsi que la douceur du ton sur lequel elle avait été faite incitèrent Jane à considérer le Dr. Klinger sous un angle quelque peu différent. Etait-il possible qu'il soit plus sensible qu'il ne le paraissait au premier abord ? Qu'on puisse se fier à lui ? Devait-elle le tester, essayer de s'assurer de son aide ?

— Me croiriez-vous si je vous disais que mon mari a voulu me nuire, qu'il m'a bourrée de médicaments et retenue prisonnière dans ma propre maison ?

— Je crois que c'est ainsi que vous, vous voyez les choses.

Jane leva les yeux au plafond, puis regarda à nouveau le Dr. Klinger.

— Dans ce cas, pensez-vous que vous pourriez me prêter quelques centaines de dollars ?

— Je vous demande pardon?

— Juste de quoi me dépanner jusqu'à ce que le Dr. Meloff débarque de son canoë.

— Vous plaisantez, non?

— Est-ce que ça veut dire que vous ne me prêterez pas d'argent?

Jane repoussa sa chaise et essaya de se mettre debout, ce qu'elle fit avec succès à la seconde tentative.

— Attendez un instant. Le Dr. Klinger bondit à son tour sur ses pieds.

— Attendre quoi? Je vois bien que nous n'aboutissons à rien, et je ne devrais vraiment pas être là, puisque je ne fais pas partie du personnel et tout le reste.

— Peut-être que je peux vous aider quand même, bégaya le Dr. Klinger en fouillant dans ses poches.

— Vous allez me prêter de l'argent?

— Je n'ai pas grand-chose. (Il sortit son portefeuille et en extirpa lentement une poignée de billets.) Voyons ce que j'ai.

— Pourquoi m'aideriez-vous alors que vous pensez que je suis folle?

— Je n'ai jamais dit que je pensais que vous étiez folle.

— Vous n'avez pas eu besoin de le faire.

— Disons simplement que je ne veux pas vous voir retourner dans les rues. Le Dr. Meloff ne me le pardonnerait jamais. (Il entreprit de compter les quelques dollars qu'il avait dans son portefeuille.) Voyons, vingt, trente, trente-cinq, quarante-cinq, quarante-sept... quarante-sept dollars et vingt-deux *cents*. Pas lourd.

— C'est formidable, lui dit-elle. J'apprécie beaucoup. Elle tendit la main vers l'argent, mais elle le fit tomber par terre.

— Seigneur, que je suis bête.

Il fut aussitôt à genoux et se mit à ramasser l'argent.

Pouvait-il être plus lent? se demanda Jane, réalisant alors qu'on avait déjà dû prévenir Michael et que le Dr. Klinger ne faisait que s'efforcer de gagner du temps jusqu'à l'arrivée de ce dernier.

279

— Tant pis pour l'argent, dit-elle, essayant de le pousser pour passer, gênée par sa masse butée.

Elle sentit qu'il lui saisissait les bras, vit ses lèvres former des mots de protestation. C'est alors qu'il laissa retomber ses bras et que sa bouche se détendit en un large sourire. A cet instant, avant même de voir Michael avancer vers elle d'un pas ferme, elle sut qu'elle était perdue.

21

— Ne m'approche pas, avertit Jane en saisissant sur la table le lourd manuel de psychiatrie et en le brandissant devant elle comme une arme.

La voix de Michael était tremblante, à peine audible.

— Je ne suis pas venu pour te faire du mal, Jane.

— Non, tu es juste venu pour me donner mes médicaments, c'est ça ?

— Je suis venu pour te ramener à la maison.

— Tu ferais mieux d'oublier cette idée.

Jane éclata de rire, regardant tour à tour son mari et le Dr. Klinger avec beaucoup de circonspection.

— Restez où vous êtes, hurla-t-elle, bien que personne n'ait bougé. Elle agita le livre comme s'il s'agissait d'un revolver, sachant à quel point elle devait avoir l'air ridicule. *Une amnésique prise de démence retient en otage le personnel de la bibliothèque d'un hôpital sous la menace d'un gros traité de psychiatrie ?* imagina-t-elle en gros titres dans le *Boston Globe* du lendemain.

— Laissez-moi tranquille.

— Je ne peux pas faire ça.

— Et pourquoi pas ? De quoi as-tu peur ?

— Je n'ai pas peur. Je suis inquiet.

— Conneries !

Jane repéra un mouvement du coin de l'œil et se tourna de côté pour voir le jeune interne se glisser vers elle.

— N'avancez pas !

— Jane, c'est ridicule.

Jane fixa le jeune interne d'un air implorant, puis porta son attention sur la bibliothécaire.

— Vous ne savez pas ce que cet homme m'a fait, commença-t-elle avant de s'interrompre quand le Dr. Klinger fit signe à l'interne et à la bibliothécaire de s'approcher de lui.

— Je vous présente Jane Whittaker, dit-il. Elle souffre d'une forme d'amnésie hystérique. Son mari, le Dr. Whittaker, pratique la chirurgie pédiatrique à l'hôpital pour enfants, poursuivit-il en faisant un signe de tête en direction de Michael, il la soigne avec des sédatifs légers prescrits par le Dr. Meloff.

— Non, c'est pas vrai ! cria Jane. Le Dr. Meloff a prescrit de l'Ativan. Michael m'a fait prendre de l'Haldol. Il m'a droguée et emprisonnée ; il ne me laisse pas voir nos amis ; il ne me laisse même pas parler à notre fille.

— Jane, je t'en prie...

— Non ! Je sais que tu les as tous bernés. Je sais qu'ils pensent que tu es une sorte de dieu parce que tu es ce grand chirurgien, et qui suis-je après tout, sinon une folle qui n'arrive pas à se rappeler qui elle est. Mais ce n'est pas aussi simple que ça. Je ne sais peut-être pas qui je suis, mais je sais que je ne suis pas folle, et qu'en tout cas je ne l'étais pas avant que tout cet horrible foutoir ne commence. Et je n'étais pas malade non plus, pas comme je le suis maintenant. Alors la question est la suivante : comment en suis-je arrivée là ? Qu'est-ce que cet homme merveilleux est en train de me faire qui me rend si malade ? Qu'est-ce qu'il me fait prendre ? Jane s'arrêta, fouilla tout à coup dans la poche de son pantalon, en ressortit les deux petites pilules blanches qu'elle avait montrées au pharmacien, et les tendit au Dr. Klinger et au jeune interne.

— Dites-moi que c'est de l'Ativan !

— Où est-ce que tu les as eues ? demanda Michael, chacun de ses mots lourds de surprise. Est-ce que tu les as prises dans ma sacoche ?

Jane resta presque sans voix.

— Est-ce que je les ai prises... ? Est-ce que tu es en train d'essayer de dire que ce n'est pas toi qui m'as fait avaler ces pilules ?

— Jane, est-ce qu'on peut juste rentrer à la maison et essayer de discuter calmement de tout ça ?

— Tu n'as pas répondu à ma question. Est-ce que je les ai prises... ? Est-ce que tu es en train d'essayer de me dire que ce n'est pas toi qui m'as fait avaler ces pilules ?

— Bien sûr que ce n'est pas moi.

— Tu mens ! (Elle jeta à nouveau un coup d'œil en direction des autres.) Je vous en supplie, croyez-moi. Il ment.

— Pourquoi mentirait-il, Mrs. Whittaker ? demanda le Dr. Klinger en toute logique.

— Parce qu'il s'est passé quelque chose dont il ne veut pas que je me souvienne. Parce qu'il veut que tout le monde croie que je suis folle pour qu'il puisse me faire enfermer dans une institution où je ne me souviendrai jamais de ce qui est arrivé et, même si j'y arrive, où personne ne me croira.

— Jane, je t'en prie, supplia Michael, tu ne vois pas à quel point tout ça a l'air insensé ?

— Qu'est-ce que je dois faire ? dit-elle en implorant l'interne. Comment puis-je vous convaincre que je dis la vérité, que je ne suis pas folle ?

— Tu l'embarrasses, Jane, lui dit Michael avec douceur, et Jane pouvait voir, d'après le rose qui était monté au visage du jeune médecin, que c'était vrai. Ne pouvons-nous pas garder cette question entre nous, au moins jusqu'au retour du Dr. Meloff ?

— Il sera trop tard quand le Dr. Meloff reviendra ! Jane se mit à se balancer d'avant en arrière sur ses talons. Ecoute, pourquoi ne t'en vas-tu pas tout simplement en me laissant tranquille ?

— Je ne peux pas faire ça, Jane. Je t'aime.

En dépit de tous ses soupçons, Jane savait que c'était vrai d'une certaine façon.

— Alors pourquoi est-ce que tu me fais ça ? implora-t-elle.

— J'essaie de t'aider !

— Tu essaies de me détruire !

— Jane…

— Qu'est-ce qui s'est passé entre nous, Michael ? A quel sujet nous disputions-nous le jour où j'ai disparu ?

L'expression qui traversa le regard de Michael convainquit Jane qu'elle avait raison : quelque chose s'était véritablement produit ; ils s'étaient disputés.

— Je t'en prie, nous pouvons en parler à la maison ?

Jane reposa le lourd manuel de psychiatrie sur la table.

— On dit dans ce livre qu'un état de fugue hystérique peut résulter d'une perte momentanée… (elle fit un effort pour se rappeler l'énoncé exact)… la perte momentanée du contrôle de l'impulsion conduisant presque au meurtre d'un être cher. Tu vois ? Il n'y a rien qui cloche avec ma mémoire. Dis-moi la vérité, Michael, le pressa-t-elle, voyant que les autres personnes présentes se montraient désormais tout aussi curieuses. A propos de quoi nous disputions-nous ?

— Il n'y a pas eu de dispute, lui dit-il.

— Menteur !

— Jane…

— S'il n'y a pas eu de dispute, comment as-tu eu cette balafre au front ?

— C'était un accident. Un gosse m'a lancé un petit avion à la tête…

— Foutaises !

— Dr. Whittaker, intervint la bibliothécaire, voulez-vous que j'appelle le personnel de sécurité de l'hôpital ?

— Non ! cria Jane.

— Non, renchérit Michael. Pas encore. Je pense que l'on peut faire entendre raison à Jane.

— Je suis folle, répliqua Jane en criant. Pourquoi crois-tu que je pourrais me rendre à la raison ?

— Parce que je te connais. Parce que je t'aime.

— Alors pourquoi ai-je essayé de te tuer ?

— Tu ne l'as pas fait.

— On ne s'est pas disputés ? Tu ne m'as pas empoignée ? Secouée, peut-être ? Je n'ai pas attrapé quelque chose de coupant ? Je ne t'ai pas frappé à la tête avec ?

Michael était trop stupéfait pour pouvoir parler.

— Alors dis-moi, commença Jane, puis elle hésita, et enfin décida d'aller jusqu'au bout. Comment ma robe s'est-elle retrouvée couverte de sang ?

— Du sang ? suffoqua la bibliothécaire. Mon Dieu.

— C'était ton sang, n'est-ce pas, Michael ? Et l'argent ? Les dix mille dollars ou presque qui étaient entassés dans les poches de mon manteau. Comment sont-ils arrivés jusque-là ? D'où provenaient-ils ? Dis-le-moi. Je peux voir d'après ton air que tu sais très bien de quoi je parle.

Il y eut une longue pause pendant laquelle tout le monde semblait retenir son souffle.

— Pourquoi n'en as-tu pas parlé plus tôt ? demanda-t-il calmement.

Jane haussa les épaules, sentant un énorme poids la quitter. Son secret n'était plus une chose qu'il lui fallait transporter au-dedans d'elle-même comme un fœtus malformé. Il était à présent au grand jour et ils l'avaient tous entendu.

— Pourriez-vous nous laisser seuls quelques instants, s'il vous plaît ? demanda Michael aux autres. J'ai vraiment besoin de parler à ma femme en particulier.

— Pourquoi ne peux-tu pas parler devant eux ? demanda Jane, tout à coup envahie par la désagréable sensation qu'elle n'allait pas apprécier ce qu'elle allait entendre.

— Je le pourrais, acquiesça Michael. Mais je pense que ce que j'ai à dire devrait rester entre nous deux. Du moins pour le moment. Si tu n'es pas de cet avis lorsque j'en aurai terminé, tu pourras tout leur dire toi-même. J'ai probablement fait une erreur en voulant te protéger.

— Je vais envoyer quelqu'un de la sécurité pour rester derrière la porte, proposa le Dr. Klinger, et ni Jane ni Michael ne refusèrent.

— Je suis désolé de m'approprier votre espace de cette manière, dit Michael à la bibliothécaire.

— C'est l'heure de ma pause café, de toute façon.

— J'aimerais que vous me contactiez ensuite, dit le Dr. Klinger en serrant la main de Michael.

Jane regarda partir à contrecœur l'austère médecin, suivi du jeune interne et de la bibliothécaire entre deux âges.

— Ne m'approche pas, l'avertit Jane tandis que la porte se fermait derrière eux et que Michael faisait un pas vers elle.

— Que crois-tu que je m'apprête à faire, Jane ?

— Je n'en sais rien. Tu es très malin. Je ne vois jamais rien venir. Comme hier soir.

— Hier soir ? Oh, oui. Tu crois que j'ai traficoté ton verre.

— Ce n'est pas ce que tu as fait ? Je me suis brusquement sentie mal et abrutie, et il a fallu me transporter dans mon lit.

— Ce n'est pas la première fois que ça arrive.

— Et alors ?

— Alors, tu as été très malade. Ça a été une journée particulièrement dramatique : tu as menacé notre femme de ménage avec un couteau ; tu as invité deux personnes dont tu n'as même pas réussi à te souvenir pendant tout le dîner ; il t'a fallu t'habiller, te maquiller ; il t'a fallu mentir. Tu ne crois pas que tout ça nécessitait un effort considérable ? Tu ne crois pas que ton corps est peut-être simplement complètement épuisé et que la tension des événements d'hier a contribué à t'ébranler ?

Jane secoua la tête. Non, elle n'en croyait rien. Réellement ?

— Tu es vachement convaincant, dit-elle.

— Si je suis convaincant, c'est parce qu'il s'agit de la vérité. Je n'ai rien mis dans ton verre, Jane. Je te le jure, je ne l'ai pas fait.

Jane se mordit la lèvre inférieure jusqu'à ce qu'elle sente la peau se fendre, et qu'elle ait un goût de sang dans la bouche.

— Raconte-moi ce qui s'est passé le jour où j'ai disparu. Parle-moi de l'argent. Parle-moi du sang.

— Tu devrais peut-être t'asseoir.

— Je ne veux pas m'asseoir.

Encore un mensonge, se dit-elle dès que les mots sortirent de sa bouche. Elle voulait désespérément s'asseoir. Elle ne savait pas combien de temps elle pourrait rester debout.

— S'il te plaît, laisse-moi t'aider. Michael fit un pas vers elle, et elle recula en trébuchant, ses jambes heurtèrent une chaise derrière elle et elle tomba à genoux. Michael se précipita auprès d'elle.

— Non, ne me touche pas !

— Jane, pour l'amour du ciel. Est-ce que tu crois que j'ai une seringue cachée quelque part ?

— Ça ne serait pas la première fois, dit-elle, répétant ce qu'il avait dit auparavant.

Il se redressa et retourna vivement toutes ses poches.

— Voilà. Tu vois ? Rien.

Il ôta sa veste, la jeta sur la chaise la plus proche, laissant voir sa chemise à manches courtes.

— Rien dans les manches. Quoi encore ? J'enlèverai tous mes vêtements si ça doit te satisfaire.

— Je veux juste que tu me dises la vérité.

Il y eut une longue pause pendant laquelle Jane laissa son corps s'affaisser sur la chaise.

— Je t'en prie, crois-moi, Jane, quand je dis que la seule raison pour laquelle je n'ai pas été totalement honnête avec toi est que je croyais agir dans ton intérêt. Si j'avais su que tu savais tout pour l'argent et le sang, je m'y serais sans doute pris autrement. Mon Dieu, murmura-t-il en secouant la tête, pas étonnant que tu te sois montrée aussi effrayée, aussi paranoïaque. Il y a tellement de choses qui se remettent en place à présent, qui expliquent pourquoi tu as été aussi méfiante à mon égard.

Ses doigts suivaient machinalement la trace de sa cicatrice au-dessus de la naissance de ses cheveux.

— Tu admets que tu m'as menti ?

Il approcha la chaise en face de la sienne sans jamais quitter Jane un seul instant des yeux.

— J'espérais toujours que ta mémoire reviendrait d'elle-même quand tu serais prête à affronter la réalité. Fais-moi confiance, Jane. Je ne voulais pas te faire du mal, tu en avais déjà subi assez.

— Raconte-moi. Raconte-moi, insista-t-elle d'une voix où se mêlaient l'impatience et la crainte.

— Je suppose qu'il faut que je remonte au moins une année en arrière, commença-t-il, puis il s'interrompit. Jusqu'à l'accident dans lequel ta mère a été tuée.

Jane retint son souffle.

— Ta mère et toi, reprit-il, vous étiez très proches. Tu n'as pas accepté ce qui s'était passé. Tu étais hors de toi et très amère. Tu as toujours été soupe au lait, comme tu t'en es souvenue, mais après l'accident, tu cassais des choses, brisais de la vaisselle, jetais des brosses à cheveux à travers la chambre, ce genre de choses. J'ai essayé de te conseiller d'entreprendre une thérapie mais ça ne t'intéressait pas. Tu persistais à dire que tu pouvais te débrouiller seule, alors j'ai décidé d'être patient, d'attendre que ça passe. Et en effet, après un certain temps, tu as eu l'air d'aller mieux. On a repris notre vie normale. On a recommencé à voir des gens, à sortir avec nos amis. Pendant à peu près six mois, tout avait l'air de vouloir reprendre son cours normal.

— Et alors, qu'est-ce qui s'est passé ?

Michael déglutit, se massa l'arête du nez, laissant ses doigts descendre jusqu'à sa bouche, faisant une moue soucieuse.

— Comme le premier anniversaire de l'accident approchait, tu as commencé à être de plus en plus agitée. Tu répétais sans cesse les horribles détails, ce qui te rendait folle. C'était presque comme si l'accident venait juste de se produire. Tu ne parlais que de ça. Je suppose que dans les livres on appellerait ça la culpabilité du survivant.

Il jeta un regard autour de la pièce, comme s'il se demandait comment continuer.

— Qu'est-ce que tu veux dire par culpabilité du survivant ?

— Tu as voulu aller au cimetière, dit-il, évitant sa question, replongeant lentement ses yeux dans les siens.

288

J'ai essayé de t'en dissuader. C'était une journée particulièrement froide pour la saison, et je trouvais que ce n'était pas une bonne idée, surtout dans l'état d'esprit où tu te trouvais. Tu n'avais pas dormi la nuit d'avant ; tu n'avais presque rien mangé depuis des jours. Je t'ai demandé d'attendre au moins jusqu'au week-end, pour que je puisse venir avec toi et que tu ne sois pas obligée d'y aller seule. Mais tu as insisté, tu as dit que tu préférais être seule, que c'était le jour anniversaire de la mort de ta mère, et que c'était ce jour-là que tu devais y aller. Un point c'est tout. Je devais « te foutre la paix », je crois que c'est comme ça que tu as dit. J'ai proposé d'annuler mes rendez-vous, mais ça n'a fait que te rendre encore plus furieuse. « Je peux me débrouiller par moi-même », as-tu crié. « Je ne suis pas une petite fille qu'il faut tenir par la main. » Alors qu'est-ce que je pouvais faire ? Je suis allé travailler et tu es allée au cimetière.

« J'ai téléphoné plusieurs fois dans la matinée pour savoir si tu étais rentrée et si tout allait bien, mais ça ne répondait jamais. J'ai commencé à m'inquiéter. C'est alors que Carole a appelé.

— Carole Bishop ?

— Oui. Elle était très ennuyée, elle disait qu'elle t'avait vue te garer dans l'allée et que tu étais dans tous tes états. Tu ne voulais pas lui parler. En fait, elle disait que c'était presque comme si tu ne *pouvais pas* parler, que tu étais complètement bouleversée. Elle a essayé de te calmer, et tu l'as écartée en la poussant et tu as couru vers la maison. Je me suis dépêché de rentrer à la maison.

« Quand je suis arrivé après avoir roulé comme un fou, je n'avais pas mis plus d'un quart d'heure, tu étais dans notre chambre, en train de jeter quelques vêtements dans un sac. Tu n'avais même pas ôté ton manteau. Tu avais l'air d'une possédée, avec les yeux hagards. J'ai essayé de te parler, de te demander ce qui s'était passé dans la matinée, mais tu ne voulais rien me dire. Tu étais hystérique, tu t'es jetée sur moi. Je t'ai attrapée ; je t'ai peut-être même secouée. Je ne me souviens pas.

« Mais tu étais comme folle. Tu criais, tu me disais qu'il fallait que tu partes, que c'était pour mon bien, que tu

289

étais comme un albatros que j'avais sur le dos, que tu ne pourrais que me diminuer, que tu finirais par me détruire, comme tout ce que tu avais aimé. C'est alors que tu as dit que tu allais emmener notre fille et quitter la ville.

Michael secoua la tête, comme s'il était incapable de comprendre le sens de ces paroles, même encore maintenant.

— Mais pourquoi aurais-je dit de telles choses ?

Michael baissa les yeux au sol.

— Michael...

— Peut-être que pour le moment on pourrait simplement s'en tenir à ce qui s'est passé, et garder les pourquoi pour plus tard, proposa-t-il d'une voix douce.

— Pourquoi aurais-je dit que je finirais par te détruire, comme tout ce que j'avais aimé ? insista Jane.

La mâchoire de Michael se crispa. Lorsque les mots finirent par sortir, sa voix était rauque et étranglée.

— Après l'accident tu as été accablée par le poids de ton chagrin. Tu faisais des choses qui ne te ressemblaient pas. Je ne parle pas des crises de rage ou du fait que tu balançais la vaisselle à tort et à travers, ajouta-t-il avant de se taire.

— Qu'est-ce que tu veux dire ?

Il fit une pause, serrant inconsciemment les poings sur la table.

— Tu avais l'habitude d'aller courir avec Daniel Bishop plusieurs fois par semaine. (Une autre pause.) Tout d'un coup tu t'es mise à courir tous les matins. Au début j'ai trouvé que c'était formidable, tout à fait ce qu'il te fallait pour te débarrasser de toute cette rage. Mais à un moment donné, tu as dû trouver que courir ne te suffisait pas. Daniel et toi...

— On a eu une liaison, reconnut Jane en terminant sa phrase. Comment t'en es-tu aperçu ?

Michael émit un son à mi-chemin entre le rire et la suffocation.

— C'est toi qui me l'as dit ! Tu l'as mentionné comme ça, un soir, quand nous étions au lit. Mais je n'ai vraiment pas envie d'entrer dans ces détails maintenant.

— Qu'est-ce que tu as fait ?

— Je ne me rappelle vraiment plus. (Il rit.) Tu vois, tu n'es pas la seule à occulter des choses dont on préfère ne pas se souvenir.

— Apparemment, je t'ai fait beaucoup de mal.

— Oui, mais tu n'étais pas véritablement toi-même. Je peux le comprendre. C'est du moins ce que je me disais. C'est à ce moment-là que je t'ai suggéré pour la première fois d'aller consulter un psychologue, mais tu ne voulais pas en entendre parler. Alors j'ai simplement décidé d'attendre que les choses se passent. Qu'est-ce que je pouvais faire d'autre ? Je t'aimais. Je ne voulais pas te perdre.

— Alors, j'étais en train de faire mes bagages pour te quitter quand tu es rentré à la maison.

— J'ai essayé de te raisonner pour te permettre de retrouver ton bon sens, mais tu étais bien au-delà de tout ça. Tu t'es précipitée en bas, dans le jardin d'hiver. Je t'ai suivie. Tu tournais en rond en courant. Tu t'es mise à me frapper, à me dire que j'étais plus que stupide si je croyais que Daniel Bishop était le seul homme que tu avais eu, que tu sortais juste du lit du dernier en date.

Pat Rutherford, se dit Jane, sentant venir une nausée, se rappelant le nom sur le bout de papier qu'elle avait trouvé dans sa poche. *Pat Rutherford, C. 31, 12.30.* Etait-il possible qu'elle soit allée sur la tombe de sa mère, puis ait retrouvé Pat Rutherford dans la chambre 31 d'un motel louche, rencontre qui l'avait ébranlée au point de la convaincre qu'elle devait quitter son mari ?

— Je crois que j'ai alors perdu les pédales, dit Michael. Je me suis mis à te secouer. On a commencé à se bagarrer. Et alors j'ai senti tout à coup cette douleur fulgurante, comme si quelqu'un m'avait décollé le dessus du cuir chevelu, et tout ce que je sais c'est que je titubais vers toi en saignant — mon Dieu, il y avait tellement de sang — et je suppose que je me suis ensuite évanoui. Quand je suis revenu à moi un peu plus tard, il y avait un vase à côté de moi, et tu étais partie. Tu avais laissé ta valise, ton sac, tout. Plus tard, j'ai découvert que tu avais vidé notre compte commun à la banque. Dans les dix mille dollars.

Il y eut plusieurs secondes d'intense silence.

— Pourquoi n'as-tu pas signalé ma disparition à la police ?

Il secoua la tête, fut sur le point de rire.

— Franchement, je n'ai pas réalisé que tu avais disparu. Je croyais que tu t'étais enfuie avec cet autre type. Il faut que tu considères que je n'avais pas moi-même les idées très claires. Et j'étais en colère. Je me suis dit que la meilleure chose à faire était peut-être de ne rien entreprendre avant d'avoir de tes nouvelles.

Jane fit un effort pour garder le contrôle de tous ces faits.

— Mais quand la police t'a téléphoné pour la première fois, tu as menti. Tu as dit que j'étais partie chez mon frère.

— Je ne peux vraiment pas expliquer ça. Je ne sais pas à quoi je pensais, sinon que je n'avais pas envie d'étaler tout ce gâchis sordide devant des étrangers. Comme tu t'en es rendu compte, j'ai une certaine réputation dans la ville. Mais quand ils m'ont dit que tu étais à l'hôpital et que tu n'arrivais pas à te rappeler qui tu étais, j'ai réalisé à quel point les choses s'étaient détériorées, et j'ai compris qu'il fallait que je fasse tout ce que je pouvais pour t'aider.

— Et les drogues ?

Jane vit Michael essayer de se détourner de l'intensité de son regard, et comprit qu'il n'y parvenait pas.

— Au cours des mois qui ont suivi l'accident, tu as fait une grave dépression. Ton médecin a prescrit de l'Haldol. J'en ai parlé au Dr. Meloff. Quand il est apparu que l'Ativan ne marchait pas et que tu étais en train de retomber dans une profonde dépression, il a suggéré d'essayer à nouveau l'Haldol, et de voir si ça pouvait agir.

Jane se mit à marcher de long en large, se cognant à de nombreuses reprises contre la table, ignorant les offres de soutien de Michael.

— Il y a quelque chose qui cloche. Il y a quelque chose qui manque, marmonna-t-elle en s'arrêtant et en restant parfaitement immobile. Qu'est-ce que tu es en train de me raconter ? Je te connais suffisamment pour savoir que tu me caches quelque chose.

— Jane, je t'en prie, j'en ai assez dit.

— Dis-le-moi, Michael.

Sa voix n'était qu'un hurlement.

— Tu as dit qu'après la mort de ma mère j'avais souffert de la culpabilité du survivant. Mais ça n'a aucun sens. Pourquoi souffrirais-je de la culpabilité du survivant à moins de m'être trouvée moi aussi dans la voiture ? A moins d'avoir survécu à l'accident, et elle non ?

Le hurlement se transforma en murmure.

— C'est ça, Michael ? J'étais dans la voiture ?

Il baissa la tête jusqu'à ce que son menton disparaisse presque dans sa poitrine.

— C'est toi qui conduisais.

Jane sentit ses genoux se dérober sous elle. Elle se retrouva alors tel un tas décomposé sur le sol, avec Michael à genoux près d'elle.

— C'est moi qui conduisais ? Je suis responsable de l'accident qui a causé la mort de ma mère ?

Michael se mit à parler lentement, choisissant soigneusement ses mots.

— Tu lui avais promis de l'emmener faire des courses ce matin-là. Mais tu devais assister à une réunion à l'école d'Emily dans l'après-midi, et je suppose que tu étais un peu en retard. Quoi qu'il en soit, peut-être que tu roulais un peu plus vite que tu n'aurais dû, peut-être que tu as raté un virage, je ne sais pas exactement comment ça s'est passé. Selon les témoins, tu as tourné à gauche sans mettre ton clignotant et une voiture qui arrivait en sens inverse a percuté ta voiture du côté du passager.

Michael vint près d'elle et la prit dans ses bras, la tenant étroitement serrée contre lui.

— Ta mère a été tuée sur le coup.

— Oh, mon Dieu !

— Tu t'en es voulu, bien sûr. Même après que la police eut établi que c'était l'autre conducteur qui était en tort, tu te réprimandais constamment. « Je n'aurais pas dû essayer de tourner », disais-tu tout le temps. « Je n'aurais pas dû être aussi pressée. » Tu ne laissais personne te réconforter.

Il parcourut la pièce des yeux, comme s'il cherchait d'éventuelles solutions.

— Mais ça fait trop longtemps, Jane, et il faut que tu arrêtes de te faire des reproches. C'était un accident. Tragique, c'est vrai, mais ça s'est produit, et c'est fini. Et la vie continue. Je sais que tu ne veux pas l'accepter, mais il le faut, sinon il sera trop tard pour nous tous.

Jane sentit les larmes de Michael sur sa joue à elle, et s'arracha à son étreinte.

— Il y a encore autre chose, non ? demanda-t-elle, étudiant soigneusement son expression. Il y a autre chose que tu ne m'as toujours pas dit. Ne me mens pas, Michael. Il faut que tu cesses de me mentir !

— Je t'en prie, supplia-t-il. Est-ce que le reste ne peut pas attendre que tu ailles mieux ?

— Qu'est-ce que c'est que tu ne m'as pas dit ?

Il fit un long effort avant d'être capable de prononcer le mot et, quand celui-ci sortit enfin, ce fut dans un murmure.

— Emily, dit-il, les yeux vagues et remplis de larmes.

Jane serra son ventre, sentant le nom de sa fille lui percuter l'estomac comme un coup de poing.

— Non. Oh, non !

— Elle était sur la banquette derrière ta mère. Elle avait apparemment défait sa ceinture de sécurité. La violence de la collision... Elle est morte dans tes bras pendant que tu attendais l'ambulance. Quand ils ont enfin réussi à te l'enlever, tout le devant de ta robe était couvert de son sang.

Jane suffoqua.

— Tu es devenue comme folle après ça. L'année qui a suivi a été un enfer. C'était comme si tu étais Dr. Jekyll et Mr. Hyde, un visage pour nos voisins et amis, un autre pour moi à la maison. Je continuais à espérer que ça s'améliorerait, que tu finirais par en sortir, que tu me reviendrais — il étouffa un lourd sanglot. Tu étais tout ce qui me restait. Je ne pouvais supporter l'idée de te perdre toi aussi — il s'essuya les yeux avec le dos de la main. Mais ça a tout simplement été trop, même pour moi, j'ai honte de l'avouer. Quand je suis rentré à la maison et que je t'ai trouvée en train de faire tes bagages, j'ai voulu te faire entendre raison, t'arrêter, et dans la bagarre tu m'as frappé avec le vase. C'était celui qu'on avait acheté en Orient. Il était en cuivre, avec plein de curieuses protubérances. Il m'a touché sous un mauvais angle et a bien failli me scalper. Je suppose que la vue de tout ce sang sur ta robe était plus que ta santé mentale ne pouvait en supporter. Je ne peux pas vraiment dire que je t'en veux.

— Notre fille est morte ? dit Jane, mi-interrogative, mi-affirmative... J'ai tué ma mère et ma fille... Et c'est moi qui conduisais.

— Oui. Mais ce n'était pas ta faute.

— Impatiente et pressée, c'est bien ce que tu as dit ?

— C'est ce que toi tu as dit après l'accident.

— Et c'est moi qui devrais savoir. C'est moi qui ai survécu pour raconter l'histoire.

— De combien de vies cet accident va-t-il s'emparer, Jane ? Combien de personnes vas-tu le laisser détruire ?

Jane regarda le visage sillonné de larmes de son mari, perçut la bonté dans ses yeux, la tendresse dans son contact. Elle se tut.

22

— Elle est dans le jardin d'hiver.

— Comment va-t-elle ?

— Pas bien.

— Je ne comprends pas. Ça fait combien de temps que ça dure ? Ça fait plus d'un mois. Pour l'amour du ciel, Michael, pourquoi votre femme de ménage m'a-t-elle raconté qu'elle était partie voir son frère à San Diego ?

— On pensait que c'était la meilleure façon de gérer la situation. Comprends donc, Diane, que personne, ni moi ni ses médecins, n'a jamais envisagé que son état durerait aussi longtemps, et que ça empirerait.

— Elle n'a absolument aucune idée de qui elle est ?

— On lui a dit qui elle était, expliqua Michael. Elle ne s'en souvient tout simplement pas. Elle connaît tous les détails de sa vie. Elle n'arrive simplement pas à se rappeler l'avoir vécue.

— Mon Dieu, je ne peux pas le croire.

Jane entendait leurs voix comme si elles étaient entourées de parasites. Les mots flottaient jusqu'à elle, forts au début, ne heurtant douloureusement ses tympans que pour ensuite s'éloigner avant qu'elle n'ait réussi à interpréter leur signification. Ils étaient en train de parler d'elle. On était toujours en train de parler d'elle. Est-ce que ce qu'ils disaient avait de l'importance ?

Elle était allongée sur la balancelle qu'elle aimait

tant, avec des couvertures remontées jusqu'au menton bien qu'elle transpirât. Etait-ce de la sueur ou de la bave ? se demanda-t-elle sans se soucier pour autant d'essuyer le filet qui s'écoulait sur le côté de ses lèvres entrouvertes. Elle les laissait faire ça — ses invités, les foules que Michael avait recommencé à introduire dans leur vie après l'avoir ramenée de l'hôpital. Ça faisait combien de temps ? Quelques jours ? Une semaine ?

Elle sourit, reconnaissante de ce que le temps lui échappait une fois de plus. Et dire que tout récemment encore elle s'était répandue en injures contre cette sensation, qu'elle avait éprouvé du ressentiment et de la colère parce que les drogues qu'on lui donnait faisaient que toutes les journées se suivaient et se mélangeaient les unes avec les autres, comme des chocolats qui fondent au soleil en formant un magma méconnaissable. Et dire qu'elle avait essayé de lutter contre l'oubli délicieux auquel elle avait fini par succomber, et tout ça pour quoi ? Pour parvenir éventuellement à se rappeler les détails sordides d'une vie gâchée, d'une vie à laquelle elle se cramponnait, même après avoir sacrifié celles de sa mère et de son enfant ?

Michael l'avait ramenée à la maison après la scène qu'elle avait faite à l'hôpital. Elle se rappelait que les médecins et les infirmières s'étaient montrés pleins de sollicitude, elle se souvenait de Michael expliquant au Dr. Klinger qu'il contacterait le Dr. Meloff quand celui-ci serait rentré de vacances, et qu'il pensait que le mieux pour Jane en attendant était de se reposer.

Elle n'avait pas émis la moindre protestation. L'idée de chercher refuge dans son lit lui avait semblé soudain très séduisante. Elle voulait se glisser sous sa couette et disparaître à tout jamais. Elle voulait mourir, comprit-elle alors, et elle sentit un soubresaut parcourir son corps.

Elle ne s'opposait plus à son traitement, acceptant tout ce qu'on lui donnait, ressentant à nouveau la torpeur familière envahir son corps, gagner le bout de ses doigts et de ses pieds, pénétrer par tous les pores de sa peau et s'installer pour finir quelque part derrière ses yeux, créant un écran entre son cerveau et le monde extérieur. Cette fois-ci elle accueillait avec plaisir tout effet secondaire désagréable, jouissant presque des spasmes musculaires qui la tourmentaient parce qu'ils étaient comme une punition appropriée à tout le mal qu'elle avait fait, et elle portait sa bave comme un bijou de grande valeur.

Tout était logique à présent.

L'argent. Le sang. *Pat Rutherford.* Il était logique que le nom de celui-ci apparaisse sur un bout de papier dans sa poche et non dans son carnet d'adresses où Michael aurait pu le trouver. Au début, elle se demanda s'il avait essayé de la contacter, s'il était curieux de savoir ce qui lui était arrivé. Avaient-ils envisagé de s'enfuir ensemble ? Ou bien avait-il choisi ce matin-là pour mettre fin à leur liaison ?

Les questions disparurent avec la reprise de son traitement. Elle se sentit soulagée. A quoi bon se fixer sur des questions auxquelles elle ne pouvait répondre ? Même Michael ne pouvait lui dire ce qui s'était passé juste avant leur bagarre. Qu'elle ait voulu tuer son mari ne lui paraissait plus choquant. N'avait-elle pas déjà tué sa mère et sa fille ?

Jane essaya d'imaginer le visage de la mort, se remémorant les nombreuses images de la petite fille qu'elle avait vue grandir dans ses albums de photographies, de l'enfant magnifique au sourire timide et aux yeux curieux qui portait une chaussure rouge et une chaussure bleue, en train de respirer des fleurs de lilas sur la branche basse d'un arbuste, tenant la main de son père et se serrant étroitement contre sa mère. Emily est un souvenir, à présent, pensa-t-elle, sauf qu'elle n'était pas même ça.

Combien de fois au cours des derniers jours avait-elle passé en revue les détails du mois précédent ? Elle restait là dans le jardin d'hiver à regarder les matinées se découper sur le sol comme des petites tranches de tarte de plus en plus grosses jusqu'à ce qu'il fasse nuit à nouveau ; chaque jour elle revenait sur ses pas, retrouvant le moment où Michael l'avait ramenée à la maison la première fois après qu'elle eut perdu la mémoire. Elle se revoyait franchissant le seuil de son ancienne vie, se demandant ce qu'on lui réservait exactement, puis elle se moquait d'elle-même et sentait sa gorge se serrer. Dans ses rêves les plus délirants, elle n'aurait pu imaginer un scénario aussi lamentable. Pas étonnant qu'elle ait mis un tel acharnement à vouloir se sauver.

Elle se vit traverser le salon, venir vers le piano, s'entendit esquisser des doigts un vieil air de Chopin, regarda ces mêmes doigts approcher de ses yeux plusieurs photographies dont trois photos de classe représentant des jeunes enfants rangés soigneusement par taille. Un petit garçon placé au premier rang tenait une ardoise qui les identifiait comme étant les enfants de l'école privée d'Arlington. Jane avait souri à la vue de la fragile enfant aux longs cheveux châtain clair et aux yeux immenses, vêtue tout en jaune, qui se tenait fièrement au dernier rang, puis à la vue de la même petite fille, plus âgée d'un an, habillée en rose et blanc, les cheveux tirés en queue de cheval, toujours droite et fière, et toujours la même, les cheveux dénoués, vêtue de carreaux noirs et blancs, au sourire un peu moins assuré et un peu plus circonspect. Première année de maternelle, deuxième année de maternelle, CP. Il manquait le CE1. « Je suppose qu'on n'a pas eu de photo cette année-là », lui avait dit Michael. « Elle devait être malade. »

Pourquoi les photos les plus récentes d'Emily dataient-elles d'au moins un an ? Dans une famille qui avait soigneusement enregistré et encadré chacun de ses faits et gestes, pourquoi n'y avait-il aucune évocation photographique de l'année passée ? Parce qu'elle ne l'avait pas voulu, comprit-elle. Parce qu'elle n'était pas prête à faire face au gâchis de sa vie, aux ravages qu'elle avait causés.

C'est moi qu'il faudrait détruire, pensa-t-elle. Piquer comme un chien devenu méchant. Injection mortelle, décida-t-elle, frottant son bras sous la couverture, sentant l'endroit où Michael lui avait fait une autre piqûre le matin même.

Elle se remémora ses soupçons croissants à l'égard de Michael, sa conviction qu'il était en train de comploter contre elle, s'efforçant délibérément de lui voler sa santé mentale alors que tout ce qu'il avait fait était de vouloir l'aider à la retrouver.

Et maintenant il amenait quelqu'un pour lui rendre visite. Après lui avoir refusé pendant des semaines de voir ses amis, même les plus proches, il avait à présent décidé que le moment était venu de leur faire connaître l'enfer dans lequel il avait vécu. Il avait appelé Sarah et Peter Tanenbaum en premier, et ceux-ci étaient venus immédiatement, Sarah éclatant en sanglots à la vue de Jane, Peter détournant la tête et préférant parler avec Michael.

Elle avait voulu tendre la main pour les consoler, leur dire que tout allait bien, que c'était mieux ainsi, qu'elle avait choisi la démence, que ça lui convenait, qu'ils ne devaient pas se faire de souci pour elle. Mais pour une raison ou pour une autre ses bras ne voulaient pas bouger et sa voix refusait de se glisser au-delà de la boule qu'elle avait dans la gorge. Elle les fixait, les yeux embués comme un objectif de caméra qu'on a enduit de vaseline, sans rien dire, souhaitant uniquement qu'ils s'en aillent et l'abandonnent à son sort. C'est tout ce qu'elle méritait, en fin de compte. Elle avait voulu s'enfuir, mais on l'avait rattrapée et ramenée pour subir son exécution.

Il y avait eu aussi d'autres visiteurs. Au cours des derniers jours, Michael avait fait venir à son chevet la plupart de leurs amis, ne les autorisant cependant à rester que quelques petites minutes. Janet et Ian Hart, Lorraine Appleby, David et Susan Carney, Eve McDermott — Ross était parti à la pêche, entendit-elle Eve expliquer —, tous avaient envahi son jardin d'hiver, l'examinant comme si elle était un des fameux mannequins de cire de Madame Tussaud. « Ne parle pas d'Emily », entendait-elle Michael murmurer à présent de l'autre côté de la porte et, l'instant d'après, Diane Brewster était à genoux auprès d'elle, les yeux instantanément remplis de larmes.

— Mon Dieu, grogna Diane juste assez fort pour qu'on l'entende, vacillant comme si elle allait s'évanouir.

— Tout va bien, lui assura Michael en lui tapotant l'épaule. Elle ne souffre pas.

— Est-ce qu'elle peut m'entendre ?

— Oui, répondit Michael, s'approchant de Jane et lui caressant les cheveux. Diane est ici, ma chérie. Tu peux dire bonjour à Diane ?

Jane s'efforça de faire prendre à ses lèvres la forme appropriée, de tourner sa langue autour du nom qui ne voulait pas coopérer, mais il n'en résulta que quelques mouvements convulsifs, et elle cessa donc ses tentatives. A quoi bon, après tout ?

Diane se redressa d'un mouvement furieux.

— Je ne comprends pas, Michael. Je sais que tu m'as dit à quoi je devais m'attendre. Je sais qu'elle a subi un grave traumatisme...

— Diane ! la mit-il en garde, et Diane inspira à fond plusieurs fois pour essayer de se calmer.

— Merde, Michael, c'est ma plus vieille amie. Elle a toujours été si enthousiaste, si positive à propos de tout. Je ne peux tout simplement pas croire que ce soit la même personne.

Michael ne dit rien, se contentant de hocher vaguement la tête en signe d'assentiment.

— Les médecins ne peuvent rien faire ?

— Nous faisons tout ce que nous pouvons.

Diane laissa brusquement retomber ses bras puis se remit à genoux près de Jane.

— Tout va aller bien, Janey. Tu vas t'en sortir très bientôt. On va s'en occuper. Michael et moi et tous tes amis. On va faire en sorte que tu ailles mieux.

— Tu pourrais lui lire ça, suggéra Michael en glissant une carte postale aux couleurs criantes dans la main tremblante de Diane.

— C'est une carte de Howard et Peggy Rose, annonça Diane, adoptant un ton optimiste qui lui donnait un air un peu hystérique. De France.

Elle montra le recto de la carte, un petit café au bord d'une mer bleu-vert.

— Voyons, ce n'est pas facile à déchiffrer, c'est écrit trop petit, mais on va y arriver... « Eh bien, ça y est, nous voilà dans le sud de la France, comme on pouvait s'y attendre. Mais ça nous plaît beaucoup et on s'amuse bien... comme vous devez le faire dans ce vieux Boston rasoir. Pourquoi ne pas tout laisser tomber et nous faire une visite surprise ? On adore les surprises. Et on vous adore. En espérant que tout va bien. Comme le dit la chanson. A bientôt en septembre. Howard et Peggy. » C'était sympa, dit Diane, et son enthousiasme fit place à un flot de larmes.

Une visite surprise, pensa Jane en se remémorant celle qu'elle était censée avoir faite à son frère. Elle essaya de se le représenter quelque part en Espagne, mais ne parvint pas à le visualiser clairement, tout en réussissant à avoir une image plus nette de sa belle-sœur. Gargamella, se dit-elle, et elle éclata de rire tout haut.

— Mon Dieu, Michael, s'écria Diane en tendant la main pour caresser le visage de Jane. Qu'est-ce que c'était que ce son ? Ça n'avait rien d'humain.

— Ça va, Jane ?

Je vais bien, répondit Jane en silence. Je veux juste que tout le monde s'en aille et me laisse tranquille pour que je puisse mourir en paix.

— Veux-tu boire un verre de canada dry ? demanda Michael, plein de prévenance. Ou manger quelque chose ? Paula a fait une excellente tarte aux myrtilles.

Je préfère la tarte aux pommes de Paula, pensa Jane, se souvenant du jour où elle avait menacé Paula avec le couteau dont elle s'était servie pour éplucher les pommes. C'était le bon vieux temps, se dit Jane, regrettant à présent de ne pas s'être plongé le couteau dans le ventre en le faisant bien pénétrer dans le cœur.

Peut-être que ce n'était pas trop tard. Peut-être que ça valait encore le coup d'essayer. Peut-être qu'elle pouvait signaler à son mari et à sa plus vieille amie qu'elle aimerait bien avoir de la tarte aux myrtilles de

Paula mais qu'elle préférait la manger dans la cuisine. Et alors, une fois qu'ils seraient tous confortablement assis autour de la table, s'endormant dans une fausse sécurité, elle se précipiterait sur le plan de travail et s'ouvrirait le ventre soigneusement avec son propre couteau, et le sang tacherait le devant de sa robe. Son propre sang. Comme ça aurait dû être le cas depuis le début. Et la boucle serait bouclée.

Mais elle ne dit rien, ne put que les regarder la fixer d'un regard effrayé et troublé. Il aurait mieux valu pour tous qu'elle disparaisse purement et simplement, que personne ne la retrouve jamais ni ne la ramène à la maison. Michael aurait fini par divorcer — Dieu sait s'il avait de bons motifs. Ses amis auraient parlé d'elle pendant quelque temps, puis se seraient tournés vers des sujets plus intéressants. Ironie parfaite pour une amnésique, se dit-elle, et elle rit à nouveau.

Son rire émergea cette fois comme un soupir étouffé. Diane lui serra la main en signe de soutien.

— Tu es sûr qu'elle ne souffre pas, Michael ?

— Sûr et certain.

— Je me sens si désemparée...

Jane voulait prendre le visage de son amie entre ses mains et l'embrasser doucement sur les deux joues, pour la rassurer, lui dire que tout irait pour le mieux. Mais elle savait que si elle disait ou faisait quoi que ce soit, même quelque chose d'aussi insignifiant que de caresser les cheveux de son amie, elle ne pourrait que transmettre des signaux incorrects et donner de faux espoirs. Et il n'y avait aucun espoir. Elle le savait, maintenant. Il n'y avait aucun espoir et il n'y avait aucune raison de prétendre qu'il y en eût.

Elle ne priait plus pour que sa mémoire lui revienne. A vrai dire, elle se couchait chaque soir en souhaitant désespérément qu'elle ne revienne jamais. Elle savait sur elle-même tout ce qu'elle avait besoin de savoir. Si Dieu existait, et s'il était miséricordieux, il ne l'obligerait pas à revivre la mort de tout ce qui lui avait été cher. Il la laisserait s'enterrer vivante dans le cocon que lui avait tissé la drogue jusqu'à ce qu'elle disparaisse à nouveau, et pour de bon.

— J'ai vu un film nul l'autre soir, s'écria brusquement Diane, et Jane comprit que c'était une autre tentative pour lui arracher une réaction. Censé être très sexy. Tu sais comme j'aime les films de cul. Je veux dire, même si c'est mauvais, c'est bon, non ? Bon, j'ai rien dit. Dans celui-là il y avait des tas de nichons à poil et plein de fesses, mais le dialogue était si mauvais que la salle était pliée de rire. Tracy voulait s'en aller. Tu te souviens de mon amie Tracy Ketchum, celle qui a cru qu'elle était enceinte l'année dernière, et en fait c'était une ménopause précoce. Tu te rends compte ? A quarante ans ?

Elle attendit une réaction de la part de Jane, et comme elle n'en détecta aucune, elle poursuivit.

— Quoi qu'il en soit, on était là à se demander si on allait abandonner ce morceau de choix, quand un des types dans la salle s'est mis à hurler des trucs en direction de l'écran, et il était si marrant qu'on est restées à l'écouter. Je veux dire, à un moment, la femme, jouée par Arlene Bates — Dieu seul sait où elle s'est cachée toutes ces dernières années et pourquoi elle a choisi de revenir dans cet ignoble truc, mais elle est super, je crois qu'elle a dû se faire faire un lifting, je veux dire il n'y avait pas une ride sur le visage de cette femme, alors que son cou, tu peux me croire, n'avait rien d'un cou de jeune fille. Et pareil pour les hommes. Avec tous ces liftings et ces peaux tirées, ils ont un air vaguement oriental, tu sais, comme Jack Nicholson et Richard Chamberlain, et même Burt Reynolds, mais avec une vieille peau. Tracy dit que ça empire après quarante ans. Elle dit qu'il y a tous ces trucs qui commencent à se déglinguer. Je lui ai dit que ça m'était arrivé à trente ans, mais elle m'a affirmé qu'il n'y avait aucune comparaison. Elle m'a dit que la première chose qui foutait le camp c'était la vue. D'un seul coup on n'arrive plus à lire ce qui est écrit au dos des boîtes de corn flakes, et on commence à tenir les livres de plus en plus loin, à moins qu'on ne soit déjà hypermétrope, et alors ça rétablit l'équilibre, en quelque sorte. Et du jour au lendemain tu te mets à porter des lunettes pour lire, ce qui te fait ressembler à ta vieille tante que tu détestes. Ensuite c'est ton cul qui s'écroule. Tracy disait que ce qui l'étonnait le plus, c'était la façon dont il s'écroulait. Elle disait qu'elle avait toujours cru que quand il s'écroulait il gardait la même forme, mais un peu plus bas. Elle n'avait pas réalisé qu'il s'aplatissait. Tu t'imagines ? Des fesses plates ? Comme celles de Jack Lemmon dans ce film, qu'est-ce que c'était, *That's Life*[1] ?

« Enfin, bref, pour en revenir à Arlene Bates et à ce type dans la salle, Arlene dit à cet ex-mannequin-devenu-une-actrice-atrocement-nulle, celle aux yeux de biche dont je ne me souviens jamais du nom...

Cindy Crawford ? se demanda Jane en pensant à la célèbre cover-girl et en sentant ses yeux devenir lourds, sur le point de se fermer.

— Pamela Emm ! s'écria Diane. C'était le nom de la pauvre fille. Tu t'imagines, avoir une lettre comme nom de famille ? Elle dit que c'est son vrai nom. Bon, qui sait ? Je ne crois pas qu'on en entendra beaucoup parler dans l'avenir. Retour aux pages silencieuses de *Vogue* et *Bazaar* pour Pamela, ça c'est sûr.

Michael toussa, interrompant le monologue de Diane.

— Diane, Jane commence à avoir l'air très fatiguée. Peut-être que tu pourrais finir ton histoire une autre fois.

— S'il te plaît, Michael. Juste encore quelques minutes. J'ai l'impression que je vais arriver à entrer en contact avec elle.

Jane regarda Michael hocher la tête et s'approcher de la fenêtre pour observer le jardin. Comment peut-il supporter ça ? se demanda Jane. Comment peut-il supporter de rester ici ? De s'occuper de moi ? De me regarder après tout ce que je lui ai fait ?

— Bref, continuait Diane avec de plus en plus d'insistance, Arlene, qui joue le rôle d'une peau de vache gros bonnet de l'immobilier, dit à Pamela, qui

1. Film de Blake Edwards (1986).

veut acheter une nouvelle maison et juge si les pièces sont habitables en faisant l'amour par terre dans chacune, qu'elle devrait demander au livreur de journaux de l'aider dans ce domaine, étant donné que son mari, qui est sénateur — ou quelque chose dans le genre —, est trop occupé à essayer de nourrir les foules affamées d'Ethiopie. Pendant qu'elle est là chez elle, en état de privation totale, non ? Alors Arlene, qui a une paire de jumelles de théâtre...

— Diane, interrompit Michael, laissant cette fois percer une nuance dans sa voix.

— Je pensais simplement que j'arriverais peut-être à secouer sa mémoire...

— Tu ne crois pas que c'est ce que j'ai essayé de faire jour et nuit pendant tout un mois ? Je crois que ce qu'on peut faire de plus gentil pour elle, à présent, est de la laisser tranquille pour qu'elle puisse s'en sortir.

— Mais regarde-la, Michael. Est-ce que tu crois qu'elle sera capable de s'en sortir toute seule ?

Michael baissa les yeux.

— Je n'en sais rien. Je ne sais vraiment plus quoi faire. Je ne suis même pas sûr que ça soit une bonne idée de la soigner à la maison.

— Qu'est-ce que tu dis ?

— Allons, dit Michael en ignorant la question et en aidant Diane à se remettre debout. Paula vient de faire du café et elle sera vexée si tu ne goûtes pas sa tarte aux myrtilles.

— Michael, qu'est-ce que tu dis ?

— Je me suis renseigné, j'ai commencé à entreprendre quelques démarches préliminaires... Pour placer Jane dans un hôpital psychiatrique.

— Oh, mon Dieu, Michael. Faire interner Jane ?

— Ce n'est pas comme *La Fosse aux serpents* [1], pour l'amour du ciel. Enfin quoi, bon sang, Diane. Tu veux que je me sente coupable ? Tu penses bien que j'ai tout essayé. Que je n'envisagerais même pas cette solution si

---

1. *The Snake Pit*, film d'Anatole Litvak (1948) critiquant le régime des hôpitaux psychiatriques.

je n'étais aussi inquiet, aussi déçu. Regarde-la, pour l'amour du ciel ! Elle ne vaut guère mieux qu'un légume. Et son état empire de jour en jour.

— Peut-être que ce sont les médicaments qu'elle prend...

— Sans médicaments elle est violente et en proie à des fantasmes. Au moins, comme ça, elle ne fait de mal ni à elle ni à personne. Ecoute, ces endroits ne sont pas comme dans les films, il n'y a pas de nurse Ratched[1] cachée sous les lits. Il y a beaucoup de bons établissements où Jane pourrait recevoir l'aide dont elle a besoin.

— Je comprends ce que tu dis, Michael. Mais j'ai beaucoup de mal à assimiler tout ça.

Diane baissa les yeux vers Jane, comme si elle voulait l'adjurer de se mettre debout. Jane lut l'expression de son visage. Lève-toi, disait-elle. Lève-toi et défends-toi. Montre à cet homme que tu vas bien, que tu n'as pas besoin d'être internée. Lève-toi, merde, criaient les yeux de Diane.

Jane sentit un fourmillement dans ses jambes, des picotements sous ses pieds, et comprit qu'elle voulait obtempérer, qu'elle voulait bondir sur ses pieds et embrasser cette femme qui était son amie, même si le passé qu'elles avaient vécu ensemble avait disparu, et lui dire qu'elle irait mieux, que tout serait de nouveau normal.

Sauf que comment les choses pourraient-elles jamais redevenir normales ? Elle n'avait que ce qu'elle méritait.

— Je reviendrai, Jane, était en train de dire Diane en se penchant pour essuyer un filet de bave sur la bouche de Jane, avant de l'embrasser sur la joue. Tu devais me faire connaître ce type que tu avais rencontré à une de tes réunions sur l'environnement, tu te souviens ? Je compte sur toi, Jane. Ma mère compte sur toi.

---

1. Personnage d'une infirmière perverse dans le film de Milos Forman *Vol au-dessus d'un nid de coucou* (1975).

Elle s'arrêta, les larmes tombant de ses yeux sur la couverture de Jane.

— Je t'aime.

Jane se sentit enveloppée dans les bras de Diane. Elle ne fit aucun mouvement, ni pour lui rendre son étreinte, ni pour la repousser. Je ne mérite pas votre amour, pensa-t-elle en regardant Michael guider Diane vers la cuisine, et elle imaginait Paula leur servant à tous deux une tasse de café pendant qu'ils s'installaient confortablement autour de la table de cuisine en admirant la tarte aux myrtilles.

Elle savait que la vie continuerait tranquillement sans elle, et elle évoqua aussitôt de nombreuses scènes domestiques de ce genre. Peut-être que Michael finirait par épouser Diane, rendant la mère de Diane vraiment très heureuse, ou peut-être que Michael épouserait Paula et accueillerait dans la maison sa petite fille handicapée, famille instantanée qui remplacerait celle qu'il avait perdue. Et Michael serait de nouveau heureux. Et Jane serait quoi ? Dans un asile ou sous terre. Quelle différence ? En fin de compte ça revenait au même.

23

Ils se trouvaient dans la voiture de Michael sur un parking dans St. James Avenue, au coin de la gare routière Greyhound.

— Ça va, Jane ? Tu es sûre que tu te sens assez solide pour faire ça ?

Pourquoi lui demandait-il ça ? Ce n'était pas son idée à elle, de sortir de son lit et de prendre la voiture jusqu'à Boston pour une sorte de stupide chasse au trésor. C'étaient les plans de Michael. C'était lui qui lui avait demandé incidemment — est-ce que c'était hier soir ou un autre soir ? — ce qu'étaient devenus les dix mille dollars qu'elle avait sortis de leur compte commun.

Au début elle pouvait à peine se souvenir de quoi il voulait parler — il lui semblait que tout ça était arrivé à quelqu'un d'autre il y avait très longtemps — mais, après quelques encouragements prudents, elle avait réussi à cracher où elle avait caché l'argent. Il avait souri de son ingénuité, notamment quand elle lui avait dit qu'elle avait caché la clé du casier de consigne dans la semelle d'une de ses chaussures. Elle ne se rappelait plus quelle paire, si bien qu'il avait dû toutes les ouvrir.

Elle ne pensait pas qu'il faudrait qu'elle l'accompagne, mais elle n'avait pas réalisé qu'on était samedi et que Paula avait congé le week-end. Sarah et Diane avaient toutes deux téléphoné ce matin-là et proposé de passer, et il leur avait dit à toutes deux la même chose, qu'il emmenait Jane à Boston pour lui acheter enfin cette alliance en diamants dont il parlait depuis si longtemps et, oui, il espérait que ça la dériderait un peu, il les appellerait plus tard et leur raconterait la réaction de Jane. Il n'avait pas parlé de la gare routière Greyhound, ce qui, supposait-elle, n'avait rien de très surprenant. Qu'aurait-il pu dire ? Qu'il allait récupérer l'argent qu'elle avait volé sur leur compte juste avant de perdre l'esprit ? On ne pouvait trop en dire, même aux bons amis.

— Est-ce que je peux attendre dans la voiture ? demanda Jane à Michael, et le son de chaque mot lui parut étranger, comme si elle parlait un langage inconnu.

Où trouvait-elle d'ailleurs la force de parler, se demanda-t-elle, alors qu'elle voulait seulement se pelotonner sur le cuir souple du siège de la voiture et s'endormir.

— Tu as besoin d'exercice, dit Michael. Allons, Jane. La marche te fera du bien. Tu ne peux pas simplement traîner toute la journée, jour après jour. Il faut que tu sortes davantage. Il faut que tu te remettes à faire des choses.

Pourquoi ? se demanda-t-elle, mais sans se donner la peine de répondre. Quelle ironie, quand elle avait voulu qu'on la sorte, Michael avait refusé, et maintenant, quand elle voulait seulement qu'on la laisse tranquille dans son lit, il insistait pour l'emmener se promener à pied ou en voiture. Quand elle avait désespérément souhaité voir ses amis, leur parler au téléphone, il lui avait dit que ce n'était pas une bonne idée, et pourtant, ces jours derniers, alors qu'elle se sentait trop faible et malade, ne serait-ce que pour leur accorder un regard, on l'exposait en permanence. Où était la justice dans tout ça ?

— Allons, viens, dit-il à nouveau, et cette fois il sortit de la voiture, vint de son côté et ouvrit la portière. Elle savait qu'il ne la laisserait pas seule dans la voiture parce qu'il avait peur qu'elle file et l'abandonne. Pourquoi ne pouvait-il comprendre que c'était incontestablement la meilleure solution à tous leurs problèmes ?

La voilà donc, avec son mari qui l'aidait — non, la tirait — pour sortir de la voiture, vêtue d'un pantalon bleu foncé et d'une courte marinière blanche, le genre de tenue qu'on mettrait à une gamine de douze ans. Ses cheveux avaient été soigneusement brossés et attachés en queue de cheval, et Michael lui souriait et à force de cajoleries l'amenait sur le trottoir, lui disant qu'elle pouvait y arriver, qu'il savait qu'elle pouvait y arriver, et ils étaient en train de marcher, oui, de marcher, bien qu'elle n'ait pas en fait la sensation que ses pieds touchent le sol, et ils tournaient le coin, se dirigeant vers la gare routière Greyhound.

Le soleil brillait. La température était agréable, vingt-cinq degrés, à en croire le type de la radio. Il avait l'air de faire plus chaud. Surtout plus moite. Elle sentait le soleil lui taper sur la tête, comme la petite brute du quartier qui maintient un gamin la tête sous l'eau, et elle voulait crier, se débattre. Mais le soleil n'en resserrait que davantage son étreinte, étendait son emprise, et elle savait que protester ne ferait que gâcher une précieuse énergie. Elle ouvrit la bouche avec précaution, s'efforçant de faire passer de l'oxygène dans ses poumons, mais ne réussit qu'à avaler de la chaleur, comme si elle s'était trouvée au-dessus d'une bouilloire fumante. Elle sentit une brûlure sur sa langue et des picotements dans ses yeux.

— Ça va ? Tu veux t'arrêter pour te reposer un peu ?

Elle secoua la tête. A quoi bon s'arrêter ? Il faudrait alors repartir. Toute cette expédition en serait retardée d'autant. Non, plus tôt ils récupéreraient l'argent qu'elle avait caché, plus tôt ils pourraient retourner à la voiture, et plus tôt ils seraient revenus à la maison, à son lit, à ces drogues bénies qui lui procuraient le brouillard de l'oubli.

— Attention, maintenant. Regarde où tu mets les pieds.

Jane baissa la tête, observa ses pieds se posant l'un devant l'autre pour franchir les portes principales de la gare. Elle se retrouva aussitôt entourée d'une foule de gens, les uns se dépêchant pour attraper leur car, d'autres tout excités d'avoir été libérés du leur, tout aussi inconscients de sa présence que la première fois qu'elle était venue ici. La femme invisible, se dit-elle, sentant Michael qui la tirait derrière lui.

Elle se retrouva ensuite appuyée contre plusieurs rangées de casiers de consigne, transpirant abondamment, observant d'un air absent Michael et l'employé de la gare qui introduisaient leurs clés respectives dans les serrures appropriées. Elle regarda Michael qui ouvrait la porte du casier, et dont le sourire s'élargit lorsqu'il attrapa le sac à linge de l'hôtel Lennox. Tandis que l'employé retournait à son poste derrière le comptoir pour calculer la somme due, Michael jeta un coup d'œil dans le sac, et Jane saisit l'expression de désarroi qui parcourut son visage quand il aperçut la robe bleue roulée en boule et tachée de sang. Elle se dit alors que, en plus de tous ses autres problèmes psychologiques, elle avait une sorte de schizophrénie de la mode. Comment la même femme pouvait-elle un jour porter des robes sophistiquées d'Anne Klein et le lendemain des petits costumes marins de sainte nitouche ?

Comment pouvait-elle même avoir des pensées aussi ineptes et démentes ? se demanda-t-elle en regardant Michael payer ce qu'il devait. Puis, après avoir attiré Jane près de lui, il retira précautionneusement la robe du sac et la jeta dans la première poubelle. Il replia ensuite le sac rempli des milliers de dollars qu'elle lui avait volés et en fit un paquet bien propre qu'il glissa négligemment sous son bras. Et alors ils se frayèrent à nouveau poliment un chemin à travers la foule, Michael saluant d'un signe de tête plusieurs passants, souriant à un policier qui marchait d'un pas nonchalant, tenant la porte à une vieille dame encombrée de valises.

Une fois dans la rue, elle supposa que Michael la ramènerait au parking, repérerait leur voiture avec la même aisance que tout ce qu'il accomplissait, et la reconduirait ensuite à la maison. Mais au lieu de tourner dans St. James Avenue, il traversa Boylston Street et prit Newbury Street.

— Où allons-nous ? demanda-t-elle en s'efforçant de marcher à son rythme.

— J'ai promis d'emmener ma femme faire du shopping.

— Oh, Michael, je ne peux pas.

S'il l'entendit, il n'en montra rien, et quelques instants plus tard elle se retrouva en train de traîner les pieds dans la rue à la mode du centre ville, Michael sifflotant un air à ses côtés, apparemment oublieux de son malaise, bien qu'elle sût que ce n'était pas le cas.

— Je ne suis vraiment pas d'humeur à faire des courses, dit-elle, s'étonnant de l'absurdité de la situation tandis qu'ils passaient rapidement devant l'étourdissante succession de boutiques de luxe.

La rue était pleine de monde, et beaucoup de gens étaient encombrés de paquets. Jane se demanda si certains de ces paquets étaient remplis de billets de cent dollars, et tourna la tête vers Michael qui était en train de faire un signe de la main à une femme de l'autre côté de la rue. La femme lui rendit son salut avant de traverser pour dire bonjour.

— Michael, comment vas-tu ?

— Formidablement bien. Et toi ?

— A merveille. Je ne pourrais pas être plus heureuse, à vrai dire. Rien de tel que d'exercer dans le privé.

La femme jeta un coup d'œil à Jane, et Jane reconnut l'expression de quelqu'un qui a vu quelque chose de pénible mais ne veut pas qu'on s'en aperçoive.

— Pardonne-moi, dit aussitôt Michael. Thea, je te présente ma femme, Jane. Jane, voici Thea Reynolds.

— Enchantée, dit Thea Reynolds.

Jane ne dit rien, se demandant si ses lèvres avaient le sourire qu'elle avait eu l'intention de faire.

— Thea est spécialisée dans les troubles nutritionnels. Elle a quitté l'hôpital l'année dernière pour ouvrir son propre cabinet.

Jane fit un hochement de tête, mais ils avaient déjà reporté leur attention l'un sur l'autre et on n'exigeait plus rien d'elle. Ce qui était bien, se dit Jane en se balançant d'une jambe sur l'autre tout en s'accrochant au bras de Michael pour ne pas basculer, comme un enfant qui a mal aux pieds et veut qu'on le soutienne. Elle trouvait Thea Reynolds intimidante, avec ses cheveux noirs impeccables coiffés avec élégance, son large sourire plein d'assurance, sa manière pimpante de s'habiller, chaque accessoire choisi à la perfection, ses ongles manucurés, dont la peau autour des cuticules était douce au lieu d'être mordillée. Thea Reynolds s'exprimait avec autorité, avec le genre de sûreté de soi qui va de pair avec un profond sens de soi-même, une sûreté de soi dont Jane se demandait si elle avait jamais connu la même chose. Avait-elle toujours trouvé les femmes comme Thea Reynolds intimidantes ? Ou avait-elle un jour, elle aussi, possédé ce genre de naturelle confiance en soi ?

Elle avait dû en avoir un peu, réfléchit-elle en se rappelant que son caractère soupe au lait et sa promptitude à ouvrir sa grande gueule avaient failli en de multiples occasions lui attirer de gros ennuis. Où avait donc disparu toute cette confiance en soi ?

Elle était morte, réalisa-t-elle en croisant le regard d'une passante. Estropiée dans un accident de voiture au point de devenir méconnaissable, autre victime de sa négligence.

La passante continuait de la fixer tout en marchant. Jane se retourna légèrement pour l'observer tandis qu'elle s'éloignait dans la rue. Celle-ci s'arrêta, hésita, puis continua son chemin. Elle voulait sans doute me complimenter sur ma garde-robe, pensa Jane tout en observant Thea Reynolds qui se penchait en avant pour embrasser Michael sur la joue. C'était plus probablement Michael qu'elle regardait, Michael qu'elle a cru reconnaître, car c'est ce genre d'expression que Jane pensa avoir saisie dans les yeux de la femme, une expression qui disait je crois que je vous connais mais je n'en suis pas sûre, aidez-moi.

— Je suis ravie de vous avoir rencontrée, était en train de dire Thea Reynolds sans même se préoccuper d'avoir l'air sincère, si bien que Jane comprit que c'était à elle qu'elle parlait.

— Moi de même, marmonna Jane en fixant son attention sur les lèvres rouge vif de la femme.

Jane la regarda traverser la rue et disparaître dans l'American Bar and Grill. Sa démarche était tout aussi déterminée que le reste de sa personne.

— C'est une femme charmante, dit Michael, se remettant en marche en tirant Jane à côté de lui.

La remarque n'appelait aucun commentaire, et Jane n'en proposa aucun.

— Et un excellent médecin, ajouta-t-il, n'ayant apparemment aucun besoin qu'elle participe à la conversation. Elle a commencé à prendre les troubles nutritionnels au sérieux quand la plupart des médecins les rejetaient comme n'étant qu'une faiblesse féminine de plus.

Qu'une faiblesse féminine de plus, se dit Jane, piquée par l'expression, puis elle s'aperçut qu'ils s'étaient arrêtés à nouveau.

— J'ai pensé que nous pourrions entrer là un petit instant, dit Michael

Jane vit un large escalier menant à de hautes vitrines en courbe et essaya de se concentrer sur les grosses lettres noires qui indiquaient le nom du magasin. *OLIVER'S* proclamaient les lettres, puis en plus petits caractères qu'elle déchiffrait mal parce qu'ils n'arrêtaient pas de sauter de haut en bas, *Bijoutiers de qualité depuis plus de cinquante ans*. Qu'est-ce qu'ils pouvaient bien aller faire là-dedans ?

— Michael, je ne peux pas.

Elle sentit qu'il posait la main sur son bras pour la tirer en haut des escaliers.

Je suis trop fatiguée. C'est impossible. Je veux juste m'allonger.

— Plus que quelques marches.

Ses pieds touchèrent le haut de la dernière marche alors que les muscles de ses jambes poursuivaient leur ascension, se contractant et se relâchant au rythme que Michael avait fixé.

— Qu'est-ce qu'on va faire là ? demanda-t-elle, trop épuisée pour séparer les mots, si bien qu'ils émergèrent en un seul — quonvafairla ?

— J'ai dit à tes amis que j'allais t'acheter une nouvelle alliance, et c'est précisément ce que je vais faire, dit-il en tapotant le sac plein d'argent sous son bras.

— Michael, non, tu ne devrais pas, protesta-t-elle, se demandant pourquoi il ne se contentait pas tout simplement de divorcer et d'en finir avec ça.

— Je t'ai promis des diamants, et je tiens toujours mes promesses.

« Des diamants ? » Quel usage pourrait-elle bien faire de diamants ? N'avait-il pas parlé de la faire interner ? Et n'avait-elle pas sérieusement envisagé de lui épargner cette peine ?

Le suicide, songea-t-elle, et elle entendit le mot résonner dans son cerveau. Suicidesuicidesuicidesuicidesuicide. Quand avait-elle eu cette idée pour la première fois ? Comme la solution évidente à tous leurs problèmes ?

Il lui apparaissait de plus en plus clairement que Michael ne l'abandonnerait jamais. Même s'il la confiait à un asile d'aliénés, il continuerait à lui rendre visite régulièrement, à l'appeler sa femme. Même à présent, il semblait bien décidé à lui acheter une nouvelle alliance, comme pour consolider son aliénation vis-à-vis d'elle. Etait-il juste qu'ils soient tous les deux des aliénés ? se demanda-t-elle, sur le point de rire.

Non, tant qu'elle serait vivante, Michael ne pourrait jamais être libéré d'elle. Il continuerait à vivre dans l'espoir qu'elle se rétablirait un jour, que leur mariage serait sauvé. La seule façon pour lui d'être libre serait qu'elle soit morte. C'était aussi simple que ça.

Ça ne serait pas difficile. Elle savait où il rangeait les médicaments. Il lui suffisait tout simplement de prendre un peu trop de ces charmantes petites pilules blanches. Si ça ne marchait pas, il y avait toujours ce cher couteau de cuisine dans les parages. Ou bien elle pouvait se jeter du deuxième étage, par l'une des fenêtres à vitraux. Quand on veut, on peut, se rappela-t-elle, l'expression surgissant d'une autre vie.

— Jane.

Michael lui faisait signe de s'approcher du comptoir en la traînant étroitement serrée contre lui.

— Tu vois quelque chose qui te plaît ?

— Michael, je n'ai pas besoin...

— Fais-le pour moi, dit-il, et l'homme derrière le comptoir se mit à rire. Quand il riait, ses cheveux blonds ondulés et ses grosses lunettes d'écaille s'agitaient en même temps que le bruit de son rire.

— C'est bien la première fois que j'entends ça, dit-il en jetant un coup d'œil sur le côté en direction de Jane d'une façon qui laissait supposer qu'il était pénible de la saluer en face. Y a-t-il quelque chose en particulier que je puisse vous montrer ? demanda l'homme après s'être présenté sous le nom de Joseph.

— Nous voudrions voir les alliances, lui dit Michael.

— Un mariage. Comme c'est charmant.

Jane pouvait voir Joseph s'interroger mentalement sur la sagesse des choix de Michael en matière d'épouse.

— Vous pensez peut-être à quelque chose en particulier...

— Des diamants, dit Michael en toute simplicité.

— Des diamants, répéta le bijoutier sur un ton plein de respect.

Il rit, ce qui fit danser ses cheveux et ses lunettes, et Michael prit part à sa gaieté. Jane était la seule à ne pas rire ni même sourire. Aucun sens de l'humour, c'est ça que devait se dire Joseph. Pourquoi cet homme beau et intelligent veut-il se coller avec cette faignasse qui n'a aucun sens de l'humour, porte des marinières et ne sait pas apprécier les belles choses ?

— Vous pensiez à un solitaire, ou à un anneau de fidélité ?

Fidélité, pensa Jane. Fidélitéfidélitéfidélitéfidélité.

— Eh bien, puisque nous sommes mariés depuis onze ans déjà, dit Michael, et le bijoutier hocha la tête en signe de condoléances, je crois qu'un anneau de fidélité conviendrait tout à fait. Qu'en penses-tu, mon chou ?

Jane pensa : fidélité. Fidélitéfidélitéfidélitéfidélité. Joseph ouvrit la vitrine et posa sur le comptoir un plateau rempli d'alliances en diamants.

— Voulez-vous vous asseoir ? demanda-t-il en claquant des doigts pour que son assistant accoure avec un siège pour Jane, sur lequel elle s'écroula aussitôt. Est-ce que votre femme va bien, Mr... ?

— Whittaker. Docteur Whittaker, pour être exact. Jane n'était pas vraiment dans son assiette ces derniers temps, expliqua-t-il, mais elle va mieux à présent.

— Je suis navré d'apprendre qu'elle a été souffrante, déclara le bijoutier, et heureux d'apprendre que vous êtes en voie de guérison, poursuivit-il en s'adressant tout à coup directement à Jane qui était très occupée à répéter en silence l'expression pas dans son assiette, la trouvant merveilleuse et se demandant d'où elle venait.

— Que penses-tu de ceux-ci, Jane ?

Jane fit un effort pour regarder le plateau prometteur en velours noir. Les diamants scintillaient comme des petites étoiles, piégés et solidement fixés sur des anneaux de platine et d'or. Certains n'avaient pas d'anneaux, et leurs étoiles se fondaient invisiblement les unes dans les autres comme par magie.

— Ils sont très jolis, marmonna-t-elle.

— C'est bien mon avis, dit Joseph, nettement agacé par son attitude. Ce ne sont que des pierres de première qualité.

— Et celui-ci ? demanda Michael en prenant sur son présentoir un anneau de diamants ronds de taille moyenne. J'aime beaucoup celui-ci.

— C'est un choix excellent, approuva le bijoutier. L'un de nos plus beaux modèles.

— Lequel préfères-tu, Jane ?

Jane ne dit rien. A quoi bon ? Elle se contenta de tendre sa main à Michael qui glissa l'anneau à son doigt. Quelle différence ça ferait qu'il choisisse cet anneau-ci plutôt que celui-là ? C'était la même chose. Est-ce qu'il enterrerait l'anneau avec elle ?

— Il est un peu large, dit Michael en faisant glisser l'anneau le long de son doigt.

Joseph lui prit la main et mesura son doigt.

— Cinq et demi, s'exclama Joseph. Plutôt mince.

Il parcourut des yeux sa réserve d'anneaux de fidélité.

— Je ne crois pas en avoir de disponibles dans cette taille, du moins pas dans la grosseur de diamants qui vous intéresse. Mais nous avons quelque chose avec des diamants un peu plus petits...

Jane ferma les yeux et détourna la tête.

— Peut-être que votre femme préférerait quelque chose avec une autre pierre. J'ai de magnifiques émeraudes, ou des rubis...

— Non, des diamants, lui dit Michael. Je crois que nous allons prendre les cœurs, comme vous l'avez suggéré. Mais dans la bonne taille. Combien de temps faudra-t-il ?

— Disons une semaine.

— Je crois que j'ai besoin de prendre l'air, murmura Jane, bien que, à vrai dire, on fût beaucoup mieux dans la boutique climatisée que dehors. Mais elle avait besoin de sortir de cet endroit, de s'éloigner des murs tendus de gris et des sols carrelés de noir, des cheveux blonds ondulés et des lunettes en écaille, des pierres de première qualité piégées comme des lucioles dans un bocal.

— Attends-moi donc en haut de l'escalier, suggéra Michael, et Jane comprit qu'il savait qu'elle n'avait pas la force de s'enfuir. Je vais finir de régler les choses ici.

— Mon assistant va vous aider, proposa Joseph, et un jeune homme aux cheveux longs accompagna Jane vers la porte.

Jane s'assit aussitôt sur la marche en béton, la tête entre les mains. Pauvre Michael, songea-t-elle. Pauvre gentil Michael. Toujours en train d'essayer de la dérider, de rendre les choses normales. Utiliser l'argent qu'elle avait volé sur leur compte commun pour lui acheter un anneau de fidélité en diamants ! Il serait prêt dans une semaine. D'ici là elle espérait bien ne plus avoir besoin d'une fidélité en diamants ; elle serait elle-même dans une fidélité éternelle de sa propre fabrication. Dans une éternité qu'elle méritait bien. Serait-elle réunie avec sa mère et sa fille dans une telle éternité ? Ou bien y avait-il un espace spécial réservé aux meurtriers comme elle ?

Elle leva les yeux et vit une femme qui la fixait depuis le bas de l'escalier. C'était celle qu'elle avait vue avant, celle qui l'avait regardée d'une manière incertaine quand elles s'étaient croisées dans la rue.

— Excusez-moi, dit aussitôt la femme en grimpant quelques marches. Vous n'êtes pas Mrs. Whittaker ? La mère d'Emily ?

Le nom arracha un hoquet de la bouche de Jane.

— Excusez-moi, répéta la femme, je ne voulais pas vous faire peur. Il m'a semblé vous reconnaître tout à l'heure, mais je n'étais pas sûre. Vous avez un peu changé. Vous êtes bien Mrs. Whittaker ?

Jane hocha la tête sans rien dire.

— Je suis Anne Halloren-Gimblet, dit la femme en se présentant, et Jane s'efforça de visualiser le nom dans son esprit. Vous ne vous souvenez sans doute pas de moi, mais nos filles étaient dans la même classe. Je faisais partie de cette fameuse excursion où vous avez cogné sur ce vieux schnock avec votre sac.

Halloren-Gimblet, répéta Jane en elle-même, se demandant où les gens allaient chercher des noms pareils.

— Bref, je voulais vous appeler pour vous dire combien je vous admirais. Je me suis sentie si coupable sur le moment. Je veux dire d'être restée là pendant que ce type fonçait sur nos gosses, et je n'ai pas eu le cran de faire quoi que ce soit, enfin, personne ne l'a eu, sauf vous. Je voulais vous téléphoner, mais vous savez ce que c'est, on a l'intention de faire quelque chose, et si on ne le fait pas tout de suite... Elle s'interrompit, comme si elle attendait que Jane lui donne l'absolution.

Mais Jane ne dit rien. Halloren-Gimblet, songeait-elle.

— Alors, reprit la femme, s'avançant pour serrer la main molle de Jane, je vous dis donc aujourd'hui que je vous ai trouvée formidable, et que si quelque chose comme ça se reproduit, je n'attendrai pas six mois pour réagir.

Elle lâcha la main de Jane et redescendit les marches jusqu'à la rue.

— Au revoir, dit-elle, hésitant quelques secondes au pied de l'escalier avant de s'éloigner tandis que Michael sortait de la boutique.

— Qui était-ce ? demanda-t-il.

— Une femme avec un drôle de nom qui a cru qu'elle me connaissait, répondit Jane d'une voix monocorde.

— Et elle te connaissait ?

Jane haussa les épaules et Michael l'aida à se mettre debout et la guida jusqu'à la rue. Quelque chose que la femme avait dit lui rongeait un coin du cerveau, comme une souris qui grignote un bout de ficelle, mais elle savait qu'il lui faudrait toute sa concentration pour reconstituer la conversation, et elle était trop fatiguée. En fin de compte, quelle différence cela ferait-il ? Elle entreprit plutôt de consacrer toute son énergie à mettre un pied devant l'autre, le nom de la femme martelant sa tête à chaque pas, comme le bruit d'un train qui fait teuf-teuf sur ses rails. Ça faisait Anne Halloren-Gimblet. Anne Halloren-Gimblet. Anne Halloren-Gimblet. AnnehallorengimbletAnnehallorengimbletAnnehallorengimblet.

24

Jane se réveilla en sursaut d'un rêve dans lequel elle poursuivait Emily à travers un interminable labyrinthe de buissons. Michael remua à côté d'elle mais ne se réveilla pas, alors Jane reposa sa tête sur l'oreiller et attendit que le sommeil la reprenne.

Elle se retrouva dans un grand magasin avec Emily à ses côtés. Elles s'approchèrent ensemble du comptoir, Jane tenant à la main un sac à linge en plastique dans lequel se trouvait une robe qu'elle voulait rendre. « Cette robe est tachée », dit-elle à l'employée qui avait un ruban rose layette dans ses cheveux roux flamboyants.

« Nous n'acceptons pas les taches de sang », l'informa la jeune femme en frottant le tissu bleu entre ses doigts. « Et en plus, vous avez acheté cette robe il y a six mois. »

« Elle est garantie à vie. »

« Il n'y a pas de garantie. »

Jane se retourna pour chercher sa fille des yeux et s'aperçut qu'elle avait disparu. « Emily », appela-t-elle, « où es-tu ? »

Et tout à coup elle se tenait devant une tombe ouverte, regardant d'un air inquiet Emily dans l'obscurité. L'enfant était là, paralysée de peur tandis que des cobras aux couleurs vives dansaient devant elle, leur coiffe déployée, leurs crochets découverts. Les voyant dressés, prêts à frapper, Jane se jeta dans la fosse par-dessus les serpents.

— Non ! hurla Jane en faisant un bond dans son lit, ce qui réveilla Michael qui la prit aussitôt dans ses bras et se mit à la bercer doucement.

— Tout va bien, lui dit-il sur un ton rythmé. Tout va bien. Ce n'était qu'un rêve. Tu veux en parler ?

Jane secoua la tête. Parler de quoi ? Elle avait perdu sa fille pour la retrouver dans une tombe pleine de serpents. Mais il y avait autre chose, réalisa Jane en se penchant en avant et en mettant ses bras autour de ses genoux. Autre chose.

— Je vais te chercher tes médicaments, dit Michael en s'extrayant du lit pour aller dans la salle de bains.

Autre chose. Mais quoi ?

Elle chercha à reconstituer son rêve avant qu'il ne s'estompe, en commençant par le grand magasin, puis sa conversation avec la vendeuse, l'entendant protester que six mois s'étaient écoulés. Six mois. Qu'est-ce que ces six mois avaient de si important ?

Et c'est alors qu'elle se rappela la femme sur les marches de la bijouterie de Newbury Street. Anne Halloren-Gimblet, répéta-t-elle en elle-même, presque machinalement. Anne Halloren-Gimblet avait dit quelque chose à propos de six mois. Mais quoi ?

— Voilà. Prends ça.

Michael lui tendait deux pilules blanches d'une forme légèrement différente de l'Haldol qu'elle prenait d'habitude. Quand avait-il modifié son traitement ? Elle prit les pilules dans sa main et examina le léger vernis de leur surface. Si ce n'était pas de l'Haldol, alors quoi ? De la Thorazine ? Quelle différence ? Elle prit de l'autre main le verre d'eau qu'il lui tendait.

Que lui avait dit exactement Anne Halloren-Gimblet ? Quelque chose au sujet de l'excursion au cours de laquelle Jane avait frappé l'homme avec son sac, qu'elle trouvait Jane sensationnelle, qu'elle se sentait coupable de ne pas le lui avoir dit plus tôt. « Si quelque chose comme ça se reproduit, je n'attendrai pas six mois pour réagir. » Oui, c'était ça. « Je n'attendrai pas six mois pour réagir. » Six mois ? Voulait-elle dire quelque chose, ou bien n'était-ce qu'une façon de parler ?

— Prends les pilules, Jane. On peut encore dormir quelques heures avant d'être obligés de se lever.

Il lui fallait plus de temps. Si elle prenait les pilules, elle se transformerait en légume en l'espace de quelques minutes, et il lui fallait réfléchir à tout ça. Son subconscient essayait désespérément de lui dire quelque chose. Il avait lutté contre ses drogues, s'était faufilé jusque dans ses rêves, parce qu'il avait quelque chose d'important à lui dire. Il lui fallait juste un peu de temps pour comprendre de quoi il s'agissait.

Jane mit les pilules sur le dessus de sa langue puis porta le verre à sa bouche. Mais comme l'eau approchait de ses lèvres, elle pencha le verre et regarda l'eau se renverser sur sa chemise de nuit, sentant le coton mouillé se plaquer contre ses seins.

— Mon Dieu, Jane, regarde ce que tu fais.

Michael lui attrapa le verre des mains et épongea sa chemise de nuit mouillée avec le bord du drap.

— Ce n'est rien, lui dit-il en retournant à la salle de bains tandis qu'elle contemplait d'un air ahuri le gâchis qu'elle avait fait. Je vais t'en chercher d'autre.

Dès qu'il eut tourné le dos, Jane recracha les pilules dans le creux de sa main, puis les enfouit sous le matelas. « Je n'attendrai pas six mois pour réagir. »

Six mois.

Michael revint avec un verre d'eau fraîche que Jane porta précautionneusement à ses lèvres ; elle renversa la tête en arrière pour faire comme si elle avalait les pilules et vida soigneusement le contenu du verre. Michael posa le verre sur la table de nuit, se remit au lit et se cala contre elle d'un geste protecteur.

Jane resta éveillée, s'efforçant de calmer les battements de son cœur. Qu'avait voulu dire Anne Halloren-Gimblet quand elle avait dit que la prochaine fois elle n'attendrait pas six mois ? Si seulement six mois s'étaient écoulés depuis leur dernière rencontre, alors l'excursion dont elle parlait avait eu lieu dans le courant de la dernière année scolaire. Mais c'était impossible, si Emily avait été tuée dans un accident de voiture plus d'un an auparavant.

A moins qu'Emily n'ait pas été tuée. A moins qu'elle soit encore en vie.

Jane sentit son corps se contracter d'excitation et les mains de Michael resserrer leur étreinte autour de sa taille. Mais si Emily n'avait pas été tuée, si elle était encore en vie quelque part, pourquoi Michael lui avait-il dit qu'elle était morte ? Si Emily était vivante, ça voulait dire que *tout* ce que Michael lui avait dit n'était que mensonge.

Il y avait un moyen de le savoir, décida-t-elle. « Michael », murmura-t-elle en se glissant hors de ses bras, « quand on se lèvera, j'aimerais aller au cimetière. »

Le cimetière se trouvait près de ce quartier de Newton que l'on appelait Oak Hill. Michael avait répliqué qu'il ne voyait aucune raison d'y aller, que ça ne ferait certainement que la bouleverser davantage, mais elle s'était montrée inflexible. Quelle différence ? pouvait-elle presque lire dans ses yeux.

Une énorme différence, avait-elle répondu en elle-même. La différence entre se laisser enterrer vivante dans une fosse pleine de vipères, et se battre pour comprendre ce qui pouvait bien se passer.

Michael franchit les grilles du Mount Pleasant Cemetery et arrêta la voiture sur le petit parking non pavé. Il coupa le contact et resta immobile un instant en l'examinant. Jane baissa la tête en feignant une grande fatigue. Il valait mieux ne pas éveiller ses soupçons en ce moment, bien que, à vrai dire, elle soit vraiment fatiguée et aurait pu sans problème et sans effort sombrer dans le sommeil.

— Tu es sûre que tu peux y arriver ?

— C'est quelque chose qu'il faut que je fasse, lui dit-elle en toute sincérité.

— D'accord. Si c'est trop dur, dis-le-moi. On reviendra tout de suite à la voiture.

Il ouvrit la portière et sortit, passa de son côté et l'aida à sortir, puis la guida vers la bonne allée, réglant ses pas sur la lenteur des siens.

Pourquoi donc faisait-elle ça ? s'interrogeait-elle en luttant contre l'envie de repartir en courant vers la voiture. A quoi rimait cet exercice ? Anne Halloren-Gimblet n'était pas très précise dans son langage, voilà tout. Six mois, ça n'était qu'une façon de parler. Elle aurait tout aussi bien pu dire six ans.

— C'est par ici, dit Michael en indiquant la rangée bien nette de tombes, chacune entourée de parterres de fleurs d'été en forme de demi-lune.

Jane avançait avec précaution entre les rangées, balayant des yeux les noms inconnus, notant distraitement les dates de naissance et de mort. Epouse Adorée ; Père Aimant ; Le Connaître, c'est L'Aimer ; Un Esprit Puissant...

Michael fit halte devant une pierre tombale taillée dans du granite rose.

Jane retint sa respiration. L'inscription disait : EVELYN LAWRENCE, EPOUSE AIMANTE, MERE ET GRAND-MERE CHERIE. NEE LE 16 MARS 1926. DECEDEE LE 12 JUIN 1989. TU VIS A JAMAIS DANS NOS CŒURS...

Sa mère était donc bien morte, se dit-elle en s'agenouillant et en effleurant des doigts la pierre gravée. Morte à l'âge de soixante-trois ans. Elle explora des doigts le profond relief des lettres. Elle ferma les yeux et appuya la tête contre la pierre, dont la fraîcheur contrastait avec la chaleur de la matinée, désirant ardemment que sa mère vienne la chercher pour la consoler et la rassurer.

MORTE LE 12 JUIN 1989, songea Jane en ouvrant les yeux et en regardant fixement les lettres, s'assurant qu'elle les lisait correctement. Mais elle s'était retrouvée en train d'errer dans les rues de Boston le 18 juin, une semaine plus tard. Qu'est-ce que ça signifiait ?

Michael avait dit qu'elle avait tenu absolument à aller au cimetière le jour anniversaire de la mort de sa mère, qu'elle ne voulait pas attendre le week-end pour qu'il l'accompagne. Ça voulait dire que soit elle avait disparu une semaine plus tôt que ne l'avait déclaré Michael, soit qu'il s'était tout simplement servi de la mort tragique de sa mère comme d'un tremplin commode pour le reste de ses mensonges.

Jane regarda la tombe sur sa droite en retenant son souffle jusqu'à ce qu'elle ait assimilé le nom de l'inconnue. KAREN LANDELLA. EPOUSE ET MERE CHERIE, GRAND-MERE ET ARRIERE-GRAND-MERE AIMANTE. NEE LE 17 FEVRIER 1900. DECEDEE LE 27 AVRIL 1989. AIMEE DE TOUS CEUX QUI L'ONT CONNUE. Prononçant une prière en elle-même, Jane tourna lentement la tête vers la gauche, et ses yeux absorbèrent les mots inscrits : WILLIAM BESTER, EPOUX AIMANT, PERE, GRAND-PERE ET FRERE ADORE. NE LE 22 JUILLET 1921, DECEDE LE 5 JUIN 1989. AMEREMENT REGRETTE.

— Où est Emily ? demanda-t-elle, à peine capable de parler.

Michael aida Jane à se remettre debout. Il garda le silence pendant plusieurs secondes, puis fit demi-tour et se mit à marcher rapidement entre les rangées de tombes silencieuses. Jane dut faire un effort pour le suivre, craignant de regarder autour d'elle, terrifiée à l'idée qu'elle pourrait voir le nom de sa fille gravé sur l'une de ces pierres glacées. Etait-il possible que tous ses soupçons ne soient que purs fantasmes et qu'Emily soit vraiment ici ?

— Michael ? interrogea-t-elle en s'arrêtant pour s'appuyer contre un haut monument gris, ses genoux s'entrechoquant de peur plus que d'épuisement.

Son regard acheva la question : Où est-elle ? Faut-il aller encore loin ?

— Emily n'est pas ici, dit-il après un long silence, et Jane dut s'agripper des deux mains à la tombe pour ne pas s'écrouler.

— Pas ici ?

— Nous l'avons fait incinérer.

— Incinérer ?

— Tu ne pouvais supporter l'idée de la mettre dans la terre, dit-il, et sa voix se brisa, l'empêchant de poursuivre durant plusieurs secondes. Tu étais inflexible là-dessus. On a répandu ses cendres dans le port à Woods Hole.

— Woods Hole ?

— Près de la villa de mes parents.

Son regard erra dans le soleil avant de se baisser.

— Emily aimait beaucoup cet endroit.

Jane laissa Michael l'attirer dans ses bras, et elle put sentir les battements réguliers de son cœur, tout en se demandant s'il pouvait sentir le rythme précipité du sien.

Elle se remémora le cauchemar qu'elle avait fait la première nuit de son retour à la maison : Michael et elle se tenaient au bord d'un vaste champ rempli de serpents venimeux. Elle s'était tournée vers lui pour chercher de l'aide et avait découvert à sa place un cobra géant. Elle frissonna et sentit Michael resserrer son étreinte.

Quelqu'un est en train de marcher sur ma tombe, se dit-elle.

— Je crois que tu devrais t'étendre un peu, dit-il en l'aidant à monter les escaliers.

— C'est déjà l'heure de mes médicaments ? demanda Jane en le suivant dans leur chambre et en s'asseyant au bord du lit.

Michael consulta sa montre.

— Dans une demi-heure. Pourquoi ?

— Je me disais que je pourrais peut-être les prendre maintenant. Je ne me sens pas bien et je ne crois pas que j'arriverai à dormir.

Il se pencha pour l'embrasser sur le front.

— Une demi-heure ne devrait pas faire de mal.

Il enleva sa chemise tachée de sueur à cause de la chaleur et la jeta dans le panier à linge en se dirigeant vers son bureau. Jane regarda son torse mince disparaître dans le couloir et s'efforça de rassembler ses idées. Quelles que soient ses intentions, elle avait intérêt à agir vite.

Réfléchis, exhorta-t-elle son esprit fumeux. Qu'est-ce que tu vas faire ?

La première chose, réalisa-t-elle en entendant Michael fouiller dans sa sacoche de médecin, était de contacter Anne Halloren-Gimblet. Jane regarda le vieux téléphone blanc et or sur la table de nuit. Ces dernières semaines, Michael s'était senti assez serein pour le remettre à sa place habituelle. Quoi qu'elle fasse, il fallait qu'il ne perde pas sa tranquillité d'esprit, qu'elle n'éveille pas ses soupçons. La visite au cimetière avait été suffisamment risquée. Mais elle avait magnifiquement joué son rôle pendant le retour, faisant comme si elle n'avait pas remarqué les contradictions entre les dates, s'affligeant sur le sort de leur merveilleuse enfant, pleurant quand c'était le moment, s'excusant pour le gâchis qu'elle avait fait de leur vie, lui permettant de briller dans son rôle vedette de saint compréhensif.

— Voilà, dit-il en revenant dans la chambre et en s'arrêtant près d'elle.

Elle lui prit les pilules dans le creux de la main et les mit dans sa bouche pendant qu'il allait lui chercher un verre d'eau.

Dès qu'il se fut éloigné, elle cracha les pilules dans sa main et les jeta dans la poche de poitrine du T-shirt blanc qu'elle portait. Michael revint près d'elle et se plaça de telle sorte que ses hanches se trouvaient au niveau de sa tête. Lui prenant le verre des mains, elle fit semblant d'avaler les pilules puis lui rendit le verre, s'attendant à ce qu'il s'écarte. Mais au lieu de cela, il resta où il était, se balançant légèrement devant elle. Il lui mit brusquement la main dans les cheveux et attira doucement sa tête vers lui, si bien que sa bouche frôla le devant de son pantalon. Il poussa un gémissement.

— Oh, Michael, murmura-t-elle, je ne crois pas que je puisse. Je suis tellement fatiguée.

— Ce n'est rien, lui dit-il. Tout ira bien.

Il saisit le bas de son T-shirt.

— Non, protesta-t-elle faiblement, tandis qu'il le lui ôtait.

— Ce n'est rien, Jane, répétait-il. Tout ira bien.

Il jeta le T-shirt sur le sol et se mit à genoux pour embrasser ses seins dénudés. Jane laissa échapper un petit cri quand elle vit une des pilules rouler et s'arrêter non loin des pieds de Michael.

— Tout va bien, chérie, murmura-t-il, prenant son cri pour une manifestation de passion et l'attirant doucement en arrière jusqu'à ce qu'elle soit allongée, puis il s'étendit près d'elle.

Ça n'est pas vrai, se disait Jane tandis qu'il lui enlevait le reste de ses vêtements avant de se déshabiller lui-même et de guider sa main là où il voulait qu'elle la pose. Elle le laissa se durcir sous sa main.

— C'est ça, disait-il, touche-moi là. C'est ça. Tu te débrouilles très bien.

Jane sentit qu'il lui écartait doucement les jambes, qu'il la pénétrait, qu'il bougeait lentement en elle. Ça n'est pas vrai, se disait-elle, ignorant le poids du corps de Michael sur le sien. Ça n'est pas vrai.

Il lui embrassait les tempes, les yeux, la bouche, le cou, les seins, tout en s'activant en elle. Ses mouvements devenaient de plus en plus insistants, de moins en moins doux, presque violents. Il se mit à lui donner des coups de boutoir, plaquant avec fureur son corps contre le sien. Et elle sentit alors qu'il lui appliquait à nouveau la main sur la tête, sauf que cette fois tout semblant de douceur avait disparu. Il lui empoigna les cheveux et tira si rudement qu'il lui souleva la tête de l'oreiller et qu'elle dut ouvrir les yeux. Il la regardait fixement avec une expression de rage absolue.

— Salope, pour tout ce que tu as fait.

Jane pensa immédiatement qu'il avait vu les pilules tomber de sa poche, qu'il savait qu'elle l'avait délibérément trompé, mais il se détacha d'elle et disparut dans la salle de bains sans un regard sur le sol. Elle se précipita pour balancer les pilules sous le lit, puis retomba sur son oreiller, suffoquant. La tête lui tournait ; la pièce dansait. Il lui fallut plusieurs secondes pour se calmer, et elle entendit couler la douche dans la salle de bains.

— Tout de suite ! dit-elle tout haut, éprouvant le

besoin d'entendre sa propre voix pour se donner l'assurance que ce qui arrivait était bien réel, que ce n'était pas un horrible cauchemar ni un autre flash du passé.

Elle saisit le téléphone, composa rapidement le 411, attendant la voix de l'opératrice.

— Quelle localité, s'il vous plaît ?

— Newton, murmura Jane en entendant Michael dans la douche.

Elle allait d'abord essayer Newton. Il paraissait logique que, si la fille d'Anne Halloren-Gimblet allait à l'école privée d'Arlington, elle habitât dans le quartier.

— Le nom, s'il vous plaît.

— Halloren-Gimblet. Avec un trait d'union.

Jane prononça le nom avec soin, puis l'épela, tout en gardant les yeux collés à la porte de la salle de bains, les oreilles à l'écoute du bruit de la douche.

— Vous avez une adresse ?

— Non. Mais il ne doit pas y en avoir beaucoup.

— Je n'ai personne de ce nom sur mes listes. Je peux essayer les nouveaux abonnés, si vous voulez.

— Très bien. Attendez... attendez.

— Oui ?

— Regardez à Gimblet, suggéra Jane.

— Vous avez l'initiale du prénom ?

— Non.

Quelle salope, cette femme, songea Jane, puis elle entendit la voix de Michael. « Salope », avait-il dit. « Salope pour tout ce que tu as fait. » Que voulait-il dire ? Si sa fille était encore en vie, alors qu'avait-elle fait exactement ?

— J'ai votre numéro, dit l'opératrice avant d'être relayée par la voix synthétique d'un ordinateur.

« Le numéro est 555-6117 », lui dit l'ordinateur de son ton égal et enjoué, puis il répéta l'information pendant que Jane apprenait les chiffres par cœur.

Elle mit toute son énergie à composer le numéro correctement, refusant de prêter attention au fait qu'elle était toute gluante entre les jambes et qu'elle avait des élancements dans la tempe, à l'endroit où Michael avait attrapé ses cheveux à pleine main. Pourquoi avait-il choisi cet instant en particulier pour lui faire l'amour ? Il ne l'avait pas touchée depuis des semaines. Sa douleur avait-elle englouti tout discernement en lui ? Etait-il aussi perturbé qu'elle ?

Etait-il en train de lui dire adieu ?

Le téléphone sonnait. Elle le pressa contre son oreille, convaincue que Michael serait capable de l'entendre par-dessus le bruit de l'eau. « Je vous en prie, répondez », murmura-t-elle dans le récepteur. « Je vous en prie, dépêchez-vous de répondre. »

Le téléphone continuait de sonner. Trois sonneries, quatre, cinq.

« Anne Halloren-Gimblet, je vous en prie, soyez chez vous. »

Mais si elle était chez elle, elle ne décrochait pas son téléphone. Sept, huit, neuf sonneries. A la dixième, Jane reposa le récepteur sur son support, s'avouant vaincue. Elle réessaierait plus tard.

Elle se pencha tout à coup en avant d'un mouvement brusque et faillit faire tomber le téléphone de la table, puis elle saisit le récepteur et composa à nouveau le 411.

— Quelle localité, s'il vous plaît ?

— Newton. Le nom est Gimblet. G-i-m-b-l-e-t. Pouvez-vous me dire si la bonne adresse est 15 Forest Street ?

— Je n'ai personne sous ce nom dans Forest Street, lui dit l'opératrice, comme Jane s'y attendait. 15 Forest Street était l'adresse de Michael et Jane Whittaker. J'ai un Gimblet au 112 Roundwood.

— C'est bien ça. Merci.

Jane faillit embrasser l'appareil avant de le reposer. Elle avait encore la main sur le téléphone quand elle se rendit compte que l'eau de la douche n'était plus en train de couler. Depuis combien de temps ? Michael avait-il surpris ses paroles ?

Elle retira brutalement sa main du téléphone comme si elle venait de toucher quelque chose de brûlant. Elle se glissa rapidement sous les couvertures, ramena

332

l'édredon sur elle et ferma les yeux au moment où la porte de la salle de bains s'ouvrait.

Elle le sentit s'approcher du bord du lit, sentit son corps encore humide se pencher et écarter quelques cheveux épars sur son front.

— Dors bien, ma chérie, dit-il.

25

Jane resta éveillée toute la nuit, comptant les heures jusqu'au matin. Quand Michael sortit du lit à six heures et demie, elle fit semblant de dormir et se demanda si elle devait réessayer le numéro d'Anne Halloren-Gimblet pendant qu'il était sous la douche, mais elle écarta cette idée pour ses risques inutiles. Elle avait l'adresse. Après le départ de Michael, elle échapperait d'une manière ou d'une autre à l'œil vigilant de Paula et irait jusqu'à Roundwood. Le moment venu, elle s'inquiéterait de savoir par quels moyens.

— Jane, disait Michael, et elle réalisa avec un mélange de désarroi et de crainte qu'elle avait dû s'assoupir. Je pars à l'hôpital maintenant. Paula est en bas. Elle va t'apporter ton petit déjeuner et tes médicaments dans un moment.

Elle hocha la tête, faisant semblant d'être trop endormie pour ouvrir les yeux, tout en l'observant derrière ses paupières à peine entrouvertes.

— Je suis au bloc opératoire toute la journée, disait-il, mais j'ai pris rendez-vous pour nous deux cet après-midi à cinq heures et demie avec un certain Dr. Louis Gurney à l'Institut Edward Gurney. Jane, tu m'entends ?

Elle marmonna quelque chose qu'elle espérait suffisamment incohérent, mais son cœur battait la chamade. L'Institut Edward Gurney était un hôpital psychiatrique privé, à deux heures et demie de voiture.

— J'ai demandé à Paula de t'aider à préparer quelques affaires, pour le cas où le Dr. Gurney voudrait que tu restes quelques jours. Jane, tu m'entends ?

— Je dois faire mes bagages, grommela-t-elle sans soulever sa tête de l'oreiller.

— Non, c'est Paula qui les fera. Tu peux simplement lui dire ce que tu aimerais emporter.

Il se pencha et l'embrassa sur la joue.

— Je me suis arrangé pour rentrer tôt et te conduire moi-même là-bas.

— Bonne journée, lui dit Jane avec une maladresse exagérée, et elle le suivit des yeux tandis qu'il se dirigeait vers la porte de la chambre.

Merde, songea-t-elle, on peut bien être deux à jouer à ce petit jeu.

— Je t'aime, lança-t-elle faiblement derrière lui, et elle vit qu'il s'arrêtait brusquement.

Et maintenant, qu'est-ce que tu éprouves ? interrogea-t-elle en silence. Comment te sens-tu lorsque la femme que tu as transformée en zombie avec tes drogues et tes mensonges, la femme que tu envisages de faire enfermer dans un hôpital psychiatrique privé à des kilomètres de tout et de tout le monde te dit qu'elle t'aime ? Est-ce que ça te rend triste, ou satisfait ? Est-ce que ça te fait quelque chose ?

Michael se retourna, revint vers le lit, se mit à genoux et enfouit sa tête dans les cheveux embrouillés de Jane.

— Je t'aime moi aussi, dit-il, et elle sentit couler les larmes de Michael sur ses joues à elle. Je t'ai toujours aimée.

Il s'en alla alors et Paula fut aussitôt auprès d'elle.

— Prête pour le petit déjeuner ?

Jane se redressa dans son lit et examina la jeune femme austère, se demandant quel était son rôle exact dans tout ça. Etait-elle dupe malgré elle, ou complice consentante ? Jane opta pour la dupe malgré elle, ayant l'impression qu'elle ne faisait que croire tout ce que Michael lui disait et faire tout ce qu'il lui demandait. De ce point de vue-là, Paula ne différait pas de tous les autres. Quand Michael disait quelque chose, tout le monde l'écoutait et le croyait. C'était lui l'homme, après tout ; et elle, la faible femme. C'était un chirurgien respecté ; elle était sa femme au caractère explosif, toujours à la recherche de nouvelles causes à défendre, perturbée par un tragique accident de voiture qui s'était produit un an auparavant et dont elle ne s'était pas encore remise. Pauvre Jane. Pauvre Michael. Ça serait mieux pour tous les intéressés si on la plaçait à l'Institut Gurney, où elle recevrait bien évidemment le traitement qu'elle méritait.

— Je n'ai pas très faim, dit-elle à Paula. Je prendrai juste du café.

— Michael a dit pas de café aujourd'hui.

— Pourquoi donc ?

— Il a dit que le jus d'orange était mieux pour vous.

— D'accord. Du jus d'orange, approuva Jane, son esprit passant déjà à autre chose. Je me demandais si vous pourriez apporter le fauteuil à dossier droit qui se trouve dans l'autre pièce. Mon dos me fait un mal de chien.

Paula pivota sur les talons et quitta la pièce, sa jupe beige tournoyant autour d'elle et ses longs cheveux se balançant quand elle marchait. Jane lança ses pieds hors du lit, remarqua qu'elle portait une des vieilles chemises de Michael, se rappelant vaguement qu'il la lui avait passée la veille au soir. Elle s'effraya de constater que, bien que n'ayant pris aucun médicament pendant les dernières vingt-quatre heures, il lui fallait mener une lutte permanente contre la léthargie qui menaçait de s'abattre sur elle, et qu'elle était encore capable de s'endormir sans prévenir. Pourvu que je reste éveillée. Pourvu que je puisse sortir d'ici et arriver entière chez Anne Halloren-Gimblet.

Paula revint de la chambre d'amis avec le vieux fauteuil à haut dossier.

— Vous le voulez à un endroit précis ?

— Ici, ça sera bien, lui dit Jane.

Paula posa le fauteuil devant les placards recouverts de miroirs puis s'empressa de redescendre pour préparer le jus d'orange de Jane. Quand elle revint, celle-ci était assise dans le grand fauteuil à dossier droit.

— Eh bien, vous êtes très ambitieuse aujourd'hui.

— Michael pensait que je devrais me lever.

— Oui, il m'a dit que je devrais vous faire sortir aujourd'hui, que vous aviez besoin d'un peu d'exercice.

— Pour m'épuiser.

— Quoi ?

— A condition que ça ne m'épuise pas trop, dit Jane en se corrigeant.

Paula tendit à Jane le jus d'orange et trois petites pilules blanches.

— Trois ?

— C'est ce que Michael a dit.

Jane mit les trois pilules sur le bout de sa langue, puis attendit que Paula s'en aille. Ce qu'elle ne fit pas.

— Michael m'a dit de m'assurer que vous les preniez.

Jane sentait les pilules commencer à se dissoudre au contact de l'humidité naturelle de sa langue. Avait-elle éveillé les soupçons de Michael, ou celui-ci voulait-il tout simplement ne pas prendre de risques ? Subrepticement, elle fit glisser les pilules d'un côté de sa bouche et porta le jus à ses lèvres.

— Hé, dit Paula en posant la main sur la bouche de Jane, la forçant à l'ouvrir et jetant un coup d'œil à l'intérieur. Avalez, Jane. Ne faites pas l'idiote.

Jane n'avait pas le choix. Elle avala les pilules. Paula vérifia ensuite sa bouche.

— Brave fille.

Jane se sentit paniquer. Trois pilules, nom d'un chien. Et elle les avait avalées. Combien de temps fallait-il pour qu'elles commencent à faire de l'effet ? Au mieux, elle n'avait probablement que quelques minutes de pensée lucide. Il fallait qu'elle fasse sortir ces pilules de son organisme avant qu'elles ne commencent à agir.

— Je ne me sens pas bien, cria-t-elle d'un ton pressant qui fit aussitôt accourir Paula.

— Vous avez envie de vomir ? demanda Paula en l'aidant à s'extraire du fauteuil et en la conduisant à la salle de bains.

— Oh, mon Dieu, que se passe-t-il ? pleura Jane. Il faut que vous m'aidiez. Je vous en prie, ne me laissez pas.

Jane attendit que Paula soit penchée près d'elle au-dessus des toilettes pour se balancer brusquement de tout son poids et pousser Paula sur le côté contre le jacuzzi. Elle la regarda perdre son équilibre et s'écrouler dedans à la renverse.

Jane bondit hors de la salle de bains, claqua la porte derrière elle et attrapa le fauteuil à dossier droit qu'elle s'était procuré dans ce but précis. Elle le plaça soigneusement sous la poignée de la porte, empêchant ainsi Paula de s'échapper.

— C'est complètement fou, Jane. Où est-ce que vous croyez pouvoir aller ? hurlait Paula en donnant des coups dans la porte.

Les protestations continuèrent de se faire entendre dans le couloir et jusque dans la chambre d'amis où Jane se précipita au-dessus des toilettes et s'enfonça les doigts au fond de la gorge. Elle eut des haut-le-cœur, sentit son corps se convulser en une série de maigres vomissements, ses yeux la piquer et sa gorge la brûler avec le goût âcre des oranges fraîchement pressées. Avait-elle réussi à vomir les pilules ? Les avait-elle toutes extirpées de son organisme ? Elle ne pouvait en être certaine. Il lui faudrait faire vite.

De retour dans sa chambre, elle enfila un ample short vert foncé par-dessus la chemise bleu pâle de Michael, sans tenir compte des cris de Paula, traversa la pièce en courant, se précipita dans les escaliers puis dans la cuisine, à la recherche du sac à main de Paula. Elle finit par le trouver dans le placard de l'entrée et l'ouvrit pour y attraper les clés de la voiture de celle-ci. Puis elle fourra dans une de ses poches les quelques dollars que contenait le portefeuille et courut vers la Buick grise rouillée qui était garée dans son allée.

La voiture n'était pas fermée à clé, et Jane s'engouffra derrière le volant, se cognant le genou contre le tableau de bord en introduisant la clé dans le contact. Elle grogna à la fois de douleur et de soulagement quand elle entendit tourner le moteur, puis fit une habile marche arrière pour sortir de l'allée dans la rue, ne sachant pas très bien si elle devait tourner à droite ou à gauche. Elle opta pour la droite puis, au premier panneau stop, elle fouilla dans la boîte à gants, à la recherche d'un plan de la ville.

Comme tout le reste de la vieille voiture, le plan tombait en loques. Il était sale et déchiré et il en manquait un morceau, mais elle parvint à parcourir la liste des noms de rues et à repérer la section C3 où Roundwood était supposé se trouver, au milieu d'une pléthore de fines lignes rouges et bleues, de lettres noires et d'une quantité de symboles bizarres que la légende au bas de la carte identifiait comme étant les délimitations du comté et de la ville, les aqueducs et les réseaux de transports. Quand elle eut trouvé la petite courbe marquée Roundwood, les lettres commençaient à se brouiller, et sa bouche à se dessécher. Elle se dit que ce n'était que ses nerfs, et, appuyant plus fort sur l'accélérateur, elle sentit la voiture bondir en avant, crachoter, s'arrêter, puis redémarrer.

— Merci, murmura-t-elle, se rendant compte qu'il fallait y aller avec précaution.

Roundwood se trouvait dans la direction opposée. Suivant le plan, Jane prit Columbus Street jusqu'à Hartford, tourna vers l'ouest sur Boylston Street jusqu'à Hickory Cliff Road, puis tourna à gauche au premier croisement. Roundwood, lut-elle avec soulagement, souhaitant que la plaque reste immobile, tout en sachant qu'elle ne bougeait pas. Elle avança lentement le long de la rue, guettant le bon numéro. « C'est là », cria-t-elle, écrasant le frein par mégarde. La voiture fit un bond, émit un drôle de bruit puis s'arrêta. « Parfait », dit Jane sans se préoccuper de redémarrer ni de rapprocher la voiture du trottoir. Elle se propulsa hors de l'engin et se dirigea vers la maison blanche de style victorien qui n'était guère différente de la sienne. Anne Halloren-Gimblet, je te conjure d'être chez toi.

Elle parcourut l'allée principale en vacillant, trébuchant à deux reprises avant d'atteindre la porte d'entrée et de s'y appuyer, priant en silence d'avoir suffisamment de force. Elle attendit quelques minutes avant de réaliser qu'elle avait oublié de sonner, puis elle pressa le bouton à plusieurs reprises tout en tapant du poing sur le panneau de bois.

— Une minute, lui parvint une voix de femme à l'intérieur. Arrêtez.

La porte blanche s'ouvrit de quelques centimètres. Anne Halloren-Gimblet jeta un coup d'œil furtif.

— Oui ?

— Anne Halloren-Gimblet ? demanda Jane, incapable de détacher les mots, avec l'impression d'être un officier de police.

— Oui. La voix de la femme était hésitante, comme si elle n'en était pas sûre.

— C'est Jane Whittaker. Nous nous sommes parlé l'autre jour dans Newbury Street. Nos filles étaient dans la même classe ?

Elle énonça cela comme une question, sentant la réticence de la femme à la faire entrer.

— Je me demande si je peux entrer et vous parler quelques instants.

— Mon Dieu, je ne vous avais pas reconnue, s'écria Anne Halloren-Gimblet en reculant dans le vestibule et en faisant signe à Jane d'entrer.

— J'étais très pressée de partir ce matin, dit Jane en réalisant à quel point elle devait avoir l'air débraillé et en s'efforçant de rentrer la chemise trop grande de Michael dans son short. Les manches lui pendaient plus bas que le bout des doigts et elle s'aperçut qu'elle n'avait pas de soutien-gorge, qu'elle n'était pas coiffée et n'avait pas brossé ses dents. Je dois avoir une de ces allures !

— Voulez-vous une tasse de café ? Je crois qu'il m'en reste un peu.

— Ça me ferait vraiment plaisir.

Jane suivit la femme, qui était habillée avec soin et maquillée impeccablement, jusque dans la cuisine rouge bordeaux et blanc. Anne Halloren-Gimblet était grande et mince, et probablement un peu plus âgée que Jane.

Elle avait des cheveux blonds retenus par un bandeau noir sur lequel était inscrit le mot *PARIS* en lettres de faux diamants. Elle faisait tout son possible pour ne pas regarder Jane fixement, mais était manifestement troublée par sa visite surprise, et peut-être même un peu effrayée.

— Comment le prenez-vous ?

— Noir. Avec plein de caféine.

Anne Halloren-Gimblet sourit, lui versa une pleine tasse de café et lui fit signe de s'asseoir. Jane approcha une chaise de la table de cuisine, avala son café d'un seul coup et en redemanda un autre.

— Je ne me rendais pas compte à quel point j'avais soif, dit-elle tandis que la femme lui remplissait patiemment sa tasse.

— Jane... vous permettez que je vous appelle Jane, n'est-ce pas ?

— Avec plaisir... Anne, hasarda-t-elle, et la femme sourit. Elle ne sait pas pourquoi je suis ici, se dit Jane, ni quoi faire de moi, et elle est trop polie pour poser des questions. Elle aimerait que je déballe mon histoire, que je boive mon café et que je m'en aille.

— Jane, vous allez bien ? Vous n'aviez pas l'air en forme quand je vous ai vue l'autre jour, et...

— J'ai l'air pire aujourd'hui, je sais.

— C'est que ça ne vous ressemble pas. Bien que je ne vous connaisse pas très bien, ajouta-t-elle.

Quoi lui dire ? se demanda Jane en observant les yeux vert pâle de la femme qui se plissaient en signe de concentration. Est-ce que je prends le risque de lui dire la vérité ?

— Y a-t-il encore du café ? demanda Jane d'un air penaud, et Anne Halloren-Gimblet lui versa le fond de la cafetière du matin.

— Excusez-moi, dit finalement Anne. J'espère que vous n'allez pas me trouver impolie, mais me permettez-vous de vous demander pourquoi vous êtes ici ?

— Je voulais m'excuser, dit rapidement Jane en décidant de ne pas dévoiler la vérité, du moins pour le moment. Pour avoir été aussi grossière l'autre jour.

— Vous ne l'avez pas été.

— Mais si, et j'en suis désolée. Je ne me sentais pas très bien ces derniers temps. C'est une sorte de virus bizarre. Rien de contagieux, s'empressa-t-elle de la rassurer.

— Il y a un tas de trucs bizarres qui traînent ces jours-ci, observa Anne, et Jane approuva vigoureusement d'un hochement de tête. Mais vous n'aviez pas besoin de venir ici spécialement, surtout si vous ne vous sentez pas très bien.

— Ça va à présent.

Jane parcourut du regard la cuisine impeccable, essayant d'avoir l'air en pleine forme, s'efforçant de prendre un ton détendu.

— Où est votre fille ?

— Mes filles, rectifia Anne Halloren-Gimblet, mettant l'accent sur le S final avec un long sifflement. Elles sont au centre aéré pour la journée. Le bus les a ramassées juste quelques minutes avant que vous n'arriviez. A Bayview Glen. Vous connaissez ?

Jane secoua la tête, s'apercevant qu'elle lui semblait fixée de façon très lâche sur son cou, et priant pour que les trois tasses pleines de café soient suffisantes pour la maintenir éveillée.

— Où est-ce que vous envoyez Emily ?

Jane se sentit automatiquement démontée à l'énoncé du nom de sa fille.

— Elle est à la villa de ses grands-parents, bégaya-t-elle en se demandant si c'était vrai.

— Nous avions une maison de campagne quand j'étais petite. Je l'adorais. J'avais l'habitude de ramasser des têtards et des petits serpents.

— Des serpents ?

— J'étais un vrai petit garçon manqué, quoiqu'on ne le dirait pas en me voyant maintenant.

Anne partit d'un rire que Jane identifia comme un rire plus nerveux que joyeux. *Je suis en train de l'inquiéter*, se dit Jane.

— Ah, ça oui, poursuivit Anne, j'étais tous les jours dans la gadoue avec les gamins. Pour rien au monde ma mère ne serait arrivée à me faire mettre une robe à frous-frous. Elle désespérait de me voir mal tourner. Vous vous imaginez, surtout si on voit ça avec le regard d'aujourd'hui, avoir une mère qui ne veut surtout pas que son enfant aille à l'université, et dont la plus haute ambition pour sa fille est de la voir devenir sténo-dactylo ?

Anne Halloren-Gimblet secoua la tête puis poursuivit, gênée par le silence.

— Quand je me suis mariée, ma mère a failli avoir une attaque quand je lui ai dit que je voulais garder mon nom de jeune fille. Alors j'ai fait un compromis, j'ai adopté le trait d'union. J'ai été la première femme de mon quartier à le faire. Malheureusement j'ai épousé un Gimblet.

Jane rit, mais la sonorité de son rire ne fit que rendre la femme encore plus agitée. Anne Halloren-Gimblet se leva.

— Je crains de devoir écourter cette visite. J'ai un rendez-vous dans une demi-heure, déclara-t-elle.

Affabulation évidente, se dit Jane.

— Je me rends compte que j'aurais dû vous appeler avant, se hâta-t-elle de dire, mais comme je me trouvais dans le quartier, je me suis dit que je pourrais passer voir si vous étiez encore chez vous.

— Vous êtes sortie très tôt.

Anne Halloren-Gimblet consulta sa montre. Jane jeta un coup d'œil à la pendule sur le four encastré. Il était à peine huit heures et demie du matin. Pas étonnant que cette femme soit nerveuse, se dit-elle.

— J'avais besoin de prendre l'air, dit Jane en se mettant debout, attirée par une grande feuille de carton fixée au mur en face du réfrigérateur et recouverte de photos de deux petites filles très blondes, chacune avec le même visage bien que l'une soit plus grande que l'autre. Elles pourraient être jumelles, observa-t-elle.

— C'est ce que tout le monde dit, au grand désespoir de Melanie. Elle fait toujours remarquer qu'elle a trois ans de plus que Shannon, et qu'elle mesure au moins huit centimètres de plus.

Jane en conclut que ça devait être la plus jeune qui avait été dans la classe d'Emily.

— Alors, est-ce que Shannon s'est plu à l'école, cette année ?

— Oh, c'est à prendre ou à laisser. A vrai dire, je crois que si je lui laissais le choix, elle n'irait jamais nulle part. Elle est vraiment casanière. Et Emily ?

— Elle aime bien l'école, dit Jane, son cœur battant la chamade. (Etait-il possible qu'Anne Halloren-Gimblet ne soit tout simplement pas au courant de la mort de sa fille ?) Vous avez participé à d'autres excursions, dernièrement ?

— Je les ai accompagnés à la visite chez les pompiers, mais ils se sont tous scandaleusement bien conduits, alors ça n'était pas drôle. Vous m'avez manqué.

Son attitude exprima aussitôt une grande gêne, elle recroquevilla les épaules et se tripota les doigts.

— Il faut vraiment que je commence à me préparer...

Jane suivit Anne dans le vestibule, tout en sachant qu'il lui restait encore à trouver quelque chose de plus concluant. Il lui fallait être certaine que leurs filles avaient été des camarades de classe *cette* année, et non l'année dernière, qu'elle avait accompagné leur classe en excursion à Boston il n'y avait pas plus de six mois, qu'Emily était encore bien vivante.

— Croyez-vous que les filles seront dans la même classe l'année prochaine ? hasarda-t-elle en regardant attentivement dans le salon.

— Eh bien, elles sont dans la même classe depuis la maternelle, répondit Anne en ouvrant la porte d'entrée. Je suis sûre qu'ils les mettront ensemble.

Jane négligea la porte ouverte et s'avança dans le salon, laissa de côté les photos de famille sur la cheminée pour se concentrer sur une série de photos de classe bien connues qui étaient posées sur le dessus du piano demi-queue.

— Difficile de croire comme elles grandissent vite, non ? fit remarquer Anne en s'approchant derrière Jane pour regarder par-dessus son épaule.

Jane parcourut des yeux les photos, repérant aisément sa fille sur celle de la première puis de la deuxième année de maternelle, puis du CP. Puis une autre photo, une qu'elle ne connaissait pas.

— Je crois que c'est celle que je préfère, dit Anne en prenant sur le piano la photo de la classe de CE1. Tous ces grands sourires sans dents de devant.

Jane arracha la photo des mains de la femme et laissa échapper un cri de surprise.

— Qu'est-ce que vous faites? haleta Anne, d'une voix effrayée.

Balayant à toute allure les visages des enfants, Jane trouva sa fille au dernier rang, les épaules à présent légèrement voûtées comme son père, souriant timidement, les lèvres serrées.

— Oh, mon Dieu, oh, mon Dieu, cria Jane. Elle est vivante. Elle est vivante!

— Mrs. Whittaker, commença Anne, revenant instinctivement à un ton formel, voulez-vous que j'appelle votre mari?

— Mon mari? Jane la fusilla du regard. Non! Quoi que vous fassiez, je vous en prie, n'appelez pas mon mari.

Anne tendit les bras pour la rassurer.

— OK, OK, je ne l'appellerai pas. C'est simplement que je m'inquiète. Je ne comprends pas bien pourquoi vous êtes ici, et il y a manifestement quelque chose qui ne va pas. Pouvez-vous me dire de quoi il s'agit?

Les mots pouvaient à peine sortir de la bouche de Jane, tellement elle pleurait.

— Tout va bien maintenant. Mon bébé est en vie. Emily est en vie.

— Bien sûr, qu'elle est en vie.

— Elle est vivante. Je ne l'ai pas tuée!

— Tuée? Mrs. Whittaker, je crois vraiment que je devrais appeler votre mari...

— Il m'a dit qu'elle avait été tuée dans un accident de voiture, que c'était moi qui conduisais, qu'elle était morte dans mes bras...

— Quoi? Quand? Bon Dieu, quand est-ce que c'est arrivé?

— Mais elle n'est pas morte. Elle est vivante. Elle est là.

— Oui, elle est vivante, lui dit Anne Halloren-Gimblet, et Jane remarqua un étrange adoucissement dans la voix de la femme, comme si elle avait décidé que tout ça n'avait aucun sens et que ce n'était pas la peine d'en chercher un. Elle est vivante et magnifique. Si grande. C'est incroyable comme elle a grandi pendant ces deux derniers mois. Elle sera bientôt aussi grande que Miss Rutherford.

Il y eut une seconde de silence total.

— Qu'est-ce que vous avez dit ? demanda Jane.

— J'ai dit qu'elle serait bientôt aussi grande que l'institutrice.

— Leur institutrice s'appelle Miss Rutherford ?

La voix d'Anne reprit une nuance de crainte.

— Vous ne le saviez pas ?

— Pat Rutherford ?

— Oui, je crois.

— J'avais rendez-vous avec l'institutrice d'Emily ! murmura Jane, laissant percevoir son étonnement.

— Oui, sûrement, nous avons tous eu un entretien particulier à la fin de l'année scolaire.

— Je n'ai pas eu de liaison avec Pat Rutherford.

— Je vous demande pardon ? Mrs. Whittaker, là, je suis complètement dépassée. Je crois que vous avez besoin d'aide.

— J'ai besoin de téléphoner.

Jane écarta la femme, courut dans la cuisine et arracha le téléphone blanc du mur. Anne était juste derrière elle, tout en maintenant une distance de sécurité. Jane pouvait lire la peur dans ses yeux et aurait voulu lui dire quelque chose pour la rassurer, mais elle savait que, quoi qu'elle dise, ça ne ferait qu'aggraver les choses.

— Il faut que je contacte Pat Rutherford. Est-ce que vous avez son numéro personnel ?

Anne secoua la tête.

— L'école est fermée pour toutes les vacances, avança-t-elle comme pour anticiper la question suivante.

Jane tenait le téléphone serré contre sa poitrine. *Pat Rutherford, C. 31, 12.30,* voyait-elle griffonné devant elle. Pat Rutherford, répéta-t-elle en silence. L'institutrice d'Emily. Et non un homme avec qui elle avait eu une petite liaison minable. Avait-elle eu des liaisons, d'ailleurs ?

Elle composa rapidement le 411 et répondit « Boston » avant même qu'on lui pose l'inévitable question.

— Je voudrais le numéro de Daniel Bishop. Merci.

Elle nota le numéro de Daniel, chez lui et à son travail, sur un bloc-notes de papier rose imprimé de dessins représentant des châteaux de sable et des étoiles de mer, avec le slogan *La Plage, c'est La Vie.* Consultant à nouveau la pendule du four, Jane décida d'essayer d'abord chez lui.

— Vous ne m'en voulez pas, n'est-ce pas ? lança-t-elle par-dessus son épaule à Anne qui hésitait sur le seuil, prête à s'enfuir.

Daniel répondit à la quatrième sonnerie, juste au moment où Jane allait raccrocher le téléphone.

— Oui ?

Pas allô. Juste « oui ? ». Comme s'il attendait son coup de fil, comme s'ils étaient déjà en pleine conversation.

— Daniel ?

— Oui ?

Une nuance d'impatience, comme si elle l'avait dérangé dans quelque chose d'important.

— C'est Jane Whittaker.

— Jane. Mon Dieu, je suis désolé. Je n'avais pas reconnu votre voix. J'étais sur le point de sortir. Que se passe-t-il ? Il y a un problème ? J'ai essayé plusieurs fois de vous appeler mais votre femme de ménage...

— Daniel, commença-t-elle, puis elle s'interrompit. Merde, se dit-elle, c'était pas facile à dire. Daniel, est-ce qu'on a eu une liaison ?

Jane entendit un léger hoquet provenant de la porte, et imagina que l'expression d'Anne devait ressembler à celle de Daniel.

— Quoi ? dit Daniel en riant.

— Je suis sérieuse, Daniel. Est-ce qu'on a eu une liaison ?

Il y eut une seconde de silence.

— Que se passe-t-il, Jane ? Carole est à l'appareil ?

— Il n'y a que moi, Daniel, et il faut que je sache.

— Je ne saisis pas. De quoi parlez-vous ?

— Ce serait trop long à expliquer. Faites-moi confiance, Daniel, je vous raconterai tout une autre fois. Pour le moment, il me faut juste un oui ou un non. Est-ce qu'on a eu une liaison ?

— Non, bien sûr que non.

Jane ferma les yeux, berçant le téléphone comme si c'était un nouveau-né.

— Dieu sait si j'en avais envie, pourtant, poursuivit Daniel d'une voix douce. Je pense que vous le saviez, mais il n'en a jamais été question. Jane, dit-il comme s'il réalisait tout à coup qu'il ne devrait pas être en train d'expliquer tout ça, cette conversation n'a aucun sens. Vous avez des ennuis ?

— Danny, commença Jane, savez-vous où se trouve Emily ?

— Emily ? Non. Pourquoi ?

— Michael la cache et ne veut pas me dire où elle est.

— Quoi ?

— Je vous en prie, ne dites rien. Vous n'y comprendrez rien et je n'ai pas le temps de vous expliquer maintenant. Il faut que je trouve Emily.

— Mais Jane…

— Mais s'il y a quelque chose qui tourne mal, si on me reprend avant que je ne retrouve Emily et qu'on réussisse à m'enfermer quelque part, Daniel, je veux que vous sachiez que je ne suis pas folle. Je vous en prie, essayez de m'aider. Je ne suis pas folle. Vous le savez bien.

Elle raccrocha le téléphone et reporta son attention vers son hôtesse réticente.

— Ecoutez, intervint Anne avant que Jane ne puisse continuer, je ne sais pas ce qui se passe ici. Et à vrai dire je ne veux pas le savoir. Soit vous êtes folle, soit vous avez le genre d'ennuis dont je ne veux pas, alors je vous demande gentiment de bien vouloir partir. Tout de suite.

Jane sourit d'un air compréhensif et reconnaissant en tendant la main pour flatter le bras de la femme, mais Anne eut un mouvement de recul, et Jane sortit vivement par la porte qui était encore ouverte. Elle l'entendit aussitôt se fermer, sentit les yeux d'Anne dans son dos tandis qu'elle courait vers la voiture de Paula et s'y engouffrait.

Il fallait qu'elle retrouve Emily. Michael la cachait quelque part. Où ? Dans une colonie de vacances ? Dans la villa de ses parents ? Chez des amis ? Où ? Et pourquoi, pour l'amour du ciel ?

Qui pouvait-elle aller trouver ? A qui pouvait-elle s'adresser ?

Il y avait ses amis : les Tanenbaum, Diane Brewster, Lorraine Appleby, Eve et Ross McDermott, et les autres dont elle connaissait le nom mais pas l'adresse ni le numéro de téléphone. Ça prendrait trop de temps d'essayer de les contacter. Paula finirait par sortir de la salle de bains tôt ou tard. Elle trouverait un moyen de joindre Michael. Il irait chercher Emily et s'assurerait qu'on ne puisse pas la trouver.

Il n'y avait qu'une personne susceptible de lui dire où se trouvait Emily, réalisa-t-elle en se battant avec la voiture, et cette personne la détestait parce qu'elle était convaincue que Jane avait couché avec son mari.

Il fallait qu'elle voie Carole.

« Je te retrouverai, Emily », marmonna Jane en tournant à nouveau la clé dans le démarreur, et elle soupira de soulagement quand le moteur se réveilla. « Je te retrouverai. »

26

La voiture de Paula cala une fois à un stop et une fois à un feu rouge avant de s'arrêter définitivement en plein milieu de Glenmore Terrace, à quelques rues de chez elle. « Non, pas maintenant. Ne me lâche pas maintenant. J'ai besoin de toi. J'ai besoin que tu m'aides à retrouver mon bébé. »

Mais la voiture, comme un amant insensible, resta indifférente à ses supplications. Elle tourna la clé dans le contact jusqu'à ce qu'elle sente une odeur d'essence et sache qu'elle avait noyé le moteur. « Salope ! » Elle tapa du poing sur le volant, puis abandonna la voiture là où elle était.

Une voiture derrière klaxonna en signe de protestation, mais Jane ne se retourna pas et continua à pied en direction de chez elle. Il valait sans doute mieux qu'elle n'arrive pas à proximité de sa maison avec la voiture de Paula. On la repérerait moins facilement si elle était à pied. A condition qu'on soit à sa recherche. Paula était-elle parvenue à se libérer ? Avait-elle réussi à appeler Michael ? Etaient-ils à présent embusqués à l'attendre ?

Jane traversa la rue en diagonale, sentant la chaleur du soleil sur sa tête, puis tourna au coin de Forest Street, à plusieurs pâtés de maisons de chez elle. Elle pouvait se glisser entre les bâtiments, s'introduire dans le jardin de Carole sans se faire voir. Etait-ce possible ? Elle dut s'appuyer contre le tronc d'un énorme saule pleureur tandis qu'elle vomissait trois grandes tasses de café.

Ses genoux se transformèrent en spaghettis et elle s'écroula en tas sur l'herbe derrière l'arbre. Oh, non, implora-t-elle, pas maintenant. Je suis trop près. Trop près de retrouver mon enfant, ne me laissez pas flancher maintenant.

Avec une nouvelle détermination, Jane fit un effort pour se mettre debout, ignorant les nausées de son estomac, les picotements de ses bras et de ses jambes, l'engourdissement progressif de sa nuque. Si quelqu'un regarde par sa fenêtre, il doit penser que je suis soûle.

Y avait-il quelqu'un en train de la regarder ? Elle tâcha de repérer un visage curieux guettant derrière des rideaux entrouverts, de saisir une paire d'yeux s'écartant vivement d'une fenêtre. Elle ne vit personne, ne sentit aucun regard fixé sur elle. Je suis invisible, résolut-elle en se servant d'une logique enfantine pour calmer ses nerfs, si je ne peux pas les voir, ils ne peuvent pas me voir, répéta-t-elle en s'approchant de la maison de Carole. Elle plongea derrière une voiture noire garée dans la rue, pour le cas où sa résolution ne convaincrait pas les autres.

Sa propre maison avait l'air calme. La porte d'entrée était fermée. Aucun mouvement révélateur. Pas de voitures garées dans l'allée. Tout avait l'air paisible, et même serein.

Parvenue à deux maisons de chez Carole, Jane pressa le pas. En arrivant au garage, elle baissa la tête et courut vers le jardin, son cœur atteignant un rythme plus rapide que ses pieds, son estomac bondissant devant elle. Elle se plaqua sur le côté de la maison comme une vigne vierge, pour finir par s'écrouler près d'un treillage couvert de roses couleur pêche.

Et qu'allait-elle dire à Carole ? Que Michael lui avait menti, leur avait menti à toutes deux ? Que Daniel et elle n'avaient jamais eu de liaison ?

— Qui êtes-vous et que faites-vous dans mon jardin ?

La voix était autoritaire. Jane leva les yeux et vit le père de Carole qui fonçait sur elle, ses jambes blanches et fantomatiques émergeant d'un bermuda rose qui avait probablement appartenu à Carole. Le bermuda était suspendu à la frêle silhouette du vieil homme aussi mollement que des vêtements sur un cintre. Sa peau avait la couleur du lait écrémé.

— C'est moi, Jane Whittaker, murmura-t-elle, réalisant qu'elle ne connaissait pas son nom à lui. Votre voisine.

— Qu'est-ce que vous faites dans mes rosiers ?

Jane se glissa le long du treillage pour se relever à moitié. Elle sentit quelque chose qui l'agrippait et tourna la tête en s'attendant à voir Paula ou Michael, mais découvrit seulement une épine de rose accrochée à sa chemise. Elle se dégagea délicatement de l'épine en se piquant cependant le doigt, et observa avec fascination une goutte de sang faire un rond bien net au bout de son doigt.

— Vous vous êtes fait mal ?

— Ça va.

— Je suis Fred Cobb, lui dit-il, comme s'ils en étaient aux présentations.

Ils se serrèrent la main, le vieil homme prenant soin d'éviter le sang sur son doigt qui avait fait une traînée jusque sur sa paume.

— Vous êtes ici pour me vendre quelque chose ?

Jane regarda prudemment autour d'elle pour vérifier si on était en train de les observer.

— Non, Mr. Cobb, dit-elle, se demandant si Carole était chez elle. Je ne veux rien vous vendre. Je suis venue pour parler à Carole.

— A propos de quoi ?

— A propos de ma fille. Emily.

— Connais personne de ce nom.

— Elle a sept ans. Très mignonne. Longs cheveux châtains. Vous l'avez probablement vue jouer sur la pelouse. Vos petits-enfants avaient l'habitude de la garder.

— Quel nom vous avez dit ?

— Emily. Vous ne sauriez pas par hasard où elle se trouve en ce moment, avança Jane.

— Oh, si, je sais où elle est.

352

— Vraiment ?

— Elle est dans la maison.

— Dans la maison ? Emily ?

— Emily ? Je ne connais pas d'Emily. Ici c'est la maison de Carole.

— Carole est dans la maison ?

— Où est-ce qu'elle pourrait être ? Qu'est-ce que vous faites ici ? Vous avez quelque chose à vendre ?

— Mr. Cobb, entreprit Jane en se rapprochant de lui, ce qui lui fit faire plusieurs pas en arrière, pouvez-vous me dire s'il y a quelqu'un d'autre dans la maison ? Est-ce que Carole a des visiteurs ?

— Carole n'a pas beaucoup de visiteurs depuis que Daniel est parti. Elle n'a jamais été très douée pour se faire des amis.

Jane hocha la tête d'un air compréhensif. Il était clair qu'elle ne recevrait aucune aide de Fred Cobb.

— J'ai faim, déclara brusquement le vieil homme. Je crois que je vais dire à Carole de me préparer à déjeuner.

Il secoua aussitôt la tête, comme s'il avait changé d'avis.

— Non, elle va me dire que je viens de prendre mon petit déjeuner.

— Je me ferai un plaisir de le lui demander pour vous, Mr. Cobb, lui dit Jane, et elle vit un large sourire étirer les rides de sa bouche.

— Vous feriez ça ? Vous êtes très gentille. Carole déteste que je lui casse les pieds. Ça la met très en colère. Elle menace parfois de me faire interner.

— Je suis certaine qu'elle ne le pense pas, Mr. Cobb.

— Je suis certain que si. Mais ça m'est égal. Laissons-la me faire interner, si c'est ce qu'elle veut. Pour moi c'est la même chose. (Il eut un geste de rejet.) Et qu'est-ce que vous en savez, vous les jeunes, de ce que c'est que d'être interné ? Vous êtes tous convaincus que vous allez vivre éternellement. Tout en restant jeunes. Il éclata de rire.

— Je vais demander à Carole de vous donner quelque chose à manger.

— Pourquoi ne pas le laisser me le demander lui-même ? La voix de Carole trancha l'air tiède comme un couteau s'enfonçant dans une meringue. J.R. se mit à aboyer près d'elle. Tais-toi, J.R.

— Maudit chien. Tu vas le faire interner, lui aussi ? railla Fred Cobb.

— Il reste un sandwich au fromage dans le frigo, si tu veux, Papa.

— C'est pas de refus, dit-il sur un ton exagérément poli, et il s'excusa de retourner à la maison tandis que Carole reportait son attention sur Jane.

— Il faut que je sache exactement ce qui s'est passé le jour où j'ai disparu, dit-elle calmement à Carole.

— Entrez donc, proposa Carole. On peut parler à l'intérieur. Comment vous sentez-vous ? demanda Carole une fois dans le salon.

— Je ne sais pas très bien, répondit Jane franchement en examinant soigneusement la pièce qui était peinte en blanc et recouverte d'une moquette bleue. Mais il n'y avait personne de caché derrière les meubles mal assortis. On pouvait voir seulement des moutons de poussière derrière une vieille bergère. Un grand vase de cristal plein d'iris à moitié fanés était négligemment posé au milieu d'une table basse en verre laissant voir des traînées de crasse.

— Ma femme de ménage m'a laissée tomber, dit Carole en suivant le regard de Jane. Je n'ai pas eu le courage de lui trouver une remplaçante. Vous avez des suggestions ?

Jane songea à Paula enfermée dans la salle de bains et se demanda si Carole s'en était aperçue. Elle secoua la tête.

— J'ai tellement de choses à vous dire que je ne sais pas par où commencer.

— Je ne suis pas sûre que nous ayons quoi que ce soit à nous dire.

— Je sais que vous croyez que Daniel et moi avons eu une liaison...

— Et vous allez me dire que ce n'est pas vrai. Epargnez-moi ! Daniel a déjà appelé.

354

— Daniel a appelé ? Quand ?

— Il y a quelques instants. Il a dit que vous lui aviez téléphoné d'une façon très bizarre, que vous lui aviez demandé si oui ou non vous aviez eu une liaison ensemble. N'étant pas au courant de votre situation particulièrement délicate, poursuivit-elle d'un ton sarcastique, il a eu beaucoup de mal à comprendre la nature de votre question. Je lui ai dit que bien que ça doive certainement porter un coup à son ego de réaliser à quel point ses performances d'amant étaient vite oubliées, il vaudrait sans doute mieux pour tous les intéressés qu'on arrive tous à chasser de nos esprits ce petit détail sordide, comme vous avez si magnifiquement réussi à le faire.

— Mais Daniel et moi n'avons pas eu de liaison.

— C'est ce qu'il m'a dit.

— Et pourquoi devriez-vous croire Michael ? riposta Jane.

— Quoi ?

— C'est Michael qui vous a dit que Daniel et moi avions eu une liaison, c'est bien ça ?

— Qu'est-ce que ça peut faire ?

— Ça peut faire que c'est Michael qui a menti.

— Pourquoi Michael me mentirait ?

— Il nous a menti à tous.

— Je répète, pourquoi ?

Jane secoua la tête, et sentant que la tête lui tournait, s'enfonça dans la bergère d'un beige passé.

— Pour nous brouiller. Pour m'empêcher de découvrir la vérité.

Carole fit demi-tour, comme si elle allait quitter la pièce, mais s'assit pourtant sur le canapé en face de Jane.

— La vérité sur quoi ?

— Je ne sais pas.

— Evidemment.

— Quelque chose s'est passé juste avant que je ne disparaisse. Une chose si épouvantable que la seule façon que j'ai eue d'y faire face a été de l'oublier. De tout oublier. Carole, comment est morte ma mère ?

— Quoi ? Attendez, Jane. Ces transitions sont trop rapides pour moi. J'ai du mal à suivre.

— Comment est morte ma mère ?

Carole respira à fond et leva les mains en l'air, comme si elle avait décidé de céder et de faire tout ce que Jane voulait.

— Elle a été tuée dans un accident de voiture l'année dernière.

— Ne me racontez pas de mensonges, avertit Jane, et elle vit une expression de stupéfaction traverser le visage de Carole.

— Ce n'est pas moi qui raconte des mensonges ici, Jane. Pour l'amour du ciel, pourquoi mentirais-je à propos d'une chose comme ça ? Je croyais que Michael vous l'avait dit.

— Il l'a fait.

— Mais vous ne l'avez pas cru ?

— Vous n'avez pas cru Daniel, lui rappela Jane.

— Les circonstances sont légèrement différentes.

— Où a eu lieu l'accident ?

— Pas très loin d'ici. Votre mère était en route pour Boston. Un type a grillé un stop et l'a percutée de plein fouet. Ça vous a complètement bouleversée. Vous étiez très proches.

— Qui d'autre était dans la voiture ?

— Comment ça, qui d'autre ?

— Qui est-ce qui conduisait ma voiture ?

— C'est votre mère qui conduisait. Vous deviez aller avec elle, d'après ce que j'ai compris, mais vous aviez été convoquée à une réunion à l'école d'Emily. Quelque chose comme ça, je crois.

— Ce n'est pas moi qui conduisais ?

— Je viens de vous le dire, vous aviez une réunion.

— Michael m'a dit que c'était moi qui conduisais.

— Quoi ? Ne soyez pas absurde, Jane. Pourquoi Michael aurait-il dit une chose pareille ?

— Il m'a dit que c'était moi qui conduisais et qu'Emily était aussi dans la voiture. Il m'a dit qu'elle avait été tuée, et qu'elle était morte dans mes bras.

— Jane, c'est complètement dingue de dire ça.

— Mais ma fille n'est pas morte, n'est-ce pas, Carole ?

— Bien sûr que non. Bien sûr qu'elle n'est pas morte.

— Carole, où est-elle ?

Carole se leva. Jane vit une expression nouvelle s'insinuer dans son regard, et elle réalisa que c'était la même expression qui avait transformé les traits jusque-là aimables d'Anne Halloren-Gimblet. Jane comprit que c'était de la peur, et elle fit un effort pour se lever et empêcher Carole de quitter la pièce.

— Carole, où est-elle ? demanda-t-elle à nouveau.

— Je ne sais pas.

— Où Michael cache-t-il Emily ?

— Jane, écoutez-vous. Est-ce que ça tient debout ? Daniel m'a dit que vous lui aviez raconté quelque chose à propos de Michael qui cacherait Emily. Mais pourquoi Michael devrait-il cacher Emily ? A vous écouter, je serais tentée de dire que s'il la cache c'est pour la protéger. Que c'est dans son intérêt à elle.

— Non. C'est dans l'intérêt de Michael !

— Jane...

— Il m'a dit qu'elle était morte, Carole. Comment expliquez-vous ça ? Est-ce qu'il essaie de me protéger, moi aussi ? En me racontant des mensonges ? En me disant que ma fille est morte ? Que c'est moi qui en suis responsable ? Pour l'amour du ciel, Carole, écoutez-moi. Vous croyez que j'invente tout ça ?

— Je crois que vous faites de la paranoïa.

— De la paranoïa ?

— Je crois que vous pensez vraiment ce que vous dites...

— Paranoïa ? C'est un des mots de Michael, non ? Paranoïaque. Elle cracha le mot comme si elle venait de mordre dans quelque chose de désagréable.

— Michael vous a dit que j'étais paranoïaque, hein ? Il vous l'a dit ?

L'expression de Carole fut une confirmation suffisante. Jane secoua la tête, stupéfaite.

— Il s'est vraiment couvert de tous les côtés, hein ? Il a réussi à convaincre tout le monde que j'étais folle, que j'avais souffert d'une sorte de dépression après la mort de ma mère, et que, tout en donnant à mes amis l'impression d'aller bien, à la maison c'était une tout autre histoire. Et tout ça tient debout parce que tout le monde sait quel sale caractère je peux avoir. Tout le monde a une histoire de Jane-et-son-fameux-caractère-soupe-au-lait à raconter. Et comment pourrais-je lutter contre Michael alors que je suis droguée jusqu'aux yeux, au point d'être à peine capable de sortir de mon lit ou de parler, avec toute cette bave qui dégouline sur mon menton, alors que je suis si déprimée que je n'ai pas de pensées plus joyeuses que de me suicider.

« Vous ne voyez donc pas ? Il m'a menti ; il a menti à tout le monde. Il vous a dit que je couchais avec votre mari ; il m'a dit que ça n'était qu'une liaison minable parmi tant d'autres. Il a fait en sorte qu'au moment où je commençais à remettre les choses en ordre, à voir clair dans ses mensonges, il n'avait qu'à dire partout que j'étais paranoïaque ! Il ne m'a jamais dit que ma fille était morte — c'est moi qui l'ai imaginé ! Je suis même encore plus cinglée qu'il ne le pensait !

« Oh, c'est parfait. C'est tellement parfait. Qui pourrait maintenant le contredire quand il dit qu'il faut me faire interner ?

Les yeux de Carole se remplirent de larmes.

— Mais pourquoi, Jane ? Pourquoi Michael voudrait-il faire des choses pareilles ?

— Parce qu'il s'est passé quelque chose que j'ai vu, ou entendu, ou découvert, quelque chose que Michael ne voulait pas que je sache, dont il ne veut pas que je me souvienne.

— Quoi ?

— C'est à vous de me le dire.

Carole ferma les yeux en signe d'impuissance.

— Je ne sais rien, Jane.

— Racontez-moi ce qui s'est passé l'après-midi où j'ai disparu. Racontez-moi ce qui s'est passé ce jour-là.

Carole se tut un moment avant de parler.

— Michael a dit que vous étiez bouleversée...

— Ne me racontez pas ce que Michael a dit, l'interrompit Jane avec colère. Racontez-moi uniquement ce que vous avez vu, vous.

— Je vous ai vue arrêter la voiture dans votre allée, commença Carole à contrecœur. C'était le début de l'après-midi. Mon père faisait la sieste. Il faisait froid ce jour-là et je bricolais dans les fleurs, histoire de m'occuper, alors quand je vous ai vue rentrer chez vous, je me suis dit que j'irais bien voir si vous aviez envie de me faire une tasse de thé ou autre chose, juste un prétexte pour vous rendre visite. Mais dès que vous êtes sortie de la voiture, il était visible que quelque chose n'allait pas. Vous étiez hystérique. C'est le seul mot qui me vienne à l'esprit. Vous parliez entre vos dents, vous hurliez après vous-même. Je n'y comprenais rien. Je n'étais même pas sûre que vous m'ayez vue, bien que vous regardiez en plein dans ma direction. Je vous ai demandé ce qui n'allait pas, mais vous m'avez écartée pour entrer dans la maison et vous avez claqué la porte.

« Je ne vous avais jamais vue comme ça avant. Vous étiez si peu cohérente que je ne savais que faire. Je suis restée là un moment, et puis j'ai décidé d'appeler Michael. Je lui ai raconté ce qui s'était passé, et il a dit qu'il rentrait tout de suite à la maison.

« Environ quinze-vingt minutes plus tard, j'ai vu Michael se garer et se précipiter à l'intérieur. Bon, vous pensez bien que j'étais vachement curieuse de savoir ce qui se passait. Alors je suis restée à observer par la fenêtre. Et un peu plus tard, votre porte d'entrée s'est ouverte brutalement et vous êtes sortie en courant. Vous n'avez pas fermé la porte et vous n'avez pas pris votre voiture. Vous vous êtes juste sauvée en courant dans la rue.

« J'ai attendu quelques secondes et je suis allée jusque chez vous. La porte était ouverte mais j'ai quand même frappé. Comme personne ne répondait, je me suis inquiétée. J'ai appelé Michael à plusieurs reprises, puis j'ai entendu un gémissement et alors je suis allée dans le jardin d'hiver. Michael était par terre, juste en train de se relever. Sa tête saignait. Le sol était éclaboussé de sang.

« Je l'ai attrapé, l'ai emmené dans la salle de bains, j'ai essayé de le nettoyer, et finalement je l'ai conduit à l'hôpital de Newton-Wellesley où on l'a recousu. Sur le chemin, il m'a fait promettre de dire aux médecins qu'il était tombé et s'était cogné la tête. Il a dit que vous souffriez d'une sorte de dépression nerveuse qui avait commencé déjà un certain temps auparavant, et qu'il m'expliquerait tout plus tard.

— Et ensuite ?

— C'est tout. Vous savez le reste. Vous n'êtes pas revenue chez vous. Il a déclaré que vous étiez probablement honteuse, qu'il était sûr que vous reviendriez une fois calmée. Il m'a appelée après avoir eu des nouvelles de la police, m'a dit ce qui s'était passé, que vous aviez perdu la mémoire, qu'il allait vous ramener à la maison.

— Quand vous a-t-il parlé de Daniel ?

— Plus tard. Et il m'a fait promettre de ne pas me heurter à vous tant que vous n'iriez pas mieux. On sait tous comment ça a fini.

Jane inspira profondément, espérant chasser le vertige qu'elle sentait la gagner.

— Carole, je vous en supplie, il faut que vous me disiez où Michael cache Emily.

— Je ne sais pas, dit Carole, et Jane comprit qu'elle disait la vérité. J'ai supposé qu'elle était chez les parents de Michael.

— Alors ils ont vraiment un cottage ?

— Oui. A Woods Hole.

Jane savait que Woods Hole était une étroite bande de terre à l'extrémité du cap Cod, mais elle n'en avait aucun souvenir. C'était à plusieurs heures de voiture et elle décida que s'il le fallait elle irait les yeux fermés, et se préoccuperait de savoir où se trouvait la maison des Whittaker une fois sur place.

— J'ai besoin d'emprunter votre voiture, dit-elle, en se tenant en équilibre au bord du fauteuil et en se demandant si elle était en état de faire un si long trajet.

— Quoi ?

— Passez-moi les clés de votre voiture.

— Jane, ne faites pas l'imbécile. Je ne peux pas vous laisser faire ça.

Jane vit les yeux de Carole se diriger sur un point juste derrière elle. Elle vit les épaules de Carole se raidir et sa bouche émettre un hoquet silencieux, et au même instant elle sentit quelqu'un approcher derrière elle.

— Qui est cette femme ? demanda le père de Carole depuis le seuil.

Jane crut tout d'abord qu'il voulait parler d'elle, puis réalisa, tandis que des mains lui agrippaient fermement les bras, que la femme dont parlait Fred Cobb était Paula qui avait fini par s'échapper de sa prison. Ou, plus vraisemblablement, que Paula se trouvait là depuis le début.

— Après que Daniel eut appelé ce matin, je suis allée chez vous, expliqua Carole tandis que Paula coinçait les bras de Jane, parce que je me suis dit qu'il y avait peut-être quelque chose qui clochait. J'ai trouvé Paula dans la salle de bains.

— Qu'est-ce qui se passe ici ? demanda le père de Carole. Carole, qui sont ces gens ? Est-ce qu'ils ont quelque chose à vendre ?

— Non, Papa. Tu ferais mieux de monter faire la sieste.

— Je ne veux pas faire la sieste. Je viens de me lever.

Jane laissa son corps se décontracter.

— Voilà une bonne fille, lui dit Paula sans relâcher son étreinte. C'est vraiment pas la peine de se débattre.

— Vous avez appelé Michael ? demanda Jane.

— Il est en pleine opération. J'ai laissé un message.

Alors il reste un peu de temps, se dit Jane, et elle plia les genoux comme s'ils ne pouvaient plus la soutenir. Paula fléchit les bras pour suivre le mouvement et Jane profita de cette fraction de seconde pour rejeter les épaules en arrière, faire perdre l'équilibre à Paula, ce qui lui laissa juste le temps de se dégager de son étreinte forcée.

— Non ! hurla-t-elle, et elle entendit le père de Carole pousser un cri d'alarme quand elle attrapa le gros vase en cristal sur la table basse et le brandit au-dessus de sa tête. Les fleurs volèrent puis s'éparpillèrent ; l'eau sale dégoulina sur son épaule et sur la moquette ; Paula recula ; Carole secoua la tête ; son père poussa des petits cris en se cachant les yeux.

Et c'est à cet instant précis que Jane se rappela exactement qui elle était et ce qu'elle s'était si intensément efforcée d'oublier.

27

Jane assista au déploiement de sa mémoire comme si elle était en train de regarder un film à une projection privée assise au milieu du premier rang, sans aucun autre spectateur. Elle vit les rideaux s'écarter et l'écran se remplir d'images en technicolor presque trop colorées pour que son œil puisse les supporter. Sa voix jouait le rôle du narrateur, permettant à Carole et à Paula de partager sa vision solitaire.

C'était le matin. Michael et Emily étaient assis à la table de la cuisine, Michael lisant le journal et buvant une dernière gorgée de café, Emily traînassant sur ses céréales, laissant tomber des gouttes de lait sur la table avec sa cuillère. Michael jeta un coup d'œil par-dessus son journal pour la gronder gentiment. Jane se vit éponger le lait, débarrasser la vaisselle du petit déjeuner et la mettre dans le lave-vaisselle, chaque chose à la place qui lui convenait.

— Alors, qu'est-ce que tu fais, aujourd'hui ? demanda Michael, et Jane se confondit avec l'image devant elle.

— J'ai rendez-vous avec l'institutrice d'Emily à midi et demi, lui rappela-t-elle.

— Des problèmes ?

— Je ne pense pas. Simplement les rencontres parent-professeur qu'ils font toujours à la fin de l'année. Je suppose qu'on va me dire comme ça a bien marché et dans quelle classe elle sera l'an prochain, ce genre de choses. Elle caressa la tête d'Emily. Emily répondit à son contact par un timide sourire. Tu es dans quelle salle de classe, déjà, mon amour ?

— Classe 31. La voix d'Emily était basse. Jane remarqua qu'elle avait l'air d'être encore plus basse à chaque fois qu'elle parlait.

— Je ne sais pas pourquoi, je n'arrive pas à m'en souvenir. Je ferais mieux de l'écrire. Elle détacha un petit carré de papier sur le bloc près du téléphone et griffonna *Pat Rutherford, C. 31, 12.30.* Qu'est-ce que tu dirais si je faisais un de mes gâteaux au chocolat quand je reviendrai ? demanda-t-elle, espérant recevoir de sa fille un grand sourire et ressentant une immense fierté quand elle y parvint.

— Je pourrai t'aider ? demanda l'enfant.

— Bien sûr que oui. Jane ouvrit le réfrigérateur, regarda à l'intérieur. Je ferais mieux de prendre des œufs et du lait pendant que je serai dehors. Elle griffonna *lait, œufs.* Tu es prête pour l'école ?

— Je peux la conduire aujourd'hui, proposa Michael, puis s'adressant à Emily qui courait vers le vestibule : Tu ferais mieux de prendre une veste ! Ils annoncent des températures très fraîches. C'est valable aussi pour Maman, dit-il en embrassant Jane sur le nez.

— Oui, Papa. Merci, Papa.

— Pas de quoi, Madame Je-sais-tout.

— Je t'aime.

— Je t'aime moi aussi. Appelle-moi après l'entretien avec l'institutrice d'Emily.

Jane suivit Michael dans le vestibule, aida sa fille à mettre son léger anorak à fleurs roses et jaunes.

— Passe une bonne journée, mon cœur.

Elle se mit à genoux, sentit aussitôt sa fille se jeter à son cou et se dégagea de son étreinte à contrecœur.

— Je te retrouve à l'école dans quelques heures.

Jane se releva et se retrouva dans les bras de Michael. Elle l'embrassa.

— Passe une bonne journée.

— Appelle-moi.

Elle resta près de la porte à regarder la voiture de

Michael disparaître au coin de la rue, se sentant incroyablement heureuse, songeant que la seule chose qui manquait à leur vie était la présence d'un autre enfant. Elle faillit rire de l'ironie de sa réflexion. Deux années de pilule après la naissance d'Emily pour s'assurer un écart de trois ans entre les enfants, et elle n'avait rien vu venir après avoir arrêté. Les analyses avaient révélé qu'en raison d'une trop faible concentration de spermatozoïdes chez Michael, Emily avait même été un miracle. Il était peu probable qu'il se reproduise une seconde fois. Ce serait donc un seul enfant. Il fallait remercier Dieu, avait songé Jane, qu'elle ait pu donner à Michael une petite fille aussi parfaite, superbe et intelligente.

Son institutrice lui avait paru préoccupée. Je suis sûre qu'il n'y a pas de raison de s'inquiéter, lui avait dit Pat Rutherford, ce qui avait provoqué aussitôt son inquiétude. Jane n'avait rien dit à Michael. Pourquoi être deux à se soucier de quelque chose qui n'avait rien de préoccupant ?

Jane fouilla dans son placard pour trouver quelque chose de correct à se mettre, et opta pour une robe toute simple d'Anne Klein plutôt qu'une des robes à festons, petits nœuds et rubans que Michael avait choisies quand ils étaient allés faire les magasins ensemble. C'est peut-être un brillant chirurgien, songea-t-elle en enfilant la robe Anne Klein bleue, mais il a vraiment mauvais goût pour les vêtements féminins. Même son goût en matière de négligés laissait grandement à désirer, se dit-elle en repoussant au fond du placard la chemise de nuit en coton blanc qu'il venait de lui acheter pour la fête des Mères ; mais elle n'avait jamais eu le cœur de lui dire qu'elle ne l'aimait pas.

Elle passa une brosse dans ses cheveux, les tira en arrière et les attacha avec une barrette fantaisie, satisfaite de son image dans le miroir, « son air de dame bien nantie », l'aurait taquinée Michael qui la préférait avec les cheveux dénoués. Elle ferma le bracelet de la montre en or toute simple que Michael lui avait offerte pour leur deuxième anniversaire de mariage, fit machinalement tourner autour de son doigt son alliance en or, puis se demanda si elle allait faire un peu de rangement avant de quitter la maison. Non, Paula le ferait le lendemain, décida-t-elle, fronçant les sourcils en évoquant la femme que Michael avait engagée pour faire le ménage. Paula n'avait pas le sens de l'humour, et pas de temps à consacrer à Jane. Jane savait que Paula la considérait comme une dilettante oisive, une femme gâtée et choyée dont la vie débordait de tout ce qui faisait défaut à la sienne. Et Paula était dingue de Michael. Même le peu de contact qu'avait Jane avec la jeune femme excessivement honnête était suffisant pour l'en convaincre, bien que ce brave Michael eût l'air totalement inconscient de ce que Paula pouvait bien ressentir vis-à-vis de lui.

Jane descendit l'escalier, attrapa son sac dans le placard du vestibule et s'apprêta à partir lorsqu'elle se rappela que Michael lui avait conseillé de prendre un manteau. « Qui a besoin d'un manteau ? » demand-t-elle à la cantonade en ouvrant la porte d'entrée. « On est en juin, que diable. » Un vent froid lui cingla furieusement le visage. « On gèle, que diable », bégaya-t-elle, revenant au placard du vestibule, et elle jeta son trench-coat sur ses épaules. « Je suppose que *Père a toujours raison*[1], en fin de compte. »

Jane passa la matinée dans les boutiques de Newton Center. Elle songea à appeler Diane pour déjeuner, mais comme elle ne savait pas combien de temps durerait son entretien avec Pat Rutherford, elle décida d'avaler un sandwich toute seule avant de se rendre à l'école privée d'Arlington. Pourquoi Pat Rutherford avait-elle organisé un rendez-vous à l'heure du déjeuner ? Et pourquoi aujourd'hui ? Le calendrier de l'école ne prévoyait-il pas le vendredi 22 juin pour les entretiens avec les parents ?

Elle ne pouvait sans doute pas tous les recevoir le même jour, pensa Jane en se garant dans le parking de l'école. Sortant de la voiture, elle vérifia sur le papier

---

1. *Father Knows Best*, série télévisée des années 50.

dans sa poche quelle était la salle de classe. « Classe 31. Pourquoi est-ce que je n'arrive pas à m'en souvenir ? Oh, merde, j'ai oublié le lait et les œufs. Qu'est-ce que j'ai aujourd'hui ? » Elle s'aperçut qu'elle était nerveuse. « Quelle raison aurais-je d'être nerveuse ? » se demanda-t-elle avec impatience en remettant le papier dans sa poche. « Et pourquoi est-ce que je parle toute seule ? Quelqu'un pourrait me voir et croire que je suis cinglée. »

Elle pénétra dans l'école par la porte latérale, grimpa vivement les trois étages et repéra la classe 31 tout au bout du couloir aux murs recouverts de photographies. La porte était ouverte, et elle passa la tête à l'intérieur. La salle était décorée de dessins d'enfants et de grands découpages de lettres de l'alphabet. Des mobiles aux motifs très gais étaient suspendus au plafond à intervalles réguliers, et un hamster tournait sans fin sur une roue dans sa cage installée près de la fenêtre. Dans l'ensemble c'était une salle chaleureuse et amicale qui reflétait sans aucun doute la personnalité de l'institutrice. La pièce était vide. Jane regarda sa montre. Douze heures vingt-cinq.

Elle était toujours en avance. Depuis qu'elle était petite, sa mère lui avait fait entrer dans la tête l'importance de l'exactitude. Etre en retard, c'était montrer un manque de respect à l'égard de ceux qui attendaient, lui avait dit sa mère, bien que celle-ci soit elle-même bien souvent en retard.

Jane repéra une des peintures d'Emily sur le mur surchargé — un champ de fleurs surmonté d'un soleil joyeux. Si sa mère avait seulement pris pour elle les conseils qu'elle donnait. Peut-être, alors, qu'elle n'aurait pas eu à se presser pour aller faire des courses avant de repartir pour Hartford. Peut-être que si elle n'avait pas attendu la dernière minute, si elle avait roulé juste un peu plus lentement...

— Bonjour, Mrs. Whittaker.

La voix de Pat Rutherford était délicate, fine, comme la femme elle-même.

— Vous attendez depuis longtemps ?

Elle avait l'air tendue.

— Je viens juste d'arriver.

— Parfait.

Pat Rutherford ramena ses longs cheveux blonds derrière l'oreille, laissant apparaître un large anneau d'argent.

— Merci d'avoir accepté de venir me voir aujourd'hui. J'espère que ça ne vous dérange pas trop.

— Non, pas du tout. Est-ce qu'Emily suit bien en classe ?

Jane s'attendait à être rassurée en quelques mots et fut surprise quand elle vit la jeune femme hésiter.

— Il y a quelque chose qui ne va pas ?

— Non, dit Pat Rutherford d'un ton peu convaincant. Puis, eh bien, je ne sais pas vraiment. Je voulais vous en parler, c'est pour ça que je vous ai demandé de venir aujourd'hui plutôt qu'avec les autres parents vendredi.

— De quoi s'agit-il ?

— Asseyez-vous, je vous en prie.

Jane essaya de s'installer confortablement à l'une des petites tables devant le bureau de Pat Rutherford. Celle-ci resta debout. Elle marchait de long en large, s'appuyant de temps à autre sur son bureau, ne sachant où fixer ses yeux sombres.

— Vous m'inquiétez, confessa Jane en se demandant ce que la femme pouvait bien avoir à lui dire.

— Je suis désolée. Je n'avais pas l'intention d'être aussi hésitante. C'est simplement que je ne sais pas très bien comment dire ça.

— La méthode directe est généralement la meilleure.

— J'espère que vous avez raison. Elle marqua un temps d'arrêt. A vrai dire, je ne sais même pas si je dois vous en parler.

— Je ne comprends pas.

— C'est ma première année d'enseignement, expliqua Pat Rutherford. Je n'ai jamais été confrontée à ce genre de chose auparavant, et je ne connais pas exactement la façon de procéder.

— La façon de procéder à quoi ?

368

— Je crois que normalement je suis censée faire part de mes soupçons aux autorités.

— Les autorités ? Mon Dieu, qu'est-ce que vous soupçonnez ?

— J'ai une amie qui a connu une expérience désagréable quand elle a fait ça : deux policiers sont venus, ont terrorisé les gosses, toute l'école était en émoi, les parents étaient fous furieux, et mon amie a failli perdre son travail. Et en plus, rien n'a changé.

— De quoi parlez-vous ? Jane était assise en équilibre au bord du petit siège.

— J'adore enseigner. Je ne veux pas perdre mon poste. Alors, après y avoir réfléchi un certain temps, j'ai décidé de parler d'abord au directeur de l'école plutôt que de m'adresser directement aux autorités.

— Mr. Secord ?

— Oui.

— Et de quoi lui avez-vous parlé ?

— Je pense qu'Emily est victime d'abus sexuels.

Quand ils émergèrent enfin, les mots frappèrent Jane comme un coup de poignard dans le ventre. Elle chancela et faillit tomber de son siège. Le bord de la table l'arrêta en lui rentrant dans les côtes. Elle avait manifestement des problèmes d'audition, se dit-elle en faisant un effort pour se ressaisir. Il n'était évidemment pas possible qu'elle ait entendu ce qu'elle croyait avoir entendu.

— Qu'est-ce que vous avez dit ?

Pat Rutherford s'écroula sur la chaise derrière son bureau.

— Je pense qu'Emily est victime d'abus sexuels, répéta-t-elle, les mots n'ayant rien perdu de leur force implacable.

Jane laissa échapper un halètement. Elle sentait ses entrailles expulsées à chaque respiration. Ça ne se peut pas, pensa-t-elle, puis à nouveau : non, ça ne se peut pas.

— Qu'est-ce qui vous fait croire ça ? demanda-t-elle quand elle fut en mesure de retrouver la parole.

— Eh bien, je n'ai aucune preuve concrète, et c'est

une des raisons pour lesquelles Mr. Secord était inflexible quant au fait de ne pas prévenir les autorités. Comme il me l'a fait remarquer à plusieurs reprises, je suis tout à fait novice en la matière. Il pourrait y avoir de multiples explications au comportement récent d'Emily. Sauf que quelque chose me dit que c'est bien ça. Tout ce que j'ai lu...

— Emily vous a-t-elle dit qu'elle avait été...

Les mots restèrent coincés dans la gorge de Jane.

— ... Victime d'abus sexuels, murmura-t-elle, repoussant les mots tout en les prononçant.

— Non, lui dit Pat Rutherford, et Jane soupira de soulagement. La jeune femme faisait évidemment fausse route, tirant des conclusions hâtives à la suite de ce qu'elle avait pu lire. Mais son comportement récent concorde avec celui d'un enfant dont on a abusé de cette façon.

— Comment ça ? Quel genre de comportement ?

A nouveau, Pat Rutherford hésita.

— Eh bien, elle est devenue très calme ces derniers temps. Ça a toujours été une petite fille très sociable et débordante d'enthousiasme, toujours souriante, et dernièrement elle est devenue très calme. Plus que calme, à vrai dire. Presque triste. Est-ce que vous avez remarqué ça à la maison ?

Jane dut admettre qu'elle l'avait remarqué.

— Pourtant, protesta-t-elle, ça ne signifie pas forcément qu'Emily soit victime d'abus sexuels.

— S'il n'y avait que ça, je n'y penserais plus, acquiesça Pat Rutherford. Il y a autre chose.

Jane se tut et d'un signe de têtc autorisa l'institutrice d'Emily à poursuivre.

— Un jour, à la récréation, je l'ai vue dans le jardin d'enfants en train de jouer avec des poupées. Ce qui, en soi, n'a rien d'inhabituel. Beaucoup d'enfants aiment bien y aller pour s'amuser avec les jouets. Du moment qu'ils remettent les choses en place, il n'y a pas de problème. Mais il y avait quelque chose dans la façon dont Emily s'amusait avec deux poupées qui m'a fait m'arrêter pour l'observer. Elle ne m'avait pas vue. Elle était totalement absorbée par ce qu'elle faisait.

— C'est-à-dire ?

— Elle touchait les poupées au niveau de la poitrine et entre les jambes, et les frottait l'une contre l'autre.

— Ça pourrait n'être qu'une simple curiosité enfantine ? coupa Jane qui sentait sa colère monter. Cette femme, cette institutrice débutante et inexpérimentée n'avait pu quand même concocter cette histoire absurde en se basant uniquement sur l'expérimentation des enfants.

— Oui, j'y ai pensé. Il est bien évident que je n'en ai pas conclu tout de suite qu'elle subissait des attentats à la pudeur. J'ai pensé qu'elle pouvait tout aussi bien être en train de mimer des attitudes qu'elle avait vues à la télévision ou au cinéma.

Jane secoua la tête. Elle avait toujours soigneusement contrôlé ce qu'Emily regardait à la télévision et l'avait accompagnée aux films pour enfants qu'elle jugeait appropriés à son âge. Il n'y avait jamais eu de scènes sexuelles. Pourtant, Emily était très certainement curieuse de son propre corps. Et les autres enfants parlaient.

— Elle a probablement entendu un des autres enfants dire quelque chose, suggéra faiblement Jane en faisant un effort pour se contrôler alors qu'elle ne souhaitait que se précipiter sur le bureau et étrangler Pat Rutherford pour ses accusations injustifiées.

— Mrs. Whittaker, je vous prie de bien vouloir comprendre que je ne dis pas ça à la légère, dit l'institutrice d'Emily comme si elle lisait dans les pensées de Jane. Il y a des mois que je réfléchis à la meilleure façon d'aborder cette situation. Mr. Secord m'a rappelé à de nombreuses reprises que votre mari occupait une place importante dans la communauté, et qu'il contribuait largement à l'apport de fonds destinés à l'école. Et je sais que vous participez très activement à la vie de l'école et que vous êtes tous deux des parents très concernés. C'est pourquoi je ne tenais pas vraiment à vous contacter. Il se peut qu'il y ait une explication tout à fait logique pour l'ensemble.

— L'ensemble ? Jusqu'à présent je n'ai pas appris grand-chose. En tout cas rien qui puisse me faire conclure hâtivement que ma fille a été victime d'attentats à la pudeur.

— Il y a autre chose.

Jane retint son souffle.

— J'aurais pu laisser tomber toute l'histoire s'il ne s'était produit quelque chose la semaine dernière.

— Que s'est-il produit la semaine dernière ? demanda Jane sur un ton monocorde.

— Je suis entrée dans la classe et j'y ai vu Emily, au fond de la salle avec une autre petite fille. Elle avait une main posée sur l'épaule de la petite fille, et l'autre sur les seins de celle-ci...

— C'est ridicule. Deux petites filles qui se touchent l'une l'autre...

— Ce n'est pas tant ce qu'Emily était en train de faire que ce qu'elle était en train de dire.

— De dire ?

— Elle était en train de murmurer : « Tu es si belle. Tu me donnes envie de te toucher parce que tu es si douce et si mignonne. »

— Quoi ?

— Je sais que c'est exactement ce qu'elle a dit, parce que je l'ai noté. Je veux dire, ce n'est pas le genre de chose qu'on entend les enfants se dire entre eux. N'est-ce pas ? On aurait plutôt dit qu'elle répétait comme un perroquet les paroles d'un adulte, soit quelque chose qu'elle aurait entendu par hasard, soit quelque chose que quelqu'un lui aurait dit. Je n'en sais rien. Mais je sais que c'est sans doute un choc terrible pour vous, Mrs. Whittaker, et que vous êtes certainement très fâchée contre moi. Je sais que je n'ai aucune preuve de tout ça. Mais je me suis creusé la tête pour savoir pour quelle autre raison une enfant habituellement très ouverte pourrait devenir introvertie, ce qui pourrait faire qu'une enfant de sept ans soit aussi au courant de la sexualité. Il n'y a aucune autre éventualité à laquelle je puisse penser, à moins que...

— A moins que quoi ?

— A moins peut-être qu'elle n'ait vu sa baby-sitter avec un petit ami. Est-ce possible ? Peut-être qu'elle a surpris leurs paroles.

Jane se demanda si cela pouvait être possible. Les enfants de Carole faisaient tous les deux assez régulièrement du baby-sitting chez elle. Était-il possible que Celine ait invité un garçon un soir pendant qu'ils étaient sortis ?

— Y a-t-il des adolescents dans votre voisinage ? demanda Pat Rutherford. Peut-être qu'il y en a un qui a abordé Emily et a essayé de l'entraîner par des cajoleries...

La haute silhouette dégingandée d'Andrew Bishop se glissa dans son esprit. Se pouvait-il que le fils de Carole ait voulu abuser de sa petite fille ?

Jane bondit de son siège avec une telle détermination qu'elle faillit le renverser.

— Il faut que je parle à Emily.

— J'espérais que vous diriez ça.

Elle respira à fond.

— Emily est en train de déjeuner. Je peux descendre la chercher à la cantine, si vous voulez.

— Je vous remercie.

Pat Rutherford quitta la pièce sans un mot de plus. Dès qu'elle fut partie, Jane abattit son poing sur le bureau de l'institutrice avec une telle force qu'elle fit voler des papiers par terre.

— Mon Dieu, ça ne peut pas être vrai, répéta-t-elle. Ça ne peut pas. Ça ne peut pas.

Elle se mit à marcher de long en large devant le bureau comme l'avait fait Pat Rutherford quelques instants plus tôt. Comment serait-ce possible ? s'interrogea-t-elle. Comment serait-ce possible ? Il n'y avait qu'une réponse — ça ne se pouvait pas. Pat Rutherford avait eu une réaction exagérée devant une situation vraisemblablement innocente qui allait être élucidée d'ici quelques minutes.

Quelques minutes, songea-t-elle, réalisant à quel point une vie entière pouvait changer en l'espace de quelques minutes seulement. Elle, par exemple, une femme heureuse avec un mari merveilleux et un bel enfant, qui croyait avoir tiré le gros lot, et elle avait vraiment tiré le gros lot, et d'une minute à l'autre... d'une minute à l'autre, tout son univers s'écroulait. Tout ça à cause d'une simple petite phrase : je crois qu'Emily est victime de sévices sexuels.

Non, ça ne se pouvait pas.

Etait-ce possible ? Etait-ce possible que les enfants de Carole aient d'une certaine manière, sans doute par inadvertance, été responsables de l'étrange comportement d'Emily observé dernièrement ? Celine pouvait-elle avoir amené un petit ami un soir pendant qu'elle faisait du baby-sitting ? Possible, supposa Jane, mais peu probable. A en croire Carole, Celine ne sortait pas beaucoup, avait encore moins de petit ami, et pleurnichait tout le temps qu'elle n'en aurait jamais. Et Andrew ? Etait-il vraiment capable d'avoir abusé de son enfant ? Apparemment, les filles étaient toujours la dernière préoccupation du garçon. Il était beaucoup plus intéressé par son basket ou son base-ball. Il ne restait jamais tranquille suffisamment longtemps pour faire attention à Emily. Et pourtant, en toute logique, c'était lui le suspect. Seigneur Jésus, gémit intérieurement Jane en s'efforçant de garder le hurlement en elle. Je le tuerai.

— Maman ? Coucou, Maman.

Emily accourut. Jane tomba à genoux et accueillit sa petite fille dans ses bras.

— Houla ! protesta Emily, et Jane réalisa qu'elle l'avait serrée trop fort ; elle relâcha aussitôt son étreinte.

— Comment ça va, ma mignonne ?

— Bien. J'ai donné ma pomme à Jodi. J'ai bien fait ?

— Bien sûr, que tu as bien fait.

Jane écarta quelques cheveux du charmant visage d'Emily puis la guida vers un bureau.

— On pourrait discuter un peu, non ?

Pat Rutherford indiqua depuis la porte qu'elle attendrait dans le couloir.

— C'est pas mon bureau, Maman, dit Emily, et elle conduisit Jane jusqu'au deuxième rang où elle lui montra fièrement son bureau et sa petite chaise à elle.

Jane se contorsionna pour pouvoir s'asseoir sur le petit siège.

— J'ai quelques questions à te poser, commença-t-elle en tentant d'affermir sa voix. Et il faut que tu me dises la vérité. Tu comprends ?... Je ne me fâcherai pas contre toi, quoi que tu me dises. D'accord ? Je ne veux pas que tu aies peur de me dire quelque chose. C'est très important que tu me racontes exactement ce qui s'est passé.

— D'accord, Maman.

— Ma chérie, quand Celine te garde, est-ce qu'il lui arrive d'inviter quelqu'un d'autre ?

Emily secoua la tête, et les cheveux que Jane avait écartés retombèrent sur son front.

— Elle n'a jamais fait venir un garçon pendant que Papa et Maman étaient sortis ?

— Non. Elle joue toujours avec moi.

— Et Andrew ?

— Il ne me garde jamais.

— Mais il n'a jamais fait venir quelqu'un d'autre, déclara Jane.

— Non, je ne crois pas.

— Est-ce que... est-ce qu'Andrew t'a jamais dit quelque chose qui t'a... gênée ?

— Je ne comprends pas.

— Est-ce qu'il t'a jamais proposé... de faire quelque chose... que tu ne voulais pas faire ?

— Je ne comprends pas.

— Est-ce qu'il t'a jamais touchée d'une façon qui t'a mise mal à l'aise ?

Emily ne dit rien.

— Emily ? Est-ce qu'Andrew t'a jamais touchée d'une façon qui ne te plaisait pas ?

Emily baissa les yeux au sol. Jane lutta pour garder son calme. Au-dedans d'elle, ses pensées bouillon-naient : je vais tuer ce salaud. Je vais le tuer !

— Rappelle-toi, ma chérie, il faut que tu me dises la

vérité. C'est très important. Je sais que ce qui a pu arriver n'est pas de ta faute. Et je te promets de ne pas me fâcher contre toi. Je sais que tu es mignonne et gentille, que tu ne ferais rien de mal, que ce qui a pu arriver n'est pas de ta faute, mais c'est très important, mon ange. Il faut que je sache. Est-ce qu'Andrew t'a touchée d'une façon qui t'a gênée ? Est-ce qu'il t'a touchée là où c'est secret ?

Jane frissonna. Elle ne pouvait croire qu'elle était réellement en train de prononcer ces paroles. Peut-être qu'elle ne l'était pas, se dit-elle en s'accrochant à l'espoir irréaliste que tout cet épisode pénible n'était qu'un mauvais rêve. Elle entendit la pendule sur le mur égrener bruyamment les minutes. Une éternité s'écoula avant qu'Emily ne parle.

— Pas Andrew, dit-elle.

— Quoi ?

— Pas Andrew, répéta Emily sans regarder sa mère.

— Pas Andrew ? Qui, alors ?

Jane passa mentalement en revue toutes les hypothèses. Si ce n'était pas Andrew, alors peut-être un de ses amis. Ou peut-être un des garçons plus âgés, ici à l'école. Peut-être même un professeur. Peut-être le dentiste chez qui elle avait conduit Emily plusieurs mois auparavant. Peut-être même un inconnu. Dieu du ciel, qui donc ?

— Qui était-ce, Emily ? Je t'en prie, dis-le à Maman. Qui t'a touchée, ma chérie ? Qui t'a mise mal à l'aise ? Je t'en prie, mon amour, tu peux le dire à Maman.

Emily leva lentement les yeux pour les plonger droit dans ceux de sa mère.

— Papa, dit-elle.

Tout s'arrêta : les battements de son cœur ; le tic-tac de la pendule ; sa respiration. Tout bruit cessa, remplacé par un fort bourdonnement dans ses oreilles. Ce qu'elle savait qu'elle avait entendu provenait sûrement de son imagination. Sa fille mentait sûrement, disant n'importe quel nom parce que sa mère l'avait forcée dans ses retranchements. Elle inventait tout ça, elle voulait calmer sa mère, son institutrice lui ayant fait la leçon.

Bien sûr, rien de tout ça n'était véritablement en train de se produire.

C'était impossible. Penser que l'homme avec qui elle était mariée depuis onze ans, ce mari amoureux, ce chirurgien respecté, ce pilier sacré de la communauté, participant à une quantité d'œuvres de bienfaisance, adoré par tous ceux qui le connaissaient, que cet homme aurait pu abuser sexuellement de sa propre fille, non, ça n'était tout simplement pas possible. En plus, c'était ridicule. C'était l'homme en qui elle avait mis toute sa confiance depuis presque douze ans, un homme qui s'était tenu à ses côtés pendant les pires comme les meilleurs moments, qui était toujours là pour l'apaiser quand elle s'emportait, quand elle sortait de ses gonds et qu'elle se laissait entraîner par ses émotions. Qu'il ait pu molester leur fille était une trahison d'une telle ampleur que son esprit ne pouvait l'intégrer dans sa totalité. C'était impossible. Ça n'avait pas pu se produire. Ça ne s'était pas produit.

Si c'était vrai, réalisa-t-elle en regardant les larmes laisser une légère traînée sur les joues de sa fille, alors où s'était-elle cachée pendant tout ce temps ? Qui était-elle donc pour avoir été dupée à ce point ? Qu'en était-il d'elle-même si son mari n'était pas du tout l'homme qu'elle croyait ? Qui était Jane Whittaker si l'homme qu'elle avait connu toutes ces années comme étant son mari n'était pas du tout l'homme qu'elle pensait ? Quelle sorte de mère était-elle pour ne pas même avoir soupçonné un tel crime ? Pour devoir en être informée par l'institutrice de l'enfant ? Quelle sorte de personne était-elle donc ?

Elle n'en savait rien. Elle ne savait plus rien.

— Tu es fâchée contre moi, Maman ?

C'est à peine si Jane put percevoir sa voix.

— Non, bien sûr que non. Bien sûr que je ne suis pas en colère après toi, ma chérie.

— Papa m'a fait promettre de ne pas t'en parler, poursuivit l'enfant d'elle-même. Jane voulait se boucher les oreilles et hurler : « Assez ! », mais il était trop tard, à présent. Elle écouterait le reste de ce qu'Emily avait à

377

dire, qu'elle le veuille ou non. Il a dit que ça devait être notre secret.

— Je sais, mon bébé, gémit Jane. Je sais.

Qu'est-ce qu'elle savait ? Qu'est-ce qu'elle savait de quoi que ce soit ? Elle avala la bile qui lui remplissait la bouche, puis força la question suivante à émerger de ses lèvres tremblantes.

— Où est-ce que Papa t'a touchée, mon ange ?

Je t'en prie, ne me le dis pas, supplia-t-elle en silence. Ne me le dis pas. Je ne veux pas le savoir. Je ne peux pas le supporter.

— Ici, dit timidement Emily en indiquant ses seins pas encore formés. Et ici.

Avec gêne, elle abaissa sa main entre ses jambes.

— Des fois sur mon derrière, acheva-t-elle, tandis que Jane frissonnait.

— Quand est-ce qu'il t'a touchée ?

Jane perçut sa voix comme si elle appartenait à quelqu'un d'autre. Ce n'était pas elle qui pouvait être en train de dire ces choses-là, après tout.

— Des fois quand j'étais en train de prendre un bain, Papa venait m'essuyer.

— Quand tu prenais un bain ?

Jane perçut le soulagement dans sa voix. Evidemment ! Tout ça n'était qu'un malentendu. Michael n'avait fait qu'essuyer Emily après son bain, de la façon dont le ferait n'importe quel parent. Tout avait pris des proportions insensées par la faute d'une institutrice beaucoup trop zélée et d'une mère trop désireuse de tirer des conclusions hâtives. Des gestes parfaitement innocents avaient été présentés sous l'aspect de gestes malsains et même obscènes.

— Des fois, quand tu devais aller à une réunion, Papa venait dans mon lit, poursuivit Emily, et Jane sentit exploser ses chimères de rationalisation. Il disait qu'il était content d'avoir fait une petite fille aussi parfaite. (Emily éclata soudain en gros sanglots pleins de souffrance.) Il disait que tout allait bien. Il disait que tous les papas aimaient leurs petites filles comme ça.

Jane prit sa fille dans ses bras, la question suivante

restant suspendue sur le bout de sa langue et refusant de sortir jusqu'à ce qu'elle fût sur le point de s'étrangler.

— Est-ce que Papa... est-ce que Papa t'a jamais demandé de le toucher ?

— Des fois. Mais je n'aimais pas ça.

Emily se dégagea de l'étreinte de Jane, baissa la tête et pointa le doigt vers son aine.

— Son pénis ? murmura Jane.

Emily hocha la tête.

— Je voulais pas. J'aimais pas quand ça devenait tout mouillé et collant dans mes mains.

Jane vacilla, et elle eut peur de s'évanouir.

— Est-ce qu'il...

Elle s'arrêta. Pouvait-elle réellement envisager de poser la question suivante ? Quelles autres obscénités lui faudrait-il entendre ?

— Est-ce que Papa t'a jamais fait autre chose ?

Emily secoua la tête.

— Est-ce qu'il t'a jamais fait mal ?

— Non.

Jane ferma les yeux. Dieu merci.

— Il m'a fait promettre de ne pas te le dire, et maintenant il va être furieux contre moi parce que j'ai pas tenu ma promesse.

— Ne t'inquiète pas. Je vais m'occuper de Papa, s'entendit-elle articuler, et elle se demanda ce que ça voulait dire exactement. Ecoute, mon amour, je vais rentrer maintenant à la maison et prendre quelques affaires, ensuite je reviendrai te chercher après la classe, et nous partirons prendre des petites vacances, juste nous deux. Ça te plairait ?

— Pas Papa ?

— Non, pas cette fois. (Etait-elle réellement en train de dire ces choses-là ?) Cette fois il n'y aura que toi et moi. Des vacances entre filles. D'accord ?

Emily hocha la tête et essuya ses larmes avec le dos de sa main.

— N'oublie pas ma couverture.

— Comment pourrais-je oublier ta couverture ? Ne t'en fais pas, ma chérie, je vais m'occuper de tout.

Jane hésita, ne sachant pas si elle pourrait bouger sans s'écrouler.

— En attendant, va jouer et amuse-toi bien, et n'oublie pas que je t'aime. Je t'aime très fort.

— Moi aussi je t'aime, Maman.

Jane couvrit de baisers les joues de sa fille.

— Et Papa ne te touchera plus jamais comme ça. D'accord ? Je te le promets, mon amour.

Emily se tut. Jane comprit que l'enfant aimait son père, qu'elle avait le sentiment d'être celle qui l'avait trahi.

— Tu as fait ce qu'il fallait, mon ange. Tu as fait ce qu'il fallait en me disant tout. Maintenant, redescends finir ton déjeuner, et je serai là cet après-midi à la sortie de l'école.

Elle regarda Emily courir dans le couloir et disparaître en bas de l'escalier.

— Est-ce qu'elle vous a dit quelque chose ? demanda Pat Rutherford en s'approchant derrière Jane.

Jane commença à avancer le long du couloir.

— Je vais m'en occuper, dit-elle sans prendre la peine de jeter un regard derrière elle, puis elle se mit à courir.

28

« Je vais te tuer ! Je vais te tuer ! » Jane abattit violemment ses poings sur le volant, et ses cris ricochèrent sur les vitres closes de la voiture. « Comment as-tu pu faire ça, espèce de salaud ? Comment as-tu pu faire ça à ta fille ? Comment as-tu pu faire ça ? »

Jane se trouvait sur le parking de l'école, se demandant ce qu'elle allait faire. Elle avait tout juste réussi à atteindre sa voiture avant que n'explosent les cris qu'elle avait réprimés, son corps n'étant plus capable de contenir son intense fureur. Il était capital qu'elle ait pu s'éloigner d'Emily. Elle ne pouvait pas laisser l'enfant être témoin de l'étendue de sa rage. Elle avait besoin d'un peu de temps pour se calmer, de quelques heures pour dominer ses émotions, étouffer sa colère, décider de ce qu'elle devait faire.

Devait-elle l'affronter ? Devait-elle simplement faire irruption dans le bureau de Michael et rendre publiques les accusations d'Emily, anéantir sa respectable carrière et sa réputation sans tache, proclamer que ce protecteur des petits enfants était en fait un agresseur d'enfants ?

Etait-il possible qu'il ait agressé d'autres enfants ? Il avait assurément de multiples occasions. Son activité l'orientait vers les êtres malades et vulnérables. Qu'y avait-il de plus vulnérable qu'un enfant malade ? Et le Dr. Michael Whittaker, avec toute sa sainteté, se trouvait donc à un poste de confiance et de pouvoir absolu. Il était vénéré, adoré, idolâtré. Se pouvait-il que ce même homme, cet amant doux et chaleureux, dissimule un cœur aussi noir ?

Et qu'en était-il d'elle-même ? Comment avait-elle pu vivre avec un homme pareil pendant plus de onze ans et ne jamais soupçonner la moindre chose ? Que fallait-il penser du fait qu'elle ait été dupe à ce point ? C'était autre chose que de tromper ses collègues, ses amis et ses collaborateurs, aucun de ceux-ci ne vivait avec lui, aucun ne passait chaque nuit dans son lit.

Jane se représenta ces bras autour d'elle à présent, puis elle les imagina autour de sa fille de sept ans. Elle ouvrit brusquement la portière de la voiture pour vomir sur le revêtement noir du parking de l'école. « Salaud, fils de pute minable ! » hurla-t-elle en luttant pour ne pas perdre tout contrôle et, n'y parvenant pas, de désespoir elle enfonça le klaxon. « Qu'est-ce que je dois faire maintenant ? »

Elle s'essuya la bouche avec un Kleenex trouvé dans la poche de son manteau, puis le jeta par terre. Pollution de l'environnement, songea-t-elle avec une ironie de circonstance, et elle décida de ne pas affronter Michael directement. Elle laisserait ses avocats s'en occuper une fois qu'Emily et elle se seraient éloignées en lieu sûr. Pour le moment, il lui fallait parvenir à sublimer sa fureur pendant un laps de temps suffisamment long pour qu'elle puisse s'organiser. Il fallait qu'elle rentre à la maison, fasse ses bagages et ceux d'Emily, juste quelques affaires, et qu'elle détermine où elles iraient. A Boston, décida-t-elle. A l'hôtel pendant deux jours, peut-être à l'hôtel Lennox. Elle avait toujours aimé le Lennox. De là elle pourrait contacter ses amis, pour qu'ils lui recommandent un bon avocat.

D'abord, il lui fallait de l'argent. Elle n'aurait qu'à aller à la banque. Ils avaient neuf mille, peut-être dix mille dollars sur leur compte commun. On ne demandait qu'une seule signature pour effectuer un retrait. C'est ce qu'elle ferait, elle retirerait tout leur argent, laisserait Michael s'en apercevoir plus tard. Entre-temps elle serait partie depuis longtemps avec Emily. Le seul contact avec Michael qu'il lui faudrait supporter à nouveau se ferait par l'intermédiaire de leurs avocats respectifs. C'était incontestablement la meilleure solution pour tous les intéressés, dans la mesure où si elle le voyait, elle le tuerait probablement.

Elle roula vite, atteignant Center Street en moins de dix minutes, et elle se gara devant un panneau d'interdiction de stationner juste en face de la banque. Elle faillit percuter une femme âgée aux cheveux blancs en se précipitant pour prendre son tour dans la file d'attente, et elle entendit la vieille dame jurer entre ses dents. Jane n'en fut que modérément surprise. Comment être surprise de quoi que ce soit, à présent ?

C'était une petite banque où elle allait souvent. Elle connaissait tous les employés par leurs noms, et ils croyaient sans doute la connaître. Jane éclata de rire, sentit tous les regards se tourner vers elle, puis baissa la tête en essuyant une larme imprévue. Combien de temps devrait-elle attendre ? Comme les gens pouvaient être lents !

— Il y a quelque chose qui ne va pas, Mrs. Whittaker ? lui demanda l'employée quand ce fut enfin son tour.

Jane regarda fixement la jeune femme noire qui s'appelait Samantha. Elle ne dit rien, tandis que des larmes de désespoir coulaient le long de ses joues.

— Est-ce que je peux vous apporter quelque chose, Mrs. Whittaker ?

— Je veux clore ce compte. Jane fouilla dans son sac plein à craquer et en sortit son livret de banque qu'elle glissa à travers le guichet.

Samantha consulta le solde.

— Voulez-vous que je le transfère sur un de vos autres comptes ?

— Non. Je veux la somme en liquide.

— Ça fait presque dix mille dollars.

— Oui, je sais. J'en ai besoin. Jane s'essuya le nez avec le dos de sa main. Foutues larmes !

— Mrs. Whittaker, je sais que ça ne me regarde pas, mais vous avez l'air bouleversée, et...

Pour la seconde fois en peu de temps, Jane éclata de

rire. Tout le monde à présent était en train de la regarder, y compris Trudy Caplan, la directrice de la banque. Jane ignora leurs regards inquiets.

— Je veux juste mon argent.

— Mrs. Whittaker, dit Trudy Caplan, prenant la suite de Samantha, peut-être voudriez-vous venir dans mon bureau et prendre une tasse de café ?

Trudy Caplan était grande et trop large du buste, ses cheveux aux mèches blondes étaient tirés en un chignon démodé.

— Je n'ai pas besoin de café. J'ai besoin de mon argent. Et je suis un peu pressée, alors j'aimerais l'avoir rapidement, si vous permettez.

Pourquoi leur demandait-elle leur permission ? C'était son argent !

— Si vous n'êtes pas satisfaite de quelque chose que nous avons pu faire... commença la directrice.

— Vous n'avez rien fait, la rassura Jane en hâte. J'ai une amie qui a des ennuis et je lui ai dit que je ferais tout ce que je pourrais pour l'aider, c'est tout. J'espère être en mesure de replacer l'argent dans un jour ou deux.

Ceci eut l'air de satisfaire Trudy Caplan qui le remit entre les mains de Samantha avant de regagner son bureau.

— Nous avons juste à remplir quelques formulaires, lui dit Samantha.

— Pourquoi ?

— Quand on ferme un compte...

— Je n'ai pas le temps de remplir ces formulaires. Quelle somme dois-je laisser pour le laisser ouvert ?

— Cinq dollars.

— Parfait. Laissez cinq dollars.

— Et vous voulez le reste en liquide ?

— Oui.

— Des billets de cent, ça vous ira ?

— Absolument.

Jane regarda Samantha se retirer dans la chambre forte puis revenir avec le nombre exact de billets de cent dollars qu'elle compta devant Jane avant de les assembler en petites liasses bien nettes. « Et soixante-quatorze dollars et vingt-trois *cents*. » Elle mit les billets isolés dans la main de Jane et fit glisser les liasses de billets de cent dollars à travers le guichet.

Jane fourra négligemment l'argent dans les vastes poches de son manteau, remerciant amèrement et en silence Michael pour lui avoir suggéré de le prendre. Son sac était déjà trop plein. C'était beaucoup plus simple comme ça, tout au moins pour le moment. Une fois rentrée chez elle, elle changerait de sac et choisirait quelque chose de plus pratique pour transporter tout cet argent encombrant.

Il y avait une contravention sur le pare-brise de sa voiture. Jane la déchira et laissa tomber les morceaux sur la chaussée. Un peu plus de pollution. Encore une cause perdue, songea-t-elle, elle qui était une cause perdue. Elle ne valait rien ni comme épouse, ni comme amante, ni comme femme. Sinon pourquoi Michael irait-il rechercher une consolation auprès d'une enfant ? Avait-elle été médiocre et insuffisante dans tous ces domaines, au point de le pousser dans les bras de leur fille ? Mon Dieu, était-ce sa faute, d'une certaine façon ?

Elle prit le chemin du retour, ses larmes coulant si abondamment que c'est à peine si elle pouvait voir pour conduire. Elle avait laissé tomber tous ceux qu'elle avait aimés, se dit-elle en se garant dans son allée et en s'extirpant de la voiture. Elle n'avait pas réussi à protéger son père de l'attaque cardiaque qui l'avait tué quand elle avait à peine treize ans ; elle n'avait pas réussi à protéger sa mère, qui serait certainement encore en vie aujourd'hui si Jane avait seulement renoncé à sa réunion à l'école d'Emily pour l'accompagner à Boston ; elle n'avait pas réussi à satisfaire son mari, à être la femme qu'il espérait et méritait ; et elle n'avait pas réussi à protéger son seul enfant, l'être à la protection duquel elle avait dédié sa vie.

— Je suis une ratée totale, dit-elle entre ses dents en claquant la portière de la voiture, consciente d'une présence derrière elle.

— Jane ? Jane, qu'est-ce que vous marmonnez ? Vous vous sentez bien ?

— Quoi ? Jane s'aperçut qu'elle était en train de fixer le visage inquiet de Carole.

— Que se passe-t-il ? Vous pleurez ?

— Je n'ai pas le temps ! cria Jane en poussant Carole pour pénétrer dans la maison. Elle ne pouvait s'embêter à essayer d'expliquer les choses. La journée n'aurait pas assez de minutes, pas assez d'heures, pour convaincre Carole que Michael avait abusé d'Emily. Qui croirait une chose pareille ? Non, pour le moment, il fallait qu'elle prépare ses affaires et s'en aille. Elle expliquerait tout une autre fois.

Jane laissa tomber son sac à terre dans le vestibule et monta en courant dans sa chambre, avec le sentiment d'investir l'espace d'une inconnue. Avait-elle vraiment vécu ici ? Etait-il possible qu'elle ait jamais été heureuse ici ? Avait-elle réellement pu partager cette chambre, ce lit, avec un homme qu'elle n'avait manifestement jamais connu ?

Elle aperçut son reflet dans le mur de miroirs du placard. Son visage était gonflé et sillonné de larmes. Pas étonnant que tout le monde la regarde avec des yeux inquiets. Elle offrait un spectacle effrayant.

Sachant qu'elle ne pouvait laisser Emily la voir dans cet état, Jane se dirigea vers la salle de bains où elle débarrassa son visage des traces de maquillage et de larmes et appliqua un linge frais sur ses yeux pour les faire dégonfler. Puis elle retourna dans la chambre et ouvrit les portes du placard. « Est-ce pour ça que tu insistais toujours pour m'acheter ces ridicules robes de petite fille ? » hurla-t-elle en les arrachant de leurs cintres et en les piétinant. « Est-ce pour ça que tu m'aimais bien avec des petits nœuds et des jolis boutons ? »

Elle prit sans tarder deux valises noires dans le placard de la chambre d'amis, n'emballa que ce qu'elle jugeait essentiel, puis s'effondra sur le lit, le lit qu'elle avait partagé avec Michael pendant toutes ces années, et elle sentit sa présence l'enserrer dans une étreinte si forte qu'elle pouvait à peine respirer. Elle sentit ses lèvres sur son cou, ses mains sur ses seins, sa langue suivant une ligne imaginaire le long de son ventre. L'essence même de son être était derrière elle, au-dessus d'elle, à l'intérieur d'elle, jusqu'à ce que chaque orifice soit rempli de Michael, de son odeur, de son toucher, de sa présence. J'ai fait partie de toi pendant presque une douzaine d'années, murmurait l'image de Michael d'une voix provocante dans son oreille. Je fais partie de toi à présent.

« Non ! » s'écria Jane en sautant à bas du lit pour donner des coups de pied dans sa valise, regardant son contenu s'éparpiller sur la moquette vert menthe. « Je ne te laisserai pas faire partie de moi ! Je ne te laisserai pas. » Elle se mit aussitôt à quatre pattes et enfourna les vêtements dans la valise qu'elle referma. Puis elle la traîna, avec l'autre qui était encore vide, vers la chambre d'Emily.

Elle laissa la valise pleine près de la porte et porta l'autre sur le lit d'Emily, puis commença par les tiroirs de la commode, sortant les sous-vêtements et chaussettes d'Emily, ses pyjamas et chemises de nuit, ses shorts et T-shirts. Elle se dirigea ensuite vers le placard, jetant par terre tous les vêtements qu'elle trouvait, choisissant les quelques robes qui n'avaient pas été achetées par Michael, prenant seulement les affaires qu'elle avait acquises elle-même.

J'ai fait partie de toi pendant presque douze ans, s'entendit-elle dire à nouveau. Je fais partie de toi à présent.

« Non ! » cria-t-elle, ressentant désespérément le besoin de sortir de la maison, de se débarrasser du mensonge dans lequel elle avait vécu. Elle regarda sa montre et s'aperçut qu'une demi-heure s'était écoulée. Mon Dieu, combien de temps avait-elle perdu en rêveries futiles ? Il fallait qu'elle agisse, qu'elle parte.

Elle arracha la valise du lit et courut vers la porte où elle empoigna l'autre et s'apprêta à quitter la pièce quand elle se rappela la couverture préférée d'Emily, celle avec laquelle elle dormait depuis qu'elle était bébé. C'était la seule chose qu'avait réclamée Emily. Elle ne pouvait pas ne pas l'emporter.

Jane laissa tomber les valises à terre et se précipita vers le lit, arracha le couvre-lit et fouilla sous les couvertures pour y trouver la petite couverture de laine blanche avec des petites fleurs bleues et des franges légères qu'Emily prenait pour se chatouiller le nez. Où l'avait-elle mise quand elle avait fait le lit ce matin ? « Je n'ai pas la patience pour ça », cria-t-elle en apercevant la couverture sous l'oreiller, et alors elle eut soudain le sentiment que quelqu'un était en train de l'observer.

— Jane, qu'est-ce qui se passe ici ?

Au son de la voix de Michael, Jane se figea, trop stupéfaite pour réagir. Que faisait-il à la maison à cette heure-ci ?

— Jane, qu'est-ce qui se passe ? J'ai reçu un appel très étrange de la banque, me disant que tu avais pratiquement fermé notre compte-chèques, et quelques minutes après, un appel paniqué de Carole, me disant que tu étais hystérique, qu'il y avait apparemment quelque chose qui n'allait pas. Inutile de dire que j'ai sauté dans ma voiture. Jane... tu m'écoutes ? Tu m'entends ?

Jane se retourna, les yeux remplis de fureur, les larmes étant désormais inutiles.

— Jane, tu as des ennuis ?

Des ennuis ?

— Qu'est-ce qui s'est passé ? Tu as cogné encore un type dans le métro ? Il rit à moitié. Qu'est-ce qu'il y a, ma chérie ? Dans quel genre de pétrin t'es-tu fourrée ?

— Espèce de salaud ! hurla Jane en se précipitant sur lui, lui arrachant les cheveux, tentant d'atteindre ses yeux.

Michael lui attrapa les mains, referma ses doigts autour de ses poignets et la maintint à distance.

— Pour l'amour du ciel, Jane, qu'est-ce que c'est que tout ça ?

— Espèce de salaud ! Comment as-tu pu faire ça ?

— Faire quoi, Jane, de quoi veux-tu parler ?

— Je suis allée voir l'institutrice d'Emily aujourd'hui, Michael. Elle s'inquiétait de son comportement.

Jane cessa de se débattre et resta immobile. Michael la regarda, dans l'expectative.

— Elle a dit qu'elle pensait qu'Emily avait subi des sévices sexuels.

L'expression d'horreur qui apparut sur son visage semblait sincère. Etait-ce de l'horreur pour ce qu'il avait fait à Emily, ou de l'horreur pour avoir été découvert ?

— Quoi ? Par qui ? Est-ce qu'elle avait une idée de qui ça pouvait être ?

— Ne te moque pas de moi, Michael, dit Jane d'une voix froide et insensible. C'est trop tard. Ça ne marchera pas.

— Seigneur Jésus, tu penses que j'ai... ?

— C'est pas la peine, Michael. J'ai parlé à Emily. Elle me l'a dit.

Il y eut un instant de silence avant que Michael ne reprenne la parole.

— Il est évident que quelqu'un lui a soufflé les mots.

— Personne ne lui a rien dit, espèce de salaud ! de minable salaud dégueulasse ! Comment as-tu pu faire ça ?. Comment as-tu pu abuser de ta propre fille ? Comment as-tu pu lui voler son enfance ?

Jane lui lança des coups de pied et il se recula, laissant brusquement retomber ses poignets, comme si le seul fait de la toucher le remplissait de dégoût. Jane porta les mains à son visage pour cacher l'horreur qu'elle était en train de découvrir. Dans l'obscurité de ses mains, son alliance la narguait. Elle la saisit avec les doigts de l'autre main, l'arracha brutalement à son articulation et la jeta à travers la pièce.

— Ciel, Jane, qu'est-ce que tu fais ?

— J'essaie de ne pas te tuer !

— Tu es folle, Jane. Je t'aime, mais je pense que tu es en train de perdre l'esprit.

Jane resta clouée sur place, se disant que si elle bougeait à nouveau, elle le tuerait sûrement.

— Moi, je suis folle ?

— Ecoute-toi. Ecoute ce que tu es en train de dire. Tu crois vraiment que je suis capable d'abuser de ma propre fille ?

— Je crois Emily.

— C'est une enfant. Les enfants ont une imagination débordante.

— Emily ne dirait jamais une chose pareille à moins qu'elle ne soit vraie.

— Pourquoi ? Tu veux dire que les enfants ne font pas de mensonges ?

— Bien sûr que non.

— Tu veux dire qu'Emily n'a jamais menti ? Parce que si c'est ça, je peux te rappeler quelques occasions...

— Je sais bien qu'elle peut raconter des mensonges.

— Mais tu es certaine que maintenant elle ne ment pas.

— J'en suis certaine.

— Et comment ? Comment peux-tu donc en être si sûre ?

Oui, comment ? Jane hésita un moment. Puis elle vit Emily, et l'expression d'angoisse qui avait déformé ses traits charmants lorsqu'elle avait murmuré le nom de son père.

— Parce qu'Emily t'aime. Parce que ça lui a déchiré le cœur de rompre la promesse qu'elle t'avait faite de garder secret ce que tu lui faisais, salaud ! Parce que je sais quand mon enfant me ment.

— De même que tu sais tout le reste, hein ? De même que tu sais que tu as toujours raison et que tous les autres se trompent. De même que tu te fous de la gueule d'un con dans la rue, que tu balances des coups de sac à un vieux type dans le métro parce qu'il a eu l'audace de croire qu'il avait le droit de passage.

— Tu déformes tout.

— Ah oui ? Je ne crois pas. Je crois que tu es de pire en pire chaque année. Au début, c'était marrant. On trouvait tous que c'était marrant. Jane et son sale caractère. Un sujet de rigolade dans les dîners. Et puis d'un seul coup ça n'a plus été drôle du tout. C'est devenu inquiétant, presque effrayant. Je suis marié avec une femme depuis onze ans et je ne la reconnais même plus ces derniers temps.

— Je ne sais pas de quoi tu parles.

— Vraiment ? Et qui donc à ton avis croira cette histoire ridicule que tu as concoctée ? Tu penses que je serai le seul à être blessé par ces accusations idiotes ? Tu penses que je vais rester là et te laisser briser ma carrière, ma réputation ?

— Je me fous pas mal de ta précieuse réputation. C'est ma fille qui m'intéresse.

— Dois-je te rappeler qu'elle est aussi ma fille ?

— C'est moi qui devrais te le rappeler. Comment oses-tu !

— Oh, ne recommence pas ces conneries, Jane. Si tu veux croire un enfant impressionnable à qui son institutrice névrosée a probablement fait la leçon, alors il n'y a rien que je puisse faire pour toi. Mais je te préviens, n'essaie pas de rendre ces accusations publiques parce que je t'enterrerai. D'ici que j'en aie terminé avec toi, on t'attendra sur les marches du tribunal avec une camisole de force.

Jane luttait pour ne pas perdre tout contrôle, saisissant la vérité de ce que Michael était en train de dire. Si elle rendait publiques ses accusations, elle opposerait son enfant de sept ans au père qu'elle adorait, elle demanderait aux gens de croire la parole d'une petite fille plutôt que celle d'un père renommé et respecté. Qui allait-on croire ?

Quelles chances avait-elle ? Quelles chances avait Emily ?

— D'accord, écoute-moi, commença Jane, entendant ses pensées s'exprimer au fur et à mesure qu'elles émergeaient sous forme de mots. Je ne dirai rien de tout ça en public. Je n'irai pas trouver la police. Je ne dirai pas un mot à qui que ce soit. Tu pourras te raccrocher à ta carrière et à ta précieuse réputation. En échange…

— En échange ? Sa voix était sournoise, suffisante.

— En échange, tu vas partir. Maintenant. Tout de suite.

— Et Emily ?

— Emily reste avec moi, évidemment. C'est moi qui en ai la garde unique.

— Tu crois que je vais renoncer à avoir la garde du seul enfant que j'aie jamais eu ?

— Je ne crois pas que tu aies le choix.

— Vraiment ? Eh bien, peut-être que je ne vois pas les choses comme ça.

— Si tu te bats pour obtenir la garde au tribunal, je t'accuserai d'attentat à la pudeur sur des enfants. Tu perdras tout.

— Je ne crois pas. Je crois que les tribunaux comprennent à quel point certaines femmes peuvent être vindicatives en matière de divorce, comment elles peuvent inventer toutes sortes de revendications dégoûtantes et monstrueuses. D'après tout ce que j'ai lu, les tribunaux ne voient pas d'un très bon œil les femmes hystériques qui portent des accusations injustifiées d'abus sexuels.

— Elles ne sont pas injustifiées.

— Qui peut le dire ? Est-ce qu'un médecin a examiné Emily ? Est-ce que quelqu'un a trouvé une preuve physique de sévices sexuels ? Est-ce que tu as autre chose que les inventions de ta fille et les inquiétudes d'une institutrice célibataire et excédée ? Il s'interrompit, laissant à ses mots le temps d'être bien enregistrés. Est-ce que tu vas soumettre Emily à d'incessants examens médicaux, aux interrogatoires interminables et manipulateurs d'assistantes sociales bien intentionnées, au contre-interrogatoire certainement vicieux d'un habile avocat de la défense ? Tout ça pour quoi ? Pour qu'un juge finisse par trouver que sur la base des témoignages, il n'a aucun motif pour me déclarer coupable d'autre chose que d'être un mari trop indulgent à l'égard d'une femme dangereusement déséquilibrée ? Fais-moi confiance, Jane, je crois qu'il me sera beaucoup plus facile, à moi, de prouver que tu es inapte, qu'à toi, de prouver que je suis pervers.

— Tu es ignoble.

— Non. J'ai simplement raison, et je pense que tu le sais. (Il leva les yeux au ciel.) Je vais te dire ce que moi, je suis prêt à accepter.

Jane sentit sa voix se briser, et elle se demanda à quel

moment le contrôle de la conversation lui avait échappé.

— Qu'est-ce que tu accepterais ?

— Un divorce, si c'est ça que tu veux vraiment, bien que ce soit la dernière chose que je veuille, moi. Je t'aime, Jane. Je t'ai toujours aimée.

— Alors pourquoi ? Comment as-tu pu... ?

— Comment ai-je pu quoi ?

— Nom de Dieu, Michael, gémit Jane. Tu as éjaculé dans sa main. Peux-tu réellement le nier ?

— Jusqu'à mon dernier souffle. Il sourit. Ou jusqu'au tien.

Jane s'efforça de le regarder en face. Rien de tout ça n'était bien sûr en train de se produire. Ils n'étaient pas véritablement en train d'avoir cette discussion. Est-ce une menace ?

— Je ne fais pas de menaces, Jane. J'essaie de faire la paix.

— Oh, je vois. Encore quelque chose que je n'ai pas compris.

— Apparemment.

— Bon, d'accord, alors qu'est-ce que tu es en train de dire très exactement ? Pour que je comprenne bien.

— Je suis en train de dire que je veux la garde conjointe de ma fille.

— Quoi ? Comment as-tu pu croire une seconde que j'allais accepter une chose pareille ?

— Même si les tribunaux t'accordaient la garde, tu ne pourrais pas m'empêcher de la voir. Tu le sais bien. J'ai des droits en tant que père.

— Tu as perdu tous les droits que tu pouvais avoir.

— Je ne crois pas que tu pourras faire admettre ça à beaucoup de gens. Je crois même qu'Emily dirait au tribunal qu'elle veut voir son Papa.

Jane jeta un regard frénétique dans toute la pièce, cherchant désespérément une réponse, une seule et unique parcelle d'évidence qu'elle pourrait apporter comme preuve définitive. Il n'y en avait aucune.

— Accepterais-tu un droit de visite sous surveillance ?

— Aucune chance. Ça n'est pas mieux qu'une reconnaissance de culpabilité. Je n'ai rien fait.

Jane sentit un hurlement de frustration monter dans sa gorge.

— Je ne peux pas croire ce qui nous est arrivé. Tu es pour moi un étranger.

Michael fit un pas vers elle, les bras tendus.

— Je t'aime, Jane. Même maintenant, même après toutes les choses que tu as pu dire, je t'aime toujours. Tu es si belle. Je veux juste te prendre dans mes bras et te serrer contre moi.

— C'est le genre de discours dont tu te servais avec ta fille, Michael ? C'est ça ? C'est ça, salaud ? C'est ça ?

Et alors elle se mit à hurler, des cris sans mots, et elle sortit de la pièce en courant, laissant les valises derrière elle, se précipitant dans les escaliers, Michael sur les talons. Il la contourna et lui bloqua l'accès à la porte d'entrée. Elle se retourna sans hésiter et courut vers la porte de derrière, mais Michael y était déjà, l'empêchant de sortir. Elle se retrouva dans le jardin d'hiver, la pièce qu'elle avait toujours aimée, que Michael lui avait fait construire.

Et alors il s'approcha d'elle et elle recula, trébucha contre la balancelle qui se déroba, sa main battit l'air pour se retenir quelque part, heurta un vase en cuivre qu'ils avaient rapporté de leur voyage en Orient et qu'elle dressa au-dessus de sa tête en reprenant son équilibre.

« Tu es vraiment cinglée, hein ? » dit-il en riant. « Je pourrais tout aussi bien obtenir la garde pour moi tout seul. »

Et alors son bras partit en avant, propulsé par toute sa fureur, et le vase frappa violemment le côté de la tête de Michael qui tentait de l'esquiver. Une protubérance aussi efficace qu'un poignard pénétra dans sa chair et faillit lui arracher le sommet du crâne.

Jane lâcha le vase et le regarda tomber à terre, les yeux agrandis d'horreur devant le sang qui coulait de la tête. Il vacilla vers elle, une expression d'incrédulité et de douleur plaquée sur son visage d'une pâleur mortelle. « Mon Dieu, Jane, tu m'as tué. »

Il s'écroula contre elle, sa tête cherchant le refuge de ses seins. Jane se recula, sentit les pieds de Michael se dérober sous lui, le regarda tomber à terre, et vit que le devant de sa robe était couvert de sang.

— Non ! cria-t-elle en serrant étroitement son trench-coat autour d'elle et en le boutonnant jusqu'en haut de ses mains tremblantes. Rien de tout ça n'est véritablement en train de se produire. Rien de tout ça ne s'est produit.

Elle sortit de la pièce et se dirigea vers le devant de la maison sans regarder en arrière. « C'est une journée magnifique. Il faut que je sorte. Que j'aille me promener. Que j'achète du lait et des œufs parce que j'ai promis à Emily un gâteau au chocolat. Oui, c'est une excellente idée. » Elle ouvrit la porte d'entrée et sortit de la maison en courant sans prendre la peine de refermer la porte derrière elle. « Oui, c'est une journée magnifique », répéta-t-elle en marchant dans la rue vers la plus proche station de MBTA [1]. C'est une journée magnifique. Ce serait dommage de la gâcher en restant à l'intérieur.

1. *Metropolitan Boston Transit Authority*, transports en commun de la ville de Boston.

29

Jane rabaissa le vase qu'elle tenait et le reposa sur la table basse devant elle, tandis que Paula se laissait tomber dans le canapé et que Carole la fixait d'un air incrédule.

— Ça c'est une histoire ! dit Carole après une longue hésitation.

Jane se tut, écrasée en cet instant par la personne qu'elle avait été. C'était comme si elle s'était crue orpheline toute sa vie et qu'elle se trouvait tout à coup présentée aux parents qu'elle n'avait jamais su posséder, et entourée d'une multitude de frères et sœurs. Tout ce qu'elle avait été, tout ce en quoi elle avait cru, tous ceux qu'elle avait aimés se trouvaient brusquement là dans sa tête. Sa mère, et même son père. Son frère Tommy. Gargamella. Leurs enfants. Ses amis. Les histoires qu'ils avaient vécues ensemble. Les écoles où elle était allée. Son premier rendez-vous avec Michael, tel qu'il le lui avait décrit. Leur mariage. Les années qu'ils avaient passées ensemble. Sa grossesse. La naissance de leur fille. Le premier anniversaire d'Emily. Son premier jour de classe. Le dernier, quand elle avait dit à Emily qu'elle reviendrait la chercher à la fin de la journée.

Michael avait dû aller la chercher, réalisa Jane, refusant de s'imaginer ce qu'avait dû ressentir Emily en voyant son père et non sa mère arriver à la sortie de l'école. Jane se força à faire face à cette pénible pensée.

Nier la réalité, c'était risquer de la perdre. Elle avait au moins appris ça.

Elle avait la tête qui tournait, soit à cause du choc causé par le retour de sa mémoire, soit à cause des drogues encore présentes dans son organisme, elle ne savait pas exactement. Elle s'appuya sur la bergère pour ne pas tomber, ignorant Paula qui restait immobile sur le canapé, pour se concentrer sur Carole.

— Il faut que vous me conduisiez à Woods Hole, dit-elle.

Carole secoua la tête.

— Je ne peux pas faire ça.

Vous ne me croyez toujours pas?

— Je ne sais pas ce qu'il faut croire.

— Carole, ça fait longtemps que nous sommes voisines, et je croyais que nous étions devenues amies.

— Je le croyais aussi.

— Mais c'est encore Michael que vous voulez croire.

— C'est juste que je trouve difficile d'accepter ce que vous venez de dire.

— Qu'il a abusé de sa fille?

— C'est un chirurgien pour enfants, nom de Dieu. Sa vie consiste à venir en aide aux enfants, pas à leur faire du mal.

— Je sais que c'est difficile à croire...

— Pas difficile, impossible, déclara simplement Carole.

— Alors vous préférez croire que je suis folle.

— Franchement, oui. Le monde reste beaucoup plus agréable comme ça. Carole se passa les mains dans ses cheveux en désordre.

— Et regardez les choses en face, Jane. Oublier qui on est, ça n'est pas exactement se conduire comme un être humain raisonnable.

Jane sourit, au bord du rire.

— Je suppose que je ne peux rien dire à ça. Mais maintenant je sais qui je suis, ce qui s'est passé ce jour-là, combien Emily a besoin de moi. Maintenant, je peux me rappeler comment aller au cottage des Whittaker. Je ne suis tout simplement pas certaine de pouvoir y aller par mes propres moyens. Je vous supplie de m'aider.

A nouveau, Carole secoua la tête.

— Je ne peux pas.

Jane sentit un étourdissement l'envahir et tenter de l'abattre. Elle lutta pour garder l'équilibre.

— Alors laissez-moi prendre votre voiture.

— Qu'est-ce que vous avez fait de la voiture de Paula ? demanda Carole, bien que Paula elle-même n'ait rien dit, gardant les yeux fixés au sol comme si la violence de l'histoire de Jane l'avait pétrifiée.

— Elle a calé à quelques rues d'ici. Je vous en prie, donnez-moi les clés de votre voiture.

— Pourquoi n'appelez-vous pas la police ? demanda Carole en guise de réponse. Si ce que vous dites est vrai, c'est à eux que vous devriez demander de l'aide.

— J'irai trouver la police — mais après avoir trouvé Emily. Si je les appelle maintenant, tout ce qu'ils voudront, c'est parler à Michael. Il a réussi à vous convaincre, vous, que j'étais folle. Vous croyez qu'il aura du mal avec la police ? En tout cas ils passeraient des heures à me questionner, des heures que Michael pourrait mettre à profit pour faire disparaître Emily dans un endroit où je pourrais ne jamais la retrouver. Je ne peux pas prendre ce risque. Il faut que je retrouve ma petite fille, que je sache qu'elle est en sécurité. Je vous en prie, Carole. Passez-moi les clés de votre voiture.

— C'est ça que vous cherchez ? demanda une voix âgée depuis le seuil.

Jane vit le père de Carole debout à l'entrée du salon, tenant le sac ouvert de Carole dans une main, et ses clés de voiture dans l'autre.

— Mon Dieu, Papa, donne-moi ça.

Carole bondit vers son père. Au moment où elle allait atteindre les clés, Fred Cobb les lança en l'air au-dessus de sa tête en direction des mains tendues de Jane.

— Pigeon vole, cria-t-il joyeusement. Pigeon vole.

Jane rattrapa les clés et se précipita vers la porte d'entrée tandis que le père de Carole gardait sa fille prisonnière de ses singeries. Elle parvint à la Chrysler couleur prune, l'ouvrit et y pénétra, tournant la clé dans le démarreur et manœuvrant hors de l'allée juste au moment où Carole atteignait la porte d'entrée.

Elle jeta un coup d'œil dans le rétroviseur en faisant sa manœuvre, soucieuse de ce que Carole était déjà rentrée dans la maison. Elle va appeler Michael, se dit Jane en regardant sa montre, et elle vit qu'il était encore au bloc opératoire et qu'on ne pouvait le déranger. Le dérangerait-on pour un message urgent ? se demanda-t-elle en appuyant sur l'accélérateur et en vérifiant machinalement la jauge d'essence, et elle remarqua avec soulagement que le réservoir était plein. Carole appellerait-elle la police pour signaler le vol de sa voiture ? La police attendrait-elle au prochain carrefour pour l'intercepter ?

Elle faillit rire, puis elle se sentit dangereusement au bord des larmes. Non, elle ne pleurerait pas. Pas maintenant. Elle avait assez pleuré. Elle avait des choses plus importantes à faire, songea-t-elle tandis que ses paupières luttaient contre la fatigue.

Elle alluma la radio. Elle était réglée sur la station locale de musique country et western. Pendant plusieurs secondes il y eut la voix profonde d'un crooner, puis elle changea de station. Ce qu'il lui fallait, c'était du hard rock, quelque chose qui lui mette les nerfs en boule et la maintienne au bord de son siège.

Le speaker, un jeune homme qu'on pouvait décrire comme « testérique », annonça le dernier disque du groupe de hard rock Rush, et Jane poussa un soupir de soulagement. Avec cette musique, elle aurait du mal à s'endormir. Elle augmenta le volume, ne voulant prendre aucun risque, et ralentit en traversant Newton Center en direction de la nationale 30, ne voulant pas risquer d'être arrêtée pour excès de vitesse.

Ça serait le bouquet, se dit-elle en se dirigeant vers le nord sur Walnut Street. Non seulement elle n'avait pas son permis de conduire sur elle, mais en plus elle conduisait une voiture volée. Ça ferait un intéressant rapport de police, pour le moins. Encore de l'eau au moulin de Michael, réalisa-t-elle dans un esprit un peu moins léger. Une preuve de plus qu'elle était inapte comme parent.

Elle tourna vers l'est sur la nationale 30, en direction de Boston. Après, ça deviendrait un peu plus compliqué. Il lui faudrait bifurquer sur la nationale 3, et enfin prendre la nationale 28. C'était en général Michael qui conduisait quand ils allaient voir ses parents. Bien que le trajet lui soit familier, elle n'avait pas l'habitude de le faire en étant au volant et ne savait pas combien de temps elle pourrait tenir le coup.

Une fois à Boston, il lui faudrait à peu près une heure et demie de route, peut-être un peu plus, ça dépendrait de la circulation. Il n'était que dix heures du matin. Elle arriverait là-bas juste pour déjeuner. Les parents de Michael lui proposeraient-ils un repas chaud ? Elle pouffa de rire.

Ce bon vieux Dr. Whittaker et Mrs., songea Jane en se les représentant debout côte à côte sans pour autant se toucher, ils ne se touchaient jamais. Vous avez gardé ça pour votre fils, n'est-ce pas, Mrs. W. ? Tous ces bons petits bains pris ensemble bien au-delà de l'âge où cela semblait encore convenable. Non qu'elle soupçonnât Mrs. Whittaker d'avoir abusé de son fils. Non, Jane était certaine que sa belle-mère serait à juste titre horrifiée rien que d'y penser. Mais quelle que soit l'innocence apparente de ces bains en commun, quelle que soit leur indubitable innocence, la mère de Michael n'avait pas réussi à définir ses propres limites, ce qui avait rendu difficile, sinon impossible pour son fils, de comprendre les siennes.

Le Dr. Whittaker père, diplômé d'un Ph.D. de science, avait toujours été assez amical en surface, mais en fait c'était un homme profondément froid et distant, qui avait été un père largement absent, tout en se montrant plus accessible quand il s'agissait de son unique petit-enfant. Jane l'appelait Bert, mais elle avait toujours eu la nette impression qu'il aurait préféré le titre plus formel de Docteur. Quant à son épouse, Jane ne l'évoquait que comme Mrs. Whittaker, mais la femme, grande, bien en chair, autoritaire, avait insisté pour qu'elle l'appelle Maman. Jane avait opté pour Doris, et depuis lors, les rapports entre les deux femmes avaient été aussi raides que les cheveux de Doris, bien que celle-ci se soit toujours montrée parfaitement polie.

L'accueil qu'elle recevrait de la part de ces deux-là serait incontestablement tiède. Peut-être même hostile.

Jane poussa un soupir de soulagement quand elle atteignit la nationale. Si elle était arrivée jusque-là, elle réussirait certainement à faire le reste du chemin.

Et qu'en était-il de ses propres parents ? se demanda-t-elle.

Elle se souvenait de son père comme d'un homme pas très grand, plutôt replet, avec une voix douce qui parvenait toutefois à exprimer une certaine autorité. Il était proviseur d'un lycée de Hartford, c'était un homme dévoué qui se joignait à ses professeurs pour leur témoigner son soutien lorsqu'ils se mettaient en grève contre le conseil d'établissement, et qui toute sa vie avait refusé d'acheter quoi que ce soit en provenance d'Allemagne, pays contre lequel il s'était battu pendant deux ans lors de la Deuxième Guerre mondiale. Quand il mourut brutalement d'une crise cardiaque à l'âge de quarante-quatre ans, Jane avait fait abstraction de son propre chagrin pour consoler sa mère qui avait une tendance à l'hystérie, même quand tout allait bien.

Sa mère avait un esprit vif et un tempérament encore plus vif. Elle était inconstante, exigeante et exaspérante, et ce n'est qu'une fois sortie de l'adolescence que Jane avait été capable d'accepter sa mère en dépit de ses multiples défauts, ou peut-être à cause d'eux. A l'époque de sa mort, elles étaient probablement plus proches qu'elles ne l'avaient jamais été. Quand elle mourut, Jane avait pleuré à la fois son père et sa mère, se laissant submerger par son chagrin pendant plusieurs jours avant de le reléguer brusquement au fond de son esprit.

Comment Michael pouvait-il avoir l'audace de se servir de cette tragédie pour favoriser ses propres desseins !

Jane laissa sa colère l'envahir juste assez pour rester vigilante. Michael avait-il réellement espéré s'en tirer à bon compte avec son plan qui consistait à la discréditer ? Avait-il réellement espéré convaincre tout le monde, y compris elle-même, qu'elle était folle et qu'elle avait besoin d'être internée pour sa propre sauvegarde ? Ou bien avait-il espéré qu'elle lui épargnerait ce problème en se tuant ? L'avait-il jamais aimée ?

Il avait vraiment failli réussir, réalisa-t-elle en suffoquant tandis qu'elle lisait le panneau au bord de la route qui indiquait que Sagamore se trouvait à cent kilomètres. Après Sagamore, il y aurait encore trente kilomètres jusqu'à Falmouth, et ensuite seulement quelques kilomètres jusqu'à Woods Hole. Elle devait se concentrer. Elle ne pouvait se laisser distraire par ses pensées.

Et pourtant, se demanda-t-elle, qu'est-ce qui était passé par la tête de Michael après qu'elle se fut enfuie ? Où avait-il cru qu'elle était allée ? Avait-il supposé qu'il lui avait fait peur au point de la faire fuir ?

Et qu'avait-il pensé lorsque la police l'avait appelé pour lui dire que sa femme se trouvait sur une table d'examen de l'Hôpital de la ville de Boston et semblait ne plus avoir de mémoire ? Est-ce à ce moment-là qu'il avait commencé à concocter son projet diabolique ? A gagner du temps en racontant qu'elle était partie voir son frère, à formuler son plan, à le mettre en route ? Il lui était si facile de duper tout le monde avec sa réputation et ses trucs de médecin.

Combien de temps cela aurait-il pu marcher ? Combien de temps avant que son frère ne vienne lui rendre visite et ne lui porte secours ? Jane pouffa. Avant que Tommy n'ait eu le temps d'arriver, elle aurait été en train de tresser des paniers dans une espèce de bouge privé, trop abrutie par les drogues pour seulement remarquer sa présence. Il aurait exprimé son inquiétude, et même son désarroi, mais Michael aurait vite fait de le persuader qu'il était préférable qu'il retourne à ses propres occupations, que lui-même continuerait à s'occuper au mieux de Jane, qu'il le tiendrait informé.

Et Emily ? Qu'avait pu lui raconter Michael ? Que sa mère s'était enfuie et les avait abandonnés ? Qu'ils étaient seuls tous les deux à présent et qu'il fallait qu'ils restent ensemble ? Avait-il insisté sur l'importance qu'il y avait à garder secrètes certaines choses ? Continuait-il à l'essuyer après le bain et à la consoler quand sa mère lui manquait en se glissant dans son lit le soir pour la tenir dans ses bras ? Lui suggérait-il qu'elle serait mieux dans son lit à lui ? Lui disait-il comme elle était belle, que c'était sa faute à elle si d'être aussi belle lui donnait envie de lui faire ces choses ? Ces choses ignobles ! songea Jane, et elle réalisa, quand elle vit une voiture de police sur le bord de la route, qu'elle avait accéléré. Elle appuya alors sur le frein pour ralentir avant de se faire prendre par un radar.

Elle jeta un coup d'œil à la voiture de police dans le rétroviseur, et soupira de satisfaction quand elle vit qu'on la laissait passer. Il lui faudrait faire plus attention. Il fallait qu'elle se concentre sur sa conduite.

Elle regarda le bord de la route et remarqua que le paysage changeait au fur et à mesure où elle se rapprochait du cap. Normalement, c'était un trajet qu'elle aimait beaucoup, quitter la ville, savourer à l'avance l'air de la campagne. Woods Hole était un petit village situé à l'extrémité du cap Cod, peu peuplé et négligé par les touristes et les propriétaires de cottages au profit des îles plus à la mode de Martha's Vineyard et de Nantucket. Pour la plupart des gens, Woods Hole n'était que le lieu où on prenait le ferry. A vrai dire, Jane avait toujours adoré le petit cottage isolé derrière un bouquet de grands arbres, non loin du bord de mer.

Elle se frotta les yeux, se forçant à les garder grands ouverts tandis que ses pensées retournaient aux machinations de Michael. Et qu'est-ce que ça pouvait faire qu'elle ait retrouvé la mémoire ? Ça serait sa parole contre la sienne. Qui allait prendre au sérieux les délires d'une femme pas même capable de garder conscience de sa propre identité ?

Michael avait-il molesté d'autres enfants ? Etait-il possible qu'il se soit servi de son poste de confiance et de pouvoir pour abuser d'autres enfants ?

Jane se souvint de l'après-midi où elle avait fait irruption dans le bureau de Michael. Elle se rappelait la petite fille qui gémissait sur les genoux de sa mère, pleurant qu'elle voulait rentrer à la maison. Comme on avait eu vite fait d'écarter ses pleurs. Comme on avait été sourd à son chagrin.

Avait-elle été aussi insensible vis-à-vis de son propre enfant ?

Elle avait essayé d'être une mère modèle, exactement comme elle s'était évertuée toute sa vie à être la petite fille modèle, l'étudiante modèle, l'employée modèle. Elle avait joué un rôle actif dans l'éducation d'Emily, allant jusqu'à assister à des cours sur la façon de bien élever son enfant. Mais alors qu'elle avait pu être un parent efficace, c'était Michael qui le premier avait gagné le cœur d'Emily. Jane s'était parfois trouvée jalouse de la facilité de leur relation, de la chaleur et de l'aisance naturelles que Michael apportait à son rôle de père. Quand le naturel était-il devenu contre nature ?

Jane bifurqua sur la nationale 28 sans la moindre difficulté. Un simple changement de file lui donnant quelques palpitations, et c'était fait. *Falmouth, 30 kilomètres*, indiquait le panneau, et elle serra le volant plus fort en accélérant juste un peu. La demi-heure qui suivit parut éternelle. Chaque seconde semblait une heure ; chaque minute, une journée. Et brusquement il y eut la bifurcation vers Woods Hole, et Jane vit qu'elle était en pleine campagne.

Elle aperçut l'eau de Buzzard Bay, et se demanda si Emily serait en train de se baigner quand elle arriverait. Ou bien serait-elle déjà partie ? Carole aurait-elle réussi à contacter Michael ? à joindre ses parents ? S'étaient-ils déjà envolés vers des lieux inconnus ? Peut-être même qu'elle les avait croisés sur la route, allant dans la direction opposée et qu'il était trop tard.

« Faites qu'il ne soit pas trop tard », supplia-t-elle en prenant une petite route non goudronnée, les arbres qui l'entouraient lui permettant de s'approcher du cottage dans un relatif anonymat. Jane se gara dans un chemin de graviers blancs à plusieurs maisons du cottage de bois brut des Whittaker. Pas une maison de campagne, mais un vrai cottage, petit et rudimentaire, et sentant bon le bois. Pas trop chic, pas trop raffiné. Jane sourit quand elle pensa à tous les moments heureux qu'elle y avait passés, se rappelant la photo de Michael et elle en train de gambader sur la plage, que Michael avait apportée à l'hôpital. Son sourire se figea sur ses lèvres quand elle ouvrit silencieusement la portière de la voiture et en descendit.

Dès que ses jambes touchèrent le sol, ses genoux se dérobèrent, et elle s'écroula sur le revêtement de gravier blanc et dur, une main encore agrippée à la poignée de la portière. Elle resta dans cette position pendant plusieurs secondes, incapable de rassembler suffisamment de forces pour se relever. Juste une minute pour retrouver mon souffle, se dit-elle en forçant ses yeux à rester ouverts.

Elle était seule. Personne n'avait l'air de l'observer. Probablement parce qu'on était en semaine, les maisons étaient peu occupées, bien qu'elle entendît des voix au loin et un rire d'enfant. Son enfant?

L'image d'Emily barbotant joyeusement dans l'eau à quelques mètres de là propulsa Jane sur ses pieds. L'air de la campagne va me faire tenir, décida-t-elle, en faisant quelques pas hésitants.

Elle resta sur les graviers, évitant l'herbe sur le bord du chemin, prenant garde aux serpents qui aimaient dormir au soleil. Elle se souvenait d'un après-midi où ils s'étaient trouvés tous ensemble, trois générations de Whittaker, elle-même étant la seule véritable étrangère, et où elle avait préféré une chaise longue et un bon livre à un plongeon dans la baie. Elle était sur le point de s'endormir quand elle avait aperçu quelque chose bouger près de sa chaise longue. Sachant que c'était un serpent, elle avait crié et bondi, sautant à pieds joints en équilibre au milieu de la chaise longue. Elle espérait que le serpent allait simplement s'en aller, ayant plus peur d'elle qu'elle de lui, en tout cas c'est ce que les Whittaker lui disaient toujours. Mais le serpent, un serpent banal, noir avec une raie jaune au milieu du dos, s'était arrêté et s'était dressé de presque toute sa hauteur, la fixant comme s'il était hypnotisé par son hurlement.

Les serpents sont sourds, lui apprit ensuite Michael après être accouru de la plage pour voir ce que signifiaient tous ces cris. Entre-temps le serpent était parti. Ça devait être une grenouille, avait dit Michael avec insistance pendant le dîner. Non, c'était un serpent, lui avait dit Jane. Je sais reconnaître un serpent quand j'en vois un. Et les parents de Michael avaient gloussé et échangé des coups d'œil entendus. Inutile de se demander qui ils croyaient.

Jane baissa la tête et se faufila vers le cottage des Whittaker. Il n'y avait pas de voiture dans l'allée. Qu'est-ce que ça signifiait ? Qu'ils étaient sortis ? Que leur fils avait déjà réussi à les contacter pour leur dire de prendre Emily et de filer ? Non, par pitié, tout mais pas ça, supplia Jane en regardant de chaque côté avant de monter en courant les marches du perron du cottage.

La maison était calme. Approchant précautionneusement de la fenêtre, Jane n'entendit aucun bruit venant de l'intérieur. Retenant sa respiration, elle jeta un coup d'œil dans le salon.

La pièce avait le même aspect que dans ses souvenirs, avec ses murs identiques aux murs extérieurs et son mobilier colonial, excepté le poste de télévision ultramoderne à droite de la cheminée centrale. Le salon donnait directement sur la cuisine-salle à manger, sans autres portes de séparation que celles qui ouvraient sur les trois petites chambres et la salle de bains à l'arrière de la maison. De l'art populaire ornait les murs : deux paysannes bavardant au soleil avec des enfants se battant à leurs pieds ; des hommes jouant au poker sur le dessus d'un vieux tonneau, la fumée de leurs cigarettes flottant entre leurs dents noires ; une vieille femme dans un rocking-chair, entourée d'une multitude de chats. Tout était tranquille, semblant attendre patiemment que quelque chose se produise.

Se pouvait-il qu'ils soient déjà partis ? Arrivait-elle trop tard ?

Elle scruta l'intérieur et aperçut des fruits frais dans

une corbeille en osier sur la table de la salle à manger. Ça ne voulait pas forcément dire qu'ils étaient encore là, pensa-t-elle. Il était certain que si Michael avait téléphoné, ils avaient tout laissé en plan.

Elle essaya la porte et ne fut pas surprise de la trouver fermée à clé. Les Whittaker fermaient toujours leur porte à clé, même quand ils allaient juste à la plage. On n'était jamais trop prudent ; on ne savait jamais qui pouvait chercher à entrer pour voler la télé.

Jane longea le cottage pour passer derrière, là où les trois chambres se serraient les unes contre les autres. Les fenêtres étaient ouvertes et protégées par des écrans. Jane chercha une grosse branche dans l'herbe, finit par en trouver une et l'enfonça dans l'écran de la chambre principale jusqu'à ce qu'elle réussisse à le faire sortir de son cadre. Elle regarda autour d'elle, priant pour que personne ne l'ait vue, puis remonta la fenêtre et se glissa à l'intérieur.

Elle atterrit sur le grand lit juste au moment où l'alarme se déclenchait. Oh, non, Seigneur, non ! pensat-elle en se sentant faiblir. Puis l'alarme s'arrêta, puis recommença à nouveau, et elle réalisa que ce n'était pas une alarme, mais le téléphone.

Elle ne fit aucun geste pour y répondre. Etait-ce Michael ? Carole l'avait-elle contacté ? Avait-il répondu au message de Paula ? Téléphonait-il pour avertir ses parents de son arrivée imminente ? Etait-ce simplement un ami appelant de la ville, quelqu'un qui avait envie de venir pour quelques jours ? Un voisin appelant pour signaler qu'une personne louche rôdait autour de la maison ? Qui que ce soit, ceux que l'on cherchait à joindre n'étaient pas chez eux. Avaient-ils décampé avant son arrivée ?

Jane sauta de l'autre côté du lit et ouvrit les tiroirs de la petite commode placée contre le mur opposé, continuant de compter en silence chaque sonnerie du téléphone. Cinq... six... sept. Le tiroir était plein de vêtements, ainsi que le placard. Les Whittaker pouvaient cependant avoir tout laissé derrière eux en pensant qu'ils reviendraient plus tard.

Jane fit quelques grandes enjambées jusqu'à la chambre qu'Emily occupait habituellement, et trouva quantité de ses vêtements soigneusement suspendus dans le placard, quelques jouets bien rangés sur le bureau. Dix sonneries... onze... douze. Le pyjama d'Emily se trouvait sous son oreiller et un petit lapin en peluche était posé dessus.

Jane parcourut la maison. Un maillot de bain d'enfant encore humide était suspendu au-dessus de la baignoire dans la salle de bains, et le réfrigérateur, bien que loin d'être plein, n'avait pas été vidé.

Après vingt sonneries, le téléphone s'arrêta. Apparemment, quelqu'un voulait absolument joindre les Whittaker. Jane consulta sa montre. Il était presque midi. Où pouvaient-ils être ? Elle pénétra dans le salon et se laissa tomber dans une immense bergère orange à rayures brunes. Malgré la chaleur, le cottage donnait une sensation de fraîcheur et d'apaisement. Elle se laissa aller en arrière, sentit sa tête fatiguée reposer sur le coussin et se demanda combien de temps il lui faudrait attendre.

L'instant d'après, elle dormait.

30

Elle fut réveillée par la sonnerie du téléphone. Bondit sur ses pieds, prise de vertiges, le cœur battant la chamade. Elle consulta sa montre et remarqua avec angoisse que presque vingt minutes s'étaient écoulées depuis qu'elle avait fermé les yeux malgré elle. Elle était vraiment trop stupide ! Incroyablement insouciante. Etre venue aussi loin pour s'endormir ! Les Whittaker étaient-ils rentrés de leur excursion pour trouver une Boucles d'Or en chair et en os endormie dans leur fauteuil ? Avaient-ils empaqueté leur petite-fille et quitté les lieux ?

Le téléphone continuait de retentir. Trois sonneries... quatre. Puis un autre bruit, celui d'une porte de voiture que l'on claque. Une voix de femme :

— C'est le téléphone, Bert ?

Jane regarda fixement l'appareil, se demandant si elle allait l'arracher du mur, puis elle courut à la cuisine et ouvrit brusquement un des tiroirs où elle se souvenait que la mère de Michael rangeait une grande paire de ciseaux. « Sois là », cria-t-elle, et elle y était. Attrapant les ciseaux et les brandissant devant elle comme une arme, elle revint dans le salon et coupa le fil du téléphone au milieu de la sixième sonnerie.

— Je n'entends rien, disait une voix d'homme quelque part de l'autre côté de la porte du cottage.

— Tu es si lent qu'on a probablement raccroché. Où allez-vous, jeune demoiselle ? réprimanda la femme. Il faut que tu aides ton grand-père avec les courses. Donne-lui ce petit sac, Bert, dit clairement Doris Whittaker, sa voix parvenant jusque dans les sombres recoins du salon où Jane restait clouée sur place.

— Voilà, Emmy, dit une voix d'homme. Tu crois que tu peux te débrouiller avec celui-là ?

— Oh, Papy, c'est pas lourd du tout.

Jane serra les ciseaux dans sa main droite, réalisant qu'elle avait laissé le tiroir de la cuisine ouvert et qu'elle n'avait pas le temps de le fermer. Elle plongea derrière l'énorme bergère à l'extrémité de la pièce juste au moment où elle entendit la clé tourner dans la serrure. Quand la porte s'ouvrit, le soleil pénétra dans la pièce, zébrant le sol et le mur derrière sa tête. Combien de temps leur faudrait-il avant de s'apercevoir que les fils du téléphone avaient été coupés ? que le tiroir de la cuisine était ouvert et qu'il manquait la paire de ciseaux ? Avant qu'elle puisse empoigner son enfant et s'enfuir ?

— Je le mets où, Mamy ?

— Mets tout sur la table de la cuisine, lança Doris Whittaker tandis que Jane entendait Emily glisser à travers la pièce.

Jane dut se mordre la langue pour ne pas pousser un cri quand elle entrevit brièvement la petite fille qu'elle n'avait pas vue depuis presque deux mois. Elle portait un short rose vif et un T-shirt bariolé, ses cheveux étaient coiffés en une haute queue de cheval agrémentée d'une multitude de rubans de toutes les couleurs. Ses doigts de pieds dépassaient des sandales blanches de l'été dernier. Mon bébé, songea Jane, ma jolie petite fille. Comment allait-elle faire pour la sauver ? Comment allait-elle faire pour les sauver toutes les deux ?

— Nom d'un chien, regarde-moi ça, comme cet imbécile de caissier a emballé ce sac, était en train de se plaindre Doris Whittaker en traversant le cottage avec son mari sur les talons. Il a mis les fruits en dessous, et les pêches sont sûrement complètement écrasées. Un beau gâchis. Tu ne l'as pas surveillé ?

— C'est à toi de le faire, rétorqua son mari en posant

sur la table avec un grognement son sac plein à ras bord, puis il se dirigea vers l'arrière du cottage. Quelqu'un a laissé un tiroir ouvert, dit-il en passant et en le refermant machinalement.

— Bon, on ferait mieux de déballer tout ça et de voir l'étendue des dégâts. On sera peut-être obligés d'y retourner.

— Est-ce que je peux aller me baigner maintenant, Mamy ?

— Pas encore. Tu n'as pas faim ?

— Pas tellement.

— Eh bien, moi, je meurs de faim, alors on ferait mieux de manger. Qu'est-ce que tu dirais d'un sandwich au saucisson ?

— D'accord. Et aussi une glace ?

— Seulement si tu manges tout ton sandwich.

Que dois-je faire ? se demanda Jane, hésitant entre se mettre tout simplement debout avec les ciseaux à la main et signaler sa présence, ou attendre qu'Emily soit seule dans la pièce et alors la faire disparaître. Elle entendit des bruits de paquets qu'on déballe, de placards qu'on ouvre et referme, d'épicerie qu'on range. Elle se souvint de sorties semblables quand elle faisait encore partie du jeu au lieu d'en être un témoin silencieux. Y avait-il quelque chose de plus paisible qu'une chaude journée d'été au cottage, quand même le simple geste de ranger l'épicerie était une marque de sérénité ?

— Qu'est-ce qui est arrivé au téléphone ? demanda Emily, sa voix de petite fille brisant le charme et replongeant Jane dans la réalité.

— Ce n'est pas le moment, Emily. Je veux finir de déballer les courses.

— Mais regarde ce qui est arrivé.

Jane se représenta Emily en train de tenir le fil coupé.

— De quoi tu parles ? Une pause, suivie de bruits de pas.

— Mon Dieu, qu'est-ce que tu as fait ?

— J'ai rien fait, protesta l'enfant.

— On dirait qu'il a été coupé, déclara Doris Whittaker d'une voix méfiante. Etait-elle à présent en train de passer la pièce en revue ? Ses yeux étaient-ils fixés sur la profonde bergère à gauche au fond de la pièce ? Pouvait-elle voir Jane cachée derrière ? Etait-elle au courant ?

— Bert, viens ici.

— Je suis aux toilettes, fut la réponse assourdie.

— Eh bien, dépêche-toi. Il se passe de drôles de choses.

Jane entendit le bruit de la chasse d'eau.

— Nom d'un chien, Doris, on peut pas aller aux chiottes, ici ? interrogea Bert Whittaker, le mot chiottes prenant une sonorité étrange dans sa bouche. Qu'est-ce qu'il y a donc de si urgent qui ne puisse pas attendre une minute ?

— Quelqu'un a coupé les fils du téléphone.

— C'est pas moi, protesta Emily.

— C'est bizarre, dit le Dr. Whittaker père d'un air songeur. Est-ce qu'on a touché à autre chose ?

Jane les entendit se déplacer vers l'arrière du cottage, emmenant Emily avec eux.

— Ça ne me dit rien qui vaille, déclara Doris Whittaker.

— Tout le reste a l'air en ordre.

— Mon Dieu, Bert, regarde ça ! Qu'est-ce qui s'est passé ici ?

Jane comprit qu'elle venait de découvrir l'écran brisé à la fenêtre de leur chambre. Elle sut qu'il lui restait peu de temps.

— On dirait que quelqu'un est entré, s'exclama Bert Whittaker.

Jane entendit le bruit de tiroirs qu'on ouvrait et fermait.

— Mais ils n'ont rien pris. La télévision, la radio, tout est encore là. Nos vêtements. Même l'argent dans la tirelire, dit Doris Whittaker en retournant à la cuisine et en vérifiant le contenu du grand pot en verre. Pourquoi quelqu'un entrerait par effraction juste pour couper les fils du téléphone ?

— Mes affaires sont encore là, cria Emily en revenant en courant dans la cuisine.

— C'est sans doute des gosses qui ont voulu jouer des tours, suggéra faiblement Bert Whittaker.

— Jouer des tours ! Il s'agit d'effraction.

— Doris, du calme, tu fais peur à l'enfant.

— Je n'ai pas peur, Papy.

— Tu as dit que quelqu'un avait laissé un tiroir ouvert ici ? demanda tout à coup Doris Whittaker à son mari.

— Oui, c'est ça.

Un léger temps d'arrêt. Le bruit d'un tiroir qu'on ouvre.

— Celui-ci.

— Mon Dieu, mes ciseaux ont disparu.

— Eh bien, ils les ont sans doute pris pour couper les fils du téléphone. On devrait aller trouver la police.

— Bert...

— Quoi ?

— Et si c'était pas un cambrioleur ou des gosses ?

— Qu'est-ce que tu veux dire ?

Encore un temps d'arrêt.

— Emily, tu devrais mettre des affaires dans un sac, on ira passer quelques jours à Vineyard.

— Mais Molly a dit qu'elle viendrait peut-être jouer cet après-midi.

— Tu joueras avec Molly un autre jour. Tu es priée de ne pas discuter. Fais ce que je te dis. En voilà une fille !

— Vraiment, Doris, tu ne crois pas que tu en fais trop ?

— Je ne crois pas qu'on ait reçu la visite d'un cambrioleur, déclara Doris Whittaker en baissant le son de sa voix jusqu'à ce qu'elle ne soit plus qu'un murmure. Je crois que c'est Jane.

— Jane ?

— Chut ! Ne parle pas si fort. Tu veux qu'Emily t'entende ?

— Qu'est-ce qui te fait croire que c'est... elle ?

— Réfléchis une minute. C'est la seule explication

logique. Pourquoi donc quelqu'un entrerait par effraction dans le cottage sans rien prendre ? Pourquoi couperait-on les fils du téléphone à moins qu'on ait peur que quelqu'un ne puisse nous joindre ? Réfléchis, Bert. Ça ne peut être que Jane. Elle est venue pour chercher Emily.

— Si elle est vraiment venue ici, alors elle a trouvé les lieux vides et elle est repartie.

— Elle ne serait pas repartie, déclara Doris Whittaker. Si c'est elle, elle est encore quelque part dans les parages. Il faut qu'on parte avant qu'elle ne revienne. Emily ! Emily !

— Je prépare mes affaires, Mamy.

— Laisse tomber. Il faut qu'on s'en aille tout de suite.

— J'ai besoin de mon lapin.

— C'est pas le moment.

— Mais je le veux.

— On t'en achètera un autre.

— Je veux pas un autre lapin.

Jane reconnut la menace des larmes dans la voix d'Emily. Ne pleure pas, mon bébé, voulait-elle crier. Ne pleure pas.

— C'est Hopalong que je veux.

— On t'achètera une douzaine de lapins plus tard. Pour le moment, on part.

— C'est ridicule, était en train de dire Bert Whittaker tandis qu'ils s'avançaient dans la pièce. Pourquoi ne pas simplement aller trouver la police ?

— D'abord, on va appeler Michael pour savoir ce qui se passe. Si je me suis trompée, il n'y aura pas de mal.

— Je veux pas aller à Martha's Vineyard, cria Emily en pleurant. Je veux rentrer à la maison. Je veux voir ma Maman !

Jane se dressa brusquement de toute sa hauteur et s'avança de derrière le fauteuil orange à rayures brunes pour bloquer le passage vers la porte, les ciseaux cachés dans son dos.

— Je suis là, mon ange.

— Maman !

Doris Whittaker suffoqua et son mari pâlit, mais Jane ne fit guère attention à eux tandis qu'Emily échappait à sa grand-mère pour se précipiter dans les bras de sa mère. Jane souleva sa fille avec son bras gauche et couvrit l'enfant de baisers.

— Oh, mon beau bébé. Mon petit ange. Ma jolie grande fille.

Emily passa les bras autour du cou de sa mère et la serra si fort qu'elle faillit lui faire perdre l'équilibre.

— Où t'étais donc, Maman ? Où t'étais ?

— Je t'expliquerai tout ça plus tard, ma chérie. Promis.

Emily rejeta la tête en arrière pour regarder sa mère bien droit dans les yeux.

— Je t'aime, Maman.

— Je t'aime moi aussi, mon bébé.

Jane ne pouvait plus supporter le poids de sa fille sur son bras, et elle fut contrainte de reposer l'enfant à terre.

— Emily, viens ici, ordonna Doris Whittaker en s'avançant aussitôt vers la petite fille pour lui attraper le bras.

— Ne la touchez pas, hurla Jane, et sa main droite jaillit de son dos, révélant les ciseaux pointus dans son poing fermé. Ne la touchez pas ou je vous tue. Je le jure.

— Maman !

— Vous êtes folle, cria Doris Whittaker. Regardez ce que vous lui faites. Vous allez la faire mourir de peur !

— Je suis désolée, ma chérie. C'est bien la dernière chose au monde que je voudrais faire.

— Lâchez les ciseaux, Jane, dit doucement Bert Whittaker.

— Désolée, Bert. Je ne peux pas.

— Qu'est-ce que vous voulez exactement ?

— Je veux prendre ma fille et partir d'ici.

— Vous savez qu'on ne vous laissera pas partir d'ici, déclara Doris Whittaker, bombant la poitrine d'un faux air de bravade que trahissait sa voix.

— Ce n'est pas votre combat, Doris, lui dit Jane d'un ton égal. Ne vous en mêlez pas.

— La place d'Emily est ici, avec nous.

— Sa place est avec sa mère.

— Pour que vous puissiez lui bourrer le crâne de mensonges ? Pour que vous puissiez inventer d'autres histoires ignobles et dégoûtantes à propos de son père ? Lui faire croire à vos fantasmes malsains ?

Jane regarda sa fille et vit que ses yeux étaient remplis de confusion et de peur.

— Emily, je t'en prie, fais-moi confiance, mon amour. Tu sais bien que je ne pourrais jamais te faire du mal, non ?

L'enfant hocha la tête sans la moindre hésitation.

— Ne l'écoute pas, Emily, l'avertit Bert Whittaker. Ta mère a été malade. Elle n'est pas la même qu'avant, pas comme tu t'en souviens.

— J'aimerais que tu ailles m'attendre dans la Chrysler qui est garée dans le chemin à quelques maisons d'ici, poursuivit Jane, ignorant l'interruption de Bert.

— La violette, dans l'allée des Stuart ? Mamy se demandait à qui était cette voiture.

— Oui, c'est celle-là.

— Et tu viens quand ?

— Dans deux minutes.

Les yeux d'Emily allèrent prudemment de sa mère à ses grands-parents.

— J'ai peur.

— N'aie pas peur, ma chérie. Je te promets que ça ne sera que quelques minutes.

Emily hésita, et Jane comprit qu'elle se rappelait la dernière fois où sa mère avait promis de la rejoindre sans tarder.

— D'accord, finit par déclarer Emily, puis elle courut vers la porte avant de s'arrêter brusquement au son de la voix de sa grand-mère.

— Ton papa veut que tu restes ici avec nous, lui dit Doris Whittaker d'un ton énergique. Tu ne veux pas fâcher ton papa, n'est-ce pas, chérie ?

Emily ne répondit pas et sans un mot posa la main sur la poignée de la porte.

— Tu vas bien au moins embrasser ta vieille Mamy et ton Papy et leur dire au revoir ?

Elle regarda sa mère.

— Je ne crois pas que ça soit une bonne idée. En tout cas pas maintenant, leur dit Jane, se demandant ce qu'elle pourrait bien faire si on en arrivait à une altercation physique.

— Vous allez lui bourrer le crâne avec des mensonges sur nous aussi ? interrogea Doris tandis que son mari s'isolait dans le silence, attitude où il s'était toujours senti plus à l'aise.

— Vas-y, mon chou, dit Jane à sa fille. J'arrive tout de suite.

— Je vais vous envoyer un baiser, annonça Emily en manière de compromis, et elle porta les mains à sa bouche et fit retentir un baiser bruyant avec ses lèvres. Son grand-père leva machinalement la main pour rattraper le baiser aérien.

— Au revoir.

Souriant timidement à sa mère, ignorant volontairement l'arme que celle-ci tenait dressée dans sa main, Emily ouvrit la porte du cottage et sortit en courant.

Doris Whittaker rejeta les épaules en arrière et redressa le menton.

— Vous n'irez pas bien loin. Nous allons trouver un téléphone pour appeler la police. A moins que vous n'ayez l'intention de nous ligoter avant de partir, ajouta-t-elle d'une voix sarcastique.

Jane rabaissa les ciseaux tout en les gardant pointés sur ses beaux-parents.

— Je crois savoir ce que Michael vous a dit, commença-t-elle, et je veux que vous sachiez que...

— Vos mensonges ne nous intéressent pas, cria Doris Whittaker en se bouchant les oreilles de ses mains. Comment osez-vous inventer des histoires aussi ignobles ! Comment osez-vous souiller le nom respectable de notre fils ! Seul quelqu'un de fou peut faire une chose aussi horrible.

— C'est votre fils qui vous a menti.

— Je ne veux pas écouter de telles bêtises.

— Vous avez parlé à Emily ? Vous lui avez demandé ?

Doris Whittaker ignora la question, pour autant qu'elle l'ait entendue.

— Ne croyez pas que vous vous en tirerez comme ça. Vous êtes folle. S'il y a jamais eu un doute là-dessus, cette petite combine apporte une preuve de plus. Mon fils conservera sa réputation *et* sa fille. La prochaine fois que nous vous verrons, ce sera au tribunal.

Jane Whittaker se dirigea vers la porte du cottage et l'ouvrit.

— J'attends ça avec impatience, dit-elle.

31

— T'as un valet ?

— Un valet ?

Jane consulta les cartes dans sa main, puis regarda Emily de l'autre côté de la table.

— Non. Pas de valet. Prends une carte.

— Tu dois dire « Pioche ».

— Pardon. J'oublie tout le temps. Pioche.

Un air de désarroi envahit les traits délicats d'Emily.

— Qu'est-ce qu'il y a, mon amour ?

— Tu recommences à oublier des choses ? demanda l'enfant.

Jane suffoqua et posa instantanément ses cartes sur la table pour prendre la main d'Emily dans la sienne.

— Oh, non, mon amour. Je vais tout à fait bien maintenant. Promis.

— Pour de bon ?

— Pour de bon. Absolument. Croix de bois, croix de fer.

— Des fois j'oublie des choses, moi aussi, dit Emily comme pour rassurer à la fois sa mère et elle-même.

— Tout le monde oublie des choses de temps en temps, proclama Sarah Tanenbaum en pénétrant dans la pièce, vêtue d'un peignoir rose, ses cheveux en désordre retenus par deux peignes d'écaille. Mais ta Maman va tout à fait bien maintenant. Tu n'as pas à t'inquiéter pour elle. Bon, qui est prêt pour le petit déjeuner ?

Emily éclata de rire.

— Je crois que tu veux dire pour le déjeuner, dit Jane à son amie, dans la cuisine de laquelle elles se trouvaient.

Sarah poussa un grognement :

— Pourquoi personne ne m'a réveillée ?

— On s'est dit que tu avais besoin de sommeil. Ça n'est pas si facile que ça d'avoir des pensionnaires en permanence.

— Tu rigoles ? J'adore ça. Sarah se versa un verre de jus d'orange et l'avala d'un trait. J'espère bien que vous ne partirez jamais.

— Il y a du café dans la cafetière, et vous êtes vraiment gentils, Peter et toi. Je ne vous remercierai jamais assez.

— Ça nous fait tellement plaisir de vous avoir. On n'avait jamais eu une petite fille à la maison, avant.

Sarah posa sa tasse pleine de café sur la table et s'assit, s'adressant à Emily.

— Mes garçons sont grands maintenant. Ou du moins ils croient qu'ils le sont.

— On t'aura débarrassé le plancher quand ils reviendront de leur colonie de vacances, la rassura Jane.

— Vous allez rester jusqu'à ce que tout soit réglé. Pas de discussion.

Sarah avala plusieurs grandes gorgées de café et se mit à tripoter un des peignes dans ses cheveux.

— Alors, qu'est-ce qu'il y a au programme pour aujourd'hui ?

— Diane emmène Emily au cinéma.

— Et au McDonald's, ajouta Emily avec enthousiasme.

Jane sursauta légèrement à la mention du nom, se souvenant de sa brève incarnation en Cindy McDonald.

— Sally Beddoes doit venir dans une heure environ, et Daniel a dit qu'il passerait peut-être, dit-elle en s'efforçant de calmer ses nerfs, sachant à quel point son avenir dépendait de la façon dont elle gardait la maîtrise d'elle-même.

Sarah termina rapidement son café.

— Alors je ferais mieux de m'habiller. Pas question qu'un homme me voie dans cet état.

— Et Peter ? demanda Emily. C'est un homme.

— Peter est mon mari ; il ne compte pas. En plus, il est parti jouer au golf. Tu t'imagines en train de jouer avant huit heures du matin ? (Elle secoua la tête.) Les hommes et leurs sacrés jeux.

Elle échangea avec Jane des regards amers avant de quitter la pièce.

Deux semaines s'étaient écoulées depuis que Jane avait récupéré à la fois sa fille et sa vie. Sarah et Peter les avaient invitées de bonne grâce à venir chez eux, Michael refusant de quitter la maison de Forest Street. Jane doutait d'être capable d'y retourner de toute façon. Trop de souvenirs, songea-t-elle, et elle rit bruyamment.

— Qu'est-ce qu'il y a de drôle ? demanda Emily.

Jane hésita, ramassant ses cartes sur la table.

— Ce qui est drôle, c'est que j'ai bien un valet dans ma main. Elle tendit la carte à sa fille qui ne sembla pas prêter attention au fait que Jane avait ri avant de ramasser ses cartes. Emily sortit immédiatement trois autres valets de sa propre main et arrangea les quatre cartes en un petit paquet bien net à côté de plusieurs autres piles.

Comme des petites liasses bien nettes de billets de cent dollars, songea Jane en réprimant un frisson involontaire, de plus en plus agacée par sa manie de tout relier à son passé récent. Est-ce qu'un Big Mac serait à tout jamais synonyme de son supplice ? Devrait-elle voir des liasses d'argent dans le plus innocent des jeux d'enfants ? Serait-elle à nouveau capable de regarder une photo du top-modèle Cindy Crawford sans se mettre à transpirer ?

— Est-ce que tu as des 6 ? demandait Emily.

Jane examina attentivement les cartes dans sa main.

— Pioche, annonça-t-elle d'un ton décidé, sentant revenir une impression de bien-être.

Elle avait été examinée par une foule de médecins depuis qu'elle avait retrouvé la mémoire. Ils la suivaient de très près tout en la sevrant progressivement des drogues présentes dans son organisme, et elle voyait un psychothérapeute deux fois par semaine. Elle était en bonne voie de guérison, avaient-ils déclaré. Grâce à la bonne cuisine de Sarah, elle avait même réussi à reprendre quelques-uns des kilos qu'elle avait perdus, et sa peau n'avait plus une couleur de cendres. Elle avait cessé de baver et sa coordination était redevenue normale. Elle n'avait plus besoin non plus de lutter pour rester éveillée, même si à vrai dire elle se fatiguait facilement et allait souvent se coucher à la même heure qu'Emily. Et elle s'était coupé les cheveux à hauteur du menton, dans un style plus élégant qui lui allait mieux que les cheveux longs que Michael avait toujours préférés.

Son corps se raidit à la pensée des préférences de son mari. Comment n'avait-elle pas remarqué qu'il la préférait quand elle avait le plus l'air d'une fillette, d'une pauvre petite malheureuse ? Ces horribles vêtements de style adolescent qu'il lui avait achetés, son désir de la voir dans des tons pastel plutôt que dans des couleurs vives ou des noirs sophistiqués, cet horrible simulacre de chemise de nuit blanche qu'il lui avait dit être plus sexy que tous les porte-jarretelles et bas qu'elle s'était achetés elle-même.

La sonnette de la porte d'entrée retentit.

Emily sauta de sa chaise.

— J'y vais.

— Non. J'y vais, insista Jane en rattrapant Emily par le bras. J'ai besoin de bouger.

Elle s'extirpa de son siège et traversa la cuisine moderne toute de verre et de chrome en direction de la porte d'entrée, sentant ses genoux trembler.

Chaque fois que le carillon de la porte retentissait, que le téléphone sonnait, elle avait peur que ça soit Michael annonçant qu'il venait récupérer son enfant. Bien qu'il ait accepté, par l'intermédiaire de son avocat, de ne pas approcher Jane ni Emily jusqu'à ce que le procureur ait décidé s'il y avait suffisamment de preuves pour l'inculper, Jane avait toujours l'impression qu'il rôdait, tapi dans le périmètre de son champ de vision. Elle savait que Michael était trop diabolique, trop furieux, pour lui laisser l'esprit en paix. S'il s'était tenu relativement tranquille au cours de ces deux dernières semaines, ça signifiait certainement qu'il complotait quelque chose. A moins qu'il ne soit persuadé qu'aucune charge ne serait retenue contre lui et qu'il finirait par avoir la garde de sa fille, au point de s'offrir le luxe d'adopter un air patient et coopératif.

Jane regarda à travers l'œilleton de la porte des Tanenbaum et vit un porteur en uniforme. Elle ouvrit lentement la porte, étudia son air insouciant, sachant qu'elle n'avait jamais vu son visage auparavant.

— Un paquet pour Jane Whittaker, dit-il d'un ton nasillard en lui mettant sous le nez un papier à signer.

Jane fit comme il disait et prit avec répugnance le petit paquet qu'il lui tendait.

— Merci, dit-elle, et elle se retira dans le vestibule tapissé de suédine, tenant le paquet devant elle comme si elle craignait qu'il n'explose.

— C'est Diane ? demanda Sarah en descendant l'escalier pour rejoindre Jane dans l'entrée. Elle était vêtue d'un pantalon beige et d'un T-shirt blanc, et ses cheveux fraîchement brossés effleurèrent la joue de Jane quand elle se pencha par-dessus son épaule.

— Qu'est-ce que c'est ?

Jane secoua la tête, et les deux femmes se rendirent dans le salon blanc et corail de Sarah.

— Ça ne fait pas tic tac, dit Jane en s'efforçant de cacher son appréhension par un rire.

— Tu crois que ça vient de Michael ?

Jane hocha la tête.

— De qui d'autre ?

— Tu veux que je l'ouvre ?

Jane hésita.

— Non, dit-elle finalement. Je ne vais pas paniquer à chaque fois que je reçois un paquet que je n'attends pas. Je ne dois plus jamais laisser à Michael ce genre de mainmise sur ma vie.

— Bravo ! dit Sarah tandis que Jane déchirait l'emballage ordinaire du paquet.

A l'intérieur elle trouva un nouvel emballage, cette fois en papier argenté avec un ruban bleu roi. Une petite carte dépassait de sous le nœud bleu. « Pardon d'avoir manqué ton anniversaire », disait le mot, tapé à la machine et non signé. Jane leva les sourcils malgré elle et se débarrassa rapidement du papier argenté pour ouvrir une boîte à l'intérieur de laquelle elle en découvrit une autre plus petite.

— Bon, ce n'est pas une voiture, annonça Sarah d'un ton pince-sans-rire tandis que Jane sortait la petite boîte de bijoutier hors de sa protection plus grande.

Jane ouvrit doucement le couvercle de la petite boîte.

— Oh, mon Dieu, dit-elle, fixant la magnifique alliance de diamants taillés en forme de cœurs.

— Un anneau de fidélité, murmura Sarah, et tout ce que ce mot impliquait fit frissonner Jane.

— Qu'est-ce qu'il essaie de combiner, à présent ? se demanda Jane à haute voix en se remémorant le jour où Michael l'avait traînée dans la bijouterie de Newbury Street, où cette rencontre inespérée avec Anne Halloren-Gimblet lui avait apporté la chance qui lui faisait défaut, sa voie vers le salut.

Michael lui envoyait-il cet anneau pour réaffirmer sa domination sur elle ? Pour lui rappeler son pouvoir ?

— Je suis prête, annonça Emily en pénétrant en sautillant dans le salon, puis elle regarda autour d'elle, troublée. Où est Diane ?

— Elle n'est pas encore là, dit Sarah tandis que Jane refermait brusquement le coffret contenant l'alliance.

— Alors qui c'était, à la porte ?

— Quelqu'un qui livrait un paquet et qui s'est trompé de maison, lui dit Jane en remettant la petite boîte dans la grande et en les posant sur une table basse à côté d'elle.

La sonnette retentit à nouveau. Personne ne bougea.

— Personne ne va ouvrir ? demanda Emily.

Sarah alla jusqu'à la porte et regarda à travers l'œilleton.

— Qu'est-ce que tu dis de ça ? Deux pour le prix d'un. Elle ouvrit la porte pour laisser apparaître Diane et Daniel à la fois.

— On s'est garés juste en même temps, annonça Diane en s'approchant pour embrasser Jane. Tu as l'air superbe. J'adore ta coiffure.

Daniel se tenait en arrière, presque timidement.

— Comment ça va, Jane ? demanda-t-il depuis le seuil.

— Je me sens bien, lui dit-elle avec franchise.

Diane se tourna vers Emily.

— Tu es prête pour notre grande sortie ?

— Depuis le petit déjeuner. Maman et moi on a joué aux cartes. Sarah vient juste de se lever.

— Merci beaucoup, la gamine, dit Sarah en riant. J'oublie toujours qu'on ne peut pas avoir de secrets avec un jeune enfant.

Il y eut un instant de silence gêné.

— Bon, embrasse ta mère et on y va.

Emily fit un gros baiser à sa mère et hésita à la lâcher.

— Ça va aller ? demanda-t-elle.

— Tout ira bien pour moi.

— Ne t'inquiète pas, chérie, lui dit Sarah. On va bien s'occuper de ta maman.

— Tu seras là quand je rentrerai ? demanda Emily.

— Oui, je serai là.

— Promets-moi que tu ne t'en iras pas.

— C'est promis.

— J'ai une bonne idée. Pourquoi tu ne viendrais pas avec nous ? suggéra Emily en attrapant la main de Jane et en sautant sur place.

Du regard, Jane appela Diane à l'aide.

— Ta maman viendra avec nous la prochaine fois. J'avais envie de passer un peu de temps seule avec toi, juste nous deux.

— Et en plus, je resterais coincée toute seule ici avec Daniel, dit Sarah en faisant une grimace, et Daniel éclata de rire.

— Il peut venir avec nous.

Jane se mit à genoux.

— Je pense que non, mon amour. J'attends quelqu'un à qui il est très important que je parle. Mais toi, tu y vas, poursuivit-elle malgré les protestations de l'enfant. Ça fait des jours que tu attends ça, et Diane aussi.

— Mais...

— Tout ira bien pour moi. Je ne m'en vais nulle part, c'est promis. Je serai là quand tu rentreras. Maintenant, allez-y ou vous serez en retard.

Emily embrassa sa mère sur la joue puis enfouit la tête contre son épaule pour un dernier câlin avant de libérer Jane de son étreinte et de prendre la main de Diane.

— Je te la ramènerai saine et sauve, assura Diane à son amie en emmenant Emily dans l'allée.

— Amusez-vous bien, leur cria Jane en regardant Emily se glisser sur le siège avant de la voiture de Diane et mettre aussitôt sa ceinture de sécurité.

— Je vais refaire du café, dit Sarah en fermant la porte avec un grand soupir.

Sarah s'éloigna et Jane et Daniel allèrent s'asseoir aux deux extrémités du profond canapé de couleur corail.

— Elle a toujours aussi peur de vous quitter? demanda Daniel.

— Elle est comme ma petite ombre, ce qui peut se comprendre après ce qui s'est passé. Nous dormons dans la même chambre, et il faut que je reste près d'elle jusqu'à ce qu'elle s'endorme. Parfois je m'endors avant elle. (Jane sourit.) A vrai dire, je ne sais pas vraiment si c'est elle ou moi qui ai besoin de ça.

— Est-ce qu'elle pose beaucoup de questions?

— Elle l'a fait, au début. Elle voulait savoir exactement ce qui s'était passé, pourquoi je n'étais pas venue la chercher alors que j'avais dit que je le ferais, où j'étais allée, comment il était possible d'oublier qui on est, qu'est-ce que ça fait.

— Et qu'est-ce que vous lui avez dit?

— La vérité. Ou la part de vérité dont je sentais

qu'elle pourrait la comprendre. Je ne suis pas encore sûre moi-même de comprendre tout ce qui s'est passé... Quand on vit avec un homme aussi longtemps que j'ai vécu avec Michael, on fait certaines hypothèses. C'est un grand choc d'apprendre qu'elles sont complètement fausses. Ça détruit votre équilibre, vous incite à vous interroger sur la moindre chose. Savez-vous ce que Michael a dit à Emily ? Il lui a dit que les choses qu'elle m'avait racontées m'avaient rendue si malheureuse que j'étais tombée malade et que j'avais dû aller à l'hôpital. Vous vous rendez compte, faire endosser ce genre de responsabilité à un enfant de sept ans ? (Puis elle prit un ton railleur.) Je suppose que ce n'est pas plus grave que tout ce qu'il lui a fait d'autre... Mais on s'en sortira. Nous voyons toutes deux une psychothérapeute, une personne recommandée par le Dr. Meloff. Elle est très bien. Je crois qu'elle sera en mesure de nous aider.

Elle fit une pause et tourna son regard vers la cuisine, sachant que Sarah prenait plus de temps qu'il n'en fallait pour faire le café. Et vous ? Comment allez-vous ?

— Bien. Enfin, non, ça n'est pas tout à fait vrai, poursuivit-il d'un trait. Je me suis senti coupable moi aussi, je suppose, à l'idée que j'aurais dû rester en contact avec vous, comprendre que quelque chose n'allait pas du tout le matin où je vous ai vue, que je n'aurais pas dû appeler Carole juste après que vous m'aviez téléphoné cet autre matin...

— Et pour quelle raison auriez-vous su que quelque chose clochait ? Vous êtes médium ? Comment auriez-vous pu savoir ? C'était la chose la plus naturelle du monde que d'appeler Carole...

— J'aurais pu tout faire rater.

Daniel se leva brusquement, s'avança vers la fenêtre et regarda dans la rue.

— C'est à cause de mon coup de téléphone que Carole a trouvé votre femme de ménage. C'est vraiment un coup de pot qu'elles n'aient pas réussi à joindre Michael à temps pour vous arrêter.

— Mais elles n'y ont pas réussi. On ne m'a pas arrêtée. On ne m'arrêtera plus à présent.

Daniel revint au milieu du salon et s'installa dans un grand fauteuil blanc.

— Où en sont les choses ?

— C'est difficile à dire, reconnut Jane. Le bureau du procureur est encore en train d'enquêter. Ils n'ont pas réussi à retrouver Pat Rutherford. Apparemment elle se balade en Europe et ne sera de retour que dans une semaine. Et Mr. Secord, le directeur d'Emily, se place résolument dans le camp de Michael. Ils ont eu une longue discussion quand Michael est venu chercher Emily à l'école ce fameux jour, avec sa tête bandée... Ça ne va pas être facile.

— Mais vous avez confiance, non ?

— Il y a quelqu'un qui pourrait accepter d'appuyer mes accusations par ses propres déclarations. Elle s'appelle Sally Beddoes et sa fille est une des patientes de Michael. Elle doit venir dans une heure environ.

— Le café est prêt, annonça Sarah en arrivant avec un grand plateau qu'elle posa sur la table basse en repoussant les boîtes emballées dans le papier argenté.

— Je vais les enlever, dit Daniel en prenant la petite boîte pour la poser sur le guéridon près de lui et en lisant la carte. C'est l'anniversaire de quelqu'un ?

— Le sens de l'humour de Michael, dit Sarah en montrant à Daniel l'alliance en diamants.

— Tu parles d'une blague.

Daniel referma la boîte avec la même nuance de mépris dont Jane avait fait preuve un peu plus tôt. Ce type ne comprend donc pas que vous avez demandé le divorce ?

— Je crois que tout ça fait partie de sa stratégie, dit Jane en mettant ses idées en ordre. Le mari amoureux jusqu'au bout.

— Mais il se bat pourtant contre vous pour avoir la garde, dit Daniel d'un ton affirmatif plus qu'interrogatif.

— Nous devons nous rencontrer avec nos avocats lundi prochain pour voir si nous pouvons parvenir à une sorte d'accord.

Jane prit la tasse de café que lui tendait Sarah.

— Je m'étonne que vous vouliez le rencontrer après tout ce qu'il a fait !

— Qu'est-ce qu'il a fait ? demanda Jane en ouvrant des yeux ronds feignant l'innocence. C'est moi qui ai perdu la mémoire et fait un petit tour chez les gagas. C'est moi qui suis violente. Je n'ai pas seulement tenté de le tuer, j'ai également menacé notre femme de ménage avec un couteau et ses parents avec une paire de ciseaux. Ils ne sont que trop heureux de pouvoir témoigner en sa faveur.

— Mais les drogues qu'il vous faisait prendre...

— Je les ai volées dans sa sacoche. Il ne me faisait des piqûres que quand je devenais violente.

— Et les médecins...

— ... témoigneront que je souffrais d'amnésie hystérique, ce qui, à mon avis, ne va pas me faire gagner beaucoup de points aux yeux du juge. Ils n'étaient pas là quand Michael me donnait les mauvais médicaments. C'est sa parole contre la mienne. Pour les médecins, il n'était rien d'autre que le plus attentionné des maris. Et c'est l'un d'entre eux, ne l'oubliez pas. Ils ne vont pas avoir très envie de parler défavorablement d'un collègue aussi respecté.

— Même le Dr. Meloff ? demanda Sarah.

— Tout ce qu'il sait, c'est que la femme qu'il a examinée était en pleine fugue hystérique. Il était en train de faire du canoë quand toute cette merde a vraiment commencé.

— Tu veux dire que Michael pourrait gagner ?

— Je dis qu'il a de bonnes chances s'il est décidé à se battre contre moi.

La sonnette de l'entrée retentit.

— J'y vais, déclara Jane en luttant contre un sentiment d'appréhension qui gagnait le creux de son ventre. Est-ce que Diane ramenait déjà Emily ? L'enfant avait-elle été trop bouleversée à l'idée de quitter sa mère pour tout l'après-midi ? Ou bien était-ce encore une surprise de Michael ?

Jane reconnut la femme qui se tenait dehors comme étant Sally Beddoes, la mère de l'enfant terrifiée qu'elle avait rencontrée dans la salle d'attente de Michael. Elle ouvrit aussitôt la porte.

— Mrs. Beddoes, dit-elle en faisant entrer la femme et en jetant un coup d'œil discret à sa montre. Je vous demande pardon. Je ne vous attendais pas avant une heure.

La femme lança un regard nerveux en direction de la rue.

— Je suis en avance, je sais. Je ne peux pas rester longtemps. Mon mari m'attend dans la voiture. Elle indiqua la Ford noire garée au bord du trottoir, le moteur tournant au ralenti.

— Il n'a pas besoin d'attendre dehors... commença Jane.

— Il préfère. Je lui ai dit que je n'en avais que pour une minute.

— Une minute ? Mrs. Beddoes, il y a beaucoup de choses dont nous devons parler.

— Entrez donc, Mrs. Beddoes, insista Sarah en s'approchant de Jane juste au moment où le téléphone se mit à sonner. Je viens de faire du café tout frais.

— Non, vraiment, je ne peux pas rester.

Il était évident que la femme ne bougerait pas du vestibule.

— Je crois que je ferais mieux d'aller répondre, fit observer Sarah en regardant Daniel. Danny, vous voulez venir répondre au téléphone avec moi ?

Daniel bondit aussitôt de son siège et suivit Sarah dans la cuisine.

— Mrs. Beddoes, je ne suis pas sûre de bien comprendre...

— Je crois que si.

— Je vous en prie, ne me dites pas ce que je crois deviner.

— Je suis désolée, Mrs. Whittaker. Je sais que vous comptiez sur moi, et je déteste être obligée de vous décevoir de cette façon...

— Alors ne le faites pas. Je vous en supplie, ne le faites pas, ajouta Jane dans un murmure.

— Mon mari et moi avons passé des heures à discuter

de ça hier soir. Il est inflexible. Il ne veut pas laisser témoigner Lisa.

— Mais le Dr. Whittaker a abusé d'elle !

— Nous n'en n'avons aucune preuve.

— Vous ne croyez pas ce qu'elle vous a raconté ?

Sally Beddoes regarda ses pieds d'un air coupable.

— Moi, je la crois. Mais qui d'autre le fera ? Qui d'autre croira une enfant de quatre ans qui a notoirement très peur des médecins ?

— Vous oubliez qu'elle ne sera pas toute seule. Ma fille apportera aussi son témoignage. Un juge ne rendra pas un non-lieu aussi facilement si nous sommes deux. Et le procureur est en train d'éplucher les dossiers de mon mari pour déterminer s'il a pu violenter d'autres enfants.

Jane pouvait percevoir le désespoir qui s'insinuait dans sa propre voix. Elle savait que jusqu'à présent le procureur n'avait trouvé personne qui veuille s'avancer.

— Lisa a déjà traversé tellement d'épreuves dans sa jeune vie, était en train de dire Sally Beddoes en luttant contre les larmes. Elle a subi six graves opérations depuis l'âge de deux ans. Vous ne comprenez donc pas ? Ça serait une erreur de notre part de la soumettre encore à d'autres examens médicaux, aux questions des procureurs et aux harcèlements des avocats. Elle a été suffisamment traumatisée pour toute sa vie. Nous ne pouvons pas lui en faire subir davantage.

Ses yeux cherchèrent ceux de Jane.

— Je vous en prie, essayez de comprendre.

— Oui, lui dit Jane avec franchise. Je comprends.

— Je suis vraiment désolée.

Sally Beddoes courut dans l'allée jusqu'à la voiture qui attendait.

— Oh, mon Dieu, gémit Jane tandis que la voiture démarrait.

Elle entendit Daniel et Sarah derrière elle et s'effondra dans les bras de Daniel.

— Oh, mon Dieu. Sans elle je n'ai aucune chance.

— N'abandonne pas maintenant, Jane, lui dit Sarah d'un ton pressant. Tu as la vérité de ton côté.

— La vérité c'est que je vais perdre ma petite fille !

— Non, Jane, on ne laissera pas faire ça.

— Oh, vraiment ? Qu'est-ce que vous allez dire quand l'avocat de Michael vous interrogera sous serment au sujet de mon mariage ? Vous allez lui dire que vous l'avez toujours considéré comme un mariage divin, que Michael était aussi amoureux et prévenant qu'un homme peut l'être, que j'ai bien dû vous dire un million de fois au fil des années à quel point j'avais de la chance, à quel point je l'aimais. Et au sujet de cette soirée où vous êtes venus dîner, quand j'ai perdu connaissance et qu'il a fallu me transporter en haut ? Quel effet crois-tu que ça fera sur un juge ?

— Nous lui ferons comprendre, suggéra Daniel, mais il ne parvint pas à avoir l'air convaincant.

— Ne croyez pas que Michael ne va pas vous utiliser vous aussi. Ne croyez pas qu'il ne va pas utiliser tous mes amis contre moi.

— Carole témoignera que Michael lui a menti à propos de notre prétendue liaison, lui rappela Daniel.

— Michael mentait-il, ou ne faisait-il que répéter les mensonges que je lui avais racontés ? riposta Jane. Croyez-moi, il a assuré tous ses arrières.

— Il doit bien y avoir quelque chose que tu puisses faire, marmonna Sarah.

— Il y a quelque chose.

Jane se dirigea vers les chambres à l'arrière du grand bungalow.

— Jane, où vas-tu ? Qu'est-ce que tu vas faire ?

— Il est temps que je disparaisse à nouveau. Seulement, cette fois j'emmène Emily avec moi.

— Jane, vous ne pouvez pas faire ça, implora Daniel en la suivant et en l'interceptant avant qu'elle n'atteigne sa chambre. Michael vous retrouvera ; il vous traquera et vous ramènera, et alors là, c'est sûr qu'il obtiendra la garde.

— C'est un risque que je dois prendre.

— Jane, asseyons-nous un moment pour parler de tout ça, dit Sarah avec insistance.

— Vous ne pouvez pas passer le reste de votre vie à

vous enfuir, à regarder par-dessus votre épaule. Quelle sorte de vie ça serait pour Emily ? demanda Daniel.

— Quelle sorte de vie ça serait si Michael obtenait la garde ?

— Mais où irais-tu ? interrogea Sarah. Comment vivrais-tu ?

Jane baissa la tête, incapable de trouver une réponse satisfaisante.

On entendit un coup frappé avec force à la porte d'entrée.

— Excusez-moi, il y a quelqu'un ?

— Qui ça peut bien être ? dit Sarah.

Jane parvint la première dans le vestibule, attirée comme par un aimant par la voix familière. C'est impossible, se dit-elle. Non, c'est impossible.

Paula Marinelli se tenait sur le porche, le visage aussi sérieux que d'habitude.

— La porte était ouverte... commença-t-elle.

— Qu'est-ce que vous faites ici ? demanda Jane, se demandant ce que Paula avait pu surprendre de leur conversation.

— Michael m'a appris que vous étiez ici. Je me suis dit qu'on devrait avoir une conversation.

— Je n'ai rien à vous dire.

N'y avait-il donc aucune limite à l'audace de cette femme ? Jusqu'où n'irait-elle pas pour l'homme qu'elle idolâtrait ?

— Je crois que vous feriez mieux de vous en aller avant que je n'appelle la police, lui dit Sarah. Vous pouvez signaler à votre patron que Jane se porte à merveille.

— C'est ce que je ferai, dit Paula, tandis que Jane luttait contre l'envie de lui sauter à la gorge. Mais pas avant d'avoir dit pourquoi je suis venue.

— Dans ce cas, répondit Jane, curieuse malgré elle, nous ferions mieux de nous asseoir.

32

La première chose que remarqua Jane, quand elle rencontra Michael au cabinet de l'avocat de celui-ci, fut à quel point il paraissait en pleine forme et sûr de lui. Il n'avait pas de cernes sous les yeux qui auraient pu trahir un manque de sommeil. Il avait les mains calmes et la voix chaude.

— Bonjour, Jane, dit-il avec aisance.

— Michael, répondit Jane en lissant les plis de son tailleur-pantalon beige de chez Armani et en s'efforçant de ne pas l'insulter. Elle n'aurait pas dû venir ici, se dit-elle, en réprimant l'envie de s'enfuir de la pièce luxueusement meublée. Elle aurait dû prendre Emily et se sauver, au lieu d'écouter ses amis, au lieu de tout risquer.

— Comment vas-tu ?

Michael parvenait à avoir l'air de s'inquiéter de son bien-être.

— Beaucoup mieux, déclara-t-elle entre ses dents, consciente de ce que l'avocat de Michael, Tom Wadell, l'observait depuis son vaste bureau en marbre.

Il attend que je commette une erreur, que je m'emporte, peut-être, quelque chose qui leur donnerait des armes supplémentaires à utiliser contre moi au tribunal.

— Ma secrétaire peut-elle vous préparer une tasse de café en attendant que Miss Bower arrive ? demanda l'avocat en passant sa main aux longs doigts manucurés sur son crâne dégarni.

— Non, merci.

— Puisque l'avocate de ma femme a été malheureusement retardée, commença Michael — et Jane se mordit très fort la langue pour s'empêcher de crier — peut-être Jane et moi pourrions-nous en profiter pour nous entretenir quelques instants en particulier.

Jane secoua la tête d'étonnement et resta sans voix. Qu'est-ce que Michael cherchait à faire ?

— Je ne crois pas que ce soit une demande déraisonnable, ajouta rapidement Michael en regardant son avocat.

— Mrs. Whittaker ? interrogea Tom Wadell.

— Je ne voudrais certes pas avoir l'air déraisonnable, dit Jane, sans se donner la peine de déguiser son sarcasme.

Tom Wadell se leva de son haut fauteuil en cuir bordeaux.

— Je suis dans la salle de réunion. Ma secrétaire est juste de l'autre côté de la porte... au cas où vous auriez besoin de quoi que ce soit.

Au cas où vous auriez besoin de crier pour qu'on vienne vous secourir de cette femme démente, c'était là ce qu'il voulait dire, comprit Jane, et elle le regarda fermer la porte derrière lui. Machinalement, elle recula d'un pas. Michael prit un air blessé, presque offensé.

— Que crois-tu donc que je vais te faire, Jane ?

— Qu'est-ce qui reste ? lui demanda Jane en retour.

— Je pensais que nous pourrions nous parler comme deux adultes...

— Concept intéressant, chez un homme qui préfère les enfants.

Michael baissa les yeux au sol.

— Tu ne simplifies pas les choses.

— J'ai dû oublier de prendre mon Haldol ce matin.

Michael leva lentement les yeux vers elle, la bouche crispée.

— Je sais ce que tu penses que j'ai fait, Jane, mais...

— Oh, épargne-moi, Michael, tu veux bien ? Garde

tes mensonges pour le tribunal. Si c'est de ça que tu voulais parler…

— Je veux récupérer ma femme.

— Quoi ?!

— Je t'aime, Jane. Je sais que tu ne le crois pas. Je sais que tu penses que je suis une espèce de monstre, mais il faut que tu croies que je t'aime. Je veux juste que ce cauchemar soit terminé et qu'Emily et toi vous reveniez à la maison, là où est votre place.

Jane se laissa tomber dans le canapé en cuir bordeaux placé le long du mur en face du bureau de Tom Wadell, et elle entendit l'air s'échapper en sifflant du vaste siège. Etait-elle à nouveau en train de perdre ? Ces paroles pouvaient-elles réellement sortir de la bouche de Michael ?

Il mit la main dans sa poche et en retira le petit écrin de bijoutier que Jane lui avait renvoyé par la même société de courses que celle qu'il avait utilisée le jour précédent.

— Je l'ai acheté pour toi, Jane. Je veux que tu le prennes.

Jane sentit ses poings se serrer. Etait-ce donc ça, son plan ? Espérait-il qu'elle le frapperait ?

— Tu me manques, Jane. Notre vie commune me manque. Notre fille me manque.

— La fille dont tu m'as dit qu'elle était morte.

Michael passa une main ferme dans ses cheveux.

— Je sais que c'est ce que tu crois que je t'ai dit…

— Je vois. Alors maintenant c'est mon audition qui est douteuse, elle aussi.

— Jane, tu étais totalement irrationnelle. Hystérique. Comment peux-tu être sûre de ce que t'a raconté qui que ce soit ?

Jane ferma les yeux, sans un mot. Pouvait-elle vraiment être sûre ?

— Je t'aime, Jane, dit-il en s'asseyant près d'elle. Je sais ce que tu crois que j'ai fait, à toi et à notre fille, mais je sais aussi qu'avec le temps et avec l'aide d'une thérapie appropriée, tu finiras par comprendre que rien ne s'est passé de la façon que tu crois, que je n'ai jamais fait aucune des choses dont tu m'accuses.

— Et Emily ? demanda Jane. Combien de temps lui faudra-t-il pour comprendre ?

— Emily a sept ans, expliqua Michael patiemment. Rien ne pourrait la rendre plus heureuse que de voir ses parents à nouveau ensemble.

Il fit un geste pour lui prendre les mains. Jane regarda ses longs doigts de chirurgien se tendre vers les siens. Puis elle leva son regard vers son visage. Elle suivit les lignes rebelles de son nez, examina ses lèvres pleines, ses cheveux blonds, ses yeux vert clair, s'efforçant de rassembler tous ces éléments en un tout reconnaissable. Mais il lui était davantage étranger à présent que quand elle l'avait vu deux mois plus tôt dans le bureau du Dr. Meloff.

— Si tu me touches, je te tue, prononça-t-elle d'un ton égal.

Michael retira aussitôt ses mains et se mit brusquement debout, manifestement secoué. Jane se demanda si c'étaient ses paroles ou le calme avec lequel elle les avait prononcées qui l'avaient effrayé.

— Tu me menaces, Jane ? demanda-t-il en secouant la tête avec un étonnement apparent.

C'est alors qu'il vint à l'esprit de Jane que le bureau était peut-être truffé de micros. Avait-elle tout fait rater ? Oh, Seigneur, où était donc son avocate ? Qu'est-ce qui pouvait retenir cette femme si longtemps ?

— C'est exactement ce type d'attitude qui nous a entraînés dans ce gâchis, était en train de dire Michael. Il n'y a aucune place dans ta vie pour aucun compromis, pour aucune solution pacifique. Ça non, personne ne peut rien dire à Jane Whittaker. Elle sait tout. Elle a réponse à tout. C'est elle qui mène la barque. On ne peut rien faire sans son accord. Il faut que ce soit toi qui prennes toutes les décisions clés : où on va ; qui on voit ; ce qu'on fait ; quand on fait l'amour ; *comment* on fait l'amour…

Jane fit un effort pour reconstituer le puzzle de ses accusations soudaines.

— Es-tu en train de vouloir dire que c'est ma faute à moi si tu as abusé de notre fille ?

— Pour l'amour du ciel, Jane. Je n'ai jamais abusé d'Emily !

Il leva les mains au plafond, comme pour solliciter l'aide d'une instance supérieure.

— Elle est entrée un soir dans la salle de bains pendant que j'étais en train de pisser. Tu étais allée à une de tes réunions. Elle était curieuse, comme l'aurait été n'importe quel enfant. Elle a demandé si elle pouvait me toucher. Je n'y ai vu aucun mal. C'était si innocent. Je n'avais aucune idée des répercussions…

— Alors maintenant, c'est la faute d'Emily.

— Pourquoi tiens-tu tellement à ce que ce soit la faute de quelqu'un ?

— Pourquoi ne vas-tu pas te faire foutre immédiatement ?! aboya Jane, d'une voix plus forte qu'elle ne l'aurait voulu.

On frappa à la porte.

— Tout va bien ? s'enquit une voix de femme.

Michael s'avança vers la porte et l'ouvrit d'un air anxieux.

— Je crois que vous pouvez demander à Mr. Wadell de revenir, à présent, dit-il à la secrétaire qui paraissait inquiète, et sa déception perçait sous chaque mot. Il ne semble pas que nous puissions arriver à quelque chose par nous-mêmes.

— Joli coup, Michael, dit Jane, étonnée de constater comme il l'avait bien eue.

Il la regarda comme s'il ne comprenait pas ce qu'elle voulait dire, et Jane se demanda alors si elle aurait la moindre chance contre lui devant le tribunal.

— Regardez qui est là, s'exclama Tom Wadell en introduisant l'avocate de Jane dans la pièce, puis il fit signe à tout le monde de s'asseoir sur les sièges assemblés devant son bureau.

L'avocate était originaire de Floride, s'appelait Renee Bower et était venue s'installer dans la région de Boston après une brève expérience à New York. C'était une femme séduisante dont l'apparence pleine de douceur se trouvait démentie par l'âpreté de sa nature profonde. Elle rassura Jane d'un bref signe de tête en s'installant, nullement impressionnée par l'opulence du cadre.

— Désolée d'être en retard. Ça a été plus long que prévu au bureau du procureur.

— Je crois que nous devrions entrer tout de suite dans le vif du sujet, déclara Michael une fois les présentations faites.

— Nous sommes ouvertes à toute suggestion raisonnable, dit Renee Bower.

Tom Wadell s'éclaircit la voix.

— Mon client ne tient pas à une trop longue et pénible bataille devant les tribunaux. De plus, en tant que père concerné, il ne souhaite pas que sa fille soit séparée de sa mère à ce tournant dramatique de sa vie. Il considère que l'enfant a déjà subi suffisamment de préjudices, et ne souhaite pas ajouter à ses souffrances. Il est par conséquent disposé à laisser à Mrs. Whittaker la garde d'Emily.

Jane décocha un regard perçant à Michael. Se pouvait-il vraiment qu'il ait fini par écouter sa conscience, qu'il leur épargne le supplice d'une audience au tribunal ?

— Et en échange ? demandait Renee Bower.

— En échange, votre cliente abandonne toutes les allégations d'abus sexuel qu'elle porte à l'encontre du Dr. Whittaker.

— Ma cliente obtient la garde unique ?

— Le Dr. Whittaker aura un large droit de visite.

— Qu'est-ce que ça veut dire, large droit de visite ? interrompit Jane en se penchant en avant, sentant se dissiper sa joie.

— Mon client verrait sa fille un week-end sur deux et tous les mercredis soir. Ainsi qu'un mois chaque été et une semaine à Noël et à Pâques. Les autres vacances seraient partagées à part égale entre les deux parents.

— Jamais, dit Jane avec colère. Je ne te laisserai jamais voir Emily sans surveillance.

— Tu crois vraiment que je vais accepter de ne voir ma fille que quelques heures par semaine en présence d'une assistante sociale en train d'épier le moindre de mes gestes ? demanda Michael.

— C'est le maximum que je puisse accepter.

— Je vois. Tu veux jouer le jeu ! Parce que si tu n'acceptes pas mon offre, Jane, et je pense que ton avocate te dira que c'est une sacrée bonne proposition, alors je me battrai contre toi pour tout. Quand j'en aurai terminé avec toi, tu pourras t'estimer heureuse si tu peux revoir ta fille.

Il marqua un temps d'arrêt, laissant à ses paroles le temps d'être assimilées.

Jane tourna son regard vers Renee Bower, mais celle-ci était en train de fixer Michael.

— Tu crois vraiment que tu peux maintenir tes accusations obscènes ? poursuivit Michael en se levant et il se mit à tourner en rond dans la pièce. Que le procureur, étant donné l'évidence manifeste de ton amnésie hystérique, va te croire, toi, plutôt que moi ? Et après ça, quand nous nous affronterons pour obtenir la garde, tu crois que les juges vont accorder du crédit à la parole d'une femme qui, en plus d'oublier qui elle est, a tout un passé de violence consistant entre autres à avoir frappé méchamment son mari à la tête et à avoir tabassé des étrangers ? Ça te paraît logique ?

Il s'interrompit, mais il était clair qu'il n'avait pas terminé.

— Et Emily ?

— Emily ?

— Oui, Emily. Tu ne comprends donc pas le mal que tu lui ferais en la forçant à témoigner au tribunal contre son propre père ?

Jane bondit sur ses pieds, faisant basculer sa chaise, que son avocate tenta vainement de rattraper.

— Quel mal je fais, moi ?

— Si tu ne te préoccupes pas de moi, Jane, si ça t'est égal de savoir ce que ces accusations scandaleuses pourront faire à ma vie à moi, alors ne peux-tu au moins penser à notre petite fille ?

— Espèce de salaud !

— Jane, l'avertit son avocate.

— Comment oses-tu, siffla Jane en abattant son poing sur le plateau de marbre froid du bureau, ce qui fit reculer Tom Wadell. Comment oses-tu essayer de tout déformer.

— Taper du poing sur le bureau, Jane, c'est un bon début. Qu'est-ce qu'il y a de prévu, ensuite ?

— Jane, la mit en garde Renee Bower, ne vous laissez pas aller.

— Peut-être devrions-nous remettre cette entrevue, vous donner un peu de temps pour étudier notre proposition, suggéra Tom Wadell en se levant.

— Accordez-moi un instant pour que tout soit bien clair, demanda Jane. Je veux être sûre de bien tout comprendre.

Elle se mit à marcher de long en large, et Michael retourna en hâte à son siège pour ne pas se trouver sur son chemin.

— Tu échappes à la publicité et aux répercussions d'un procès pénible ; tu réussis à conserver ton poste à l'hôpital ainsi que ton éblouissante réputation ; en échange, j'obtiens la garde unique d'Emily. Je m'occupe d'elle au quotidien ; tu obtiens de pouvoir abuser d'elle le mercredi soir et un week-end sur deux...

— Jane, pour l'amour du ciel.

Michael écarta les cheveux qui lui tombaient sur le front.

— ... Sans parler d'une semaine à Noël et à Pâques et d'un mois entier pendant l'été.

— Je ne pense pas que ceci puisse nous avancer à grand-chose.

Tom Wadell se mit à rassembler ses papiers.

— Vous espérez vraiment que je vais être d'accord là-dessus ?

Jane s'arrêta juste en face de son mari. Avait-elle l'intention de le frapper ? Dieu sait qu'elle ne pourrait avoir de plus grande satisfaction.

Michael avança lentement son menton vers elle d'un air plein de défi et de sarcasme.

— Et comme un imbécile je pensais qu'un compromis pourrait intervenir au mieux de nos intérêts.

Jane prit sur elle pour garder ses mains le long de son corps, pour se retenir d'arracher les yeux de son mari.

Et tout à coup elle vit Emily se reflétant dans ces yeux, et elle comprit qu'elle ne pouvait espérer gagner ou exercer sa vengeance que si elle gardait son calme. Comme c'est étrange, songea-t-elle, que dans ce cas précis l'espoir et la vengeance reviennent au même.

— Oh, c'est au mieux de tes intérêts à toi, d'accord. Et peut-être même des miens, dit-elle en retournant s'asseoir. Mais pas au mieux de ceux d'Emily.

Elle tourna la tête vers son avocate, qui tendit le bras et posa sa main sur celle de Jane.

— D'ailleurs, il est beaucoup trop tard pour des compromis, à présent.

Michael rit amèrement.

— Et qu'est-ce que ça signifie ?

Jane laissa son avocate parler pour elle.

— J'arrive juste du bureau du procureur, déclara Renee Bower. Il s'apprête à vous inculper de crime.

Michael lança un regard à son avocat.

— Le procureur sait bien que ces inculpations ne tiendront jamais, dit Tom Wadell d'un ton confiant. Je ne peux imaginer qu'il entame un procès sur la simple déclaration d'une enfant impressionnable et de sa mère, pardonnez-moi l'expression, sérieusement déséquilibrée.

Il sourit à Jane comme s'il venait de lui faire un grand compliment.

— Il n'y a plus notre seule parole à présent, lui dit Renee Bower.

Jane vit le sourire se figer sur son visage.

— Qu'est-ce que ça signifie ? interrogea Michael.

— Si vous voulez bien m'excuser un instant, proposa Renee Bower, je pense être en mesure d'éclaircir tout cela.

Elle se leva de son siège et sortit du bureau.

— Qu'est-ce que c'est que tout ce bordel, Jane ? demanda Michael.

— Détendez-vous, lui conseilla son avocat. Miss Bower est bien connue pour ses mises en scène.

Moins d'une minute plus tard, Renee Bower revint en compagnie de Paula Marinelli.

— Paula! Dieu merci, s'écria Michael. Nous avons essayé de vous joindre pendant toute la semaine.

Il bondit et lui saisit la main pour la conduire vers le bureau de son avocat.

— Tom, voici Paula Marinelli, ma femme de ménage, celle qui m'a aidé à m'occuper de Jane. Elle sait mieux que quiconque dans quel état était Jane.

— Vous serez peut-être intéressé d'entendre ce que Miss Marinelli a à dire, suggéra Renee Bower, en signifiant à Paula qu'elle pouvait commencer.

— Comment avez-vous pu faire ça, Dr. Whittaker? demanda Paula d'une voix tranquille et monocorde. J'avais confiance en vous. Non, je pensais que vous marchiez sur l'eau. Comment avez-vous pu me trahir comme vous l'avez fait? Comment avez-vous pu faire du mal à ma petite fille?

De blanc, le visage de Michael prit un aspect terreux.

— Lui faire du mal? Mon Dieu, je lui ai sauvé la vie!

— Oui, c'est vrai, reconnut Paula, et je vous en serai toujours reconnaissante.

— Dites-nous donc ce que vous avez raconté au procureur, dit Tom Wadell, et ses yeux laissaient voir qu'il saisissait la situation.

— Quand ma fille Christine a commencé à faire des cauchemars, commença Paula en regardant l'avocat de Michael bien en face, j'ai cru que ce n'était qu'un truc d'enfant. Je n'y ai pas fait très attention, même après que ma mère m'eut dit qu'elle pensait qu'il y avait autre chose. Quand Christine m'a annoncé qu'elle ne voulait pas aller à sa visite médicale parce que le docteur *me touche d'une drôle de façon,* je n'en ai rien conclu de particulier. Quand elle a persisté, je l'ai rassurée en lui disant que le Dr. Whittaker ne la touchait que là où il le fallait pour qu'elle aille mieux. J'ai refusé d'écouter ce qu'elle était réellement en train de dire. Une fois, je lui ai même donné une fessée pour oser inventer des histoires aussi épouvantables.

— Tom, c'est ridicule, coupa Michael. Est-ce que je dois écouter ces conneries?

— Je crois que ça serait une bonne idée si vous restiez assis, lui conseilla son avocat.

Michael s'effondra sur son siège comme une poupée gonflable qui aurait eu un trou sur le côté. Jane pouvait presque entendre l'air qui s'en échappait.

— Quand j'ai entendu l'histoire de Jane, poursuivit Paula, quand j'ai appris ce que le Dr. Whittaker avait fait à sa propre petite fille, j'ai réalisé que tout ce que Christine m'avait dit était vrai. J'ai été tellement secouée que je n'ai pas pu bouger. C'était comme si on m'avait découpé le cœur.

Paula secoua la tête en signe d'incrédulité.

— Je croyais cet homme plutôt que mon enfant. J'ignorais les appels à l'aide de celle-ci parce que je lui faisais confiance à lui. J'ai toujours fait ce qu'il m'a demandé sans poser de question. J'ai drogué sa femme et l'ai coupée de sa famille et de ses amis. Je lui ai donné des pilules et lui ai fait des piqûres, parfois sans arrêt, si c'était ce qu'il me disait. Je l'ai regardée souffrir sans rien faire parce que je le croyais quand il disait que c'était pour son bien à elle. Maintenant je sais que c'est un menteur. Je sais qu'il a abusé de sa fille et qu'il a abusé de la mienne aussi, et je suis prête à témoigner de tout ça sous serment. J'ai hâte de pouvoir témoigner de tout ça. Voilà, c'est ce que j'ai dit au procureur.

Il y eut plusieurs secondes de silence total pendant lesquelles on eut l'impression que personne ne respirait.

Renee Bower fut la première à parler.

— Je crois que nous avons donné à ces messieurs matière à réflexion.

Elle se mit debout.

— Nous devrions leur laisser un peu de temps pour considérer tout ça.

Elle regarda l'avocat de Michael en face.

— Vous m'appellerez ?

Tom Wadell hocha la tête en silence. Michael enfouit la tête dans ses mains tandis que Renee Bower conduisait Jane et Paula hors de la pièce. Personne ne prononça une parole avant de se retrouver dans la rue.

— Comment pourrai-je jamais vous remercier ? demanda Jane en se tournant vers Paula.

— Vous plaisantez ? C'est moi qui vous dois tout.

Jane tendit les bras et serra la femme contre elle.

— Prenez bien soin de votre petite fille.

— Vous aussi, murmura Paula avant de s'éloigner en hâte dans la rue. Jane la regarda jusqu'à ce qu'elle ait tourné au coin et qu'elle soit hors de vue.

— Et maintenant ? demanda-t-elle à Renee Bower.

— Eh bien, les inculpations ne nous appartiennent plus.

— Et Emily ?

— Je ne pense pas que nous ayons de problème de ce côté-là. Renee Bower jeta un coup d'œil à sa montre.

— Il est un peu tôt pour le déjeuner, mais j'ai une petite faim. Pas vous ?

Jane sentit un sourire lui envahir le visage.

— En cas de doute, mange, dit-elle, et elle rejeta la tête en arrière avant de partir d'un grand éclat de rire. Allons-y. Je meurs de faim.

Composition réalisée par BUSSIÈRE 18200 Saint-Amand-Montrond

IMPRIMÉ EN FRANCE PAR BRODARD ET TAUPIN
Usine de La Flèche (Sarthe).
LIBRAIRIE GÉNÉRALE FRANÇAISE - 6, rue Pierre-Sarrazin - 75006 Paris.
ISBN : 2 - 253 - 07627 - 9   ✪ 30/7627/0